A Reinaldo Fi-
gueredo con un
cordial saludo de
su amigo

Osvaldo Hurtado

Quito 3.10.00.

OSVALDO HURTADO

EL PODER POLITICO
EN EL ECUADOR

DECIMA EDICION ACTUALIZADA.
INCLUYE LOS ESTUDIOS INTRODUCTORIOS
A LAS DOS ULTIMAS EDICIONES.

PLANETA
Letraviva

Primera edición: Pontificia Universidad Católica del Ecuador, Quito, 1977.

Segunda edición: Pontificia Universidad Católica del Ecuador, Quito, 1978.

Tercera Edición: Pontificia Universidad Católica del Ecuador, Quito, 1979.

Cuarta edición: Ariel, Barcelona, 1981.

Quinta edición: Planeta, Quito, 1983.

Sexta edición: Ariel, Planeta-Letraviva, Quito, 1988.

Séptima edición: Ariel, Planeta-Letraviva, Quito, 1989.

Octava edición: Ariel, Planeta-Letraviva, Quito, 1990.

Novena edición: Ariel, Planeta-Letraviva, Quito, 1993.

Décima edición: Planeta-Letraviva, Quito, 1997.

Undécima edición: Planeta-Letraviva, Quito, 1997.

Duodécima edición: Planeta-Letraviva, Quito, 1998.

Décima tercera edición: Planeta-Letraviva, Quito, 1999.

EL PODER POLITICO EN EL ECUADOR

LETRAVIVA - EDITORIAL PLANETA DEL ECUADOR S. A.

Eduardo Whymper 250 y

Avenida Francisco de Orellana

Quito, Ecuador

Ilustración de la cubierta: Oswaldo Guayasamín, Mural del Congreso en Quito

ISBN: 84-344-42310

Impreso en Ecuador - Printed in Ecuador

A PROPOSITO DE LA DECIMA EDICION

Con ocasión de publicarse la décima edición de *El poder político en el Ecuador*, que coincide con los veinte años de cuando apareció por primera vez en 1977, sus editores me han pedido que escriba un nuevo texto introductorio.

Origen y aportes

Con la preparación de mi tesis de grado, inédita hasta ahora, en la que formulé un diagnóstico económico, social, cultural y político del subdesarrollo ecuatoriano (1966), inicié una relación académica con las ciencias sociales de la que no he podido desprenderme en los treinta años transcurridos, aun en los períodos en los que las campañas electorales o el ejercicio de funciones públicas absorbieron mi tiempo. Muchos de los materiales en ella contenidos fueron usados para la investigación que dirigí, por encargo del Instituto Ecuatoriano para el Desarrollo Social (Inedes), y que dio origen al libro *Dos mundos superpuestos* (1969). En él se sistematizaron los distintos aspectos de la realidad ecuatoriana en función de los problemas de los sectores marginados —concepto en boga en aquella época— para proporcionar a Inedes y a otras instituciones de inspiración cristiana un diagnóstico sociológico que les permitiera orientar sus programas de promoción popular y desarrollo social. Más tarde aquel trabajo se complementó con otra investigación que publiqué en 1974 bajo el título *La organización popular en el Ecuador.*

Dos mundos superpuestos fue el primer libro que resumió metódicamente la realidad ecuatoriana, en una época en la que la sociología aplicada comenzaba a dar sus primeros pasos. Es ilustrativo el hecho de que en la bibliografía que cité apenas constaron 37 autores ecuatorianos —buena parte historiadores—, número menor que el de extranjeros, de cuyas teorías y estudios sobre América Latina me valí en lo que fueron compatibles con la problemática del Ecuador. Las fuentes ecuatorianas más importantes correspondieron a las publicaciones del Banco Central y de la Junta de Planificación.

Si bien *Dos mundos superpuestos* fue un libro concebido con el propósito de iniciar a los lectores en el conocimiento de la realidad económica, social, cultural y política del Ecuador, sus críticos observaron la ausencia de un análisis histórico y de una interpretación global. *El poder político en el Ecuador* fue la respuesta, como lo señalé en la introducción a su primera edición.

El interés que despertó en los lectores y la generosa crítica que recibió en los medios académicos ecuatorianos y extranjeros, promovieron su difusión. Fue traducido al inglés (*Political Power in Ecuador*), idioma en el que se hicieron dos ediciones (University of New México Press, Albuquerque 1980, y Westview Press, Boulder 1985), y al portugués (*O Poder Politico no Ecuador*, Paz e Terra, Rio 1981).

En la preparación de *El poder político en el Ecuador* trabajé cinco años. Sin mi nombramiento como profesor a medio tiempo en la Universidad Católica del Ecuador (1973) gracias a la intervención del rector Hernán Malo, un destacado humanista prematuramente fallecido, nunca habría dispuesto del tiempo necesario para ordenar los materiales acumulados, concluir la investigación y escribir el manuscrito. La preparación de las clases de Sociología Política que dicté en la Universidad Católica y en el Centro Andino de la Universidad de Nuevo México, así como las discusiones que tuve con sus alumnos, contribuyeron a la definición del esquema final y a la elaboración de algunos análisis. El interés que puso en mi trabajo el rector Malo también me permitió contar, como ayudantes de investigación, con el inteligente aporte de los estudiantes José Vicente Zevallos y Augusto de la Torre, que más tarde culminaron brillantemente sus carreras de sociología y economía en universidades norteamericanas. El historiador americano Nick Mills y el profesor Simón Espinosa revisaron el manuscrito y formularon importantes observaciones. Ocasionalmente también colaboraron en la investigación el estudiante americano Daniel Ford y el universitario Marco Romero.

En la época en la que escribí *El poder político en el Ecuador*, en las ciencias sociales la influencia del análisis marxista era dominante. A él recurrían no sólo los seguidores de aquella idología sino casi todos los científicos sociales ecuatorianos, que consideraban a los materialismo histórico y dialéctico los únicos instrumentos teóricos válidos para comprender e interpretar la realidad nacional. Proceder de modo diferente era visto como una herejía, en un mundo académico que maniqueamente dividía a los científicos sociales entre los que querían cambiar las estructuras dominantes —los marxistas— y los que deseaban mantenerla: los demás.

Los trabajos realizados desde la perspectiva de la sociología marxista incurrieron en el error de acomodar los fenómenos analizados a supuestos ideológicos preconcebidos, en ocasiones de manera tan arbitraria que terminaron deformando la realidad investigada. Pero, por entonces, observaciones de esta naturaleza eran dogmáticamente desechadas. Tuvo que pasar el tiempo para que las evidencias aportadas por un mundo y un Ecuador distintos a los esperados tornen obvias las inconsistencias de aquellos textos que, actualmente, han perdido vigencia y lectores.

No en vano la democracia y la economía de mercado se han vuelto universales y, en cambio, la dictadura del proletariado como sistema político y el Estado colectivista como sistema económico prácticamente han desaparecido.

Siempre discrepé sobre la validez del análisis marxista de la historia para comprender la evolución del Ecuador. Punto de vista que sustenté empíricamente en *El poder político en el Ecuador*, con el estudio que hice sobre la conformación del poder en la Colonia, su consolidación en la República y su crisis en la segunda parte del siglo XX. Un capítulo entero —la lucha de clases— dediqué a demostrar que la historia ecuatoriana no ha sido determinada por los conflictos producidos al interior de la clase dominante y entre explotadores y explotados, ni fue el simple y mecánico resultado de las pugnas de intereses económicos antagónicos, condicionados por el desarrollo de las fuerzas productivas. Y que nuestra historia más bien ha caminado conducida por fuerzas y conflictos ideológicos, culturales, religiosos, regionales, étnicos y, por cierto, económicos y sociales. Más aún, como observaron mis antiguos lectores, advertirán los nuevos y se ha repetido en estos veinte años, el proceso histórico ecuatoriano con frecuencia ha sido el resultado de conflictos de intereses personales, a veces elementales.

La categoría de la dependencia, que en su concepción original fue un instrumento útil para apreciar la forma en que los llamados factores externos influían y condicionaban el desarrollo de los países latinoamericanos, fue llevada a posiciones extremas por los politólogos, sociólogos y economistas neomarxistas ecuatorianos. Para ellos la historia del país era el simple reflejo de un sistema mundial omnipresente en todos los problemas nacionales. Su papel era tan decisivo que importaban poco, o nada, las condiciones internas y lo que hicieran los diversos actores económicos, sociales y políticos para modificarlas, pues el desarrollo del Ecuador no podría alcanzarse mientras no se rompieran las relaciones de dependencia con los países centrales.

Varios capítulos fueron escritos para probar que los factores externos, si bien influyeron en el atraso del país, de ninguna manera lo determinaron. La presencia norteamericana y europea fue limitada hasta bien entrado el siglo XX, en razón del aislamiento geográfico y económico en que vivió Ecuador. Por este motivo y porque las influencias extranjeras, en algunos órdenes, más bien fueron positivas en la medida en que contribuyeron a la modernización del Ecuador, era un absurdo plantear el subdesarrollo nacional como un simple reflejo de la explotación del capitalismo mundial y del imperialismo. Realidad que en estos años ha sido puesta en evidencia por los llamados dragones asiáticos, países que gracias a sus vínculos estrechos con la economía internacional lograron progresar económica y socialmente, de manera asombrosa, resultados que no consiguieron las naciones que se aislaron o limitaron sus relaciones con el exterior.

El poder político en el Ecuador ha tenido una enorme influencia en mi actividad política de los últimos veinte años. De sus análisis he partido para definir estrategias y programas políticos y, con las correspondientes actualizaciones, a ellos recurrí para tomar decisiones en las campañas electorales de los años 1977-79, en la Vicepresidencia y Presidencia de la República y en tantos otros acontecimientos públicos en que he participado desde que dejé el gobierno.

El conocimiento de la historia del país y de la realidad nacional que me proporcionó su preparación y mi valoración del análisis político, me han ayudado a no perder el sentido de la objetividad, tan necesario para gobernar y orientar la opinión pública. Ellos me han permitido apreciar los hechos como efectivamente son y no como los veían entusiastas colaboradores o como lo apuntaban las encuestas de opinión pública, a las que tanto recurren los políticos.

También me han ayudado a situar los problemas en el amplio horizonte del largo plazo, a pesar de los costos que tuve que pagar inmediatamente y de los riesgos políticos que corrí. Vale mencionar dos casos. El programa de ajuste para restablecer los equilibrios macroeconómicos, lo llevé adelante en contra de la opinión de mis colaboradores de los sectores social y político, a pesar de los conflictos que desencadenó y que estuvieron a punto de derribar mi gobierno. El llamado a un consenso nacional para resolver definitivamente el problema territorial con el Perú lo hice desechando las advertencias de quienes lo consideraron un suicidio político. Quince años después ambas políticas se han legitimado en la opinión pública como positivas y necesarias.

Mi lenguaje político ha sido influenciado por largos años de trabajo académico. La sistematización de problemas y la exposición metódica, propias de las ciencias sociales, facilitaron mi comunicación con los ciudadanos. He presentado mis ideas de manera sencilla y directa, evitando oscuridades teóricas, figuras literarias y halagos demagógicos. Cuando he polemizado con mis adversarios he evitado hacer referencias personales y he buscado discutir razonadamente sus puntos de vista. En el mejor de los casos he recurrido a la ironía y al sarcasmo. Todo lo cual ha sido posible gracias a la televisión, a la que debo mucho de lo que he hecho en la política. Algunos opinan que gracias al programa de T.V. *El presidente y la prensa*, al que concurrí en los momentos más difíciles de mi presidencia, sobreviví políticamente y pude concluir mi gobierno.

No puedo dejar de expresar un sentimiento personal: mi alegría por la aparición de la décima edición de *El poder político en el Ecuador*. Si sigue suscitando el interés de los lectores a pesar de que han transcurrido veinte años desde cuando fue escrito, período en el que se han producido radicales cambios en Ecuador y en el mundo, es porque su análisis continúa vigente. En una reciente entrevista de prensa he dicho que si después de cincuenta años los ecuatorianos me recuerdan por lo que he escrito, tanto o más que por haber sido presidente, me sentiré realizado. Al decirlo tenía en la mente *El poder político en el Ecuador*, antes que otros textos.

La posibilidad de escribir un segundo tomo sobre los años siguientes a 1975, en que concluyó mi análisis, ha sido un proyecto largamente acariciado. Si bien con tal propósito, desde que dejé el gobierno, recojo documentos, tomo notas y acumulo bibliografía, nunca he dispuesto de los medios y del sosiego necesarios para profundizar en la investigación y escribir el manuscrito, pues he necesitado un trabajo remunerado y el tiempo sobrante lo he dedicado a compromisos internacionales y a la política ecuatoriana, de la que no he podido sustraerme. También ha influido la consideración de que, habiendo intervenido en acontecimientos que han determinado el rumbo del país en estas décadas, era necesario dejar que transcurrieran años para poder apreciarlos con la perspectiva que suele dar la distancia de los hechos.

Por estos motivos, y por el carácter de este texto, sólo me referiré a pocos y resumidos asuntos.

Los hechos fundamentales

En el conjunto de acontecimientos políticos, económicos y sociales del último cuarto de siglo, cuatro se destacan por su dilatada permanencia en el debate público y su influencia en el desarrollo nacional: la ingobernabilidad del sistema democrático, la crisis económica, el conflicto territorial ecuatoriano-peruano y la crisis de la universidad. La importancia de estos problemas es tan grande y decisiva que de su resolución dependerán el crecimiento económico, el mejoramiento de las condiciones de vida de la población y el futuro del Ecuador.

En el Apéndice que escribí para la primera edición en inglés de *El poder político en el Ecuador*, que luego se incorporó a las ediciones castellanas (cfr. pp. 325-39), consta un análisis de la transición de la dictadura a la democracia cumplida entre los años 1977 y 1979. Desde cuando se inauguró el presente período democrático, que será el más dilatado de la historia ecuatoriana cuando concluya su mandato el presente gobierno, se han sucedido seis presidentes constitucionales: Jaime Roldós, Osvaldo Hurtado, León Febres-Cordero, Rodrigo Borja, Sixto Durán y Abdalá Bucaram, cada uno de ellos perteneciente a un diferente partido, hecho que es un buen ejemplo del alto grado de fragmentación del sistema político ecuatoriano.

El sistema democrático ha demostrado una sorprendente vitalidad a pesar de las difíciles circunstancias, principalmente económicas, que ha vivido la república. Si bien sus resultados económicos y sociales han sido modestos, algunos progresos se han alcanzado en el campo político. La democracia ha perfeccionado algunas de sus instituciones mediante reformas constitucionales; los ciudadanos libre y mayoritariamente han concurrido a las urnas para elegir presidentes, legisladores y alcaldes; salvo en un gobierno (1984-88), las libertades públicas han sido garantizadas y protegidos los derechos humanos; el Congreso Nacional ha recuperado su privativa función legislativa que sólo ocasionalmente ejerció en anteriores períodos democráticos; la autoridad civil del presidente de la República ha sido acatada por las Fuerzas Armadas; una amplia mayoría de la población cree en las instituciones democráticas y las defiende; la derecha extrema ha abandonado sus inclinaciones conspirativas y la izquierda radical, sus críticas. La democracia, con limitaciones, también ha conseguido enfrentar la crisis económica, sortear los consiguientes conflictos sociales y políticos e iniciar un cambio estructural para acomodar las instituciones y las leyes a las necesidades de un nuevo sistema económico orientado por el mercado.

Todo lo cual ha hecho posible que la democracia se legitime jurídicamente al convertirse en el ámbito en el que transcurre la vida pública.

A pesar de que el orden constitucional no se ha alterado y los presidentes se han sucedido normalmente, la política ecuatoriana ha seguido siendo inestable, motivo por el cual las principales políticas públicas han carecido de continuidad, requisito indispensable para que puedan arrojar frutos. Por ejemplo, la política económica, que tanta influencia ejerce en todos los órdenes, no se ha mantenido entre un gobierno y otro y, en algunos casos, durante una misma administración.

La inestabilidad de la política nacional es causada por un severo problema de gobernabilidad que sufre la democracia ecuatoriana, expresado en la incapacidad del sistema político para articular las demandas de la sociedad y darles respuestas oportunas y eficaces. Problema que, por ser estructural, ha limitado la gestión de todos los gobiernos constitucionales, impidiéndoles impulsar un crecimiento adecuado de la economía y la distribución equitativa de sus resultados.

Entre las numerosas y complejas causas que provocan la ingobernabilidad del Ecuador, se destacan las siguientes. El número excesivo de partidos (en la actualidad 11 con representación parlamentaria) impide que los gobiernos cuenten con una mayoría que apoye sus iniciativas en el Congreso Nacional. El sistema electoral favorece la fragmentación de las organizaciones políticas porque no contiene sanciones para aquellas que carecen de una mínima representación popular, y por los incentivos que ofrece a los grupos minoritarios para obtener una representación parlamentaria. Los recurrentes enfrentamientos entre las funciones ejecutiva y legislativa perturban y paralizan el trabajo de los gobiernos, además de impedirles obtener la legislación que necesitan para llevar adelante sus programas. Una cultura del conflicto limita la búsqueda de consensos y la negociación de acuerdos, instrumentos de gobierno inherentes a toda sociedad democrática que se vuelven indispensables en la fragmentada política ecuatorian. El papel de la ley es relativo como instrumento de gobierno, garantía de derechos y obligaciones y norma de conducta de autoridades y ciudadanos.

Las actitudes políticas requerirán de tiempo para cambiar; en cambio las instituciones pueden perfeccionarse mediante una reforma política que corrija las negativas características de la vida pública nacional y favorezca la gobernabilidad del sistema democrático. Sin ello no será posible que el país resuelva sus problemas económicos y sociales desencadenando un proceso de desarrollo de largo aliento.

Mientras a las dictaduras de los años setenta les correspondió administrar la abundancia, a los gobiernos democráticos les ha tocado lidiar con la escasez provocada por la crisis económica, que afloró en 1982 cuando el país se vio imposibilitado para pagar su deuda externa.

El petróleo, cuyas exportaciones se iniciaron en 1972, transformó la economía ecuatoriana e hizo que el país progresara como no lo había conseguido en ninguan otra etapa de su historia. En los años setenta el PIB creció a una tasa promedio del 9% anual y las exportaciones se decuplicaron para llegar a representar 2.000 millones de dólares. La infraestructura física mejoró y se extendió a todas las regiones y provincias, se ampliaron los servicios de educación y salud, creció el empleo, mejoraron los salarios, se conformó la clase media y el país se urbanizó.

El petróleo llegó a representar el 60% de las ventas externas y el 50% de los ingresos fiscales, con lo cual el país se volvió absolutamente dependiente de un solo producto de exportación y la economía extremadamente vulnerable a los embates externos, como antes había sucedido en los períodos cacaotero y bananero. El debilitamiento de los altos precios internacionales del petróleo, a fines de los años setenta, fue subsanado con los créditos externos otorgados por la banca extranjera, de manera que entre 1970 y 1980 la deuda externa privada pasó de 12 millones de dólares a 1.121 millones, y la pública de 229 millones de dólares a 3.530 millones.

La elevación de las tasas internacionales de interés y la paralización de los flujos de créditos externos provocaron el colapso de la economía nacional. Problema que se agravó por las catástrofes naturales causadas por las inundaciones de 1982-83, que destruyeron la infraestructura física y afectaron las exportaciones de productos agrícolas; por el terremoto de 1986 que dañó el oleoducto y paralizó las ventas de petróleo por varios meses y por los gastos extraordinarios que ocasionaron los conflictos bélicos con el Perú.

En el ejercicio de la Presidencia de la República (1981-84) me tocó enfrentar la crisis y llevar adelante el primer programa de ajuste del período democrático. Al concluir mi mandato, quedaron conjurados los déficit del sector público y de la balanza de pagos, reducida la inflación al 20% anual, estabilizado el mercado de cambios, recuperado el crecimiento a la tasa del 4%, renegociada la deuda externa y el pago de sus intereses puesto al día. Correspondía a los próximos gobiernos afianzar y dinamizar el crecimiento económico y atender las inequidades sociales, lo que no fue posible por la falta de continuidad y perseverancia en una política determinada. El gobierno del presidente Sixto Durán, ocho años después tuvo que comenzar por el principio, realizando un nuevo ajuste que afortunadamente permitió el restablecimiento de los equilibrios macroecónomicos, ventajosa situación económica en la que ha iniciado su presidencia Abdalá Bucaram.

La crisis y su dilatada solución han conspirado contra el progreso económico y social del Ecuador. En los dieciocho años de vida democrática la tasa de crecimiento económico ha sido apenas unas décimas superior a la de incremento de la población, una persistente inflación ha empobrecido a los sectores medios y populares, más de la mitad de la población se encuentra en una situación de pobreza, buena parte de ella en la indigencia, y ha crecido la brecha que separa a los ricos de los menesterosos.

En otros campos la democracia ha arrojado algunos resultados positivos. Entraron en servicio dos grandes hidroeléctricas, una de las cuales, Paute, constituye la más grande obra de infraestructura física hecha en el presente siglo. Las exportaciones en 1995 llegaron a la cifra de 4.300 millones de dólares y se han diversificado significativamente, siendo las más dinámicas las de productos no tradicionales. El analfabetismo se ha reducido a menos del 10% y todos los niños tienen asegurado su acceso a la escuela. La electrificación ha llegado a casi todas las zonas geográficas y los indígenas han accedido a la propiedad de extensas tierras agrícolas.

Mantener los equilibrios macroeconómicos para evitar que el pueblo ecuatoriano sea sometido a nuevos y costosos ajustes, alcanzar un crecimiento económico razonable y sostenido y reducir el número de familias pobres es la segunda gran tarea que tiene el país por delante.

Las dos guerras localizadas que en 1981 y 1995 Ecuador y Perú libraron en la cordillera del Cóndor y en el río Cenepa, son ilustrativas de la importancia que el conflicto territorial ha adquirido en la gestión de los gobiernos y en las preocupaciones de la opinión pública.

Asumí la Presidencia, luego del fallecimiento de Jaime Roldós, cuando todavía no se cicatrizaban las heridas dejadas por el enfrentamiento militar y se temía la reiniciación de hostilidades. Por este motivo una de mis primeras procupaciones fue reducir las tensiones existentes entre los dos países y promover un acercamiento con el gobierno del presidente Fernando Belaúnde, a fin de alejar el riesgo de una nueva guerra y asegurar la paz.

Luego hice un llamado a un consenso nacional para definir una política territorial que comprometa a todos los gobiernos, requisito para emprender la solución definitiva del diferendo limítrofe. Fueron pocos los líderes de opinión que acogieron mi propuesta; otros, muy influyentes, se manifestaron en contra, llegando uno de ellos, León Febres-Cordero, a calificarla como un acto de «traición a la patria». Reacciones tan adversas me obligaron a abandonar la iniciativa e hicieron fracasar la gestión del entonces secretario general de la OEA, Alejandro Orfila, que había propuesto al presidente Belaúnde y a mí iniciar un proceso de conversaciones en Washington a través de representantes personales.

El problema territorial desapareció del debate público en el gobierno del presidente Febres-Cordero pues su tesis de la herida abierta nunca fue mencionada ni se hizo ningún pronunciamiento sobre el tema, que resurgió en la presidencia de Rodrigo Borja, por un incidente fronterizo que estuvo a punto de desencadenar un enfrentamiento militar. En estas circunstancias propuso encargar al Papa la solución del diferendo mediante su arbitraje, tesis que si bien no fue aceptada por el Perú (que reiteró las tradicionales posturas según las cuales lo único que cabía hacer era demarcar ciertos tramos de frontera), abrió el camino para la visita al Ecuador del presidente Alberto Fujimori, por primera vez en la historia de los dos países, y a la iniciación de conversaciones bilaterales hasta entonces eludidas por Perú.

Tan auspicioso acercamiento, que fue continuado por el presidente Sixto Durán, se interrumpió en 1993 al abandonar las autoridades peruanas el diálogo y volver a su tradicional lenguaje intransigente; a lo que siguió el enfrentamiento bélico de 1995 que otra vez puso a los dos países ante el peligro de una guerra generalizada. En estas circunstancias el presidente Durán reconoció la vigencia del Protocolo de Rio de Janeiro, declaración que facilitó la intervención de los países garantes (Argentina, Estados Unidos, Brasil y Chile), gracias a la cual fueron posibles el cese de hostilidades y la apertura de formales negociaciones entre Ecuador y Perú, por primera vez desde 1942.

Al descubrirse en 1947 la inexistencia de un accidente geográfico ignorado por el Protocolo, el *divortium aquarum* entre los ríos Zamora y Santiago, se había suspendido la demarcación de la frontera pues Ecuador alegó la inejecutabilidad de aquel instrumento jurídico. Esta tesis fue cambiada en 1960 por el presidente José María Velasco Ibarra que declaró la nulidad del Protocolo, postura que el mismo proponente modificó años después, cuando llamó al Perú a una transacción honrosa. A partir de entonces la posición del Ecuador se tornó ambigua. La tesis de la nulidad continuó implícitamente vigente, a pesar del cambio introducido por su autor, y de que no fue asumida y defendida por los regímenes militares que le sucedieron en los años setenta, ni por los gobiernos democráticos que han gobernado desde 1979, ninguno de los cuales la reiteró formalmente o realizó alguna acción diplomática para promoverla.

El presidente Sixto Durán tuvo la visión y la entereza de poner fin a una indefinición que perjudicaba la credibilidad internacional del Ecuador, limitaba sus iniciativas diplomáticas y cerraba las puertas a toda negociación. El amplio consenso nacional en favor de la solución definitiva del problema territorial llevó al presidente Abdalá Bucaram a continuar el proceso de negociaciones iniciado por su predecesor. Los progresos han sido notables. Ambos países han señalado los puntos de controversia y han acordado los mecanismos que seguirán para resolverlos, mediante conversaciones bilaterales y, en caso necesario, con el auxilio de los países garantes. Si el proceso desencadenado no se detiene, finalmente en 1997 Ecuador y Perú habrán puesto fin a su centenaria disputa territorial y, con ello, garantizarán la paz y podrán volcar todos sus recursos y energías en favor del progreso económico y social de sus pueblos.

Cuando se analiza la prolongada crisis sufrida por Ecuador en estos años y se escudriñan sus causas no se menciona a la universidad. Si la vida y el rumbo de las sociedades son determinados por los seres humanos, la posibilidad de influir en su curso se acrecienta en el caso de aquellos que, en razón de sus conocimientos, ocupan las más altas responsabilidades políticas, económicas, sociales y culturales.

En el mundo de fin de siglo el conocimiento no es posible sin una educación universitaria de alta calidad, que eleve el nivel científico de la sociedad. La universidad ecuatoriana está lejos de otorgar una formación que permita a los profesionales acceder al mundo moderno de la ciencia, sobre todo desde cuando en los revolucionarios años sesenta fue arrastrada a la descomposición académica y al desorden administrativo. El maoísmo (cfr. pp. 292-95), empeñado en obtener el control del entonces poderoso movimiento estudiantil, tomó como bandera política la eliminación del requisito de un examen de ingreso, argumentando que con ello se facilitaría el acceso de los jóvenes provenientes de las clases populares. Las autoridades universitarias, que inicialmente se opusieron a tan curiosa forma de democratización, en el año 1969 la aprobaron, forzadas por la presión de las violentas células marxistas-leninistas.

La composición social de la población estudiantil, fatalmente determinada por las estructuras prevalecientes, obviamente no cambió. Pero, en cambio, el alud de estudiantes carentes de condiciones para realizar estudios superiores provocó la drástica caída de los niveles académicos de las universidades públicas, en las que se concentra el 90% de la matrícula. Hecho que, además, ha acentuado la diferenciación social, pues los jóvenes provenientes de las clases alta y media alta, con títulos obtenidos en universidades privadas o en el extranjero, en el mercado de trabajo se colocaron en una mejor situación frente a los que exhibían títulos otorgados por las universidades públicas.

Las escuelas politécnicas y las universidades católicas no sufrieron esta crisis académica. Si bien las primeras han impartido una enseñanza compatible con la de las mejores universidades latinoamericanas, o de otras partes, las segundas se quedaron rezagadas. Más tarde, la reducción de sus presupuestos por los programas de austeridad de los gobiernos y la consiguiente caída de los sueldos de los docentes, llevaron a los mejores maestros a renunciar a sus cargos, ausencia que ha ocasionado el deterioro del nivel de la enseñanza.

Las consecuencias de su mala calidad han sido funestas en todos los órdenes de la vida nacional. El deficiente nivel de los profesionales es un obstáculo para que se incremente la productividad de las actividades económicas, mejoren las posibilidades del país en la competitiva economía internacional, aumente la eficiencia de las instituciones públicas y se eleve la calidad de la política, de los políticos y de los partidos.

Esta problemática no fue asumida por estudiantes, profesores y autoridades que la atribuyeron a causas ajenas a su responsabilidad. Argumentaron que la universidad no podía ser distinta de la sociedad en la que se encontraba inmersa, que los recursos económicos asignados por el Estado eran insuficientes y que poco podían hacer mientras no mejorara la educación impartida en escuelas y colegios. Falacias que no se compaginaban con la realidad. La universidad no sólo puede sino que además debe ser mejor que la sociedad nacional si es que quiere tener algún papel; los recursos otorgados por el Estado son porcentualmente más altos que los percibidos por universidades de otros países y serían suficientes si los estudiantes no fueran tan numerosos y los acomodados pagaran sus estudios; es posible tener una buena universidad aun con deficientes escuelas y colegios como lo demuestran los Estados Unidos de Norteamérica.

Las primeras iniciativas para reformar la universidad partieron desde otros ámbitos. En 1982 el Congreso Nacional aprobó una nueva ley de universidades que, entre otras disposiciones, introdujo una por la cual debía reglamentarse el ingreso de estudiantes a la educación superior. Pero, igual que en otros órdenes, las universidades desacataron el mandato legal y continuaron manteniendo el libre ingreso. Leyes que buscaban obligarlas a cumplirlo o proyectos más globales orientados a reformar profundamente la universidad ecuatoriana, no merecieron la atención de los legisladores.

Luego de veintisiete años perdidos, extremadamente costosos para el país, finalmente la universidad ha tomado conciencia de su crisis y asumido sus propias responsabilidades. Estudiantes frustrados por sus pobres conocimientos y por la desvalorización de sus títulos, pero sobre todo profesores y autoridades, han resuelto reimplantar pruebas de admisión y establecer una contribución económica de los alumnos. Los antiguos maoístas, ahora representados por el Movimiento Popular Democrático (MPD), y otros sectores estudiantiles, siguen oponiéndose a estas medidas y, en algunos casos, han logrado dilatarlas o desvirtuarlas. En todo caso el proceso de reconstrucción de la universidad ecuatoriana ha comenzado.

Segunda lectura

Los años transcurridos desde que apareció *El poder político en el Ecuador*, los cambios producidos en el Ecuador y en su entorno internacional y las ideas económicas y políticas hoy prevalecientes en el mundo, tornan necesarias unas pocas reflexiones sobre su contenido a la luz de las nuevas realidades.

La Primera y Segunda partes («Formación del poder en la Audiencia de Quito: 1533-1820» y «La estructura del poder en la República: 1820-1949»), corresponden a períodos de años cronológicamente distantes e históricamente concluidos. Por este motivo y porque el autor no usó instrumentos de análisis que las mutaciones ideológicas y las realidades contemporáneas hayan invalidado, luego de la segunda lectura de sus páginas me ha quedado la impresión de que aquel análisis conserva su validez.

En cambio la Tercera Parte («La crisis del poder en la época contemporánea: 1950-1975») no podía contener un análisis completo y final, en vista de que los procesos económicos, sociales y políticos se encontraban en curso, las estructuras no se habían consolidado y las fuerzas actuantes estaban en evolución.

Un lapso de veinticinco años es un período histórico insuficiente para que se desarrolle y, eventualmente, culmine la crisis de una estructura de poder conformada a lo largo de cuatro siglos, y nazca y se afirme una nueva forma de organización de la sociedad ecuatoriana.

Si bien el análisis realizado en la Tercera Parte, en general, interpretó correctamente la realidad estudiada, hubo fenómenos importantes que no fueron advertidos.

Entre los procesos que no pude avisorar, el más relevante ha sido la eclosión del movimiento indígena. En la Primera y Segunda partes me refiero ampliamente a los indios y a sus luchas, cuando estudio su subordinación a los blancos mediante la encomienda, la organización social opresora que generó el sistema hacienda y los levantamientos con los que trataron de liquidar a sus dominadores. En cambio en la Tercera Parte no analizo específicamente la problemática indígena quizá porque en aquellos años los indios, agrupados en comunas o integrados en cooperativas y federaciones de campesinos, no contaban con organizaciones que los representaran étnicamente. Revisando las correspondientes páginas sólo he encontrado la siguiente frase: «Queda por averiguar cuál será la evolución de ciertas formas de "racismo" que están apareciendo en algunas comunidades indígenas».

En estos años los indios han pasado a constituir una poderosa e influyente organización social desde cuando, en 1990, la Confederación de Nacionalidades Indígenas del Ecuador (Conaie), formada unos años antes, realizó un levantamiento que paralizó el país. La sorpendida sociedad blanco-mestiza descubrió la existencia de un grupo humano diferente, con una problemática distinta y específica, dispuesto a luchar para que sus derechos sean reconocidos, incluso mediante la fuerza. La Conaie definió su ideología etnocentristamente, deduciéndola de la cultura indígena, de su experiencia histórica, del pensamiento cristiano y de estudios antropológicos. Su lucha política, que la ha librado al margen de las otras organizaciones populares y de los partidos, se ha orientado a reivindicar sus derechos y sus valores culturales.

Transformaciones de diversa naturaleza explican el retorno de los indios a la escena política nacional. La reforma agraria de los años sesenta les dio la propiedad de la tierra y liberó su mano de obra, proceso que continuó con la compra de antiguas haciendas mediante financiamiento público y privado y culminó con la obtención de títulos de propiedad en extensos territorios en la zona amazónica. Gracias a la democracia, los iletrados obtuvieron el derecho al sufragio, pudieron alfabetizarse y matricularse en escuelas y colegios y las comunidades recibieron el servicio de electrificación. Cambios que permitieron a los indígenas romper el sistema de dominación al que habían estado ancestralmente sometidos, independizarse económicamente, acceder al conocimiento y vincularse al mundo moderno.

Inicialmente los indios no aceptaron la democracia, que más bien descalificaron por considerarla ajena a los problemas y necesidades del indigenado. Su oposición fue tan radical que la Conaie llegó a ordenar a sus miembros no participar en las elecciones de 1992 y abstenerse de colaborar con el Censo de Población y Vivienda. Estas posturas, contrarias a las instituciones democráticas, fueron abandonadas paulatinamente. En 1995 accedieron a participar en un diálogo con el gobierno y los propietarios agrícolas, que permitió aprobar la Ley Agraria mediante un consenso; luego intervinieron en las elecciones de 1996, junto a los partidos políticos; obtuvieron algunas representaciones legislativas y municipales.

La integración de los indios a la vida democrática les ha permitido obtener un espacio para expresarse políticamente y a las instituciones jurídicas ampliar su legitimación social. Pero también les ha llevado a organizarse, de hecho, como un partido y, en consecuencia, a sufrir los efectos negativos de la conflictiva y erosionante política ecuatoriana. Diputados y grupos indígenas han abandonado la Conaie para sumarse al gobierno, a cambio de funciones públicas y, lo que es más grave, una organización considerada monolítica se ha dividido.

Su participación electoral ha contribuido a precisar la significación cuantitativa de la etnia india. Sus representantes esperaban obtener 800.000 votos partiendo de la aseveración de que los indígenas representan el 40% de la población nacional. Pero el único diputado nacional que lograron elegir apenas consiguió 340.000 votos, de los cuales más de la mitad fue consignada en las ciudades habitadas por población blanco-mestiza. Lo que confirma las cifras elaboradas por estudiosos del mundo indígena, según las cuales los indios ecuatorianos representan alrededor del 10% de la población nacional. Naturalmente si se define como indio a quien se considera miembro de su cultura; pues, si se recurre al criterio de sangre, pocos ecuatorianos podrían catalogarse como blancos.

Tampoco hice ninguna referencia a los valores culturales, entendidos como actitudes, creencias, prácticas y sentimientos que orientan la conducta e informan el comportamiento de individuos y sociedades. Tales valores han sido decisivos en todos los procesos de desarrollo, como lo confirma contemporáneamente el milagro asiático sustentado en la disciplina social, en un esforzado y persistente trabajo colectivo, en el respeto a la autoridad y la ley, en hábitos de organización y en un sentido de la responsabilidad. Los valores culturales de los ecuatorianos, en general, no responden a las demandas del desarrollo nacional. El presente y lo inmediato, y no el largo plazo, absorben las preocupaciones de ciudadanos, trabajadores, empresarios y políticos; la inclinación al trabajo responsable y productivo no es un hábito arraigado; los problemas y los fracasos de los individuos se escudan en culpas ajenas; esperar del Estado la solución paternalista de los problemas es una actitud cotidiana; una cultura de la ilegalidad impide que las leyes y las disposiciones de las autoridades se cumplan; la inclinación al conflicto no permite encontrar puntos de acuerdo, fórmulas de compromiso y necesarios consensos. Estos valores culturales han limitado las posibilidades de mejoramiento económico y constituido un severo obstáculo para el buen funcionamiento del sistema democrático.

Hubo fenómenos que, si bien fueron estudiados, modificaron su curso y siguieron tendencias diferentes.

El dominante papel asumido por el Estado en la conducción de la economía (cfr. 311-23), mediante su sistema de planificación, elaboración de proyectos, otorgamiento de protecciones y alicientes y ejercicio de actividades empresariales, tiende a reducirse y, en su lugar, a ampliarse la participación del mercado en las actividades económicas, como consecuencia del agotamiento del modelo proteccionista basado en la sustitución de importaciones, de la manifiesta ineficiencia de los servicios públicos, del fracaso de ciertas empresas estatales y de la reducción de sus recursos financieros por la pérdida de importancia de la producción petrolera. Además, en razón de los cambios ideológicos producidos en el ámbito internacional y de las políticas promovidas por los organismos internacionales de cooperación.

Los dos últimos gobiernos han introducido profundas reformas orientadas a reducir la importancia del sector público como productor de bienes y administrador de servicios, eliminar las protecciones y los incentivos otorgados a las actividades productivas privadas, abrir la economía a la competencia internacional, abolir los controles de precios y subsidios y, en general, promover la intervención de las libres fuerzas del mercado.

Al adquirir un rol fundamental las actividades particulares, el futuro desarrollo del país estará determinado por la capacidad de la empresa privada para mejorar sus rendimientos y elevar su productividad, todavía insuficientes, requisitos indispensables para que pueda competir en el país con los productos importados y en el exterior con sus exportaciones. Lo que no será posible sin un Estado, reducido en tamaño pero vigoroso, preparado para alentar las actividades particulares, vigilar los excesos de la libre competencia, preservar el bien común y defender el interés público.

El Estado ecuatoriano no está en posibilidad de cumplir eficazmente tales responsabilidades. Sus tradicionales debilidades empeoraron como consecuencia de la crisis económica cuyos mejores ejemplos son: su incapacidad para recaudar los impuestos a que tiene derecho, la caída del nivel académico del sistema educativo público y la multiplicación de actividades que se desarrollan al margen de la ley y del control de las autoridades, como es el caso de la economía informal. Sin una reconstrucción del Estado y el mejoramiento de su competencia no será posible el desarrollo nacional.

La legitimación universal de la democracia y de la economía de mercado, como resultado del derrumbamiento del modelo marxista-leninista en los países socialistas y de las concesiones ideológicas realizadas por China, Vietnam y Cuba, así como el exitoso desarrollo de las antiguas economías capitalistas de Occidente y de las nuevas que han emergido en Asia, han provocado cambios en las posturas doctrinarias, programáticas y políticas de ciertos partidos, de organizaciones sindicales, del movimiento estudiantil y de sectores de intelectuales. Casi sin excepción todos ellos hoy apoyan y defienden la democracia, a la que antes tachaban de formal y burguesa. Menos unánime, pero creciente, es el abandono de la utopía económica socialista y el reconocimiento y adopción de la economía de mercado.

Los partidos de la izquierda marxista han visto reducirse, aún más, su exiguo apoyo electoral, a pesar de que socialistas y comunistas se integraron en el Frente Amplio de Izquierda (FADI). En esta tendencia el único partido con representación parlamentaria, pero mínima, es el MPD.

La Democracia Popular (DP) ha renovado su liderazgo y su «Declaración de Principios» a tono con las nuevas realidades del país, cosa que no ha sucedido en la Izquierda Democrática. Ambas organizaciones, que han ejercido la Presidencia de la República, siguen disputándose el liderazgo del llamado centro-izquierda, disputa que en las recientes elecciones se resolvió a favor de la DP, que acrecentó su representatividad electoral. Si este sector encontrara alguna forma de unidad sería mayoritario.

El populismo conserva su tradicional influencia electoral, particularmente en la región Litoral, representado por nuevas organizaciones que se han conformado en estos años. Las elecciones presidenciales de 1996 fueron ganadas por el Partido Roldosista Ecuatoriano (PRE) y ocuparon el segundo y tercer lugares candidatos de similar tendencia. En la ciudad de Guayaquil, cuya alcaldía ejerció en dos ocasiones, el PRE degradó moral, administrativa y jurídicamente la institución municipal, proceso que tiende a repetirse en el gobierno nacional, hoy a su cargo.

El Partido Social Cristiano (PSC), desde que ganó la Presidencia en 1984, ha mantenido una votación consistente en los siguientes procesos electorales que le ha convertido en la principal organización política del país. El desorden económico y el paternalismo que caracterizaron la segunda parte de su gobierno y el carácter impreso por su actual candidato presidencial, han hecho del PSC un partido proclive a prácticas populistas. Sin embargo no ha sido ésta su conducta en la administración municipal de Guayaquil.

El movimiento sindical (cfr. pp. 259-68), que se agrupó en el Frente Unitario de Trabajadores (FUT) al inaugurarse la democracia, ha perdido la importancia que tuvo en los primeros gobiernos constitucionales. En su deterioro han influido múltiples factores: su extrema politización, el abuso del recurso de la huelga general, la pérdida del sustento ideológico revolucionario, la ausencia de un mensaje sustitutivo y el temor de los trabajadores a perder su trabajo como consecuencia de los conflictos laborales. Comienza a advertirse una adaptación del movimiento sindical a las nuevas realidades políticas, cuya mejor expresión es su aceptación a concertar con el gobierno y los empresarios acerca de las relaciones obrero-patronales.

El movimiento estudiantil universitario (cfr. pp. 282-95) cuya influencia política llegó a ser determinante, carece de presencia y ascendencia por la poca simpatía que sus ideas despierta y por la disminución de su capacidad de movilización. El MPD tiende a perder su control y principian a conformarse organizaciones independientes de los partidos políticos de izquierda. Luce inevitable una redefinición del pensamiento y acción políticas del movimiento estudiantil, que probablemente le llevará a moderar sus románticos afanes de transformar el mundo y a centrarse en los problemas de la universidad, particularmente en el mejoramiento de la enseñanza que imparte.

Entre 1981 y 1986 los más importantes dirigentes de las Cámaras de la Producción se politizaron, involucrando a sus organismos en las contiendas anti o progubernamentales. Caben varias interpretaciones. Quizá porque hicieron suyo el discurso de los opositores que me pintaron como enemigo de la empresa privada, tal vez porque el programa de austeridad que ejecuté afectó algunas actividades productivas o, simplemente, porque vieron en la candidatura de León Febres-Cordero (que había sido directivo de los industriales) la representación de sus ideas y a su gobierno, en el que ocuparon importantes funciones, el medio para que se atendieran sus demandas. La experiencia fue negativa para el sector empresarial, hecho que llevó a las Cámaras a volver a los cauces institucionales. En este sentido cabe destacar sus diálogos y concertación con las organizaciones sindicales, favorecidos por los cambios ideológicos producidos entre los trabajadores, cuyos prejuicios sobre la empresa capitalista y los empresarios se han reducido, así como los de éstos sobre aquéllos.

Las Fuerzas Armadas han acrecentado su influencia. Su intervención fue decisiva para el restablecimiento de la democracia (cfr. pp. 325-40) y, en los dieciocho años transcurridos desde la inauguración del régimen constitucional, han sido un soporte fundamental para el mantenimiento de sus instituciones en una etapa plagada de conflictos que en períodos anteriores habrían tornado inevitable el golpe de Estado. Sólo se vieron involucradas en una revuelta, la encabezada por el general Frank Vargas, que si bien no tuvo el propósito de romper el orden constitucional y sólo contó con el respaldo parcial de la Fuerza Aérea, mediante la fuerza obligó al presidente Febres-Cordero a desistir de las acciones judiciales iniciadas por un anterior acto de insubordinación. La exitosa defensa de la integridad territorial que realizaron en el conflicto bélico de 1995, les ganó un unánime reconocimiento nacional. Es motivo de controversia la participación militar en actividades económicas (banca, seguros, industria, turismo, etc.), en razón de que el Estado tiende a transferir a los particulares actividades que afectan al presupuesto nacional o que el sector público las gestiona inadecuadamente.

Sobre estos temas, tan esquemáticamente tratados en este nuevo texto introductorio, y sobre muchos otros, espero algún día volver con más tiempo y menos prisa.

Osvaldo Hurtado

Quito, 29 de noviembre de 1996

PRESENTACIÓN

Cuando en 1969 publiqué un anterior estudio sobre la realidad ecuatoriana, algunos lo objetaron diciendo que trataba los problemas estática, descriptiva y fragmentariamente, sin establecer las interrelaciones de los fenómenos y su causalidad. Recuerdo el hecho porque constituye el origen del presente trabajo. Si bien la crítica no era pertinente porque se refería a un estudio que sólo se proponía introducir al conocimiento de la problemática nacional, la observación me interesó y desde entonces comencé a urgar en el proceso histórico del Ecuador. Los resultados se hallan contenidos en el libro que el lector tiene en sus manos.

El estudio se ubica en el campo de la sociología política y toma como hilo conductor el análisis del fenómeno del poder. Valiéndose del auxilio de las otras ciencias sociales, examina sistemáticamente todos los elementos que integran la realidad del país —económicos, sociales, culturales, religiosos, ideológicos, jurídicos, etc.—, establece las articulaciones de unos con otros, penetra en su causalidad, extrae sus contenidos específicamente políticos y forma con ellos una totalidad. En suma, observa las condiciones peculiares de la realidad ecuatoriana —tanto "internas" como "externas"— en sus concreciones estructurales y las analiza dentro de un proceso histórico.

En el análisis no he caído en la tentación —tan frecuente hoy día— de "poner la carreta antes que los bueyes". Cuando a priori se asume una teoría social, inevitablemente se ideologiza la realidad que se estudia y se termina inventándola. Es imposible hacer una abstracción teórica si no se cuenta con suficientes datos empíricos que estudien extensa y profundamente un proceso histórico y sus formaciones sociales específicas. Sin desconocer los aportes de las teorías sociológicas elaboradas en Europa y Norteamérica —algunos de cuyos instrumentos de análisis se usan— la especificidad de la problemática ecuatoriana y la sui géneris evolución de sus estructuras, no permiten la transferencia mecánica de teorías sociales creadas para examinar realidades diferentes. Por ello, ha sido necesario buscar *instrumentos analíticos nuevos que se apliquen a los hechos estudiados y, por cierto, recurrir a los aportes de la reciente sociología latinoamericana. Como podrá verificar el lector, soy deudor de algunos de sus autores.*

Por las razones anotadas no abordo la discusión teórica excepto en unos pocos casos inevitables. Elaborar una teoría general antes de aprender una realidad significaría violar gravemente el proceso lógico del conocimiento científico. Además, desbordaría el campo del presente trabajo y necesariamente caería en la superficialidad. Lo cual no significa desconocer la necesidad de hacer una abstracción que permita extraer las características esenciales que configuran el proceso histórico estudiado. Pero esta tarea debe ser materia de otro trabajo al que ojalá el presente aporte ciertos elementos. Precisamente uno de los mayores retos que ahora enfrenta la sociología latinoamericana es crear instrumentos analíticos propios que permitan comprender la originalidad del fenómeno continental, lejos de toda forma de colonialismo intelectual.

El que analiza una realidad —quiéralo o no— difícilmente escapa de las influencias que ella ejerce sobre el observador y tampoco a los condicionantes que le plantea su cosmovisión del mundo. Mediaciones axiológicas, históricas, estructurales e ideológicas separan al investigador del hecho político estudiado. En estas condiciones, la objetividad sería harto difícil de alcanzar. Sin embargo, creo que se puede escapar de esta fatalidad si en el proceso de investigación y análisis se manejan datos empíricos, si se los trata metódica y sistemáticamente y, sobre todo, si se hace un contraste permanente entre las categorías teóricas y los resultados obtenidos. Un estudio es objetivo si revela la realidad analizada como "intersubjetivamente válida", esto es, cuando es apreciada como cierta por "todos". En todo caso, no puedo dejar de señalar que soy un crítico de las actuales condiciones sociales y que me hallo inscrito en las filas de los que proponen transformarlas. Pero este alineamiento no ha impedido que me acerque a la observación de los hechos con una gran libertad intelectual.

No se encontrarán consideraciones éticas sobre la bondad o maldad de los hechos analizados. Mientras el filósofo se interesa por el deber ser de los actos humanos, al sociólogo le preocupa el ser, desprovisto de juicios de valor. Se examinan entonces las relaciones sociales en sí, como han sido en la práctica, sin considerar los propósitos de los actores. Por lo tanto se recurre a métodos empíricos y experimentales y no al razonamiento filosófico. Además, como son las prácticas comunes —y no las excepciones— las que marcan las características de una sociedad y su evolución, sólo se toma en cuenta lo general y se deja a un lado lo particular que es de preocupación del historiador.

En la investigación no ha sido fácil superar el problema planteado por la inexistencia de estudios básicos. Sobre el período colonial hay alguna bibliografía, mas no de los años que siguen a la Independencia en los que las fuentes son muy insuficientes. No cuenta el país con una historia económica y social y tampoco con una historia de los partidos y de las ideas. Las historias generales —de las que principalmente me he valido— frecuentemente se reducen a la narración cronológica de hechos o se ocupan principalmente de asuntos jurídico-constitucionales, religioso-eclesiásticos, territoriales, etc. Sólo tangencialmente tocan problemas económicos y sociales. En otros casos, como los historiadores y en general los escritores ordinariamente han provenido de la Sierra o han trabajado con fuentes documentales quiteñas, la Costa no ha sido estudiada suficientemente, vacío que es grave si se considera que durante toda la República esta región ha sido el centro económico del país. Salvo pocas excepciones, los escritos partidarios están llenos de especulaciones teóricas, de consideraciones literarias o simplemente de apreciaciones parcializadas de hechos que se acomodan artificialmente para justificar una posición política. Los estudios "jurídico-filosóficos" son de poca utilidad para un trabajo empírico en la medida en que las realidades del país escapan de lo que dicen las leyes y las constituciones. Una fuente importante han sido los escritos de viajeros extranjeros en los que se recogen hechos que han pasado desapercibidos para los escritores ecuatorianos. En ciertos casos ha sido necesario recurrir a fuentes documentales.

Probablemente a algunos lectores les molestarán las muchas citas que se hacen. Éstas no constituyen de ninguna manera un afán de erudición. Discrepando como discrepo de las interpretaciones sociológicas que tradicionalmente se han hecho del proceso histórico del Ecuador, me ha parecido indispensable rodear el análisis de un aparato científico suficiente. La construcción de un edificio sociológico bastante diferente de los anteriormente edificados, hace indispensable afirmarlo con cimientos, columnas y vigas que soporten la discusión teórica y empírica que ha de venir.

El lector no encontrará ninguna propuesta programática, tema que escapa al ámbito de este trabajo. Encontrará sí un análisis retrospectivo del pasado ecuatoriano con lo cual espero contribuir a un mejor conocimiento de la realidad del país, requisito indispensable para emprender coherentemente una acción política. Es conveniente recordar que para saber a donde ir es indispensable conocer de donde venimos. Con este propósito, prescindiendo de lo adjetivo y epidérmico, el análisis penetra en el vientre histórico del Ecuador, para encontrar las fuerzas fundamentales que explican la formación de las estructuras vigentes. Como este proceso se remonta a los pueblos que habitaron inicialmente nuestro país —el indio y el español— el análisis empieza cuatrocientos cuarenta y tres años atrás.

Como se podrá ver, el campo de la política no se reduce a la acción de los partidos y de los políticos profesionales. Tampoco se circunscribe a los asuntos de Estado. En la práctica se extiende a todas las manifestaciones de la vida social, cuando están de por medio el poder y la autoridad, así como el interés de orientarlos o captarlos. Consecuentemente su importancia y su influencia son mucho más grandes que las de cualquier otra actividad humana. Para decirlo con una frase muy expresiva de la sociología francesa "los problemas políticos son los problemas de todo el mundo; los problemas de todo el mundo son los problemas políticos". Por acción u omisión su papel es fundamental en el desarrollo de una sociedad, sobre todo en aquellas en las cuales por su retraso y por las transformaciones que demandan, aumenta la importancia de la función política.

El tono crítico de algunos de mis juicios —hechos con el amor y la pasión que siento por mi país y por su pueblo— no entraña ningún tipo de pesimismo. Nada peor que cerrar los ojos ante nuestras limitaciones; nada mejor que apreciarlas justamente.

O. H.

como por ejemplo sucede con las ciudades fundadas en la región oriental.

Las utilidades que obtienen en estas actividades económicas se acumulan en manos de los vencedores: conquistadores y descubridores, concesionarios de minas, financiadores de empresas descubridoras o de explotaciones mineras, encomenderos, estancieros, autoridades, burócratas, eclesiásticos, Iglesia, Monarca. Colonos y religiosos enriquecidos retornan con sus capitales. En numerario o en lingotes de oro y de plata. España —sedienta de "metálico"— extrae gran parte de las riquezas que recauda a través de los impuestos, contribuciones y monopolios. Las autoridades deben velar porque la parte que le corresponde al Estado se exporte a la península. Los oficiales de las Cajas Reales, después de satisfacer las pensiones de los funcionarios, están obligados a enviar a las Cajas de Sevilla los excedentes de las rentas.

El comercio es otro de los medios de que se vale España —y otros países extranjeros— para apropiarse de la riqueza de las provincias quiteñas. A través de la Casa de Contratación de Sevilla ejerce el control monopólico de las importaciones realizadas por los pocos adinerados colonos blancos: sedas, terciopelos, brocados, encajes, espadas, joyas, esclavos negros y en general telas finas. Como la industria española no puede satisfacer la creciente demanda se ve obligada a realizar compras en los países europeos. En otros casos el contrabando inglés, holandés y francés cubre los requerimientos de los americanos. Esta participación de Francia, Holanda e Inglaterra aumenta en el último período colonial gracias a la política liberalizante de los borbones y a los tratados de Utrecht (1714-1715) que otorgan a los ingleses el "asiento de negros" y el "navío de permiso". En ambos casos los metales preciosos sirven para financiar la expansión capitalista de los siglos XVII y XVIII. Varias estimaciones permiten apreciar la magnitud del desigual intercambio comercial realizado por las provincias americanas con Europa y la China. Pierre Chaunú estima que entre 1561 y 1650 España obtuvo de sus territorios de ultramar el doble y hasta el cuádruplo de las mercaderías que suministró al nuevo mundo.[2] Y el Editor de las *Noticias Secretas de América* considera que las provincias coloniales fueron tributarias de los países europeos, y aun de la China, a los que pagaban por los ar-

2. Pierre Chaunú, *Séville et l'Atlantique (1504-1650)*, París, 1955-1959, t. VI, p. 474 (citado por Konetzke, *op. cit.*, p. 308).

tículos que recibían cuatro veces más que su valor real, "quedando así pobres mientras enriquecían a los demás". Luego, mediante un prolijo análisis de cifras, demuestra que el carbón de piedra obtenido anualmente de las minas de Inglaterra, a la boca de los pozos, valía más que el oro y la plata que cada año se extraía de todas las minas del nuevo mundo.[3] Mientras las exportaciones realizadas por los europeos se sobrevaloran, sus importaciones de "metálico" son subvaloradas.

Una parte de los capitales acumulados por los colonos y que no son captados por Europa, se reinvierten en empresas productivas: astilleros, cultivo del cacao e industria textil obrajera. Pero estas actividades económicas (cfr. pp. 23 y ss.) se estrangulan por la dependencia externa a la que está sujeta la Audiencia de Quito. La declinación de producción de barcos se debe: a que las materias primas —excepto la madera— se compran en lugares tan distantes como Perú, Chile, México e incluso España, en el caso del hierro; a la reducción del tráfico mercantil por el agotamiento de los grandes centros mineros americanos; a la sustitución de los galeones por nuevos buques que los astilleros de Guayaquil no están en capacidad de producir.[4] El comercio de cacao siempre estuvo sujeto a una serie de restricciones e incluso se llega a impedir su venta a las otras provincias coloniales. Así por ejemplo, a principios del siglo XVII se prohíbe que Guayaquil exporte su cacao a México, Guatemala, y a las demás provincias centroamericanas. Como consecuencia los precios de este producto se reducen en un noventa por ciento y se produce la ruina de la provincia de Guayaquil. Más tarde se autoriza su venta pero se ordena que las naves que lo transportan vayan al puerto de El Callao para ser inspeccionadas antes de su partida y a su retorno. Además se establecen límites al volumen de su exportación.[5] El surgimiento de la industria textil no se inscribe en un proceso querido por la Metrópoli; se desarrolla porque España no está en capacidad de suministrar los paños ordinarios usados por los blancos depauperizados y principalmente por los indios y mestizos. La mayor parte de los obrajes se establecen burlando expresas prohibiciones emitidas por las autoridades que ven en ellos una competencia al comercio peninsular. En efecto, de los 200 obrajes que en 1681 hay en la Audiencia de

3. Jorge Juan y Antonio Ulloa, *op. cit.* pp. 286-287
4. Ricardo Cappa, *op. cit.*, t. XII, p. 42.
5. Federico González Suárez, *op. cit.*, t. II, pp. 563-565.

Quito, 150 son ilegales.[6] El decaimiento de la industria obrajera no sólo se explica por los destrozos provocados por los terremotos; más importantes son otras causas: la política comercial de los borbones; la introducción de los textiles europeos y chinos por el contrabando francés, holandés e inglés; la reducción de la demanda americana proveniente de los centros mineros cuando se agotan los metales preciosos.

En la España conquistadora prevalece el pensamiento mercantilista en su expresión *bullionista*. Sus seguidores sostenían que la riqueza de un pueblo está determinada por la cantidad de metales preciosos que logra atesorar, idea que influye en los españoles que llegan a los territorios quiteños. A esta circunstancia se suma la introducción, por parte de los Reyes Católicos, del Tribunal de la Santa Inquisición que en los siglos XV, XVI y XVII perseguirá a judaizantes, moriscos, protestantes, herejes y a toda doctrina "materialista". Al ser expulsados los judíos y los moros y ejecutados o ahuyentados los portadores de ideas innovadoras, se liquida la clase empresarial y la economía metropolitana se vuelve agrícola y pastoril. Esta política de la Corona se extiende a sus colonias cuando se prohíbe que migren a ellas judíos, moros y herejes —incluso los conversos— pues los que se trasladan al nuevo mundo deben probar su condición de cristianos viejos. A América vienen hidalgos, soldados, licenciados, burócratas, artesanos, comerciantes, campesinos y, en general, representantes de todas las capas de la sociedad española.[7] Los primeros estaban intrínsecamente inhabilitados para la creación de actividades propiamente productivas; los últimos, cuando les es posible, evitan ejercer sus oficios o trabajar la tierra. Todos creen que por el hecho de ser blancos están exentos del trabajo, principalmente manual, que lo consideraban —y muchos lo consideran todavía— "indigno de persona bien nacida". En la sociedad colonial no hubo peor afrenta que trabajar con las manos.

El ocio fue un valor de la cultura blanca y, además, el resultado natural de la forma en que se organiza la producción. Los españoles se establecen en un país con tierras extensas y mano de obra abundante. Como la tierra, además de recurso productivo, es fuente de prestigio social, los colonos se apropian de extensiones que no están en capacidad de cultivar. La disponibilidad ilimitada de trabajadores

6. Phelan, *op. cit.*, p. 70.
7. Konetzke, *op. cit.*, pp. 52 y 62.

hace que la producción se base en la explotación de los "siervos" indígenas y de los esclavos negros. Como los duros trabajos manuales están a cargo de los hombres de color, los blancos no tienen interés en introducir técnicas e innovaciones que permitan el uso intensivo de la tierra y el incremento de la productividad. Las pocas mejoras que se introducen en los sistemas productivos son hechas por los religiosos, principalmente por los jesuitas, que constituyen la minoría ilustrada colonial. La expulsión de los padres de la Compañía de Jesús, en este sentido, fue perjudicial para el desarrollo de ciertas actividades económicas. Por otra parte, es necesario tener en cuenta que no son reinvertidos los capitales acumulados por los ricos encomenderos-hacendados. Cuando no son extraídos por Europa se destinan a la construcción de los suntuosos templos quiteños o simplemente se los atesora. Tanto en su arquitectura como en su decoración las casas de las ciudades de la Audiencia de Quito son modestas, aun las habitadas por los "principales". A diferencia de otras capitales coloniales y a pesar de existir algunas familias nobles, Quito no contó con un sólo palacio particular. El gasto suntuario consistió en la edificación de iglesias —especialmente notables fueron las quiteñas— de acuerdo con las costumbres religiosas de la época. Estas características de la economía y de la sociedad afectan negativamente a todas las actividades productivas. Por ello, cuando se establece un mercado de libre competencia por el ingreso de las telas europeas y chinas, los géneros quiteños no pueden competir en calidad y precio y se produce la ruina de los obrajes.

La acción de las variables estudiadas —internas y externas—[8] ex-

8. Éste es el momento oportuno para formular dos aclaraciones:
   a) Como se puede advertir en el estudio realizado hasta ahora, los "factores externos" no son suficientes para explicar el estancamiento colonial. Sin desconocer el valor explicativo de la variable "dependencia", consideramos que la forma en que se organiza la producción en la Audiencia de Quito desempeña un papel principal. Sobre todo si se recuerda que su formación económica tuvo ciertas peculiaridades que la diferencian de las otras sociedades coloniales, especialmente en su articulación externa. La constatación empírica nos lleva a expresar nuestro desacuerdo con las tesis que asignan a la "dependencia" un valor explicativo unicausal de todos los fenómenos sociales y políticos que se han producido o se producen en la sociedad ecuatoriana.
   b) Deliberadamente nos hemos abstenido de calificar a la sociedad colonial como "feudal" o "capitalista". Ambos conceptos, elaborados para calificar las formaciones sociales que se dieron en Europa, nos parecen inadecuados para calificar la formación social que se da en la Audiencia de Quito. Quizá los estudios sobre el "modo de producción andino" contribuyan a definir un concepto más preciso y operativo. Sin embargo, si examinamos los "modos de producción"

plica el estancamiento económico de las provincias del centro y norte de la Sierra que entran en un largo período de recesión durante el siglo XVIII. Por ejemplo, mientras en los últimos años del siglo XVII hay en Quito 400 tiendas, en 1720 sólo subsisten 60. Al finalizar el período colonial, al decir de González Suárez, la decadencia de las provincias quiteñas es alarmante, "los indígenas iban disminuyendo rápidamente, la agricultura era rudimentaria, el comercio casi ninguno, la industria estaba destruida y la ganadería caminaba a la ruina.[9]

La política comercial de los borbones produce efectos diferentes en las otras provincias de la Audiencia de Quito. La zona austral, no dependiente de la producción obrajera, sortea la crisis económica gracias a la venta de cascarilla. Guayaquil inicia un período de florecimiento cuya magnitud recién podemos apreciar gracias a un notable estudio histórico realizado por Michael T. Hamerly. La política de libre comercio de Carlos III y Carlos IV legaliza las ventas de cacao en el Virreynato de Nueva España y si bien se mantienen las restricciones para el tráfico con la Madre Patria, que debe hacerse a través de Callao, las exportaciones de la "pepa de oro" se incrementan notablemente. Entre principios del siglo XVIII y 1821 se sextuplica la producción de cacao y entre 1788 y 1820 se duplican sus ventas en el exterior, que a fines del período colonial representan entre las dos terceras y las tres cuartas partes de las exportaciones de la Audiencia de Quito, cuyas provincias costeras del centro y del sur se convierten en importantes abastecedoras de cacao. El significativo desarrollo económico que experimenta la Provincia de Guayaquil se explica además por la acción de dos causas complementarias. La población del litoral que en 1780 representaba alrededor del 6,7 por ciento del total de la Audiencia, en 1825 llega al 14 por ciento, pasando Guayaquil a ser la segunda ciudad, en cuanto al número de habitantes. Esta revolución demográfica originada principalmente en las migraciones de serranos, permite a los plantadores de cacao dis-

---

que se dieron en la Audiencia de Quito y no sólo la integración de su economía en el mercado mundial, consideramos que los elementos "feudales" prevalecen sobre los "capitalistas", como se puede ver en el análisis realizado y en el que consta en las páginas siguientes.

9. Federico González Suárez, *op. cit.*, t. II, pp. 968 y 1276. (La citada afirmación de este autor se refiere a todo el territorio de la Audiencia de Quito. Pero, por lo que se examinará enseguida, la recesión económica se produce sólamente en las provincias que dependen de la producción obrajera, esto es, en la región norcentral de la Sierra.)

poner de abundante mano de obra. Si bien los habitantes del litoral viven en condiciones más modestas, "que las de sus contemporáneos serranos", a diferencia de éstos, en materia religiosa son "indiferentes"; este hecho sumado a la limitada presencia eclesiástica —por ejemplo, la Costa no contó con un solo convento de monjas— lleva a los guayaquileños a destinar sus capitales a la expansión de las plantaciones y exportaciones de cacao, antes que a la construcción de iglesias y conventos.[10] A todo ello es necesario añadir el incremento de la demanda de cacao por el desarrollo industrial y el crecimiento del consumo de tabaco en Europa y en los EE. UU.

10. Michael T. Hamerly, *Historia Social y Económica de la Antigua Provincia de Guayaquil (1763-1842)*. Archivo Histórico del Guayas, Guayaquil, 1973, pp. 67, 69, 71, 79, 102, 103, 105, 112, 121, 122, 124, 160. (La historia del Ecuador, sobre todo colonial, ha tenido siempre una visión "quiteña", seguramente porque nuestros historiadores sólo han trabajado con los archivos de Quito. La publicación de la obra que citamos abre una nueva perspectiva —hasta ahora sólo vislumbrada— sobre la Provincia de Guayaquil en las últimas décadas de la Colonia. Es importante sobre todo el énfasis que el autor pone en los aspectos económicos ordinariamente no estudiados suficientemente por nuestros historiadores, excepto por el Padre Vargas.)

IV. ARTICULACIÓN DEL PODER

1. Las sociedades precoloniales

Algunas características de las sociedades precoloniales crean condiciones favorables para la inicial subordinación de los indígenas. Como los caciques, los incas y en general los jefes indios, juntan en sus manos los poderes políticos y religiosos, estuvieron en posibilidad de ejercer una autoridad absoluta —que se le consideró sagrada o al menos de origen divino— ciegamente acatada por los súbditos que incluso en sus vidas estaban sujetos a la voluntad tiránica del soberano. Los relatos de los cronistas de Indias son muy ilustrativos.[1] Basta recordar que Atahualpa castiga la traición de los *cañaris* pasando a cuchillo a 60.000 (?) miembros de esta tribu. Producida la derrota de los "hijos del Sol", la ciega obediencia de los indígenas se mantiene. Sólo cambian los amos. Por ello a los españoles les es relativamente fácil imponer su autoridad entre los pueblos que estuvieron sometidos a la organización política inca. En cambio, tuvieron dificultades para dominar a los que no formaron parte del imperio del *Tahuantinsuyo*.

Como la sociedad indica no logró constituir una nacionalidad, no pudo interponer un todo integrado a la penetración española. El "Reino de Quito" no llegó a ser una entidad política propiamente dicha y no se extendió más allá de los territorios centrales de la Sierra. En los demás y en las regiones costera y oriental, hubo dispersas organizaciones tribales en diversos grados de evolución. El incario sólo duró 50 años en el sur de la sierra ecuatoriana, 30 años en el centro y 18 en el norte y la unidad política que forjó fue débil. Las tribus mitimaes de los *salasacas* y de los *saraguros* no llegan a integrarse con los otros pueblos, algunos de los cuales se vuelven contra los ejércitos incas y colaboran con los españoles.

1. Pedro Cieza de León, *La Crónica...*, p. 251.

Se discute la existencia de la propiedad privada antes de la venida de los incas. Parece que coexistió una triple propiedad inmobiliaria: estatal sobre las tierras, pastos, plantaciones, minas y edificios públicos; colectiva para la explotación común, sobre bosques y tierras de cañadas y para explotación familiar sobre tierras de cultivo; privada sobre casa y parcelas.[2] El sistema económico impuesto por los incas elimina toda forma de propiedad privada cuando las tierras pasan a ser del soberano; lo mismo que los rebaños, las aguas, las cosechas y las minas. Cada familia recibe en usufructo, para destinarlas a su sustento, las tierras de la comunidad. Todo lo cual contribuye para que sean débiles los sentimientos "propietaristas" de los indígenas.

La nobleza está exenta del trabajo que constituye el principal tributo del pueblo nativo. El indio tiene la obligación de laborar las tierras asignadas al Sol, al Inca, a los curacas, a los soldados y a los desvalidos. Debe trabajar en la construcción de obras públicas, en la edificación de templos y en la explotación de las minas para lo que se le sujeta a la mita. Además estaba obligado a otros tributos: cargas de maíz, mantas, hondas, y en general artículos para el hogar y armas para la guerra.[3]

A diferencia de otros países de Europa en los que se inicia el desarrollo capitalista, en España sobrevive el feudalismo que alcanza su máximo apogeo en el siglo XVII. De esta sociedad provienen los conquistadores, burócratas y colonos que llegan a la Audiencia de Quito. En todos ellos están muy presentes los valores y prácticas del sistema medieval: la apropiación de la tierra y de los excedentes por la nobleza;la organización jerárquica de la sociedad; el vasallaje de los siervos sujetos al trabajo y al pago de un tributo; la consideración de que la tierra constituye la principal fuente de riqueza; el poder represivo ejercido sobre los campesinos sujetos a una situación de servidumbre. Cuando se afincan en los territorios conquistados buscan la propiedad agrícola que ennoblece, se niegan a desempeñar las "envilecedoras" tareas manuales y se diferencian socialmente de los indios a los que consideran inferiores. Hasta los que no son nobles se transforman en "hidalgos" por el mero hecho de arribar a América. "Todos cuantos de allá pasaban a estas partes miraban con desdén toda industria, todo oficio y, en general, todo trabajo: los labrado-

2. José María Vargas, *La Economía...*, p. 38.

3. Pedro Cieza de León, *El Señorío de los Incas*, Instituto de Estudios Peruanos, Lima, 1967, pp. 59 y 60.

res, los mismos artesanos, cuando venían acá, se avergonzaban de sus oficios y era muy raro el que volvieran a practicarlos [...] las faenas del campo y aun algunos oficios quedaron, pues, reservados sólo para los indios, porque los blancos tuvieron a menos ejercerlos." [4]

2. Ilegalidad

Según el historiador Juan de Velasco, aun antes de que se expidieran las *Leyes Nuevas*, llegaron copias que "levantaron el universal incendio". Los colonos "renegaban, bramaba de cólera y maldecían" a Fray Bartolomé de las Casas por haberlas inspirado y se consultaban para encontrar la forma de eludir su ejecución. Decían que el Emperador no tenía autoridad para dictarlas sin el consentimiento de los pueblos; que sólo debían tomarlas como meras instrucciones y no admitirlas por ser injustas y de ningún valor; que no podía "quitarles los repartimientos y esclavos sin antes darles una justa recompensa" [5]

El resultado es que sólo excepcionalmente se cumplen las leyes y que los blancos se acostumbran a vivir en la ilegalidad. Reiteradamente en las cédulas que se expiden a lo largo de la Colonia, se hace referencia al incumplimiento de las disposiciones reales por los presidentes de audiencia, corregidores, gobernadores, encomenderos y por los propietarios de haciendas, minas y obrajes. Hasta las primeras décadas del siglo XIX —las últimas de la Colonia— llegan al Consejo Real de Indias quejas sobre las "vejaciones, abusos y exacciones sufridas por los indios"

En esta forma se institucionaliza la ilegalidad y sus causas las encontramos en la forma en que se estructura la economía y la sociedad (cfr. pp. 13 y ss.), en las características de las sociedades precoloniales que acabamos de estudiar y en ciertos vicios de la organización política que examinaremos enseguida.

Desde el momento de la Conquista se pone en práctica la venta de cargos públicos. Los gobernadores, hasta los "tiempos modernos" obtienen "exhorbitante lucro" con el nombramiento de las tenencias de gobernación.[6] Ejercida de hecho o reconocida legalmente

4. Federico González Suárez, *op. cit.*, t. II, p. 438.
5. Juan de Velasco, *La Historia Antigua*, t. II, pp. 119 y 120.
6. Juan de Velasco, *La Historia Moderna del Reino de Quito*, Clásicos Ariel, Guayaquil-Quito, 1971, t. I, p. 18.

continúa en los tres siglos de Colonia. Como a los cargos de la burocracia colonial se les considera mercancías, bienes de valor económico o feudos temporales, se permite su venta, negociación o herencia; cosa que incluso llega a suceder con la Presidencia de la Audiencia de Quito. En las designaciones pesa la influencia y los postulantes son atraídos frecuentemente por las posibilidades de enriquecimiento y por el prestigio social que pueden adquirir. Con estos antecedentes se explica la más o menos general corrupción de la burocracia española. Al respecto, Jorge Juan y Antonio Ulloa son muy expresivos cuando dicen que los que vienen con empleo "llevan el ánimo de hacer caudales sin parar en los medios; y entre éstos no se muestran más tibios ni moderados en el deseo de hacer fortuna los fiscales protectores de indios". Si hay algún ministro que se declara por la justicia, muchos se oponen a ella y algunos son indiferentes.[7] La esposa de Pedro Venegas de Cañaveral, Presidente de la Audiencia de Quito (1581-1587), decidió sobre la administración de justicia, tuvo en su casa una joyería y un taller con indias a las que no pagaba un salario ni les daba de comer; y fue tal la abundancia de víveres que le regalaban que puso una tienda para venderlos. Durante el gobierno de aquel Presidente se reparten entre los colonos tierras de los indígenas equivalentes a centenares de caballerías. Los corregidores de Guayaquil se enriquecieron monopolizando el comercio de cacao. Muchos funcionarios emplean buena parte de su tiempo en negocios y especulaciones mercantiles, a pesar de las prohibiciones existentes.[8] Y aquellos ministros que intentan aplicar las leyes caen en desgracia. El Presidente Manuel Barros (1587-1593) aumenta el salario de los indios, prohíbe que se los fuerce a trabajar y que se les ocupe obligatoriamente en la construcción de los conventos, disminuye el número de criados y presta oído a sus quejas. Parecida actitud asume el Presidente Francisco López Dicastillo (1703-1705). Ambos provocan "la irritación de los ánimos de criollos y españoles" y ocasionan "disturbios y rencores" que originan la conclusión de sus mandatos.[9]

Los indios, por su situación de dependencia, no estaban en capacidad de recurrir ante las autoridades y, en el caso de hacerlo, por la desigualdad de las partes litigantes, en muy rara ocasión consiguen que la justicia se declare a su favor. Como los que pleitean contra los

7. Jorge Juan y Antonio Ulloa, *op. cit.*, t. I, pp. 305 y 329.
8. Federico González Suárez, *op. cit.*, t. II, pp. 124, 457, 897, 898.
9. Ibid. pp. 194-200 y 830-834.

indios son los "sujetos más lúcidos" y tienen de su parte la voluntad de los jueces y la amistad del "protector", consiguen, "a poca diligencia", todo lo que desean.[10] Las apelaciones ante el Consejo de Indias tampoco son fructíferas. Este organismo, antes de fallar, solicitaba informes a las autoridades coloniales que los remiten con un análisis desfigurado de los hechos a lo que se suman la influencia de los blancos y la ninguna de los indígenas.

La institución de la "visita" también fue ineficaz. Jorge Juan y Antonio Ulloa relatan que cuando llegó un juez visitador a los obrajes de la provincia de Quito, los interesados intentan convencerle de que siga "el mismo método que se había practicado hasta entonces", esto es, recibir regalos y formular "una papeleta llena de falsedades" con lo que "quedaban las cosas en el mismo estado y la tiranía en su vigor". No acepta el visitador estas propuestas y viaja a Otavalo. En Cayambe le reciben los dueños de haciendas con halagos y obsequios —talegas de plata— y como se niega a aceptarlos amenazan matarle, ante lo cual regresa a Quito y abandona la visita. Igual suerte corre, años después, el visitador Salvador Abarca.[11] Y estas visitas, que pocas veces fueron útiles, no siempre se realizan por su alto costo.

Es que el sistema administrativo colonial, a pesar de las prescripciones formales, en la práctica fue muy descentralizado. La distancia, la lentitud de los trámites, los fueros y excepciones, inutilizan la autoridad real y fortalecen el poder de los funcionarios. Los dignatarios de las audiencias, dicen testigos presenciales de los hechos, "observan sólo lo que les parece y lo ponen en ejecución cuando se les antoja" de manera que "hacen y deshacen a su arbitrio, como verdaderos dueños de la acción".[12] Más aún, es necesario recordar que las autoridades estaban legalmente facultadas para obviar la ley cuando consideraban "inconveniente" su aplicación, a través de la fórmula "obedezco pero no cumplo", con cuya pronunciación quedaban liberadas de la conminación jurídica que les ordenaba ejecutarla. Por esto se dice con mucha razón que las Leyes de Indias fueron "acatadas pero no cumplidas".

10. Jorge Juan y Antonio Ullóa, *op. cit.*, t. I, p. 322.
11. Ibid. pp. 303-305.
12. Ibid. t. II, p. 185.

3. La dominación política

Los encomenderos provienen de una sociedad en la que se discutía si los "indios eran seres racionales". Por entonces el cronista de Carlos V y Felipe II, Juan Ginés de Sepúlveda, sostenía la "inferioridad y perversidad natural de los indígenas" a los que calificaba "de natura gente servil y bárbara y por ende obligada a servir a los de ingenio más elegante como son los españoles" Si bien esta doctrina nunca es reconocida oficialmente, se la discute en la corte y es aceptada por muchos de los que participan en el proceso de conquista. Esta visión del "nuevo mundo" sumada a las características de las sociedades precoloniales llevan a los españoles a considerarse superiores y, mediante una violencia "disfrazada y cotidiana", a descultorizar a la sociedad india para imponer su cultura blanca como "modelo ideal", como "única verdad" que debe ser aprehendida por esos "seres inferiores": los indígenas. Cuando los dioses de los vencidos —los astros, los ídolos, el Inca— son derrotados y sustituidos, se produce un traumatismo colectivo que persiste hasta nuestros días.[13]

Esta dependencia cultural de los indígenas, la consolidación de la propiedad en manos de los blancos y la reducción de las tierras de los indios, no permiten la organización de una sociedad de hombres libres. Si bien la encomienda no daba derecho a la propiedad territorial y los encomenderos, por sí o por interpuesta persona, no podían poseer tierras en los límites de sus encomiendas, de hecho las tuvieron a pesar de las terminantes prohibiciones que en este sentido se dictan. La necesidad de recaudar los tributos y las posibilidades económicas que brinda la ocupación de la mano de obra indígena, les lleva a adquirir tierras en propiedad en los territorios que habitan los indios encomendados. En otros casos, el encomendero que ya tenía tierras consigue en encomienda indios vecinos a sus propiedades. En esta forma las parcelas de los indígenas y de las comunidades vienen a quedar dentro de las tierras del encomendero o en su vecindad y los indios bajo la dependencia de los blancos.

Es así como se juntan los elementos básicos que más tarde darán origen a la "hacienda", cuando las estancias que se forman por las concesiones de tierras hechas por los cabildos se convierten en una unidad de producción agrícola e "industrial" —es necesario recordar

13. Nathan Watchel, *op. cit.*, pp. 302-307.

que en ellas se instalan los obrajes— y en fuente de reclutamiento de mano de obra y de servidores domésticos. Con el tiempo, los estancieros-encomenderos se convierten en hacendados y los indios encomendados en *conciertos*.[14] Para el siglo XVIII la hacienda se encuentra consolidada. En una relación que Jorge Juan y Antonio Ulloa hacen de sus visitas a las propiedades de la provincia de Quito —año 1736— encontramos algunas de las características que la definirán en la República: el indio, a cambio de una paga anual y de un pedazo de tierra de 20 o 30 varas en cuadro, está obligado a trabajar en la gran propiedad; la familia acompaña al peón en sus obligaciones laborales que comprenden el servicio doméstico —las *servicias* y los *huasicamas* existen desde el siglo XVI— y cuando fallece devenga sus deudas; los préstamos en dinero y especie que otorga el señor de la tierra al campesino originan el peonaje por deudas; el amo adquiere derechos sobre la persona del indígena sujeto a su servicio hasta cancelar los créditos que al no ser devengados lo convierten en "esclavo por toda la vida".[15] En una descripción de una hacienda de los jesuitas —año 1737— se dice que tenía casa de teja, tierras sembraderas, huerta, alfalfar, agua, molino, herramientas, carneros, ovejas, terneros, bueyes y 40 indios; 20 de padrón y 20 *conciertos*.[16] De allí que resultaba natural que cuando se vende una hacienda se incluyan en la negociación los indios que sirven en ella.

De esta manera la encomienda se convierte en el vehículo para la inicial dominación de los indígenas.

A este proceso contribuyen los "*caciques*". Las uniones de indias y españoles y la conservación —e inicialmente ampliación— de los privilegios de los jefes nativos, llevan a muchos miembros de la nobleza india a aliarse con los conquistadores. Según testigos de la época, sin el concurso de los *caciques*, los españoles no habrían conseguido que su autoridad sea acatada por el pueblo indio. El *cacique* recluta los trabajadores para las mitas, colabora en la recolección de tributos, somete y castiga a los rebeldes y se constituye en el indispensable intermediario del que se valen los blancos para ejercer el control político. La prestación de estos servicios y sus vinculaciones

14. José María Vargas, *La Economía*..., pp. 39, 93-95. Además la descripción que sobre la organización de la economía de la Audiencia de Quito, luego de la Conquista, hace Jacinto Jijón y Caamaño en: *Benalcázar*, Imprenta del Clero, Quito, 1936, t. I, pp. 167-309.

15. Jorge Juan y Antonio Ulloa, *op. cit.*, t. I, pp. 296-299 y 306.

16. José Jouanen, *op. cit.*, p. 156.

con los nuevos amos le permiten mantener y ampliar sus tierras; obtener mano de obra gratuita; y, apropiarse de salarios y de tributos. En la segunda mitad del siglo XVI, al consolidarse el poder de los encomenderos, la autoridad de los *caciques* deja de ser útil y tiende a desaparecer. Pierden paulatinamente sus tierras, disminuye el número de sus trabajadores e incluso pasan a ser sujetos de tributo.[17] En los siglos siguientes, en la medida en que se configura la hacienda, el mayordomo, el ayudante y el mayoral, reemplazan al cacique en el ejercicio de sus funciones de intermediario.

A diferencia de lo que sucedía en la sociedad india en la que las prácticas de reciprocidad y redistribución permitían que la riqueza se distribuyera de alguna manera entre todos, en la organización económica colonial la producción se encauza unilateralmente para empobrecer a los indios y enriquecer a los blancos.[18] El trabajo es la principal carga a la que se les somete a los indígenas. Gracias al uso y abuso de la encomienda, el repartimiento, la mita y más tarde del *concertaje* que es su sucesor, los blancos disponen de una extensa mano de obra gratuita o semigratuita sujeta a una situación equiparable a la servidumbre. El salario que nominalmente reciben los indios por 300 días anuales de trabajo y jornadas de 12 o más horas, no llega a la mitad del que rige en España para tareas similares y un cincuenta por ciento de él se consume en el pago del tributo. En las haciendas los vejámenes y los castigos corporales son cosa corriente; los obrajes son casas de trabajos forzados y de reclusión perpetua en los que hay cárcel, cepo y grillos; laborar las minas y los lavaderos de oro constituye una sentencia de muerte. La dependencia de los indígenas es de tal magnitud que cronistas y viajeros de la época coinciden en afirmar que su única diferencia con los esclavos negros consiste en que se les considera "vasallos de su Majestad".[19]

También la encomienda es el instrumento del que se valen los blancos para apropiarse de los excedentes que los procesos productivos dejan en manos de los indios. A la población indígena masculina

17. Nathan Watchel, *op. cit.*, pp. 158, 188-192, 200-201; Silvio Zabala, *op. cit.*, p. 150.

18. Ibid. pp. 153-184. En ellas el Autor hace un amplio análisis de lo que denomina "desestructuración económica" del mundo indio.

19. Jorge Juan y Antonio Ulloa, *op. cit.*, t. I, pp. 301-302, 313, 352-353; Vargas, *La Economía...*, pp. 163, 175-176, 205-206; González Suárez, *op. cit.*, t. II, pp. 458-459, 912; Stevenson W. B., *Viaje de Guayaquil a Quito con el Presidente Ruiz de Castilla, en el Ecuador visto por Extranjeros en los siglos XVIII y XIX*, Biblioteca Ecuatoriana Mínima, Quito-Puebla, 1960, pp. 211-212.

mayor de 18 años y menor de 50, se le sujeta al pago de un tributo en dinero o en especie —animales domésticos, alimentos, artefactos para el hogar, ropa, arneses para los animales—.[20] Esta contribución constituye una carga personal que no toma en cuenta la situación económica del tributo ni sus bienes de fortuna. Si bien existe una "tasa" establecida por las autoridades, muchas veces el monto de la tributación queda librado a la voluntad del encomendero y del cacique. La mayor parte de las encomiendas que existieron en Quito en 1573, según el padre Vargas, rindieron menos de tres mil pesos anuales; sólo diez originaron rentas superiores a esta cantidad que en dos casos superaron los cuatro mil pesos. Una relación de la época citada por Silvio Zabala estima que las 156 encomiendas que había en 1591, una vez deducidos los quintos reales, daban a los encomenderos una renta anual de 142.372 pesos.[21] La significación de estas cifras debió ser considerable, pues, en los últimos años de la Colonia los tributos de indios recaudados directamente por la Corona representan cerca del 40 por ciento del total de impuestos.[22]

La encomienda es además el núcleo de la organización política colonial por ser el instrumento del que se valen los españoles para reducir a pueblos la dispersa población indígena, requisito sin el cual no hubieran podido cumplirse los fines religiosos y económicos de la

20. Vale citar un ejemplo. Diego de Sandoval, uno de los más importantes encomenderos de la Audiencia de Quito, recibía de los caciques de Mulhaló los siguientes tributos: "900 pesos anuales, pagaderos en dos dividendos cada seis meses; veinte vestidos de algodón cada medio año, mitad de hombre y mitad de mujer, según medida y forma señaladas; un toldo mediano de algodón cada año y cada seis meses 25 ovillos de hilo para pabilo y 3 mantas para caballo con tres mandiles; cada 6 meses jáquimas con sus cabestros y 6 cinchas con sus látigos, de cordel hechos de cabuya y además 5 arrobas de cabuya para hilar. Cada 3 meses, 18 puercos de año y medio, 150 gallinas y 15 pares de perdices. Cada semana 150 huevos fuera de cuaresma y 200 en cuaresma. Cada mes dos venados frescos y salados y 6 conejos cada semana. Cada semana algo de pescado para los días de pescado y algo de fruta en tiempo de fruta. 400 fanegadas de maíz cada año, 30 cestillos de medio almud de ají y 30 maderos de treinta y dos pies de largo. Cada 6 meses 10 bateas medianas y una grande y una artesa y 18 platos y escudillas y cucharas de madera. Además 3 sillas de caderas y 3 bancos de maderas y 3 petacas encoradas, 10 arrobas de sal y 25 pares de ashotas. Fuera de estos tributos debían los indios labrar 2.000 tejas para el encomendero; sembrar 8 fanegadas de maíz, trigo y cebada, con semilla dada por el encomendero y cosecharle el producto; debía asimismo proveer de 15 indios de servicio que irían turnándose en casa del encomendero y 6 de ayuda a guardar el ganado y las sementeras". Esta encomienda fue tasada en Lima el 1 de abril de 1551. (José María Vargas, *La Economía*..., pp. 135 y 136).

21. José María Vargas, *La Economía*..., pp. 123-134; Silvio Zabala, *op. cit.*, pp. 324-325. (Algunos precios de la época nos dan una idea de la significación de las cifras citadas: en 1570 una cabeza de ganado vacuno valía 4 pesos y una yegua 8 pesos).

22. Pío Jaramillo Alvarado, *op. cit.*, p. 123.

Conquista. Cuando un español recibe una encomienda le corresponde sujetar "por bien o por la fuerza" a los indianos de su provincia, para lo que se le autoriza formar sus propios ejércitos. Una vez pacificada una parcialidad indígena, sobre su base y con su nombre, se organizan las parroquias rurales y los anejos. En éstos es absoluto el poder del encomendero cuya autoridad se extiende incluso a las ciudades y villas, lugares en los que desempeña el papel de "oráculo de la demás gente". Hasta los corregidores reducen el ejercicio de su autoridad a los límites establecidos por los grandes propietarios.[23] La función política de la encomienda es bien entendida por Hernán Cortés cuando la defiende porque de ella depende el sustento de los españoles, porque permite la instrucción de los naturales en la fe y porque constituye un medio eficaz para mantener sujeta la tierra y obedientes a los indios.[24]

Finalmente es necesario subrayar las estrechas vinculaciones que existen entre los titulares de la encomienda y la autoridad política. En efecto, en los años siguientes a la Conquista, en las mismas personas se juntan las calidades de funcionario de la Audiencia, miembro del Cabildo, propietario de tierras y encomendero. Este hecho es importante recordar porque en esta época se establecen las bases que han de regir la organización social colonial, cuando se distribuyen las tierras y los indios que han de ser la fuente principal de riqueza. Más tarde, las autoridades enviadas por la metrópoli, de hecho, continúan vinculadas con el poder económico porque cuentan con sus propios negocios o porque establecen relaciones familiares o sociales con los criollos adinerados. En cuanto al Cabildo, en la medida en que sus miembros deben previamente reunir la calidad de "vecinos principales", constituye una organización oligárquica que representa los intereses económicos de los blancos. En consecuencia, asuntos tan importantes como la distribución y posesión de las tierras, la fijación de los aranceles artesanales y el control de los gremios, que constituyen la única organización popular de la Colonia, se manejan en función de los intereses de los grupos sociales dominantes. Bien puede decirse que si bien los criollos no ejercen la autoridad política formal representada por la Audiencia, guardan en sus manos el poder del que se valen para eludir la ley, explotar y mantener sus privilegios.

23. Jorge Juan y Antonio Ulloa, *op. cit.*, t. II, p. 116.
24. Silvio Zabala, *op. cit.*, p. 50.

La encomienda permite que los pueblos conquistados se integren a la sociedad colonial en cuanto al pago de tributos y a la prestación de trabajo, esto es, como sujetos de explotación. En lo demás, los indios son marginados tácita o expresamente. La justicia se administra de manera diferente a los indígenas. La posición social determina la forma en que se llevan los trámites judiciales y, en cuanto a las penas, se conoce que la de muerte generalmente sólo se aplicó a indios, negros y mestizos. Los mestizos —no digamos los indios— son excluidos de los cargos elevados, principalmente en la milicia y en la magistratura. No tienen acceso a la educación, pues, para los hombres de color, en el mejor de los casos, está reservado el Colegio de San Andrés en el que se les enseña las "artes mecánicas". Cuando el indio Collahuaso escribe la historia de las guerras de Atahualpa y Huáscar, el corregidor que lo supo se indignó porque "un indio trataba de hacer lo que sólo podía corresponder a los blancos". Cuando se funda el Convento de la Concepción se instruye para que se reciban como religiosas sólo "niñas de sangre limpia" y no "mestizas o gente ruin". En el primer seminario que los jesuitas constituyen en Quito los aspirantes debían probar "legitimidad de nacimiento, limpieza de sangre y buen ingenio". En el convento de Santa Clara no se permite tomar a las hijas de los caciques sino en calidad de legas, esto es, de criadas. Hubo curas específicamente encargados de prestar los servicios religiosos a los indios. Si bien en las ciudades las iglesias eran comunes, cada clase social tenía su lugar. Una "grave" acusación que se hizo contra el obispo Peña fue la de que era "fácil de conferir las órdenes sagradas a los mestizos". Cuando éstos llegan a ocupar alguna dignidad eclesiástica son objeto de mofas y segregaciones.[25]

El "mesianismo temporal" de España le lleva a imprimir en la Conquista un marcado acento religioso por entonces íntimamente vinculado con los fines temporales de la Corona. Se busca la formación de una nueva cristiandad al otro lado del Atlántico mediante la difusión de la fe católica entre los indios. Por eso la empresa de conquista es obra de soldados y religiosos. Los unos derrotan a los pueblos nativos y los otros los someten moralmente al sustituir la cosmovisión india del mundo y de sus cosas por la visión hispánica —y por

25. John Leddy Phelan, *op. cit.*, pp. 55 y 201; González Suárez, *op. cit.*, t. II, pp. 73, 166, 167, 330, 347, 381, 411, 414, 1342, 1343, 1344; Jorge Juan y Antonio Ulloa, *op. cit.*, t. I, p. 327; Isaac Barrera, *Ensayo de interpretación histórica*, Ed. CCE. Quito, 1959, p. 42.

tanto "blanca"— de una sociedad en la que la nación conquistada es relegada a los lugares inferiores de la organización social.[26] Por otra parte, como la Iglesia y los religiosos adquieren importantes intereses económicos, al convertirse en propietarios de hacienda y obrajes, coadyuvan para que la organización social colonial funcione de la manera analizada. Las suntuosas iglesias y los numerosos conventos se construyen mediante la explotación de la mano de obra indígena y mestiza. Los afanes evangelizadores de los misioneros no son suficientes para explicar la proliferación de curatos y conventos si a ellos no se suma el aliciente económico que motiva a muchos. Tal hecho es comprendido por la Corona cuando Felipe IV, mediante cédula de 27 de octubre de 1626, prohíbe que en el territorio de la Audiencia de Quito se funden nuevas casas religiosas por los "daños que reciben los vecinos y naturales de esa tierra" y por los perjuicios que sufre el monarca, al estar exentos los religiosos de todas las contribuciones, incluso del diezmo. Por cierto que hubo sacerdotes y obispos —Peña y Solís por ejemplo— que defienden los derechos de los indios, pero incluso ellos no logran someter a los clérigos que vienen a las Indias en busca de un rápido enriquecimiento o que toman las órdenes sagradas como un medio de ascenso social.[27] Además, la estructura de la sociedad colonial es útil a la Iglesia en cuanto le permite captar una parte de los excedentes mediante el cobro de los diezmos, que siguen en importancia a los tributos de indios, y llegan a representar el 15 por ciento de las contribuciones.[28] Como los "arrendatarios" son los encargados del cobro, en el caso de los indios su monto es fijado arbitrariamente por los "diezmeros". Las fiestas religiosas, la administración de sacramentos y la venta de bulas y dispensas constituyen una vía de transferencia de recursos de manos de los indígenas a las de los curas párrocos.

26. Enrique Dussel, *Historia de la Iglesia en América Latina*, Ed. Nova Terra, Madrid, 1974, pp. 86-89.

27. González Suárez, *op. cit.*, t. II, pp. 367-368; Jorge Juan y Antonio Ulloa, *op. cit.*, p. 189.

28. Pío Jaramillo Alvarado, *op. cit.*, p. 125.

V. CONFLICTOS POLÍTICOS

En la sociedad colonial que acabamos de analizar pueden distinguirse tres fuerzas sociales: las autoridades metropolitanas, los propietarios criollos y los trabajadores indios. Sus conflictos de intereses se expresan en los levantamientos indígenas y en las rebeliones de los "blancos".

1. Levantamientos indígenas

Los españoles tuvieron muchas dificultades para someter a las tribus indígenas orientales, algunas de las cuales permanecen libres. En las pocas que son reducidas a encomiendas, por los trabajos, tributos excesivos, abusos y castigos de que son víctimas sus pueblos se "levantan", atacan las ciudades de Ávila y Archidona, las incendian y matan a los habitantes blancos. A este primer movimiento del año 1578 se suma el de 1599 que origina la destrucción de Logroño y Sevilla de Oro y muchos otros que se suceden en los siglos XVII y XVIII con similares características, con lo cual, los españoles y colonos son expulsados de las tierras conquistadas en la región oriental. Las consecuencias de que estos pueblos indios se hayan liberado de la dominación blanca, las podemos apreciar ahora comparando el orgullo cultural y el carácter libertario de los indígenas del Oriente —el caso de los *Shuaras* es muy ilustrativo— con el resignado espíritu de sumisión de los indios serranos, producto de cuatro siglos de explotación y de sistemática persecución de los valores y expresiones de la cultura nativa. Y en cuanto al nivel de "civilización", no parece ser mejor la situación de éstos con respecto a aquéllos, excepto naturalmente el caso de los que todavía permanecen en estado selvícola. Lo que se ha dicho de los indígenas del Oriente también es válido para los de la Costa, región en la que probablemente influyen, por una parte el que fueran muy pocos y, por otra, el que conserven la propiedad de sus tierras.

En la Sierra, si bien se producen levantamientos en todo el período colonial, los estudios históricos sólo nos hablan de los sucedidos en los siglos XVII y XVIII —particularmente en el último— en las provincias de gran concentración indígena que son las que sufren las peores condiciones de explotación: Chimborazo, Imbabura, Cotopaxi y Tungurahua.[1] Los indios se rebelan contra: los "abusos, crueldad y dureza" de los blancos; el cobro de los "odiosos y excesivos diezmos y tributos"; el trabajo "sin paga"; los "servicios y dones sin remuneración alguna"; la "apropiación de los terrenos"; el "reclutamiento para el trabajo de las minas". Quizás éstas no fueron las únicas causas. Además parece que existió una motivación política insuficientemente conocida y apreciada: el "milenarismo", expresado en el deseo de afirmar la cultura nativa y la independencia del pueblo indio. El levantamiento de las parcialidades aledañas a Riobamba (1764) aparentemente tuvo conexiones con otras provincias del país. En los gritos de guerra se advierte un deseo implícito de restablecer sus dioses y sus reyes y un rechazo a los que les han sido impuestos. Pero fracasan en todos los intentos de eliminar a los "odiados blancos". Si bien en algunos casos consiguen imponer la autoridad de los "cabecillas" en algunas localidades e incluso en regiones de una provincia, y liquidan a los causantes de la explotación —encomenderos, corregidores, mayordomos, diezmeros, curas, etc.— los levantamientos indígenas nunca alcanzan una proyección nacional y son finalmente derrotados. La falta de organización, capacidad militar y unidad no les permite enfrentar con éxito a la alianza de las autoridades españolas y de los propietarios criollos.

Estos fueron los movimientos populares de la Colonia. Los negros y los mulatos, quizá por su número reducido y por su situación de esclavitud, no llegan a desencadenar conflictos que se conozcan. La conducta de los mestizos es diversa. Cuando dependen de los blancos son aliados de sus amos. Los "libres", esto es, los artesanos y comerciantes organizados en gremios, se movilizan para protestar por los bajos aranceles fijados por los cabildos. Quizá la acción más importante que desarrollan es la denominada "rebelión de los barrios

1. Sólo existen tres estudios sobre los levantamientos indígenas que constituyen un tema muy insuficientemente conocido: Alfredo Costales Samaniego, Fernando Daquilema, Talleres Gráficos Nacionales, Quito, 1957, pp. 21-61; Aquiles Pérez, *op. cit.*, pp. 439-452; y el literario libro de Oswaldo Albornoz, *Las luchas indígenas en el Ecuador*, Ed. Claridad, Guayaquil, 1971. Sobre el tema va a publicarse un libro del antropólogo Segundo Moreno que lamentablemente no pudo ser consultado.

de Quito" ocurrida en 1765, causada por los abusos cometidos en la aplicación del Estanco Real del Aguardiente y por la conducta vejatoria de los europeos, en ambos casos, en perjuicio del pueblo integrado por artesanos y pequeños comerciantes. Según los historiadores, la "plebe" llega a desencadenar un verdadero motín que por varios meses tiene en jaque a las autoridades, que deben recurrir a la ayuda de los criollos y de los jesuitas para morigerar los ánimos de los sublevados, que deponen las armas cuando la Audiencia resuelve desterrar a los insolentes chapetones. Si bien los amotinados por primera vez gritan "abajo el mal gobierno", al finalizar el conflicto expresan su "obediencia, fidelidad y vasallaje" al Rey.[2]

2. Rebeliones de los criollos

La expedición de las *Nuevas Leyes de Indias* origina la primera rebelión de los "blancos" (1544-1546), apenas diez años después de la fundación de Quito. Las prohibiciones de que las encomiendas se transmitan por herencia, de que sus titulares sean los conventos y los magistrados y de que se empleen a los indios en trabajos forzados provocan el "general alboroto" entre los conquistadores que reclaman estos beneficios como justa recompensa por los servicios prestados a la Corona. No encontrando medios para eludirlas, por el empeño que pone en ejecutarlas el Virrey Blasco Núñez de Vela, recurren a la fuerza, para lo cual los cabildos nombran a Gonzalo Pizarro Gobernador y le encargan formar los ejércitos necesarios. En esta primera insurrección de los encomenderos que termina con la derrota de la autoridad real y con la muerte del Virrey en la Batalla de Iñaquito, se advierten algunos hechos que más tarde caracterizarán al movimiento emancipador del siglo XIX: los cabildos se constituyen en los organismos aglutinadores del descontento de los ricos propietarios y asumen su representación; muchos consideran que la única manera de escapar al control de la Corona es declarándose independientes. "Libertad, libertad" es el grito de combate de los encomenderos que intentan nombrar a Gonzalo Pizarro Soberano del Perú en su calidad de "Padre y Libertador de la Patria".[3]

2. González Suárez, *op. cit.*, t. II, pp. 1126-1137; Juan de Velasco, *La Historia Moderna*..., t. I, pp. 143-148.

3. Juan de Velasco, *La Historia Antigua*..., t. II, pp. 119-142; González Suárez, *op. cit.*, t. I, pp. 1146-1229.

En la "Revolución de las Alcabalas" otra vez afloran los conflictos existentes entre las autoridades metropolitanas y los propietarios criollos. El Presidente de la Audiencia de Quito (1587-1593) Manuel Barros de San Millán, de acuerdo a las leyes vigentes, había prohibido que los indios sean forzados a trabajar para los particulares o en la edificación de iglesias y conventos que los consideraba suntuosos y contrarios al espíritu evangélico.[4] Estas providencias provocan el disgusto de los encomenderos y de los religiosos que le acusan de proteger a los indígenas, de no atender las peticiones de los blancos, de paralizar las actividades económicas y de impedir que se reparen y construyan los templos. La creación de las alcabalas es el pretexto del que se valen para rebelarse contra el Presidente Barros y desconocer la autoridad de la Audiencia. Del pago de este impuesto del dos por ciento a los actos de comercio estaban expresamente excluidos los indios y exentos los artículos de primera necesidad que se vendían "al por menudo para alimento de la gente pobre en los mercados públicos".[5] Evidentemente no afectaba al pueblo. Su carga recaía en los ricos propietarios y en los grandes comerciantes que son los que se oponen a su aplicación arguyendo que el Rey no podía gravar sus patrimonios sin tomar en cuenta que sus padres conquistaron esas tierras con sus propios recursos. Inicialmente la insurrección es conducida y alentada por representantes de dichas clases sociales parapetadas en el Cabildo de Quito: Alonso Moreno Bellido, rematista de los obrajes de los indios de Latacunga, calificado de "cacique" por el perspicaz Presidente Barros; Juan de la Vega, hijo de un conquistador y encomendero de casi todo el valle de los Chillos; Diego de Arcos, conquistador y regidor perpetuo. Todos ellos seguramente hacendados, calidad que se exigía para pertenecer al cabildo. El pueblo de Quito se suma al movimiento —las otras ciudades de la Audiencia se niegan a apoyarlo— cuando los revoltosos difunden las versiones de que el pacificador Pedro de Arana, de entrar a la ciudad, doblará el tributo de los indios, lo extenderá todas las clases sociales y prohibirá a los mestizos usar sombrero.[6] Según un historiador, este movimiento fue más importante "que el 10 de agosto de 1809, que allá miran como la aurora de la independencia, de más empuje y más popular".[7]

4. González Suárez, *op. cit.*, t. I, p. 198.
5. Ibid. p. 200.
6. Ibid. p. 228. Véase además, pp. 200-265.
7. Constantino Bayle, *op. cit.*, p. 446.

En estas rebeliones, excepto los jesuitas que ordinariamente defienden la autoridad del Rey y de sus ministros, las otras órdenes religiosas y en general los clérigos se dividen entre los que apoyan a los rebeldes criollos y los que respaldan a las autoridades. En la "insurrección de los encomenderos", buena parte del clero los apoya y algunos participan en la contienda, llegando incluso a alentar a Gonzalo Pizarro para que constituya un país independiente. Algo parecido sucede en la "revolución de las alcabalas": muchos clérigos se suman a la revuelta y alguno legitima moralmente la conspiración. Era natural que sucediera tal cosa si se recuerda que los eclesiásticos estaban comprometidos con los intereses en juego. Éstos además son la causa de los conflictos domésticos que con frecuencia afectaron a las órdenes religiosas. Las monjas y los frailes criollos reclaman contra los privilegios de las monjas y de los frailes españoles. Como el ejercicio de las funciones de superior trae aparejada la posibilidad de repartir curatos y en general beneficios, cuando se convocan los capítulos para elegirlos se suceden los enfrentamientos entre nacionales y extranjeros. Éstos conflictos alcanzan tal magnitud que, para terminar con las contiendas, se establece la alternabilidad en el desempeño de las provincialías. Pero esta medida no satisface a los criollos que siempre se sienten molestos con la odiosa tutoría de los religiosos españoles.

Progresivamente los conflictos "entre blancos" se vuelven más hondos y llevan a los criollos a concluir en la necesidad de reemplazar a las autoridades españolas. Varios hechos circunstanciales crean condiciones favorables para el exitoso golpe de Estado del 10 de agosto de 1809. Desde 1785 la Corona inicia una política fiscal tendiente a recaudar impuestos no devengados y varios de los futuros patriotas adeudaban ingentes sumas a la Real Hacienda.[8] Esta iniciativa de las autoridades coincide con el empobrecimiento de los habitantes de la región norcentral de la Sierra como consecuencia de la crisis de la producción fabril que se inicia a principios del siglo XVIII y se vuelve crítica en las últimas décadas, cuando las exportaciones textiles se reducen considerablemente.[9] La expulsión de los je-

8. Adeudaban impuestos el Marqués de Selva Alegre Juan Pío Montúfar que más tarde sería Presidente de la Junta Suprema y otros miembros de la aristocracia quiteña. El Conde de Casa Jijón no sólo adeudaba miles de pesos en impuestos sino que además ofrecía resistencia a pagarlos. (*Neptalí Zúñiga Montúfar: Primer Presidente de América Revolucionaria*, Talleres Gráficos Nacionales, Quito, 1945, pp. 253-257. Véase además Ricardo. Cappa, *op. cit.*, t. VI, p. 290).

9. Las exportaciones de tejidos hechas por el puerto de Guayaquil, entre 1768 y 1788 disminuyen de 440 a 157 fardos (Michel T. Hamerly, *op. cit.*, p. 130).

suitas priva a las autoridades españolas de su más importante baluarte ideológico y moral [10] y los convierte en enemigos que toman a cargo la difusión de ideas anticoloniales. Las ideas de la Revolución Francesa fueron prácticamente desconocidas y no influyen en el movimiento emancipador: Santo Tomás, Suárez y Belarmino son los filósofos que estudian las élites de la época. En la Constitución quiteña de 1812 contenida en el "Pacto Solemne de Sociedad y Unión entre las Provincias que formaron el Estado de Quito" se advierte una concepción escolástica inspirada en el pensamiento político tomista.[11]

Los hombres "cultos, nobles y de mayor monta" [12] paternalmente dirigen y ejecutan la conspiración. Se reúnen por primera vez en la hacienda de Chillo del Marqués de Selva Alegre, Juan Pío Montúfar y cuando constituyen la Junta Suprema, cinco de sus seis puestos son ocupados por aristócratas con título nobiliario "elegidos" por los barrios de Quito.[13] Sus ideas prevalecen por sobre las de los letrados Juan de Dios Morales y Manuel Quiroga que inspirándose en el pensamiento republicano y democrático del precursor Eugenio de Santa Cruz y Espejo, aparentemente buscan una independencia absoluta de la Monarquía. No interviene el pueblo entonces constituido por esclavos, indios sirvientes, artesanos y pequeños comerciantes y no puede considerarse como participación la presencia de los curiosos que acuden al Convento de San Agustín cuando los nuevos gobernantes proclaman la Independencia reconociendo a Fernando VII como "Monarca Legítimo y Señor natural".[14] Los

10. Carlos de la Torre Reyes, La revolución de Quito del 10 de agosto en 1809, Ministerio de Educación, Quito, 1961, p. 80.

11. Jacinto Jijón y Caamaño dice que las ideas y los hechos de la Revolución Francesa fueron poco conocidos y a muchos les "habría producido horror y las hubieran perseguido". Añade que la Independencia se basó en "sentimientos y necesidades americanos; su ideología hasta muy avanzada la guerra fue netamente española, deducida de los principios y doctrinas que se enseñaban en las universidades públicas, con la aquiescencia del Santo Oficio, libre de toda sospecha de herejía" Véase *Política Conservadora*, Ed. Buena Prensa del Chimborazo, Riobamba, 1929, t. I, pp. 170 y 182; además, del mismo autor, *Quito y la Independencia de América* en: Biblioteca Ecuatoriana Mínima, Quito, 1960, p. 399.

12. Pedro Fermín Cevallos, *Historia del Ecuador*, Ed. Ariel, Quito-Guayaquil, 1972, t. I, p. 48.

13. Ellos fueron Juan Pío Montúfar, Marqués de Selva Alegre; Felipe Carcelén, Marqués de Solanda; Jacinto Sánchez, Marqués de Villa Orellana; Mariano Flores, Marqués de Miraflores; Manuel Larrea, Marqués de San José.

14. El historiador Carlos de la Torres Reyes (*op. cit.*, pp. 242-243) cita al escribano Atanasio Olea que da razón de que la "multitud se agolpaba" en los corredores y patios del Convento de San Agustín cuando sesionaba la Junta Suprema que se instala con el "aplauso

cabildos de las otras ciudades de la Audiencia no secundan los propósitos libertarios de los quiteños; al contrario, se oponen decididamente y el Cabildo Ampliado de Quito no es convocado por temor a que se pronuncie contra la Junta.[15] Los comerciantes y agricultores guayaquileños, enriquecidos por las crecientes exportaciones de cacao, no encuentran razones para apoyar el movimiento emancipador y lo combaten. Alegando esta muestra de fidelidad solicitan y obtienen de la Corona una simulada autorización para exportar a la península sin pagar impuestos.[16] Los campesinos, que por entonces eran muchos, seguramente no llegaron a enterarse de los sucesos de Quito. En un medio tan adverso los bisoños gobernantes son incapaces de afianzarse en el poder; gozaban de la "natural influencia que daban los títulos y dan los bienes de fortuna, pero tal vez no poseían otras prendas para hacer figura como hombres públicos. Afeminados y de blandas costumbres veían con horror las violencias, y eran sin duda los menos a propósito para obrar entre el flujo y reflujo de las tormentas revolucionarias".[17] La capitulación que viene al poco tiempo culmina con la matanza de los patriotas quiteños realizada el 2 de agosto de 1810 —de la que escapan los nobles integrantes de la Junta Suprema— con la que se inicia un nuevo período: el de las guerras civiles.[18]

Progresivamente el pueblo —la parte del pueblo que entonces podía expresarse— se alinea en las filas de los monárquicos o de los republicanos en el largo período de las guerras civiles. La prisión y la muerte de los hombres más notables de Quito vuelca una parte de la opinión pública a favor de la causa patriota. Más tarde, los saqueos, los vejámenes, los reclutamientos y las requisas, realizados tanto por los ejércitos libertadores como por los realistas, van ubicando a la

---

y regocijo de 60.000 hombres que por entonces había en Quito". Evidentemente el entusiasta escribano exagera los hechos y las cifras. En 1809 la población de Quito no llegaba a 25.000 habitantes.

15. Ibid. pp. 329-330.

16. Hamerly, *op. cit.*, p. 125.

17. Pedro Fermín Cevallos, *op. cit.*, t. I, p. 46.

18. El período de las guerras civiles comprende dos etapas: la primera va desde la matanza del 2 de agosto de 1810 hasta 1812, cuando son derrotadas las tropas patriotas dirigidas por el Comisario Regio, Carlos Montúfar, que abandona el bando de los realistas para abrazar la causa de los "quiteños"; la segunda se inicia con la proclamación de la independencia de Guayaquil el 9 de octubre de 1820 y nominalmente termina el 24 de mayo de 1822 con la batalla de Pichincha, pero, en realidad se extiende, hasta la liberación del Perú y la final pacificación de los realistas de Pasto en 1825.

población en el bando que representa sus intereses afectados. Por esto, Carlos Montúfar, el primer caudillo militar que con las armas intenta expulsar a los españoles de la Audiencia de Quito, fracasa en su intento. En sus acciones militares debe suspender la marcha, porque las poblaciones que deja a retaguardia se sublevan y proclaman la causa real. Miembros de la nobleza que participaron en la Junta Suprema del 10 de agosto —el marqués de Villa Orellana por ejemplo— se oponen a la causa patriota y a sus dirigentes: los montúfares, irónicamente calificados como "la casa grande".[19]

Cuando los guayaquileños, demostrando una clara tendencia separatista que no tuvieron los quiteños, proclaman su independencia, las condiciones políticas y económicas habían evolucionado en favor de la causa emancipadora. La próspera economía porteña se encontraba frente a la estabilización de las exportaciones de cacao. Para romper las ataduras españolas y limeñas que sujetan su comercio, los agricultores y comerciantes guayaquileños abandonan su fidelidad realista, declaran la independencia y en su *Reglamento Provisorio de Gobierno* consagran el principio del libre comercio.[20] Si bien estos ricos criollos alientan la conspiración, son soldados los que ejecutan la sublevación militar —el cuartelazo— y ocupan las principales dignidades del nuevo gobierno. Preparados como estaban para la guerra que se inicia, la conducen exitosamente. No es el movimiento de Guayaquil un hecho aislado. En el interior del país existen simpatizantes y en Venezuela y Nueva Granada, Bolívar derrotaba a las tropas realistas. Esta circunstancia y su calidad de puerto le permite recibir refuerzos del General Sucre con los que los guayaquileños emprenden la liberación de la Sierra.

Así se reinician las guerras civiles. El 9 de octubre de 1820 es obra de soldados del ejército español que abrazan la causa de la Independencia. Los ejércitos patriotas no se constituyen exclusivamente por americanos; en ellos hay oficiales europeos e incluso españoles. Las filas realistas cuentan con oficiales criollos, soldados nativos y con el apoyo de algunos nobles. El Coronel Agustín Agua-

19. Francisco X. Aguirre Abad, *Bosquejo Histórico de la República del Ecuador*, Corporación de Estudios y Publicaciones, Guayaquil, 1972, pp. 165 y 166.

20. Entre 1810 y 1811 disminuyen las exportaciones de cacao y su precio se mantiene bajo hasta 1815. Entre 1813 y 1814 los costos de producción exceden a los precios de venta. Entre 1810 y 1819 las exportaciones de cacao se estabilizan en 100 mil cargas anuales. La producción oficial de tabaco declina. Los intentos de hacendados y comerciantes para alcanzar la reducción de los impuestos fracasan. (Hamerly, *op. cit.*, pp. 130 y 131).

longo que fortificado en Pasto combate a las fuerzas libertadoras, era indígena. En esta ciudad, según el conductor de las operaciones de pacificación, general Salom, "no era solamente la mayoría de la población la que hacía la guerra, sino el total conjunto de los pueblos, con inclusión de las mujeres y hasta niños; pues niños prisioneros se habían tomado cuya edad no pasaba de los doce años".[21] Americanos contra americanos se enfrentan en estas guerras civiles; indios y negros engrosan las filas de ambos sectores y se desangran "vislumbrando apenas la intención política y social de la contienda".[22]

Luego vendrá la estructuración del nuevo Estado. Bajo la presión de Sucre y más tarde de Bolívar, los reticentes guayaquileños acceden a que la Provincia de Guayaquil forme parte de la Gran Colombia.[23] En las ciudades de la Sierra, valiéndose del triunfo militar y de los "pronunciamientos" de las juntas de notables, los colombianos consiguen que las provincias de la Sierra declaren su agregación a Colombia. Reunidos en Quito "el Deán y Cabildo de la Catedral, los Prelados de las comunidades religiosas, los Curas de las parroquias urbanas, las principales personas del Comercio y la Agricultura, los padres de familia y notables" el 29 de mayo de 1822 aprueban una Acta declarando que "las provincias que componían el antiguo Reino de Quito" son parte integrante de Colombia.[24]

Una unidad forjada sobre bases tan deleznables al poco tiempo hace crisis. El país sufría los atropellos de los soldados colombianos y se quejaba del papel secundario al que había sido relegado el Departamento del Sur, al que sólo se le exigía el pago de contribuciones. Pero, más importante que todo esto son las ambiciones de los caudillos locales deseosos de contar con su propio Estado. Para el

21. Pedro Fermín Cevallo, *op. cit.*, t. III, p. 19.

22. Carlos de la Torre Reyes, *op. cit.*, p. 70.

23. Francisco Aguirre Abad, (*op. cit.*, pp. 187-202), en su historia escrita el siglo pasado e inédita hasta 1973 hace una minuciosa descripción de los medios que utilizaron el General Sucre y el Libertador para obstaculizar la libre decisión de los guayaquileños sobre su destino político y para forzar la adhesión de la provincia de Guayaquil a la Gran Colombia, con la que sus habitantes no se encontraban ligados y de cuyos soldados recibía diarias ofensas. El autor añade: "Desde esa época comenzaron los *pronunciamientos* en que se hacen figurar a los ciudadanos en todas las revoluciones, que promueven la ambición de los caudillos, pero muy rara vez han sido la expresión de la voluntad de los pueblos. Asegurada la ciudad de Guayaquil con tres mil colombianos, se despacharon comisiones de sus partidarios a todos los pueblos para que obtuviesen *felicitaciones* hechas a nombre de ellos, y muchas veces suscritas únicamente por los mismos comisionados".

24. Luis Robalino Dávila, *Orígenes del Ecuador de Hoy*, Ed. Cajica, Puebla, 1967, t. I, p. 95.

efecto, el Prefecto General del Sur, General Juan José Flores, por intermedio del Procurador de Quito, solicita la convocatoria de los "padres de familia" de la ciudad para que discutan la conveniencia de separarse de la Gran Colombia. Un día después, el 13 de mayo de 1830, reunidos en el salón de la Universidad "unos cuantos de lo más granado de la ciudad", sin debate alguno, declaran que "constituyen el Ecuador como Estado libre e independiente" [25] A pesar de las difíciles comunicaciones de la época, el pronunciamiento de los notables quiteños, es apresuradamente ratificado el día 19 en Guayaquil y el 20 en Cuenca, lo que hace suponer que todo estuvo previamente "convenido y arreglado".

No siendo las guerras de la independencia guerras nacionales no dan origen a un Estado nacional, como ha sucedido en el presente siglo con los países africanos y asiáticos en los que los pueblos nativos asumen el poder luego de las guerras de la liberación. El 10 de agosto de 1809, el 9 de octubre de 1820, el 24 de mayo de 1822 y el 13 de mayo de 1830, no se independiza la *nación* ecuatoriana, de cuya existencia no tiene noticia el pueblo constituido en su gran mayoría por indios analfabetos sujetos a una condición de servidumbre. Se independiza la clase dominante integrada por ecuatorianos de origen español, puro o mestizo. Viene a suceder entonces algo parecido a lo que en el siglo xx se producirá en Sud África y Rhodesia, donde minorías criollas de ascendencia inglesa asumen el poder, manteniendo en una situación de dominación a los pueblos negros.

Las consecuencias de este hecho examinaremos enseguida al estudiar la *Estructura del Poder en la República*.

25. Pedro Fermín Cevallos, *op. cit.*, t. IV, p. 108.

SEGUNDA PARTE

LA ESTRUCTURA DEL PODER EN LA REPÚBLICA

(1820-1949)

Esta parte comprende un período que va desde la Independencia hasta 1949, año en el que, por la aparición de un nuevo producto de exportación —el banano— adquieren magnitud los cambios que originarán la crisis de la estructura del poder que hoy nos proponemos analizar. El estudio parte de la hipótesis de que en la República la hacienda ha sido la base del poder por constituir el eje alrededor del cual ha girado toda la sociedad. Luego de analizar sus características, se examinan dos instituciones que le han auxiliado en el cumplimiento de su papel hegemonizador: la Iglesia Católica y el sistema jurídico-político, para finalmente observar la forma como el país se integra en el sistema mundial. En este contexto se estudian los conflictos políticos generados por el sistema hacienda: el bipartidismo conservador-liberal, las luchas personales de caudillos y militares, la contraposición democracia-dictadura, el regionalismo y la lucha de clases. Sirva de excusa para los muchos vacíos que el lector encontrará, la inexistencia de una historia económica y social del Ecuador.[1]

I. LA HACIENDA[2]

1. Significación económica

Con la constitución de la República desaparecen los restos de la industria obrajera al ser definitivamente desplazada la producción textil serrana por los géneros introducidos por la libertad de comer-

1. Los historiadores Robalino, Cevallos, Le Gouhir, Aguirre Abad, Reyes y Pareja se ocupan preferentemente de asuntos "políticos", religiosos, territoriales y constitucionales. Sólo tangencialmente tocan problemas económicos y sociales. La Historia de Carbo es sólo cambiaria y monetaria y la Historia Social de los esposos Costales, a pesar de los amplios temas que toca, para los fines de este trabajo es insuficiente.

2. Consideramos como hacienda toda unidad de producción agrícola que usa mano de obra dependiente y que explota la tierra y el trabajo de manera tradicional. Necesaria-

cio. Como fracasan los intentos que se hacen para explotar las antiguas minas y buscar nuevas y si bien continúan en operación los astilleros que llegan a construir un barco a vapor, en el conjunto de la economía su significación relativa es muy pequeña, la fuente de toda riqueza es la agricultura. En la Sierra, la crisis causada por las guerras de la Independencia, progresivamente se supera en las décadas siguientes gracias al aumento de la demanda interna de alimentos y de la demanda externa de cascarilla, paja toquilla, cereales y cueros. En la Costa, con la ruptura de los lazos coloniales y el incremento de las exportaciones se produce un rápido desarrollo de la actividad agrícola. El principal producto es el cacao pero no el único; inicialmente también son importantes el tabaco, las maderas y el caucho y más tarde el café, el arroz y la caña de azúcar.

No sólo es la agricultura la principal actividad económica; constituye además la más importante fuente de empleo. En 1832, en el distrito de Guayaquil el 75 por ciento de los varones adultos vivían de la tierra y el mar, el 15 por ciento de las artes y oficios, el 7 por ciento del comercio, el 2 por ciento de las profesiones y servicios y el 1 por ciento de la industria.[3] Consideramos que esta distribución de la población ocupada es aplicable a las otras provincias del país y que en éstas fue más alta la cifra de personas dedicadas a la agricultura que seguramente superó el 80 por ciento. Es necesario tener en cuenta que en 1962, año en el que ya se habían diversificado los sectores productivos, el 56 por ciento de la población activa se encontraba ocupada en la actividad agrícola. Por otra parte hay que tener en cuenta que son agrícolas los principales productos que se comercializan y que en las haciendas de la Costa en un almacén instalado y manejado por los propietarios se venden todos los bienes —incluso manufactureros— requeridos por los campesinos. Además muchos trabajadores urbanos dependen indirectamente de la agricultura. Por ejemplo, del total de trabajadores que en 1936 existían en Quito, el 21 por ciento eran sirvientes.[4] Como los hacendados se domicilian en las ciudades en ellas gastan sus recursos y por tanto se constituyen

---

mente la hacienda no se equipara al latifundio. Por ejemplo las plantaciones no entran dentro del concepto de hacienda anotado. En cambio sí las medianas propiedades, si en ellas se dan las características indicadas. Todavía ahora, propiedades que no exceden las 20 hectáreas reciben el pomposo nombre de hacienda, y la costumbre refleja una realidad social.

3. Hamerly, *op. cit.*, p. 100.

4. Estudio realizado por el Instituto Nacional de Previsión sobre la población ocupada de Quito. Citado por F. Fernandiz Alborz, *Indios*, Montevideo, s. f., p. 16.

en la fuente generadora de empleo de artesanos, profesionales y comerciantes. Es necesario tener en cuenta que las ciudades ecuatorianas no fueron ciudades de productores sino de consumidores.

Las exportaciones se integran casi exclusivamente con productos agrícolas. Cuando se constituye la República el sombrero de paja toquilla es prácticamente el único bien "industrial" que exporta el Ecuador. Los 80 tipos de artículos que en 1892 se mandan al extranjero "casi por entero eran materias primas" provenientes de la actividad agropecuaria.[5] Sólo en la segunda mitad de siglo XX adquieren una pequeña significación las exportaciones de bienes provenientes de otros sectores productivos, pero aún así en 1970 los productos agrícolas representan un 80 por ciento. En los períodos de prosperidad del cacao al auge de las exportaciones sigue un incremento paralelo de las importaciones. De esta manera los impuestos recaudados por el Estado a través de la aduana de Guayaquil vienen a constituir la principal fuente de ingresos. Los otros impuestos —contribuciones de indios, estanco de aguardiente, diezmos y más tarde los gravámenes a los bienes raíces— también tienen una íntima relación con la agricultura, actividad que de esta manera pasa a ser la clave de la economía nacional.

La hacienda es la unidad de producción agrícola. Ella, como vimos ya, se conforma paulatinamente en la Colonia, se consolida en el siglo XVIII y en el siglo XIX adquiere las características con las que ha llegado al presente. En la República la gran propiedad se forma por la compra, despojo, herencia, matrimonio, donaciones y mayorazgos que subsisten a pesar de la abolición de 1824, pues ella reconoce los derechos del inmediato sucesor. Desde la Colonia existieron grandes propiedades en la zona central de la Costa, que se amplían y se extienden en la primera mitad del siglo XIX, cuando durante el auge del cacao las tierras colonizadas y las de los pequeños labradores incrementan el patrimonio de los hacendados.[6] En la Sierra la hacienda se afianza cuando las comunidades indígenas, por carecer de títulos o no poder usarlos, pierden las tierras de resguardo y más bienes comunales a manos de los criollos que también se apropian de las que fueron del Rey y de las Juntas de Temporalidades. La concentración de la tierra en pocas manos alcanza tal magnitud

5. José le Gouhir y Rodas, *Historia de la República del Ecuador*, Imp. del Clero, Quito 1930, t. III, p. 346.
6. Michael T. Hamerly, *op. cit.*, p. 109.

que algunos llegan a constituir "juegos de haciendas". Un historiador —y hacendado— luego de estudiar la evolución de algunos fundos del callejón interandino (1934) llega a la conclusión de que la propiedad de la tierra "por regla general tiende a unirse, cada vez más, en grandes extensiones, poseídas por pocos terratenientes; el latifundismo, lejos de desaparecer, aumenta diariamente y éste no es un fenómeno de nuestros días, sino que actúa con regularidad constante, desde hace tres siglos".[7] La Iglesia y los herederos de los encomenderos son los propietarios de estas haciendas. Por ejemplo, los descendientes de los conquistadores Diego de Sandoval y Rodrigo Núñez de Bonilla, todavía son ahora los dueños de las más grandes haciendas de las provincias de Pichincha y Chimborazo. En otros casos, comerciantes y profesionales enriquecidos, invierten sus ahorros en la compra de propiedades agrícolas.[8]

La denominada "Ley de Manos Muertas" (1908) expedida por el liberalismo, por la que se confiscan los bienes raíces de las comunidades religiosas, cuyas rentas se adjudican a la beneficencia pública, no significa ningún cambio en la estructura agrícola, pues, en estas haciendas —y en las que más tarde adquieren el Seguro Social, las Universidades, las Fuerzas Armadas, etc.— los mismos arrendatarios de la Iglesia pasan a serlo del Gobierno y mantienen las tradicionales formas de explotación de la tierra y el trabajo.

2. Organización social

En la hacienda la ocupación de la mano de obra adquiere características típicas.

En la Sierra los trabajadores se reclutan mediante el *concertaje* originado en una Cédula Real expedida en 1601 en la que se auto-

7. Jacinto Jijón, *Política*..., t. II, p. 506. Pío Jaramillo Alvarado (*op. cit.*, p. 414) en base de los catastros calcula que en 1928 existían 9.839 latifundistas y 122.404 pequeños propietarios. Según el Censo Agropecuario de 1954, mientras el 0,4 por ciento de las explotaciones disponían del 45 por ciento de la tierra, el 73 por ciento de los propietarios sólo tenían el 7 por ciento de la tierra.

8. El historiador Luis Robalino Dávila (*op. cit.*, t. I, p. 190) dice que en las primeras décadas de la República en Quito "muchos médicos eran también hacendados y atendían más a sus propiedades que a sus enfermos". Cosa parecida sucedía con algunos abogados, que eran los otros profesionales que por entonces existían. Según Hamerly (*op. cit.*, p. 100) comerciantes y profesionales guayaquileños "hacían sus esfuerzos para adquirir tierras si no tenían ya su propiedad". Todavía ahora, cualquier persona que logra constituir una fortuna la destina a la compra de tierras.

riza que los indios concierten libremente su trabajo por semanas o por días.[9] Con el tiempo por este contrato —ordinariamente vitalicio— un campesino que carece de tierra se compromete a trabajar para un hacendado todo el año o la mayor parte de él. Esta obligatoriedad se extiende a su familia que debe colaborar en ciertas faenas agrícolas y prestar periódicos servicios domésticos: sus hijas como *servicias* y él como *huasicama*.[10] A cambio recibe de su amo un anticipo en dinero, granos o animales —*suplido*—; un pedazo de tierra para el sustento de su familia —*huasipungo*—; una cuota mensual o trimestral de granos; y una muda para el año o algunas piezas de su indumentaria. Puede usar el agua de la hacienda, recoger leña en el monte y paja en el páramo y dispone de un sitio para pastar sus animales. Si bien está previsto el pago de un jornal, los daños causados en las sementeras del patrón, la muerte de animales entregados a su

9. Piedad Peñaherrera de Costales y Alfredo Costales Samaniego, *Historia Social del Ecuador*, Talleres Gráficos Nacionales, Quito 1964, t. I, p. 4.

10. "Hemos dicho que un *guasicama* es siempre indio pero debemos añadir que un indio, por poco que salga de su condición, ya no puede ser *guasicama*. De un indio a un chagra o un cholo, la diferencia no es muy grande, y sin embargo un *chagra* o un cholo nunca serán *guasicamas*. Qué diremos! un negro no podrá serlo! Es condición sine-qua-non que el *guasicama* ha de ser indio, e indio miserable, indio analfabeto, que no lleva más vestidos que el calzón corto de liencillo, la camisa sin mangas y el poncho de bayeta..."

"No todos pueden gozar del lujo de un *guasicama*: no basta ser rico ni tener casa; en cambio a un hombre de mediana fortuna no le faltará el lujo con tal que tenga una hacienda, aunque sea pequeña. La hacienda es la proveedora de la *guasicamía* (por qué no hemos de crear la palabreja?). En la hacienda habrá "conciertos", es decir esclavos disimulados, y cada "concierto" sera *guasicama* cuando le llegue el turno y se relevará cada semana, cada mes o cada año..."

"...Llegan pues a la ciudad y se instalan en el zaguán de la casa. Éste es su cuarto que, desde luego, no les sirve sino para dormir... o a esperar a que alguien golpee la puerta para abrirle inmediatamente. Infeliz de él si no lo hace! El amo que entra tarde o el señorito trasnochador que se recoge no siempre en sus cabales, le acribillan a improperios cuando no a golpes: "indio bribón, verdugo, es para dormir para lo que estás tras de la puerta?..."

"...Cuando asoma la aurora el indio bribón está ya en la calle, barriéndola, después de lo cual irá a barrer el patio y los corredores, a limpiar la pesebrera y a dar el pienso a los caballos..."

"Dice mi niña que le haga el favor de prestar su *guasicama* para que vaya a traer un caballo de la quinta".

"—Que vaya con mucho gusto..."

"—Dice mi patrón que le preste su *guasicama* para que ponga un pondo de agua"

"—Que vaya."

"—Dice el señor fulano que le haga el favor de mandar a su *guasicama* para [...]."

"—Que vaya, para lo que quiera que fuese..."

(J. Trajano Mera, el *Guasicama, Selección de Tipos y Costumbres de mi tierra*, publicada por la Biblioteca Ecuatoriana Mínima, Novelistas y Narradores, Quito 1960, pp. 201 y 202) Nota: Hemos transcrito *huasicama* en la forma escrita por el Autor, con "g"

cuidado y las ingentes necesidades de su familia le hacen caer en el endeudamiento mediante el sistema de los *suplidos.* Por cada día de trabajo el patrón, el administrador o el mayordomo anotan una raya en su cuaderno. Anualmente se realizan las cuentas y se acreditan los días de trabajo a la deuda del *concierto.* Si muere, su familia continúa en el huasipungo; su mujer y sus hijos, cuando crecen, asumen la obligación de desquitar la deuda.[11]

La "prisión por deudas" contribuyó para que las condiciones opresivas del concertaje se agraven. Como el Código Civil establecía la facultad de que el acreedor recurra al apremio personal cuando el deudor se constituía en mora en sus obligaciones de hacer, el patrón que consideraba que su concierto no cumplía con sus funciones, recurría a las autoridades para que lo reduzcan a prisión hasta que cancele la deuda o "escarmiente" de sus faltas. Como esta institución jurídica se suprimió en 1918, muchos autores han establecido este año como el de la terminación de la "ignominiosa esclavitud del *concertaje*". Tal afirmación es incorrecta. En primer lugar porque la supresión de la prisión por deudas fue solamente formal para los campesinos indígenas que siguieron siendo reducidos a prisión con la solícita colaboración de los tenientes políticos dependientes de la autoridad patronal.[12] Además, porque todos los otros elementos del contrato de *concertaje* permanecen sin sufrir modificación al punto que en muchas haciendas se siguen diferenciando los peones libres de los peones *conciertos* o *huasipungueros.* El *concertaje* recién es eliminado de la legislación ecuatoriana —y no completamente— cuando se expede la ley de Reforma Agraria en 1964, en la que se dispone la entrega de los huasipungos a los campesinos a los que se les libera de las obligaciones que les ataban a la hacienda.

El *concertaje* tuvo principalmente vigencia en la Sierra. En la Costa fue menos importante por el escaso número de indígenas y porque los que hubo en la península de Santa Elena fueron libres. Si bien en esta región desde antes de la Independencia se dan formas

11. Cuatro autores estudian el concertaje: Piedad y Alfredo Costales, *op. cit.*, t. I, pp. 3-287; Pío Jaramillo Alvarado, *op. cit.*, pp. 85-89, 120-122, 133-186 y 171; Jacinto Jijón, *Política...* t. II, pp. 530-555; Luis Monsalve Pozo, *El Indio*, Ed. Austral, Cuenca 1943, pp. 257-262.

12. Un viajero extranjero (Albert Franklin, *Ecuador, Retrato de un Pueblo*, Ed. Claridad, Buenos Aires 1945, p. 90) en 1942, verificó que los indios de la hacienda *Zumbahua* recientemente se habían enterado de que las leyes protegían su propiedad, que debían ganar un salario y que no podían ser azotados.

"precarias"[13] de trabajo, como el concertaje que incluso subsiste hasta la República, aparentemente ellas se desarrollan con el auge del cacao (1809-1814) cuando produce la concentración de la propiedad y la migración de trabajadores serranos. Es así como adquiere importancia el contrato de *sembraduría* o *finquería* por el cual un labrador, gracias a un pequeño capital que forma con un anticipo que recibe del patrón, con otros préstamos o con sus ahorros, obtiene un sitio en la hacienda en el que forma un huerto para la alimentación de su familia y una parcela de mediana o grande extensión en la que planta cacao, café, arroz, algodón, etc. Hasta que el plantío sea productivo recibe créditos del hacendado o de otras personas —de los *fomentadores* en el caso del arroz— y cuando se realiza la cosecha, está obligado a venderla al propietario de la tierra a un precio inferior al corriente, con cuyo dinero paga las deudas contraídas. En el caso de los productos agrícolas permanentes el hacendado puede redimir los cultivos, pagando al campesino por cada mata o hectárea cultivada.[14] Cuando existió la "prisión por deudas" y aún después de su derogación, esta institución se aplicó a estos trabajadores costeños. Eloy Alfaro, en su mensaje dirigido en 1896 a la Convención Nacional habla de la existencia de peones conciertos en las haciendas de la Costa, cosa que confirma José de la Cuadra en 1936.[15]

También existieron otras formas de trabajo precario con vigencia en todo el país entre las que cabe mencionar la *aparcería* o *mediería*, contrato por el que un campesino aporta el trabajo y las semillas y el patrón la tierra, dividiéndose ambos la cosecha en proporciones iguales. A esta forma contractual se vieron obligados a recurrir los pequeños propietarios que no poseían tierras suficientes para ocupar la mano de obra de la familia campesina.

La mano de obra esclava tuvo poca importancia. En 1825 en el país apenas hay 6.804 esclavos y el sesenta por ciento de ellos se encuentran en la Sierra.[16] Estos trabajadores que en la Colonia se ocu-

13. Precarista "es el trabajador agrícola directo que usufructúa una parcela de tierra, pagando su uso en dinero, productos, trabajo o servicios". (Ley de Reforma Agraria de 1964.)

14. Jacinto Jijón, *Política*..., t. II, pp. 557-559; José de la Cuadra, *El Montubio Ecuatoriano* en Obras Completas, Ed. CCE, Quito 1958, pp. 898-900; Piedad y Alfredo Costales, *op. cit.*, t. II, pp. 536-542; José Ignacio Albuja, *Estructura Agraria y Estructura Social*, Ed. Ecuatoriana, Quito 1964, pp. 126-129.

15. Eloy Alfaro, *Mensaje a la Convención Nacional de 1896*, Escritos Políticos en Biblioteca Ecuatoriana Mínima, Quito 1960, p. 604; José de la Cuadra, *op. cit.*, p. 901.

16. Piedad y Alfredo Costales, *op. cit.*, t. I, p. 324.

pan en el cultivo de cacahuales en la provincia de Guayaquil, declinan a principios del siglo XIX y sobre todo a partir de 1821 cuando se inicia el proceso de manumisión –hasta 1832 ya se habían manumitido las dos terceras partes de los esclavos del puerto–,[17] que finaliza en 1851 año en el que se expide el Decreto que ordena la libertad de los esclavos. Más importantes que los esclavos son los trabajadores agrícolas libres que laboran como jornaleros en los cultivos agrícolas del litoral. Si bien en las haciendas que ocupan estos asalariados se pueden encontrar las primeras y embrionarias formas de producción capitalista, no creemos que ello sea suficiente para calificar a la economía costeña y peor a la de todo el país, como "marcada" o "predominantemente" capitalista. (cfr. pp. 170 y ss.)

La reducción de los trabajadores agrícolas a una situación de dependencia se debe a la concentración de la propiedad de la tierra en pocas manos. Los indígenas y montubios que carecen de pequeñas parcelas para su sostenimiento y el de su familia, se ven obligados a buscar la protección de la hacienda con cuyos dueños conciertan su trabajo. La hacienda permite al campesino sobrevivir, constituye el único medio para obtener empleo, un pegujal para vivienda y sustento, pastos para animales, agua para riego, leña para uso doméstico y préstamos para sus siempre apremiantes necesidades. La dependencia de estos "peones propios" es tan absoluta que cuando cambia la propiedad de la hacienda por herencia o venta, también se transfieren los trabajadores que laboran en ella, como se puede ver en testamentos y contratos de compra-venta.

El hacendado dispone de mano de obra gratuita o semigratuita para el trabajo agrícola y el servicio doméstico; los procesos productivos se organizan de manera que los excedentes se concentren casi exclusivamente en manos de los propietarios y de los intermediarios; el pago del salario en "bonos de adquisición" obliga al campesino costeño a adquirir los productos en el almacén de la hacienda; todo tipo de vejámenes y de castigos físicos son naturales si se aplican a indios y montubios; la vagancia, la suciedad, la embriaguez y la mentira se los considera vicios inherentes a la condición de campesino; el concepto peyorativo que adquiere "lo indio" y "lo cholo" provoca el desprecio sistemático de la cultura nativa; la facultad de sancionar se encuentra en manos del patrón que usa de la pena de azotes y que incluso dispone de la vida; el indígena que no ha po-

17. Michael T. Hamerly, *op. cit.*, pp. 74 y 75.

dido aprender el idioma castellano es un extranjero en su propio país. "Alabado amo niño" es el saludo que emplean muchos campesinos para dirigirse a sus patrones. En los tiempos de la emancipación un jefe militar solicitaba el envío de cien mulas para el transporte del bagaje de la tropa o doscientos indios en el caso de no haberlas.[18] Más tarde, alcanzada la libertad, el indígena es reducido a la calidad de "bestia de carga y de labranza". A esta explotación, despojos, vejámenes y abusos ejercidos por el hacendado se los conoce con el nombre de gamonalismo.[19]

Pero no sólo es explotador el latifundista. Como los grandes propietarios residen en las ciudades o en las poblaciones rurales, la autoridad es delegada en manos de los intermediarios mestizos o mulatos que se emplean como administradores, mayordomos, capataces y guardaespaldas. Fieles ejecutores de órdenes, suman la suya a la explotación ejercida por sus amos. Una cosa parecida sucede con los comerciantes. En general toda la sociedad se impregna con la "ideología" de explotación generada por la hacienda. Son conocidas las segregaciones a las que es sometido actualmente el indígena que migra a las ciudades. En los recientes programas de reforma agraria ha sido frecuente el caso de mestizos que han exigido que se les adjudique lotes en lugares diferentes a los de los indios.

La influencia de esta organización social en la formación del hombre ecuatoriano se advierte al examinar las características de los campesinos de las diferentes provincias del país. En las que el latifundio y el gamonalismo han tenido una vigencia absoluta —Chimborazo, Cañar, Cotopaxi, Imbabura— se encuentran las peores expresiones de subordinación y degradación humanas, que se atenúan, en algunos casos en forma significativa, en las provincias de Carchi y Loja y especialmente en las de la Costa, lugares en los que la estructura social fue menos rígida. Incluso en la nombrada provincia de Imbadura son evidentes las diferencias que existen entre los indios que dependieron de la hacienda y los que escaparon a su control por ocuparse en la industria artesanal. Estos últimos constituyen el grupo indígena en el que se suele encontrar algunos valores de los pueblos "nativos". Tal es el caso de los otavalos.

18. Luis Monsalve Pozo, *op. cit.*, p. 253.

19. Por cierto que ha habido patronos paternalistas que se han interesado por el respeto de la persona del campesino. Pero en general la situación ha sido como se describe, lo que puede verificarse leyendo los estudios indigenistas, la novela social y los testimonios de los historiadores.

3. Papel político

Es sabido que el poder político suele estar estrechamente ligado al poder económico. Siendo tan importante la actividad agrícola, es natural que la influencia de los propietarios de la tierra haya sido significativa sobre todo si se toma en cuenta que ella se encontraba concentrada en muy pocas manos. Como los terratenientes residían en las ciudades y como éstas estaban rodeadas por las grandes propiedades su economía fue absolutamente dependiente de la agricultura. De esta manera la hacienda se constituyó en el eje del poder político y los hacendados en los factores de la autoridad que la ejercieron por sí o por interpuesta persona. El presidente Vicente Rocafuerte en su Mensaje al Congreso de 1837 dice que el "pueblo, por mejor decir los oligarcas que han usurpado el poder, nombran a los gobernadores de provincias",[20] funciones que ordinariamente han sido desempeñadas por los latifundistas. Presidentes de la República, ministros de Estado y los más altos funcionarios públicos fueron terratenientes o terminaron siéndolo por matrimonio o por compra. Una investigación realizada por la CIDA, a pesar de ser incompleta demuestra que entre 1937 y 1962, de los directivos de la Cámara de Agricultura de la Sierra, 4 fueron presidentes de la República; 51 diputados o senadores; 21 ministros de Estado; y 29 ocuparon otras funciones políticas importantes. De los 34 diputados serranos al Congreso Nacional de 1962, eran terratenientes 28.[21] En las elecciones presidenciales de 1968, de los cinco candidatos dos habían sido directivos de las cámaras de agricultura; los representantes de los partidos conservador y liberal. Y esto sucedía en una época en la que el poder de la hacienda comenzaba a descomponerse.

El hecho de que la hacienda haya sido la unidad de producción dominante no es suficiente para explicar su poder. Además es necesario examinar cómo se constituyó en el modelo de autoridad.

En la gran propiedad ejerce su autoridad el jefe de una familia ampliada integrada por una red más o menos extensa de parientes,

20. Luis Robalino Dávila, *op. cit.*, t. II, p. 62.

21. *Comité Interamericano de Desarrollo Agrícola, Ecuador: Tenencia de la Tierra y Desarrollo Socio-Económico del Sector Agrícola*, Unión Panamericana, Washington D. C. 1965, p. 108.

allegados y dependientes que forman una "estructura familística".[22] Todavía ahora, si observamos la distribución geográfica de la propiedad territorial, a pesar de que ha sido adquirida por nuevos agricultores, se advierte que los dueños de haciendas de determinada zona llevan un mismo apellido que se origina en la familia patriarcal de la que formaron parte sus antepasados. En estos latifundios, la autoridad del señor de la tierra va más allá de las funciones propiamente económicas —ordinariamente delegadas a mayordomos, administradores y capataces— cuando asume atribuciones correspondientes al Estado y a la Iglesia, al "hacer justicia, aplicar multas, dirimir disputas conyugales, familiares o de vecinos, controlar la moralidad privada o la observancia religiosa, determinar unilateralmente las jornadas, tareas y compensaciones, etc.".[23] Con mucha razón y conocimiento anota Jacinto Jijón que el "patrono no sólo ejerce la autoridad propia de la sociedad heril, sino en ocasiones, papel de Juez, de Policía y de Legislador".[24] Pero como el hacendado se avecina en la ciudad su influencia no se queda en los límites de la zona rural. En las pequeñas poblaciones y en las capitales de provincia, el señor de la tierra es la fuente de beneficios, influencias, prestigio y consultas para una multitud de paniaguados. De él dependen los profesionales, los comerciantes, los artesanos e incluso los conventos de los que se torna en su benefactor.

Es así como se conforma una sociedad paternalista. Los actos de los grupos sociales dominados son determinados por la voluntad del dominador que es aceptada porque "así debe ser" y porque "así ha sido siempre". La tradición legitima la autoridad del hacendado a la que todos se sienten obligados a prodigarle obediencia, fidelidad y sumisión, por provenir de un hombre al que se le considera superior. El amo ve como natural esta subordinación e incluso conveniente para los sojuzgados que no podrían conducirse y subsistir sin el consejo, protección y beneficios que él los dispensa.[25] Como gran parte

22. José Medina Echevarría, *Consideraciones Sociológicas sobre el Desarrollo Económico*, Solar-Hachette, Buenos Aires 1964, p. 33. En este punto, recurriremos frecuentemente a los instrumentos de análisis creados por este autor.

23. Junta de Planificación, Reforma de la Estructura de Tenencia de la Tierra y Expansión de la Frontera Agrícola, Plan General de Desarrollo, Quito 1962, p. 71.

24. Jacinto Jijón, *Política*..., t. II, p. 541.

25. Así por ejemplo, Jacinto Jijón (ibid. pp. 545-546) escribe lo siguiente: "el concertaje, asegurando los lazos que unen al obrero y al patrono, proporciona al primero una especie de *monte de piedad*, en donde, en los días de angustia, consigue sin prenda, el préstamo que necesita. Es también un seguro contra la vejez, ya que el gañán, salvo que

de la población desconoce la existencia del Estado o no sabe cuáles son sus atribuciones y responsabilidades y frecuentemente se juntan en una sola persona las calidades de patrón y gobernante, el pueblo aprende lo que es la autoridad política a través de las órdenes impartidas y de las sanciones impuestas por el hacendado. Este "modelo de autoridad" "protectora y opresora, autocrática y paternal" [26] creado por la hacienda se constituye en la pauta que siguen todos los que participan en una relación de mando en todo tipo de organizaciones —gobierno, municipios, empresas comerciales e industriales, entidades educacionales, movimientos políticos, organizaciones populares, etc.— en las que el paternalismo adquiere una nota distintiva. En consecuencia, los valores y actitudes creados por el sistema hacienda se proyectan en toda la vida nacional.

En la hacienda también radica el fenómeno del caciquismo. El jefe local o cacique aparece cuando ciertos hacendados, gracias a la significación de su riqueza territorial, adquieren una preponderancia económica y social que les permite elevarse por sobre los otros propietarios y ejercer un poder político que no puede ser contrarrestado ni siquiera por la autoridad del gobierno central.[27] Cuando el cacique ejerce funciones públicas desempeña los cargos de legislador, gobernador, alcalde o concejal municipal. Muchas veces prefiere ejercer su autoridad a través de allegados nombrados gracias a su influencia. En ambos casos él es la autoridad real en el sector geográfico en el que tiene sus haciendas. Se vale del gobierno central, del congreso, y

---

sirva a un patrono inhumano, no pierde el *huasipungo*, porque ya no puede trabajar. Es un refugio para las viudas y los huérfanos, desde que, por el interés de guardar para la hacienda a los descendientes del concierto fallecido, se les deja el goce del *huasipungo* y aún el derecho de cobrar el socorro, hasta que uno de los hijos esté en capacidad de sostener con su trabajo a la familia. Además, este contrato mantiene vivaces los sentimientos del hogar, al favorecer el trabajo familiar; generalmente, el peón se impone una tarea diaria, que, con la ayuda de su mujer e hijos menores, realiza en menor tiempo. El concertaje facilita que la sociedad heril sea lo que debe ser y que el hacendado mire como a sus clientes naturales, hasta con cierto afecto paterno, a los peones, que le corresponden en el cariño; lo que se observa, principalmente en las estancias que por varias generaciones han sido de una misma familia. ¿Cuál sería la suerte del trabajador agrícola, si violentamente se destruyesen las bases del concertaje? La más horrible miseria, un proletariado peor que el que en Europa ha formado la gran industria".

26. José Medina Echevarría, *op. cit.*, p. 34.

27. Alfredo Espinosa Tamayo (*Psicología y Sociología del Pueblo Ecuatoriano*, Imp. Municipal, Guayaquil 1918, pp. 129-134) es el único autor ecuatoriano que estudia específicamente el fenómeno del caciquismo. La obra que citamos probablemente constituye el mejor y más completo estudio sociológico del Ecuador, notable sobre todo por la época en que fue escrito: 1914-1917.

de los municipios para repartir funciones entre sus dependientes y para otorgar favores a su clientela electoral; usa su poder para arruinar a sus adversarios y para acrecentar y extender su dominio lucra con los dineros públicos rematando impuestos, obteniendo contratos y logrando exoneraciones fiscales; se opone a la realización de obras públicas que promuevan la integración nacional y puedan originar una pérdida de su influencia. Hay cantones y parroquias que se han creado "para premiar servicios políticos y ofrecer puestos importantes en la administración a los gamonales de distrito".[28]

Estos caciques generalmente carecen de ideas políticas o ellas son tan flexibles que con facilidad se acomodan a los "principios" del gobierno en ejercicio, siempre dispuesto a aceptar la colaboración de un hombre que le permite ampliar su base de apoyo y triunfar electoralmente. De esta manera el cacique logra mantener su influencia a pesar de los frecuentes cambios de gobierno, llegando muchas veces a formar verdaderas dinastías políticas.

La parte del pueblo que participa en la vida política de la Nación, lo hace indirectamente integrando los grupos de seguidores del cacique, cuando hay elecciones en calidad de clientela electoral o de fuerza de presión y agitación política en los momentos de conflicto. El historiador Cevallos dice que luego de la Independencia, "para el pueblo el interés de la patria consistía en el interés de su protector, y locura, que no vano querer, hubiera sido por entonces predicarle que pensase en sí, en sus derechos propios y en los del común; locura que pensase en los enemigos de la patria, y no en los de su patrono, especie de señor feudal con algunas restricciones".[29] Refiriéndose al siglo pasado el historiador Pareja dice que los "gobernados, por lo general, no sabían de nada, sino que don Juan José o don Vicente estaban de presidentes y que, según lo oían de boca de patrones, era del caso arriesgar la vida por mantenerlos en el empleo o por echarlos de él".[30] En las elecciones de 1956, los caciques de las provincias de Esmeraldas, Manabí y los Ríos, cuando advierten las pocas posibilidades de triunfo que tiene la candidatura a la Presidencia de la República que patrocinan, la abandonan y negocian su respaldo —y el de sus clientelas electorales— con la que ofrece mejores perspecti-

28. Jacinto Jijón, *Política*..., t. II, p. 237.
29. Pedro Fermín Cevallos, *op. cit.*, t. I, p. 103.
30. Alfredo Pareja Diezcanseco, *Historia del Ecuador*, E. CCE, Quito 1954, t. III, p. 213.

vas.[31] En las dos últimas décadas, en la provincia de Loja, los partidos de "derecha" no han podido prescindir de un importante cacique de esa localidad. Las juntas de "notables" o de "patricios" constituidas en los momentos de crisis, no han sido otra cosa que asambleas de caciques políticos a las que se les acredita la función de salvar los conflictos y de fijar las bases del nuevo ordenamiento legal (cfr. pp. 160 y ss.).

31. Inicialmente los tres caciques participan en una alianza electoral con el candidato a la Presidencia José Ricardo Chiriboga Villagómez que aglutinaba sectores liberales y velasquistas. Luego patrocinaron la candidatura del caudillo del C. F. P. Carlos Guevara Moreno, previa celebración de un pacto.

II. INSTITUCIONES AUXILIARES

1. La Iglesia Católica

El papel predominante de la Iglesia en la naciente sociedad ecuatoriana es reconocido jurídicamente en la primera Constitución de 1830 cuando se declara que la "Religión Católica, Apostólica, Romana es la Religión del Estado" y que es su deber "protegerla con inclusión de cualquier otra". A pesar de la inestabilidad política y de los consiguientes cambios constitucionales, estos principios se mantienen inalterables en el siglo XIX y sobreviven en la Carta Política Liberal de 1897 para ser finalmente abolidos cuando se crea el "Estado laico" a principios de este siglo. Incluso se vuelven más rígidos en el período en que prevalecen las ideas "garcianas" contenidas en el Concordato (1862) y en la Constitución de 1869, al entregarse al Gobierno una responsabilidad en la organización de la sociedad católica, para lo cual se otorgan privilegios especiales a la Iglesia, llegándose incluso a exigir la condición de "ser católico" como requisito para ejercer el derecho de ciudadanía. Las prerrogativas inherentes a estas disposiciones legales colocan a la Iglesia Católica en una situación privilegiada. A ella le corresponde la dirección y orientación de los establecimientos educacionales primarios, secundarios y universitarios. A su cargo tiene el registro civil de las personas cuando nacen, contraen matrimonio y mueren. Los otros cultos no son admitidos y su condición de religión oficial hace que el mensaje religioso contenido en su educación y en sus prédicas, sea el único que el pueblo ecuatoriano escucha, aprende y sigue.

Estas concesiones otorgadas a la Iglesia no son sólo el resultado de un simple acto de voluntad de la autoridad política. Las constituciones y las leyes no hacen otra cosa que reconocer la realidad religiosa de la época. En efecto, salvo pocas excepciones que se dan en las élites, sobre todo a fines de siglo, todos los ecuatorianos, son y se declaran católicos. Refiriéndose al año 1830, Julio Tobar Donoso afirma "que nadie en el país de juzgaba heterodoxo, que todos sin excepción, se proclamaban hijos fieles de la Iglesia, aunque tuviesen errores y desvíos [...].[1] Cabe recordar que la intolerante Constitución de 1869 fue aprobada plebiscitariamente. Por eso logra conservar su influencia después de la Revolución Liberal ya que el poder de la Iglesia Católica, más que en la protección jurídica que le brinda el gobierno, reside en la sociedad religiosa de la época. Un alto porcentaje de ecuatorianos sigue acatando fielmente sus definiciones doctrinarias y políticas y muchos envían a sus hijos a los establecimientos católicos. Y no podía ser de otra manera en la sacralizada sociedad del siglo pasado y de buena parte del presente. Como la salvación "en la otra vida" es lo único que importa, las ideas quedan bajo el dominio eclesiástico que forma la conciencia y el pensamiento del pueblo. A ello contribuye el hecho de que amplios sectores de la población mantienen fuertes ligámenes con la naturaleza, de manera que muchos fenómenos y realidades temporales o se explican por la acción de fuerzas elementales o en términos religiosos De esta manera la "ideología religiosa" ejerce un papel mucho más influyente que la "ideología jurídico-política".

Los valores que transmite a través del sistema educacional y de sus prédicas favorecen el mantenimiento y el funcionamiento del sistema hacienda. Las más o menos explícitas afirmaciones de que las estructuras económicas, las jerarquías sociales y las relaciones de autoridad son inmutables por ser queridas por Dios convierten a la rebelión en un acto contrario a la divinidad; como el desarrollo de la sociedad está fatalmente condicionado por Dios y el hombre es sólo su "instrumento" es inútil que se intente modificar su evolución; es natural que existan pobres y ricos y la situación de pobreza constituye una bienaventuranza que asegura la salvación eterna en la "otra vida" en la que se recibirá todo tipo de compensaciones; ante la situación de miseria sólo cabe la resignación y la paciencia y el auxilio de la caridad; la posición contemplativa ante el mundo, la condena del lucro mercantil y del cobro de interés y la sospecha con que se mira la investigación científica, las nuevas ideas, las innovaciones y ciertas actividades económicas impiden la creación de procesos de desarrollo económico. Al respecto existen muchos testimonios históricos. Sólo citaremos algunos. "A la luz de la eternidad, nada de lo te-

1. Julio Tobar Donoso, *La Iglesia Modeladora de la Nacionalidad*, Ed. Prensa Católica, Quito, 1953, p. 286.

rreno tiene valor: ni envanecen los honores, ni ensoberbece la fortuna, ni cautivan los placeres; no abate la pobreza, no perturba el ánimo el deshonor, no desesperan las múltiples torturas de esta vida miserable. Hollad con generosa planta lo terreno y transitorio; aspirad únicamente a lo eterno y celestial." [2] "La Iglesia Católica [...] no sólo ha inculcado a los fieles en todo tiempo el precepto de la caridad, sino que, con admirable afán y sabiduría ha ordenado y organizado esa misma caridad, para el remedio de todas las necesidades y miserias a que está sujeto el pobre linaje humano." [3] "También están condenados por la Santa Sede los llamados *Derechos del hombre* [...] les advertimos a nuestros muy amados fieles de la obligación que tienen de abstenerse de la lectura de semejantes publicaciones, y les mandamos que no las conserven en su poder, antes bien que las destruyan, para que la lectura de ellas no cause daño a las almas." [4] Cuando en 1889 el Ecuador recibe una invitación para asistir a la Exposición Universal de París, los clérigos e incluso el Arzobispo de Quito, se oponen beligerantemente a su concurrencia porque tenía por objeto celebrar el primer centenario de la Revolución Francesa "y no era posible que la República concurriera a tan impío certamen".[5] Al asumir el pueblo aquel sistema de valores recibe una interpretación deformada de lo que es la sociedad, cae en el fatalismo, se considera impotente para transformar el mundo, se enajena de la realidad que le rodea y adopta actitudes contemplativas que mantienen estática a la sociedad y facilitan la explotación general. Las clases dominantes también ven como naturales las desigualdades sociales que sólo pueden atenuarse mediante buenas acciones que deben practicarse paternal y caritativamente.[6] Los derechos de los explotados no son reconocidos ni aun en el caso de que ellos se deriven de leyes u obligaciones contractuales.

2. Quinta Carta Pastoral del Obispo de Riobamba, Carlos María de la Torre, 1923, p. 46.

3. Carta Pastoral del Arzobispo de Quito José Igancio Ordóñez, 1882, p. 3.

4. Circular del 31 de agosto de 1883 del Arzobispo de Quito José Ignacio Ordóñez.

5. Luis Robalino Dávila, *op. cit.*, vol. VI, p. 249.

6. La influencia de la Iglesia fue menor en la Costa que en la Sierra debido al escaso desarrollo que tuvo en aquella región. En efecto, en 1960, a pesar del notable incremento que había experimentado, en la Costa la relación número de sacerdotes-número de habitantes fue tres veces menor que en la Sierra. (Isidoro Alfonso y otros, *La Iglesia en Venezuela y Ecuador*, Feres-Friburgo 1962, pp. 171-174). Este hecho explica las actitudes diferentes que frente al fenómeno económico se dieron en dicha región: cfr. pp. 80 y ss.

No sólo la cosmovisión de la Iglesia Católica influye en su compromiso con las estructuras sociales opresivas; también intervienen los intereses económicos derivados de su cuantioso patrimonio territorial que le convirtió en el mayor latifundista del país. A pesar de que por la Ley de Manos Muertas pierde las más importantes haciendas de la Sierra, cuando en 1908 son confiscados 27 latifundios de la comunidad religiosa, matiene importantes recursos territoriales que en los años siguientes los incrementa con donaciones, adquisiciones y mediante la colonización en la que participan las misiones religiosas de la región oriental. Según una investigación de la Junta de Planificación publicada por el CIDA, las propiedades de la Iglesia en 1963 suman 179, cifra que no representa la totalidad del patrimonio agrícola eclesiástico.[7] Generalmente estas propiedades no han sido administradas por la Iglesia que las ha arrendado a personas vinculadas con las organizaciones católicas o emparentadas con sus representantes.[8] Pero, como de estas haciendas provienen buena parte de sus ingresos, se ha visto comprometida con la estructura productiva y con las formas de explotación analizadas.

El Art. 68 de la Constitución de 1830 ordena que los curas párrocos sean nombrados "tutores y padres naturales" de la "inocente, abyecta y miserable" raza indígena. Esta disposición y la dependencia espiritual a la que están sujetos los campesinos permite a la Iglesia subordinar a los trabajadores agrícolas y apropiarse de una parte de sus excedentes económicos. Las primicias y los diezmos constituyen la más grave carga, sobre todo porque los diezmeros —que en realidad son los recaudadores del tributo— ordinariamente cobran a los campesinos indígenas más del diez por ciento, llegando en algunos casos a cantidades que superan el treinta por ciento de los productos cosechados. Esta contribución, que entre 1830 y 1885 llega a representar un mínimo del 4 por ciento y un máximo del 15 por ciento de los impuestos recaudados por el fisco[9] sobrevive a su derogatoria. En muchas haciendas se cobran diezmos en el siglo XX y en las de la

7. El mismo informe del CIDA precisa algunos errores. Por ejemplo, mientras el Asilo de Ancianos Cristo Rey consta en la citada investigación como propietario de 274 hectáreas, sus personeros afirman poseer 12.763 hectáreas. (Véase, CIDA, *op. cit.*, pp. 124-135). Jaime Galarza cita 145 propiedades que no constan en la publicación del CIDA. (Véase *El Yugo Feudal*, Ed. Solitierra, Quito; 1966, pp. 74-82.)

8. Osvaldo Hurtado, *INEDES, Dos Mundos Superpuestos: Ensayo de Diagnóstico de la Realidad Ecuatoriana*, E. Offsetec, Quito; 1969, p. 215.

9. La información proviene de un estudio que realiza la Universidad Católica del Ecuador sobre el Sistema Fiscal y que es dirigido por el Ec. Mauricio Dávalos.

Iglesia hasta hace pocos años, pues ella consideró que los católicos voluntariamente podían seguirlos pagando, no siendo excepcionales los casos en los que se recurre a la coacción.[10] La celebración del bautismo, matrimonio y funerales y de las fiestas religiosas también constituyen una fuente de exacciones. La "fortuna" que algún campesino logra acumular, mediante los *priostazgos* es transferida a los comerciantes del lugar y a los curas párrocos que se convierten en los usufructuarios de estas festividades religiosas. Estos últimos, además se benefician del trabajo indígena y de ofrendas en especie, en forma parecida que los hacendados. A todo ello se suma la institución de los "alcaldes de doctrina" que a pretexto de enseñar la religión cometen toda clase de abusos con los indígenas: ejercen una autoridad despótica, les constriñen al trabajo, se apropian de sus bienes, organizan fiestas religiosas y proponen *priostes.*[11] Por cierto que lo dicho no supone desconocer el aporte cultural de la Iglesia Católica, materia que no es tratada por no corresponder al contenido del presente trabajo.

Si bien la Revolución Liberal limita la influencia de la Iglesia Católica, esta institución mantiene su poder hasta época muy reciente. En un estudio sociológico (1948) se afirma que el clero "es la fuerza mejor organizada del país" y que en la Sierra "su señorío sobre las conciencias sigue siendo casi absoluto".[12] En los primeros años de la pasada década, movilizaciones de católicos realizadas en varias ciudades y en parte alentadas por la Iglesia provocan la ruptura de relaciones diplomáticas con Cuba. Más bien la Revolución Liberal acentúa el compromiso de la Iglesia con las clases dominantes. La pérdida de rentas fiscales y de sus más extensos latifundios, le hacen más dependiente de los católicos acomodados que le proveen de recursos para su obra de caridad, apostolado y educación, mediante donaciones de bienes y erogaciones en dinero. El cobro de matrículas y pensiones en las instituciones de educación católica impide que a ellas concurran los hijos del pueblo y les convierte en centros educativos de las clases privilegiadas.

10. Piedad y Alfredo Costales citan un contrato de Arrendamiento de una hacienda celebrado en 1919, en el que el propietario se reserva el derecho de cobrar el diezmo. (Véase, *op. cit.*, t. I, p. 116). El año 1968 conocimos un caso de cobro de diezmos en una hacienda de la provincia de Imbabura.

11. Federico González Suárez, *Obras Pastorales*, Imp. del Clero, Quito, 1927, t. I, pp. 256, 273, 317 y 328.

12. Ángel Felicísimo Rojas, *La Novela Ecuatoriana*, Ed. Ariel, Guayaquil-Quito, 1972, p. 164.

2. El sistema jurídico-político

Luego de la Independencia, cuando se emprende la estructuración del nuevo Estado, influidos por el idealismo imperante y por las disciplinas jurídico filosóficas que dominan la formación de las élites, los legisladores plantean en términos normativos la organización política de la "nación ecuatoriana". El nuevo derecho constitucional se inspira en las ideas libertarias contenidas en la *Declaración de Derechos del Hombre y del Ciudadano*,[13] desprovista de todo contenido que pueda herir el pensamiento religioso de la época dominado doctrinariamente por el clero. Entre las libertades públicas que el texto constitucional de 1830 reconoce, constan la igualdad de todos los ecuatorianos ante la Ley y la facultad de los ciudadanos de reclamar sus derechos ante la autoridad pública. Estas garantías son débiles y limitadas, inferiores a las que constan en las constituciones grancolombianas de 1821 y 1830.[14] Pero en las doce constituciones que se dictan hasta 1906, se amplían progresivamente para comprender todos los derechos humanos fundamentales.

Estas declaraciones constitucionales de corte libertario e igualitario no tienen sentido porque se las reconoce restrictivamente o porque la estructura económica no permite su aplicación. En efecto, son inútiles para la mayor parte de la población en cuanto su amparo sólo puede ser reclamado por los ciudadanos. Además, no puede tener vigencia la igualdad ante la Ley en una sociedad organizada para favorecer los intereses de la clase privilegiada, cuyos beneficios y abusos deben preservar las instituciones políticas y las leyes. Más bien el nuevo derecho republicano sirve para que desaparezcan algunas disposiciones protectoras de la legislación colonial, a pesar de que se consideran vigentes la Leyes de Indias,[15] ya que sólo en 1837 se dicta un Código Penal y en 1861 el Código Civil. En cambio las de contenido expoliador y represivo se mantienen y en algunos casos se vuelven más rígidas cuando se dicta la nueva legislación.

13. Entre 1812 y 1830 se extiende la influencia de las ideas de la Revolución Francesa llevadas por los libertadores en las guerras de la Independencia. Antonio Nariño es el primero en traducir y difundir en Bogotá la *Declaración de Derechos del Hombre y del Ciudadano*.

14. Ramiro Borja y Borja, *Derecho Constitucional Ecuatoriano*, Ed. Cultura Hispánica, Madrid, 1950, t. II, p. 315.

15. Agustín Cueva Tamariz, *Nuestra Organización Social y la Servidumbre*, Imp. Julio Sáenz, Quito, 1915, pp. 22 y ss.

Con razón, gráfica e irónicamente los quiteños califican a la Independencia como el "último día de despotismo y primero de lo mismo".

Habiendo participado el indio en las guerras por la libertad, en calidad de cargador de armas y provisiones, en el bando del primero que lo cogía, cuando se funda la República se lo sigue considerando como "bagaje menor", frente a los mulos, caballos y asnos que se los considera como "bagajes mayores".[16] El tributo de indios, que debe ser pagado por el solo hecho de pertenecer a la raza aborigen, llega a representar hasta el 35 por ciento de los impuestos recaudados por el Estado y constituye en la Sierra la más importante contribución, solamente superada en el país por la aduana.[17] Rocafuerte suprime este tributo en la Costa —región habitada por pocos indígenas en general liberados de su pago— y en cambio decreta el cobro anticipado en la Sierra. La prisión por deudas constituye el arbitrio del que se valen los terratenientes para mantener encadenada la mano de obra campesina; y cuando se suprime esta institución, igual efecto se consigue a través de las formas de trabajo precario reconocidas por la ley, tanto en la Sierra como en la Costa. Para impedir que los indígenas *conciertos* escapen de las haciendas, en 1831 se ordena a las autoridades proceder "con todo rigor de las leyes" contra los que intentan migrar a las tierras cálidas de la Costa.[18] La colonial protecturía de indios que se incorpora a la legislación republicana establece que los indígenas, para la defensa de sus derechos o para la celebración de contratos, deben hacerlo a través de un protector que les represente judicialmente y que se constituye en otra fuente de extorsión. El Código Civil dispone que en caso de litigio, la declaración del amo sobre el monto del salario, acerca de su pago y de los adelantos, debe ser aceptada por los jueces, y no la palabra del trabajador. Cuando el gobierno decide hacer alguna obra pública, a través de la policía recluta trabajadores a los que se les obliga a laborar por un salario fijado arbitrariamente. La explotación del indio es de tal magnitud que un residente extranjero afirma que la situación del indio está por debajo de la del negro norteamericano.[19]

16. Luis Robalino Dávila, *op. cit.*, vol. I, p. 201.

17. La información proviene de la citada investigación sobre el Sistema Fiscal del Ecuador.

18. Pío Jaramillo Alvarado, *op. cit.*, pp. 120-121.

19. Friedrich Hassaurek, *Four Years Among The Ecuadorians*, Southern Ilinois University Press, 1967, pp. 107 y 129.

La abolición de algunas instituciones opresivas —esclavitud, 1851; protecturías, 1854; tributo, 1857; diezmos, 1889; prisión por deudas, 1918— no trae consigo una alteración sustancial de la situación de dominación en que se encuentran las clases sociales populares, principalmente la campesina. Un decreto expedido en 1833 ordena que a ningún indígena, sin su consentimiento y sin el pago de un jornal, se le exija la prestación de servicios personales y deroga la "ignominiosa y humillante pena de azotes". Sin embargo, hasta hace pocos años, prevalecen formas degeneradas de servidumbre y, en ciertas haciendas de la provincia del Chimborazo, se usa el cepo para los castigos físicos. Los apremios económicos de hacendados y administradores se solucionan con la usurpación de animales y otros bienes de los campesinos. Si algún funcionario intenta aplicar las leyes se encuentra con que el *gamonal* ejerce un poder ilimitado en su dominio territorial (cfr. pp. 66 y ss.), frente al cual no cuenta la autoridad del Estado o los controles legales que son relegados a un lugar subalterno.

Pero lo más frecuente es que la autoridad responde a los intereses de los señores de la tierra. Ella es usada por el hacendado cuando es rebasado por los conflictos sociales o necesita que su explotación se legitime. En la parroquia rural la autoridad política formal está representada por el policía y el Teniente Político —mestizos dependientes de la organización señorial— y en la provincia por el Gobernador y el Intendente, casi siempre latifundistas. Los reclamos del campesino no son aceptados y más bien recibe como respuesta una sanción: la recriminación, la cárcel o las multas. Estos conflictos individuales en ciertas circunstancias se convierten en colectivos cuando los campesinos, en conjunto, mediante la revuelta se enfrentan a la autoridad del patrón con el propósito de destruir todas las manifestaciones y símbolos del poder ejercido por la hacienda. Estos levantamientos indígenas, que en ciertos casos llegan a comprender una comarca, son liquidados con la intervención de fuerzas policiales y militares. (Cfr. pp. 165 y ss.) De esta manera el hacendado se sirve del aparato represivo del Estado para aplacar las manifestaciones de protesta de las clases sociales dominadas. Como se considera que las comunas son los centros de insurgencia, se persigue a sus dirigentes, se obstaculiza su funcionamiento y se busca la destrucción de la comunidad indígena mediante la división de sus tierras. Al coincidir el "interés general" con el mantenimiento de las relaciones sociales de explotación, todos de alguna manera se encuentran comprometidos con la supervivencia de la estructura productiva de la hacienda, fuente de privilegios y beneficios.[20]

20. Un estudio antropológico realizado recientemente demuestra cómo toda la sociedad lucra con la explotación de los campesinos, y esto, cuando el Ecuador ya había sufrido algunas transformaciones. (Véase Hugo Burgos, *Relaciones Interétnicas en Riobamba*, Instituto Indigenista Interamericano, México, 1970.)

III. ARTICULACIÓN EXTERNA

Cuando formalmente se constituye el Estado del Ecuador se producen algunas modificaciones en la situación de dependencia a la que estuvo sujeta la Audiencia de Quito. Ellas serán estudiadas en los órdenes económico y político-cultural.

1. Dependencia económica

a) *1820-1859*

A partir del 9 de octubre de 1820 se inicia en la Costa un período de desarrollo agrícola y prosperidad económica, gracias al notable incremento de las exportaciones debido a la libertad de comercio decretada por el nuevo gobierno de Guayaquil. Entre junio de 1821 y octubre de 1822 llegan al puerto 72 barcos de las más diversas nacionalidades y se inicia un intenso tráfico mercantil que enriquece a los agricultores y comerciantes costeños que venden sus productos a Inglaterra, Estados Unidos, Francia y a otros países europeos y americanos que compensan la temporal pérdida del mercado español. En efecto, entre 1820 y 1841 las exportaciones de cacao se mantienen por sobre los niveles correspondientes a los últimos años de la Colonia y en muchos casos llegan a representar más del doble, convirtiéndose Guayaquil, desde 1830, en el principal exportador mundial. Pero no sólo de este producto proviene la riqueza del Litoral. Mientras en la Colonia las ventas de cacao representan las dos y hasta las tres cuartas partes de las exportaciones y nunca menos de la mitad, entre 1821 y 1825 las de tabaco, madera, cueros, sombreros de paja, cascarilla, fibra de cáñamo y brea, llegan a un valor equivalente y a veces superior al de la "pepa de oro", con lo cual se produce una reducción de la dependencia del país con respecto a un solo producto.[1]

Parece que en los años siguientes las explotaciones se diversifican más. En 1847 un viajero extranjero registra nuevos productos: lanas, pieles, algodón, azúcar, trigo, centeno, maíz, pita, polvo de oro.[2] De esta manera, la constitución formal del Estado nacional coincide con la integración de su economía en el mercado mundial cuya expansión requiere de materias primas y de productos alimenticios. Los nacientes países capitalistas imponen las condiciones de la comercialización externa, mientras que los agricultores y comerciantes locales controlan la producción y el mercadeo internos y el negocio de exportación.

El aporte de Michael Hamerly nos permite precisar el alcance que debe darse a las afirmaciones de los historiadores sobre la crisis económica del Departamento del Sur y más tarde del Ecuador, luego de la Independencia. La ruina de las actividades productivas, el estado deplorable de la agricultura, la paralización del comercio exterior e interior y la desaparición de la pequeña industria efectivamente se producen, pero sólo en la Sierra y quizá solamente en la región norcentral. Dos razones explican la crisis de Quito y de sus provincias aledañas. Los obrajes, que constituyen la base de la economía de estas localidades, se liquidan cuando la libertad de comercio abre el mercado ecuatoriano a los productos europeos y asiáticos. Por otro lado es necesario tener en cuenta que en las provincias del centro y del norte de la Sierra, en buena parte se recauda el dinero y se reclutan los hombres necesarios para las campañas de 1812, de Pasto y del Perú y para repeler la invasión del general Lamar. Además en ellas se parapeta la resistencia española y se provee de recursos y de efectivos. Hasta 1829, con pequeños intervalos, la agitación militar afecta a todas las actividades económicas que se someten a las necesidades de la guerra. Los soldados, de uno y otro bando, establecen contribuciones forzosas, saquean las poblaciones, requisan bienes y animales y reducen los oficios a simples maestranzas.[3]

El sur de la Sierra de alguna manera escapa a esta crisis por no depender de la manufactura obrajera y porque exporta cascarilla. En cambio en la Costa se inicia una época de prosperidad económica

1. Véase Michael Hamerly, *op. cit.*, pp. 122, 131, 132, 136 y 165.
2. Humberto Toscano, *Introducción al Ecuador Visto por Extranjeros*, p. 75.
3. Pedro Fermín Cevallos, *op. cit.*, t. III, pp. 21 y 47.

que se extenderá por un período de cien años, gracias al desarrollo de la agricultura y del comercio exportador facilitado por sus vías naturales de comunicación —los ríos— de las que carece el resto del país. Además, porque las fábricas de barcos subsisten, aunque disminuidas.[4] La riqueza que la Costa acumula debió ser muy significativa. Sólo así se explica que sus actividades productivas, no hayan sufrido mengua, a pesar del esfuerzo financiero y humano que realizan los guayaquileños para liberar las provincias del interior y el Perú y de las guerras civiles que vendrán después. Más bien disponen de excedentes para darse ciertos "lujos" importando artículos manufacturados: casimires, vidrios, porcelanas y ferretería de Inglaterra; tejidos de lino de Alemania y de algodón de la India; sedas de Francia y China; harinas, carne salada, muebles y telas de los Estados Unidos.[5] Reponen las viviendas consumidas por los incendios y costean la expansión urbanística que sufre Guayaquil como resultado de las migraciones. Otra parte de los recursos, los emprendedores porteños emplean productivamente: amplían las plantaciones agrícolas y los negocios de exportación, importación y transporte marítimo; establecen aserraderos, piladoras, ingenios, trapiches y molinos; y refinancian el negocio agroexportador seriamente afectado por las epidemias de fiebre amarilla (1842-1843 y 1853-1855), que originan una crisis de producción por la despoblación que resta brazos a la agricultura y por la cuarentena del puerto de Guayaquil.[6]

La evolución de la economía es diferente en Quito y en general en las provincias de la Sierra. Arruinada la industria obrajera por la competencia exterior, desaparece la más dinámica actividad económica de esta región que durante la Colonia había constituido la principal fuente de exportaciones. Declinan las ganaderías que le proveían de lana y la agricultura se reduce a la producción de cereales que constituyen los únicos artículos intercambiables. El comercio disminuye considerablemente por la contracción de la demanda y muchos comerciantes quiebran cuando no pueden vender sus productos en los altos precios que los compraron en la proteccionista economía colonial. Cuando en 1826 el coronel Carlos Montúfar, en representación del Cabildo de Quito, reclama a Bogotá por la ruina de los obrajes, el gobierno grancolombiano le responde que "con me-

4. Sobre la evolución de los astilleros guayaquileños en la República se puede consultar la citada obra de Julio Estrada Ycaza (t. II, pp. 165-172).
5. Michael Hamerly, *op. cit.*, p. 133.
6. Ibid., p. 112.

didas legales no se cambiará la situación si los quiteños no modifican sus maquinarias y modernizan sus telares para poder competir con la mercancía que entra por el cabo de Hornos".[7] Pero este perspicaz consejo no es puesto en práctica. Recién en 1846 se introducen las primeras máquinas y en 1867 sólo se encuentran instaladas tres fábricas de tejidos: en Chillo, Otavalo y Cuenca.[8] Los obrajeros y hacendados serranos, acostumbrados a obtener fáciles ganancias gracias a la explotación de la mano de obra indígena, son incapaces de adaptarse a las nuevas condiciones de una economía integrada en el competitivo mercado mundial. Los viajeros extranjeros que llegan en el siglo XIX, no encuentran en los acomodados serranos ninguna de las actitudes que Alexis de Tocqueville advierte en los norteamericanos.[9] Al contrario, los describen como carentes de iniciativa y de espíritu emprendedor, incapaces de asumir riesgos en empresas productivas, sin condiciones para la asociación, con pretensiones nobiliarias, poco prácticos, contemplativos y ociosos. Menosprecian el trabajo, sobre todo manual, y no demuestran ningún interés por ciertas actividades como por ejemplo el comercio. Los hacendados, y en general toda persona que hace algún dinero, adquieren más tierras que constituyen un símbolo de prestigio antes que un medio de producción. Viven con holgura de sus rentas y su ideal es disfrutar de la riqueza, consumir artículos importados, vivir en Europa y atesorar dinero. Sembrar cereales y criar ganado, en la forma más primitiva y rudimentaria, constituye la única actividad lucrativa. La profesión de agricultor se reduce a la vigilancia ocasional de la heredad y al ejercicio de funciones sociales y políticas, antes que económicas.[10] De allí que mientras se exportan cereales y cascarilla, se importan harinas y quinina. Los guayaquileños, como hemos visto, escapan en parte a estas características. Sin embargo Julio Estrada considera que

7. Citado por Leopoldo Benítez Vinueza, *op. cit.*, pp. 184.

8. Biblioteca Ecuatoriana Mínima, *El Ecuador visto por Extranjeros*, p. 75.

9. La teoría de Max Weber sobre las vinculaciones que existen entre las prácticas religiosas y los procesos económicos se confirma en el caso ecuatoriano, pues, muchas de las actitudes contrarias al desarrollo de actividades económicas fueron condicionadas por los valores transmitidos por la religión católica. Como ella influyó poco en la Costa, los porteños sí se caracterizaron por su interés en el tráfico lucrativo, sobre todo mercantil, y en general por el mundo de los negocios, visto con sospecha por la "ética católica" que recomendaba preocuparse solamente por la "otra vida" y desentenderse de los "pecaminosos" bienes materiales.

10. Lo dicho puede ampliarse examinando *El Ecuador visto por Extranjeros*; *Los Orígenes del Ecuador de Hoy*, vol. I, pp. 186-192, y en general por los libros escritos por los viajeros extranjeros que citamos en ete trabajo.

ha constituido un importante freno al desarrollo de la región la incapacidad de los porteños para asociarse, y así reunir los capitales necesarios para transformar las tradicionales fábricas de barcos en modernos astilleros.[11]

Otros factores también inciden en el estancamiento de la naciente economía. Entre el 30 y el 40 por ciento de los ingresos del Estado provienen del impuesto a la aduana, muy sujeto a la suerte del comercio exterior y en gran parte dependiente de la exportación de un producto —el cacao— cuyos precios son impuestos por los importadores. Su crisis (1843) afecta a los ingresos fiscales de manera que entre 1830 y 1859 el presupuesto del Estado, de 700 mil pesos sólo sube a 1,8 millones de pesos anuales. La casi totalidad de estos recursos se consumen y prácticamente no se realiza ninguna obra pública importante, excepto una parte del malecón y del muelle en el puerto de Guayaquil. Al ejército se destina hasta el 74 por ciento del presupuesto y no menos del 50 por ciento y a la burocracia una cuarta parte. Mientras tanto, en obras públicas y en educación se emplean cantidades irrisorias que representan el 2 por ciento de los gastos del Estado. Al pago de la deuda pública se destina una tercera parte de los ingresos fiscales.[12]

En consecuencia, el Estado no asume ningún papel en la creación de condiciones que favorezcan el desarrollo de la economía. Las actividades económicas progresan en Guayaquil porque cuentan con los ríos que forman la cuenca del Guayas, que son las únicas vías de comunicación. Las otras regiones del país carecen de caminos que faciliten el intercambio comercial e intercomuniquen las diversas ciudades. El transporte se hace por senderos, en mulas o a "lomo de indio". No existen bancos y en general mercados de capital que favorezcan el desarrollo comercial e industrial. Excepto en el caso de Guayaquil, los contactos con el exterior son muy ocasionales. La llegada de un extranjero constituye un acontecimiento y en algún caso llega a producir un motín. Si bien en 1840 en los astilleros de Guayaquil se construye un buque a vapor —el Guayas—, el primero fabricado en la América española, pronto esta actividad desaparece.[13] Sólo el comercio conserva su importancia y cuando decrece, Rocafuerte decreta la reducción de los impuestos a las importaciones

11. Julio Estrada Ycaza, *op. cit.*, t. II, pp. 232-233.

12. Estas informaciones provienen del citado estudio que realiza el economista Mauricio Dávalos, los mismos que se citan posteriormente sobre materia hacendaria.

13. Julio Estrada Ycaza, *op. cit.*, t. II, pp. 166-170.

y a las exportaciones.[14] El préstamo otorgado por Inglaterra no es de utilidad económica ya que se gasta íntegramente en las guerras de la Independencia y en los años siguientes el país no recibe ningún crédito externo. La única inversión extranjera, si cabe considerársele como tal, es la que se hace en el transporte marítimo controlado por los ingleses, incluso el cabotaje interno.[15]

b) *1860-1920*

En 1860 se producen dos acontecimientos que influirán decisivamente en el futuro económico del Ecuador: la toma del poder por Gabriel García Moreno y un crecimiento más acelerado de las exportaciones.

La acción política de García Moreno (1860-1875) constituye el primer intento serio para la creación del "Estado Nación" [16] y origina un "modelo económico" que regirá el desarrollo de los 65 años siguientes. Mediante el rígido y a veces brutal ejercicio de la autoridad (cfr. pp. 119 y ss.), restablece la unidad política y administrativa del país, al concentrar en manos del Presidente de la República una suma de poderes que habilitan al Ejecutivo para tomar bajo su responsabilidad el progreso económico a través de la creación de una infraestructura física e institucional, sin la cual no habría sido posible la modernización del atrasado Ecuador de entonces. Su propósito es favorecer el desarrollo de la agricultura, contribuir al establecimiento de industrias, alentar el comercio y promover el descubrimiento de minas y su explotación. En efecto, en el período "garciano" se dictan leyes que facilitan la creación de un mercado de ca-

14. José Le Gouhir, *op. cit.*, t. I, p. 306.

15. Julio Estrada Ycaza, *op. cit.*, t. II, pp. 218-222.

16. Pedro Saad, Secretario General del Partido Comunista del Ecuador, considera que García Moreno es el "gran constructor de la nacionalidad ecuatoriana" por su "sentido heroico para la lucha contra los enemigos del país" y por su "gran criterio para el desarrollo técnico" con la Escuela Politécnica, el ferrocarril y los caminos (*El Ecuador y la Guerra*, citado por Leopoldo Benítez Vinueza, p. 215). El mismo punto de vista es compartido en una Tesis de Grado "Fernando Velasco, *Ecuador: Subdesarrollo y Dependencia, Universidad Católica del Ecuador*, Quito, 1972, pp. 97-104), cuando se dice que García Moreno consolida el Estado mediante la imposición de la ley y el orden a cualquier precio, la creación de facilidades para el libre flujo de los factores de la producción, la búsqueda de relaciones comerciales y financieras con el exterior, la construcción de vías de comunicación, la extensión y consolidación del sistema bancario, la cohesión de la economía y administración, la vinculación del país al mercado mundial, etc.

pitales, se constituye un sistema bancario propiamente dicho y se abre el país al capital extranjero.[17]

La política económica de García Moreno se basa en el desarrollo de las obras públicas y en la tecnificación de la educación. Para ello, reorienta el gasto público al reducir los gastos burocráticos y militares, particularmente los últimos que en 1864 descienden al 37 por ciento de los egresos fiscales y en 1874 al 17 por ciento. Al mismo tiempo incrementa sustancialmente los recursos destinados a la educación y a obras públicas que suben al 7 por ciento en 1864, al 14 por ciento en 1869 y al 23 por ciento en 1874. Esta innovadora política presupuestaria y el fortalecimiento financiero del Estado que por primera vez obtiene créditos de la naciente banca privada, le permiten emprender una acción modernizadora en los campos de la infraestructura física y de la instrucción pública. Desde Guayaquil se inicia la construcción de un ferrocarril y desde Quito la de una carretera con el propósito de comunicar a estas dos ciudades; se tiende una línea telegráfica y en las principales provincias de la Sierra y de la Costa se hacen caminos y puentes para facilitar el intercambio; en Guayaquil continúan los trabajos del malecón y el muelle; se levantan hospitales, edificios públicos, cuarteles, faros, etc. Compartiendo el criterio de Rocafuerte de que la juventud dedicada a la abogacía es "muy perjudicial al orden y a la paz de las familias y a la quietud de los pueblos", García Moreno emprende la reforma, de los estudios universitarios. Considera que no es pertinente llamar Universidad a una casa en la que se enseña jurisprudencia, medicina y teología que son las facultades "menos útiles de la república" y que no conviene que mientras los pueblos se "inundan de abogados, médicos y eclesiásticos" los "campos están yermos, desiertos los talleres, muerto el

17. Antes de 1860 sólo había el Banco de Luzarraga en Guayaquil de propiedad de Manuel Luzarraga, el "hombre más rico del país". En 1862 se establece el Banco Particular de Descuento y Circulación, en 1868 el Banco del Ecuador y en 1871 el Banco de Crédito Hipotecario. En Quito se funda el primer banco en 1869 y se llama Banco de Quito. Para favorecer el desarrollo de estas instituciones, en 1969 se dicta una Ley que autoriza la creación de bancos hipotecarios y en 1871 se expide la primera Ley de Bancos. Los armadores Luzarraga e Indaburu impulsan el transporte fluvial-marítimo nacional. En 1865 se instala en Guayaquil una fábrica de hielo y en 1874 un ingenio de azúcar en Babahoyo. Desde 1865 se realizan negociaciones con el norteamericano Eliseo Lee y otros extranjeros para la explotación de petróleo en Santa Elena. Otro norteamericano, Wesley Clark, en 1872 explota una empresa de pesca de perlas frente a Manta. (Véase, Luis Alberto Carbo, *Historia Monetaria y Cambiaria del Ecuador*, Banco Central, Quito, 1953, pp. 30, 447 y 449; José Le Gouhir, *op. cit.*, t. II, pp. 87 y 473; Carlos A. Rolando, *Obras Públicas Ecuatorianas*, Talleres Tipográficos de la Sociedad Filantrópica del Guayas, Guayaquil, 1930, pp. 23-57; Julio Estrada, *op. cit.*, pp. 229-254.)

comercio y aún cerradas sus avenidas".[18] Sus afanes de progreso le hacen sentir la necesidad de la educación técnica con cuyo propósito disuelve la antigua Universidad y crea la Escuela Politécnica (1869) destinada exclusivamente a formar profesionales y profesores en ciencias, tecnología, arquitectura e ingeniería civil, mecánica y de minas. Amplía el sistema educativo y lo extiende a la mujer. Para elevar su nivel académico contrata profesores europeos, principalmente alemanes y franceses.

La ejecución de este programa —gigantesco para el Ecuador de ese tiempo— es posible gracias a la recuperación de las exportaciones y, sobre todo, al fortalecimiento de la hacienda pública y a la creación de circuitos financieros. El crecimiento de las exportaciones por el aumento de la producción y de la demanda de cacao, sobre todo en los años 1866 y 1868, genera un incremento de los ingresos fiscales por el impuesto a la aduana. La tenacidad en las recaudaciones permite mejorar el rendimiento de los otros impuestos; por ejemplo, los impuestos directos suben del 6 al 12 por ciento de los ingresos. La otra importante fuente de financiamiento constituye el crédito otorgado por la rica banca guayaquileña. El endeudamiento interno adquiere tal volumen que en 1874 debe destinarse a su amortización el 40 por ciento de los egresos del fisco. De los datos que hemos podido obtener se deduce que el país no recibe créditos extranjeros. Esta política fiscal permite que en el período "garciano" se incremente sustancialmente el gasto público que se triplica, para en 1874 llegar a los 4,3 millones de pesos.

De esta manera, a García Moreno le corresponde la creación de las primeras precondiciones para un desarrollo económico capitalista. Sus rezagadas ideas político-religiosas contrastan con su avanzado pensamiento económico que se adelanta en muchos años al de sus atrasados compatriotas. El caudillo conservador, *mutatis mutandis,* intenta cumplir el papel que en Europa tuvieron el "bonapartismo" y el "bismarkismo", en cuanto al fortalecimiento del Estado y al aliento de la producción, a los que se les considera requisitos esenciales para el progreso de la economía.[19]

18. Ver: Luis Robalino Dávila, *Orígenes...*, vol. I, p. 147 y Jacinto Jijón, *Política...*, t. I, p. 349.

19. El hecho de que los estudios históricos sobre García Moreno hayan sido realizados por apologistas o detractores —salvo quizá el caso de Luis Robalino Dávila— ha impedido apreciar y valorar la contribución del caudillo civil al desarrollo de la economía ecuatoriana y a la modernización del país. Por otra parte, nuestros historiadores se han interesado más por sus ideas religiosas y políticas, antes que por su pensamiento económico.

En los años siguientes, durante los gobiernos del general Ignacio de Veintimilla (1876-1883), las exportaciones mejoran notablemente, cuando su promedio anual que en la época anterior no llegó a los 4 millones de dólares, sube a 5,4 millones de dólares anuales,[20] gracias a las mejores cosechas, a las migraciones provocadas por la guerra del Pacífico y a las condiciones favorables del mercado mundial. Si bien las importaciones también se incrementan, siempre se mantienen por debajo de las exportaciones y no llegan a representar más del 80 por ciento de éstas. Tan excepcional coyuntura económica no es aprovechada para la continuación del proceso de modernización del país, pues, con el general Veintimilla el papel del Estado en la promoción del progreso económico retrocede a los niveles correspondientes a la época pregarciana. A pesar de la prosperidad general, los ingresos fiscales se reducen considerablemente y en el año de más altas recaudaciones sólo representan 800 mil pesos más que en el último año en que gobernó García Moreno; y de estos ingresos, una cuarta parte proviene de los créditos otorgados por la banca privada. En estos ocho años el país se estanca: suben los gastos militares y bajan los destinados a obras públicas, educación y sanidad; la escuela politécnica cierra sus puertas, la carretera al sur se paraliza, la construcción del ferrocarril avanza lentamente y prácticamente no se realiza ninguna obra pública importante. Los ricos hacendados costeños, y algunos serranos, fijan su domicilio en París donde viven de sus rentas y gastan sus fortunas. La ampliación de los huertos de cacao y la instalación de un ingenio —el Valdez— constituyen las pocas inversiones nacionales. Más bien aparece el capital extranjero cuando ingleses y norteamericanos se interesan en la explotación de las minas de oro de Portovelo y de petróleo en Santa Elena.

La tendencia positiva de las exportaciones —cuya importancia económica se acrecienta— se torna más favorable durante los gobiernos "progresistas" (1883-1895) gracias a un aumento de la producción de cacao que alcanza los 330 mil quintales anuales y a las ventas de otros productos: cascarilla, caucho, café, cueros, suelas, maderas, caña, frutas —especialmente piñas y plátanos—, algodón y sobre todo sombreros de paja toquilla cuya producción, que se ex-

20. Luis Alberto Carbo, *op. cit.*, pp. 447-449. Todas las cifras que posteriormente citemos sobre comercio exterior y producción de cacao, provienen de esta fuente, salvo indicación en contrario.

tiende al Azuay, es inferior en calidad a la tradicional de Montecristi y Jipijapa.[21] Como consecuencia, el promedio anual de las exportaciones llega a 7,7 millones de dólares y se origina una gran prosperidad de todos los sectores ligados con el negocio de exportación. Los emprendedores guayaquileños amplían los cultivos de cacao e incrementan el comercio exportador-importador, que se constituye en la actividad más dinámica de la economía y en el germen de un capitalismo mercantil que afirma su importancia. Aunque leves, se advierten algunas iniciativas de industrialización, sobre todo en Guayaquil donde se desarrolla la industria azucarera con máquinas de vapor y se instalan fábricas de alimentos, bebidas, hielo, gas; además, fundiciones de hierro, talleres de mecánica, máquinas de aserrar madera, de moler cacao, chocolaterías, etc. También en la sierra se introducen máquinas de vapor para hilar y tejer lana y algodón en las provincias de Imbabura, Pichincha y Azuay.[22] Se constituyen las primeras sociedades: Corporación Comercial, Compañías de Giros, Sociedad Nacional de Seguros, Ecuadorian Lloyd y Empresa de Carros Urbanos;[23] Guayaquil sufre una violenta expansión urbanística y se convierte en la primera ciudad del país, al superar a Quito en su número de habitantes.

Con relación a la época precedente, la riqueza generada por la "pepa de oro" es mejor administrada por los presidentes "progresistas", particularmente por Antonio Flores Jijón que se convierte en el continuador del modelo económico garciano. El presupuesto del Estado se incrementa notablemente —llega a 11 millones de sucres—,[24] se reducen los gastos militares y el porcentaje destinado a obras de desarrollo si bien no llega a los niveles correspondientes a 1874, mejora con respecto al gobierno de Veintimilla. Como en las épocas "floreana" y "veintimillista", los pronunciamientos militares y las montoneras revolucionarias constituyen un serio obstáculo para el desarrollo de las actividades productivas públicas y privadas. El testimonio de un viajero extranjero es muy ilustrativo cuando dice que "el mayor enemigo del hacendado, es decir de la producción y por consiguiente de la riqueza del país, es el motín, el pronunciamiento, la revolución. Apenas estalla una sublevación, acuden los insurrectos a las haciendas y se llevan a la fuerza a los trabajadores para conver-

21. Teodoro Wolf, *Geografía y Geología del Ecuador*, Dresden, 1892, p. 544.
22. Ibid.
23. José Le Gouhir, *op. cit.*, t. III, p. 224.
24. En 1884 el SUCRE reemplaza al PESO como unidad monetaria.

tirlos en sublevados, y ¡adiós cosecha![25] Por otra parte, los gobiernos deben destinar ingentes recursos para someter a los insurrectos. Sin embargo se realizan algunas obras públicas: se extienden las comunicaciones telegráficas a todas las ciudades del país; continúan los trabajos del ferrocarril y de la carretera; Quito y Guayaquil se unen a través de estas dos vías; se abren nuevos caminos y líneas férreas; se hacen instalaciones de agua potable y de alumbrado eléctrico; se construyen colegios y escuelas; se restablece la educación técnica y se reordena la hacienda pública. Si bien se reducen los impuestos a las exportaciones y se aumentan los impuestos a las importaciones, los recursos que el Estado destina al financiamiento de estas obras no provienen de la captación de la riqueza privada a través de la vía impositiva, sino más bien del endeudamiento público que en algunos años llega a representar más del 40 por ciento de los ingresos del gobierno. La mayor parte de los créditos son internos y provienen de la rica banca guayaquileña que se desarrolla extraordinariamente,[26] al acumular buena parte de los recursos monetarios que deja la agricultura de exportación. Estos capitales en su mayor parte son utilizados por el Estado, siempre apremiado por sus obligaciones fiscales. Así por ejemplo, en 1892, el Banco del Ecuador con un capital de 2 millones de sucres, tenía prestado al Gobierno 1,3 millones y al Municipio de Guayaquil 350 mil sucres.[27] El Presidente Antonio Flores también se interesa en mejorar las relaciones económicas del Ecuador con el extranjero, para conseguir la venida de capitales que requiere para la construcción del ferrocarril. Con este propósito, alienta la inmigración y sanea el crédito externo, mediante un acuerdo con los acreedores británicos tenedores de los bonos de la llamada "deuda inglesa" proveniente de las guerras de la Independencia, cuyo monto inicial de 7 millones de pesos ahora ascendía a 15 por las amortizaciones e intereses no cancelados en las varias suspensiones de pagos.

Durante la dominación liberal se produce un aumento sustancial de las exportaciones que, entre 1895 y 1920, alcanzan un promedio anual de 11,2 millones de dólares. Esta expansión se debe al cacao que llega a representar más de las dos terceras partes de las ventas

25. Carlos Wiener, "Un Francés en Guayaquil" (1880), en *El Ecuador visto por extranjeros*, *op. cit.*, p. 468.

26. En 1885 se crean en Guayaquil los bancos: Internacional, Anglo Ecuatoriano y Agrícola Hipotecario. En 1886 se instala en Quito el Banco Territorial.

27. Luis Alberto Carbo, *op. cit.*, p. 42.

realizadas en el exterior, cuando su producción alcanza un promedio anual de 673 mil quintales, duplicándose con relación a la época que acabamos de analizar. Estas exportaciones, hasta fines del siglo pasado, se encuentran bastante distribuidas entre varios países, principalmente europeos —Francia, Inglaterra, España, etc.— que adquieren hasta las tres cuartas partes. Pero a partir de este siglo, sobre todo desde la segunda década, progresivamente se orientan a los Estados Unidos que llegan a comprar hasta el 55 por ciento de las ventas realizadas por el país. Algo parecido sucede con las importaciones: los norteamericanos desplazan a Inglaterra y Alemania de su condición de principales proveedores de productos manufacturados.[28] En consecuencia, la economía ecuatoriana se torna extremadamente vulnerable, al quedar dependiente de la suerte de un producto —el cacao— y de las compras que realice un país —los EE.UU.— La presencia norteamericana, que por primera vez adquiere importancia, se explica por la I Guerra Mundial que corta o reduce las relaciones con Europa; por la expansión industrial monopólica de Norteamérica; y por la apertura del Canal de Panamá. Esta nueva vía de comunicación marítima, antes que fortalecer las relaciones comerciales con Europa, más bien las orienta a los Estados Unidos, pues, su gran industria se encuentra en la costa atlántica lo mismo que el puerto de Nueva York que se convierte en el nuevo centro del comercio mundial.

Estas condiciones tan favorables de las exportaciones y de la economía —las mejores durante la era de la "pepa de oro"— no son aprovechadas suficientemente por el país. Los gastos públicos se incrementan notablemente al llegar a los 27 millones de sucres anuales, pero esta expansión fiscal no proviene, en proporciones adecuadas, de la captación de la riqueza privada. Sin bien los ingresos fiscales por el impuesto a la aduana representan entre el 30 y el 60 por ciento, porcentajes equivalentes provienen del endeudamiento público, en gran parte originado en los créditos otorgados por la banca privada, cuyo monto en 1920 alcanza la suma de 15,5 millones de sucres.[29] La orientación del gasto público tampoco favorece la capi-

28. Estas informaciones provienen de la citada investigación sobre el Sistema Fiscal Ecuatoriano. Además de: Hans Heiman, *Estadísticas de las exportaciones del Ecuador, 1940-1942*. Citado por Fernando Velasco, pp. 116-117.

29. Los acreedores del gobierno son: Banco Comercial Agrícola 9,6 millones; Banco del Ecuador 4,6 millones; Banco del Pichincha 1,3 millones. (Véase, Luis Alberto Carbo, *op. cit.*, p. 99). Para 1920 han desaparecido o se han transformado algunos bancos. Ese

talización de la economía en proporciones compatibles con el grado de riqueza del país. Al pago de la deuda pública se destina entre el 20 y el 60 por ciento de los egresos fiscales y cuando este rubro desciende a menos del diez por ciento, crecen los gastos militares y burocráticos que en cada caso llegan hasta el 42 por ciento y que ordinariamente, tanto los unos como los otros, superan el 20 por ciento. Mientras tanto, los recursos destinados a obras públicas, educación y en general a obras de desarrollo, en los primeros años de la época que analizamos sólo representan el 10 por ciento de los gastos fiscales y en los últimos apenas alcanzan el 22 por ciento. Esta ineficiente utilización de los recursos públicos, a pesar de la excepcional coyuntura económica, probablemente se debe a que los gobiernos liberales destinan buena parte de sus energías a la lucha religiosa y a derimir sus conflictos internos mediante las campañas militares que emprenden contra las guerrillas conservadoras y las fracciones en que se divide el partido gobernante, hecho que les impide articular un sistema político continuo y estable. (Cfr. pp. 132 y ss.) Además, en 1896 y 1902 se producen dos incendios que consumen gran parte de la ciudad de Guayaquil[30] y los liberales ponen interés en el pago cumplido de la deuda inglesa a fin de crear confianza y seguridad entre los inversionistas extranjeros. Todo esto les priva de muchos recursos. Sin embargo, son varios los pasos que se dan para la modernización del país: se inician líneas férreas, se abren caminos a las principales ciudades, se levantan puentes, se amplía el servicio telegráfico; se promueve la educación técnica y agrícola; se atribuye a la universidad la formación de los profesionales requeridos para el progreso de la nación; se mejoran los puertos, los faros y en general las comunicaciones con el exterior; se promueve la educación y el trabajo de la mujer, se construyen edificios públicos y se instalan hospitales. Como se puede ver los liberales consideran que el progreso del país es el resultado de la construcción de obras públicas y de la ampliación de la educación principalmente técnica,[31] y en este sentido

---

año existen los siguientes: Banco del Ecuador, Banco de Crédito Hipotecario; Banco Territorial; Banco Comercial y Agrícola (Guayaquil, 1895); Banco del Pichincha (Quito, 1906); Banco del Azuay (Cuenca, 1913); Banco Sudamericano (Quito, 1919); Banco de Descuento y Banco La Previsora (Guayaquil, 1920.)

30. Se estima que el incendio de 1896 arrojó pérdidas por más de 9 millones de dólares. (Luis Alberto Carbo, *op. cit.*, p. 50.)

31. Eloy Alfaro dice: "[...] No he separado la atención de la grande empresa ferroviaria que debe unir las poblaciones del litoral y las del interior de la República. Mi

son los continuadores del modelo económico concebido por García Moreno y practicado por los "progresistas". No es una simple coincidencia que la más grande obra de infraestructura realizada en el país —el ferrocarril de Guayaquil a Quito— haya sido iniciada por Gabriel García Moreno y concluida por Eloy Alfaro, considerados como los caudillos conservador y liberal por excelencia.

Una característica de esta época es el significativo incremento que experimentan la actividades económicas particulares. Si bien, a pesar del anticlericalismo reinante, se siguen construyendo iglesias y conventos, incluso en la Costa, y los ricos hacendados continúan gastando sus fortunas en París o en la importación de artículos suntuarios, algunos dineros se destinan a la capitalización del país. En este siglo las condiciones son más favorables para la inversión productiva. En efecto, además de ciertas disponibilidades de capitales y de algunas leyes que se dictan,[32] se instalan o amplían servicios básicos indispensables para el desarrollo industrial y comercial: transporte urbano y fluvial, electricidad, agua potable, teléfonos, comunicaciones interregionales e internacionales. En 1897 se juntan la carretera que va de Quito y el ferrocarril que viene de Guayaquil y así finalmente se comunican estas dos ciudades; en 1908 llega a Quito el ferrocarril; en 1914 se inaugura el Canal de Panamá; en 1918 es posible comunicarse con Cuenca, una parte por ferrocarril y otra por carretera. Todo ello contribuye para que en las dos primeras décadas de este siglo la economía se diversifique y se desarrolle. Se crean algunas industrias de cerveza, calzado, cigarrillos, fósforos, cueros, harinas, azúcar, mosaicos, textiles y tipográficas. Según la CEPAL, la industria crece sola, sin protección del Estado, y alcanza su máxima expansión en 1911, cuando las cifras de importación de maquinaria llegan a un nivel que sólo será superado cuarenta años más tarde.[33] En las provincias interandinas del sur se incrementa la artesanía de la

más ardiente anhelo se dirigirá, con preferencia, a esta obra salvadora, de la que depende todo progreso material [...]" (Jorge Pérez Concha, *Eloy Alfaro: Su Vida y su Obra*, Talleres Gráficos de Educación, Quito, 1942, p. 200). Abelardo Moncayo dice: "Que la realización del ferrocarril, como medio seguro de consolidar las instituciones liberales en la República y dar a su progreso un empuje hercúleo fue la idea primordial y el ahinco supremo de los hombres del 95 [...]" (*Páginas olvidadas*, Ed. Cajica, Puebla, 1970, t. II, p. 216).

32. Ley de Cheques, Ley de Compañías de Seguros, Ley de Marcas de Fábrica, Ley de Fomento Agrícola e Industrial, Ley de Capitales en Giro.

33. CEPAL, *El Desarrollo Económico del Ecuador*, Naciones Unidas, México, 1954, p. 106.

paja toquilla que antes sólo era importante en Manabí. La comercialización interna y el comercio importador, en su mayor parte se encuentran en manos de migrantes árabes, italianos y chinos o de ecuatorianos considerados de origen social inferior, pues las familias acomodadas, sobre todo serranas, no se interesan por esta actividad. A pesar del desarrollo de la industria y el comercio, estas nuevas fuentes de producción siguen siendo incipientes. Si bien en Guayaquil existe un activo tráfico mercantil, en las otras ciudades, incluso en Quito, no hay más de dos o tres casas comerciales importadoras; las otras son pobres tiendas que venden artículos alimenticios. Estimamos que en 1920, los trabajadores ocupados en la industria propiamente dicha no llegaron a representar el 2 por ciento de la población activa. Por lo tanto, la riqueza del país sige siendo fundamentalmente agrícola; de "ella proceden casi todas las grandes fortunas" y por lo mismo "la plutocracia es ante todo agricultura y comercia con los productos agrícolas".[34] La pobreza de la agricultura serrana no sólo se debe a la deficiente estructura productiva; también influye la poca fertilidad de las tierras que, según Teodoro Wolf, en más de un cincuenta por ciento son incultivables por las alturas, por escarpadas y por estériles. Por falta de reposición han desaparecido los árboles de cascarilla de tipo superior y los otros siguen igual camino.[35]

En el atraso general de la economía influye mucho el menosprecio general por el trabajo sobre todo manual. Un blanco puede ser muy pobre pero de alguna manera se arregla para subsistir sin trabajar, de modo que trabajadores manuales blancos no se encuentran en el Ecuador a no ser que sean extranjeros. Cuando un escocés, en la segunda mitad del siglo pasado, se ocupa en armar una maquinaria textil en Chillo, cunde la estupefacción general porque un hombre blanco trabaje como un indio.[36] Esta característica de la sociedad ecuatoriana no varía en el siglo XX, sobre todo en el caso de los serranos. Un autor los describe como desconfiados y recelosos, poco inclinados a depositar su dinero en instituciones de crédito o a invertirlo en la industria y el comercio. Generalmente lo atesoran o destinan a la compra de tierras y a préstamos usuarios para el consumo, quedando los capitales improductivos y estancada la riqueza.[37]

La capacidad de ahorro es muy baja y los recursos financieros

34. Alfredo Espinosa Tamayo, *op. cit.*, pp. 76, 77 y 84.
35. Teodoro Wolf, *op. cit.*, pp. 437 y 447.
36. Frederich Hassaurek, *op. cit.*, pp. 105, 125 y 126.
37. Alfredo Espinosa, *op. cit.*, pp. 115, 116 y 164.

acumulados por la banca privada en su mayor parte son prestados al Estado que los destina a gastos corrientes o a los comerciantes que los ocupan en las actividades de importación o exportación.[38] Es a los capitales extranjeros a los que les corresponde asumir la provisión de ciertos servicios y la explotación de minas. La nueva condición geográfica y económica del Ecuador y la expansión industrial de los Estados Unidos favorecen la inversión extranjera que por primera vez adquiere cierta importancia en el país. En 1896, un año después de la toma del poder por los liberales que asignan al capital extranjero un papel principal en el progreso de la economía,[39] Eloy Alfaro nombra un Ministro Plenipotenciario en Washington, con el específico encargo de gestionar la venida de empresarios que se interesen en la construcción del ferrocarril.[40] Los recursos financieros externos provistos por norteamericanos y británicos toman a su cargo el tendido de líneas férreas, la instalación de plantas eléctricas y de líneas telefónicas y telegráficas, la explotación de la minas de oro de Portovelo y la exploración de petróleo en Santa Elena.[41] Todas las otras actividades productivas se encuentran en manos de nacionales. Las haciendas, las industrias, el comercio interno y exterior son propiedad de ecuatorianos o de migrantes domiciliados en el país que, a diferencia de lo que sucedió en otras naciones de Américaa Latina, son muy pocos.

Como durante la mayor parte del período analizado (1860-1920) no existieron inversiones extranjeras en los servicios públicos y las que se producen en los últimos años (1897-1908) son insuficientes y en vista de que el Estado es incapaz de usar adecuadamente la vía impositiva para captar una parte de los excedentes generados por la creciente riqueza del país, los gobiernos se ven obligados a recurrir

38. En 1916 el Banco del Ecuador tenía prestados 3,5 millones de sucres al fisco y sólo 260 mil sucres a particulares. (Belisario Quevedo, *Sociología, Política y Moral*, Ed. Bolívar, Quito, 1932, t. III, p. 101.)

39. José Peralta dice al respecto: "Las leyes [...] han dignificado y protegido el trabajo, concedido amplias seguridades y garantías a la insdustria y a la inventiva, inspirado la más plena confianza al capital extranjero, abierto las puertas de la República a los migrantes, facilitando el movimiento mercantil con el Talón Oro y las vías de comunicación fácil y económica [...]" (José Peralta, *El Régimen Liberal y el Régimen Conservador*, Tip. de la Escuela de Artes y Oficios, Quito, 1911, p. 130).

40. M. A. González Páez, *Memorias Históricas: Génesis del Liberalismo; su triunfo y sus obras en el Ecuador*, Quito, 1934, p. 543.

41. La Guayaquil and Quito Railway Company construye el ferrocarril (1897); la South American Development Company explota las minas de oro de Portovelo (1899); y la Ancón Oilfields, los yacimientos de petróleo (1911).

a los créditos de la banca privada para financiar la ejecución de las obras públicas y en muchos casos para el simple pago de sueldos. Los bancos de Guayaquil son los principales proveedores de estos recursos que por primera vez los usa García Moreno y luego todos los presidentes y dictadores que le suceden en el poder, pues, para ellos, llámense conservadores, progresistas o liberales, la banca privada constituye la única o al menos la principal fuente de crédito. Durante la dominación liberal el endeudamiento fiscal llega a niveles nunca alcanzados,[42] por el incremento sustancial del gasto público (cfr. p. 91); por los cada vez más altos déficit presupuestarios, sobre todo cuando se produce la caída de las exportaciones que constituyen la principal fuente de ingresos fiscales; y por la Ley Moratoria que al decretar la inconvertibilidad de la moneda en oro, permite a los bancos, sobre todo al Comercial y Agrícola de Guayaquil, aumentar sin restricción el número de billetes en circulación [43] y por tanto sus disponibilidades de crédito. Este proceso va acompañado de una progresiva acentuación de la dependencia de los gobiernos con respecto a la banca privada que afirma su influencia política y pasa a ejercer un papel dominante que le permite subordinar al Estado a sus designios y mandatos, cuando entre banquero y Gobierno "se establece la misma interdependencia que entre el acreedor exigente y el pobre deudor en permanentes apuros".[44]

42. La evolución de las deudas del Estado a los bancos es la siguiente: 800 mil pesos en 1865; 1,2 millones de pesos en 1870, 1,5 millones de sucres en 1887; 2 millones de sucres en 1890; 4 millones de sucres en 1898; 6 millones de sucres en 1909; 15 millones de sucres en 1914; 25 millones de sucres en 1920. Como se puede ver, el endeudamiento del Estado con respecto a la banca privada no es una novedad correspondiente a la dominación liberal, durante la cual sólo se produce una modificación en cuanto al volumen y sobre todo en su significación porcentual con respecto a los gastos públicos. En efecto, mientras en los años 1864 y 1875, el crédito otorgado por la banca privada representó entre el 30 y el 50 por ciento de los gastos públicos y en los años 1879 y 1910 entre el 20 y el 30 por ciento, a partir de 1914 llega a representar hasta el 80 por ciento de los gastos fiscales.

43. No existiendo un Banco del Estado, los bancos privados cuentan con la atribución de emitir sus propios billetes, facultad de la que se valen para lanzar emisiones que superan el respaldo de sus reservas en metálico. El consiguiente aumento del circulante ya provoca, durante el gobierno de García Moreno, la devaluación de la moneda en un 60 por ciento, al pasar su cotización de 1,02 a 1,63 pesos por dólar, entre 1872 y 1874. En los años siguientes existe cierta normalidad monetaria de manera que en 1913 el precio del dólar sólo llega a 2,15 sucres. Pero esta situación se altera bruscamente cuando se expide la Ley Moratoria (1914). En efecto, el porcentaje de oro y cambios en poder de los bancos privados con respecto a los billetes en circulación y a los depósitos, en 1900 representó el 51 por ciento, en 1917 el 55 por ciento y en 1926 el 20 por ciento. (Véase Luis Alberto Carbo, *op. cit.*, pp. 33-121.)

44. Oscar Efrén Reyes, *Breve Historia General del Ecuador*, E. Fray Jodoco Ricke,

c) *1921-1949*

En 1921 la economía ecuatoriana entra en un largo período de recesión que se prolonga por 29 años, cuando se produce la caída de las exportaciones de cacao.

La crisis del cacao se debe a hechos internos y externos que se suceden y acumulan. Por efecto de las plagas, la "monilla" en 1916 y la "escoba de la bruja" en 1922, la producción de cacao se reduce entre un 20 y un 50 por ciento. Las restricciones impuestas por Inglaterra y Francia a las importaciones de este producto (1917) limitan su venta en Europa. El aumento sustancial de la producción de otros países, principalmente de Costa de Oro, torna muy competitivo el mercado mundial. Finalmente, los problemas económicos de post-guerra y luego la deflación mundial (1929), reducen la demanda, de manera que entre 1920 y 1921 en el mercado de Nueva York el cacao baja de 26 a 6 dólares el quintal, precio que mejorará levemente en los años siguientes. Esto sucede cuando la "pepa de oro" había llegado a representar el 70 por ciento de las exportaciones del país.[45]

El deterioro de las ventas de cacao y la deflación mundial afec-

---

Quito, 1957, t. II-III, p. 758. El poder de los bancos privados y particularmente de Francisco Urvina Jado, Gerente del Banco Comercial y Agrícola de Guayaquil, fue tan grande que de su voluntad dependió el nombramiento de presidentes, ministros, etc., y la orientación de la economía pública. Al respecto, el mismo autor (*op. cit.*, pp. 758-759), narra una nota muy significativa: "Una vez recibió el Gobernador del Guayas un Decreto Ejecutivo sobre cuestiones fiscales que de alguna manera debía rozarse con intereses bancarios. Era para que lo hiciese promulgar por bando en Guayaquil. Seguramente, algún funcionario del Gobierno de Quito, por descuido o por novato, pretendió que el asunto del Decreto no era de tanta trascendencia como para que no lo conociera previamente el Comercial y Agrícola. Sea por lo que fuere, la verdad fue que, cuando el Notario Público, escoltado solemnemente por una o dos compañías de batallón, comenzó a leer el Decreto por las principales esquinas de la ciudad, intempestivamente se le acercó un emisario para darle a saber que se suspendiera el bando 'de orden superior'. El escribano enseguida calló la boca y las compañías del batallón regresaron a su cuartel. A la tarde se comenta el suceso: se trataba de una rectificación de don Francisco Urvina Jado a una equivocación del Gobierno de Quito".

45. La producción de cacao que en 1917 alcanza 1 millón de quintales, en 1921 baja a 884 mil, en 1926 a 447 mil y en los años siguientes a menos de 300 mil. En el último año del período que analizamos, la producción de cacao apenas llega a 387 mil quintales. (Véase, Luis Alberto Carbo, *op. cit.*, pp. 449 87, 88 y ss.) Entre 1912 y 1920 Costa de Oro triplica su producción de cacao; aunque en menor medida, los demás productores, Venezuela y Santo Domingo, entre otros, también aumentan su producción. (Véase Luis Napoleón Dillon, *La Crisis Económico Financiera del Ecuador*, Ed. Artes Gráficas, Quito, 1927, p. 47.)

tan seriamente al comercio exterior ecuatoriano cuyas exportaciones se reducen en volumen y precio. En efecto, las exportaciones agrícolas —sin petróleo y oro— que en la última década del siglo XIX y primera del XX habían alcanzado los 11 millones de dólares anuales, bajan a 9 millones entre 1921 y 1941 y, a pesar de que se recuperan en los ocho años siguientes, en el período analizado (1921-1949) sólo alcanzan un promedio de 15 millones de dólares anuales. Por los cambios que se dan en el mercado mundial y no por la acción deliberada del Estado y de los particulares, se produce cierta diversificación en las exportaciones del país y de esta manera se atenúan los efectos causados por la crisis del cacao. El café, que siempre había sido un producto marginal, desde 1925 afirma su importancia para entre 1930 y 1934 representar el 17 por ciento de las exportaciones y constituirse en el primer bien de exportación. En los años correspondientes a la Guerra Mundial, el arroz y los sombreros de paja toquilla se convierten en los dos principales artículos de exportación al llegar a representar el 46 y el 23 por ciento de las exportaciones del país; la guerra además contribuye a generar una activa demanda de ciertas materias primas estratégicas como el caucho, la madera de balsa y la cascarilla. Por otra parte, por primera vez en la historia económica del Ecuador, adquieren importancia, aunque relativa, dos productos minerales: el petróleo y el oro. Su explotación alcanza significación desde 1930 y comienza a descender una vez concluida la II Guerra Mundial, llegando a representar un 20 por ciento de las exportaciones del país. Prácticamente todas ellas provienen de la Costa, pues, si exceptuamos la paja toquilla, las originadas en la Sierra no representan más del 2 por ciento. Según la CEPAL, en el período analizado, entre doce países de América Latina, el Ecuador ocupa el último lugar —por debajo de Guatemala, Paraguay y Bolivia— en cuanto a sus exportaciones por habitante que en 1937 llegan a 5 dólares y a 13 en los años 1945-1949.[46]

El deterioro del comercio exterior afecta seriamente al desarrollo económico del Ecuador, absolutamente dependiente de la suerte de las exportaciones. Salvo dos breves períodos (1926-1928 y 1944-1949), la escasa o ninguna disponibilidad de capitales lleva al país a un estancamiento comparable con el que se produjo en el pe-

46. Véase Luis Alberto Carbo, *op. cit.*, p. 447; Germánico Salgado, *Ecuador y la Integración de América Latina*, BID-INTAL, Buenos Aires, 1970, pp. 45-48; CEPAL, *op. cit.*, pp. 18 y ss.; Pío Jaramillo Alvarado, *op. cit.*, p. 200.

ríodo siguiente a la constitución de la República, pues, es necesario tener en cuenta que cien años después son mayores los requerimientos y las expectativas. La situación es particularmente crítica en la década de los años 30, cuando el promedio anual de exportaciones, incluido el petróleo y los concentrados de oro, no llega al nivel correspondiente a la última década del siglo pasado. La escasez de divisas limita la capacidad para importar y de esta manera el fisco pierde su fuente principal de impuestos. Por lo tanto, el incremento del gasto público es simplemente monetario al provenir del proceso inflacionario que afecta al país. Efectivamente, el precio del dólar que en 1920 era de 2,25 sucres, en 1926 sube a 5 sucres, en 1934 a 10 y en 1949 a 13,50 sucres. Por ello, de poco sirven los esfuerzos que hace el Estado para reducir la significación porcentual de los gastos militares y burocráticos e incrementar los destinados a obras públicas y en general a programas de desarrollo. Como consecuencia, se produce la práctica paralización de las obras de infraestructura física que en el período que analizamos se reducen a la terminación del ferrocarril a Ibarra, al mejoramiento o ampliación de algunos caminos —que se siguen haciendo a mano— y al establecimiento de comunicaciones aéreas internas y externas. Más bien los particulares asumen ciertas iniciativas al constituir empresas industriales destinadas a la producción de textiles, cemento, calzado, productos químicos y al negocio editorial. A diferencia de lo que había sucedido antes, hoy la industrialización adquiere importancia en la Sierra, región en la que se instalan la mayor parte de las industrias textiles, algunas de las cuales subsisten todavía. Pero es necesario tener en cuenta que esta "ampliación industrial es muy relativa ya que las dos terceras partes de la capacidad para importar se destina a la adquisición de bienes de consumo",[47] en su casi totalidad alimentos, textiles y ropa confeccionada. Si bien en 1936 se constituyen Cámaras de Industrias en las principales provincias, no puede hablarse de un desarrollo fabril propiamente dicho que no puede darse por la inexistencia de una burguesía industrial y por la permanencia de las tradicionales estructuras productivas. Al respecto son muy ilustrativos los testimonios de los viajeros extranjeros que visitan el Ecuador en la tercera y cuarta décadas de este siglo. Ellos los describen como un país atrasado que permanece estacionado con muchas de las características

47. CEPAL, *op. cit.*, pp. 135 y ss.

que fueron señaladas por Jorge Juan, Antonio Ulloa y Alejandro von Humboldt.[48]

En este período el capital extranjero acentúa su penetración en el sector minero. La producción petrolera adquiere importancia desde 1923, año en el que se descubren los yacimientos de Ancón, y progresivamente aumenta hasta alcanzar los 460 mil metros cúbicos en 1944; luego se estanca y paulatinamente declina. Si bien en la explotación de los yacimientos de la península intervienen tres compañías inglesas, una norteamericana y tres nacionales, dos de las primeras controlan el 94 por ciento de la producción.[49] La más importante es la *Anglo Ecuadorian Oilfields Ltd.* que inicia sus operaciones sobre una base verdaderamente colonial, sin pagar ningún impuesto, hasta cuando es obligada a cumplir con sus obligaciones fiscales (1938) por el Gobierno del General Alberto Enríquez.[50] En 1937 se otorga una concesión petrolera en el Oriente a la *Dutch Shell Co.* que la abandona años más tarde, aduciendo que sus trabajos de explotación no han demostrado la existencia de petróleo. La *South American Development Co.* continúa la explotación de las minas de oro de Portovelo y otra compañía norteamericana, la *Cotopaxi Exploration Co.*, entre 1939 y 1946 extrae oro de las minas de Macuchi. Excepto las actividades indicadas, la electricidad y el transporte aéreo que es manejado por una compañía alemana (SEDTA) y por una norteamericana (PANAGRA), todas las otras empresas productivas se encuentran en manos de ecuatorianos, pues el ferrocarril se encuentra nacionalizado. También en este período por primera vez ingresan capitales provenientes del gobierno de los Estados Unidos, cuando en la administración de Andrés F. Córdova (1940) se negocia un crédito con el *Import and Export Bank* (Eximbank) por la suma de 1,3 millones de dólares, contratado por su sucesor Carlos Arroyo del Río. En la administración de este último, se acuerda con el gobierno norteamericano la creación de la *Ecuador Development Corporation* (1942), a la que se le encomienda la creación de plantaciones agrícolas, la ejecución de proyectos industriales y la construcción de obras públicas, para lo cual recibe un préstamo de 5 millones de dólares.[51]

El hecho más importante constituye el control y orientación de

48. Albert B. Franklin, *Ecuador: Retrato de un Pueblo*, Ed. Claridad, Buenos Aires, 1945, y Ludwig Belmelmans, *El Burro por Dentro*, Ed. Moderna, Quito, 1941.
49. CEPAL, *op. cit.*, pp. 99-101.
50. Albert B. Franklin, *op. cit.*, pp. 85-86.
51. Albert B. Franklin, *op. cit.*, pp. 337 y 340.

algunos aspectos de la economía por parte del Estado que abandona los ortodoxos principios del liberalismo económico en los que se había inspirado hasta entonces.[52] Este proceso se inicia con la Revolución del 9 de julio de 1925 realizada para acabar con los abusos y privilegios de la "bancocracia" y solucionar la crisis económico-financiera del Ecuador. Uno de los ideólogos de la Revolución Juliana describe de la siguiente manera la situación prevaleciente: en 1924, el déficit fiscal de 9,5 millones de sucres representa el 20 por ciento del presupuesto ejecutado; el mismo año, la deuda pública interna suma 39,8 millones de sucres de los cuales 37 corresponden a los bancos privados; a fines de 1924 la circulación de billetes emitidos por el Banco Comercial y Agrícola sin el correspondiente respaldo llega a la suma de 18 millones de sucres; la evasión de impuestos por los propietarios de bienes raíces, por las casas comerciales y por los bancos llega a representar hasta el 90 y el 100 por ciento de los valores que debían cancelarse; monopolios privados del tabaco y el alcohol dejan bajo el absoluto control de dos grandes compañías la producción, transporte y consumo de tales productos y causan un grave perjuicio al fisco; el Estado es controlado por la bancocracia a través del endeudamiento público y del soborno de funcionarios.[53]

Las reformas que realizan los gobiernos que siguen a la Revolución del 9 de julio de 1925 —especialmente los que ejercen el poder entre 1925-1931 y 1935-1938— tienen cuatro objetivos principales: modernizar la estructura orgánica del Estado, fortalecer las atribuciones del poder público, mejorar las recaudaciones fiscales y regular las relaciones entre el "capital y el trabajo". Para alcanzar estos propósitos se crea el Banco Central y la Superintendencia de Bancos y se expiden la Ley General de Bancos y la Ley de Monedas que le

52. Víctor Emilio Estrada (*El Momento Económico del Ecuador*, Ed. La Reforma, Guayaquil, 1950, pp. 2, 3, 31, 32, 33, 46, 49) que, como Gerente del Banco La Previsora de Guayaquil, sucedió a Francisco Urvina Jado en su papel de jefe del grupo bancario guayaquileño, ilustra bien este pensamiento liberal cuando afirma que la creación del Banco Central ha significado el deterioro del proceso de capitalización del país ya bien avanzado en 1925 y ha "destruido el mercado de capitales"; los impuestos constituyen una forma de devaluación monetaria y privan al empresario de recursos para reponer sus equipos y de ahorros para su vejez; el sistema de Previsión Social constituye una causa de trastorno económico y de desorganización del esfuerzo nacional por la cuantía de los recursos monetarios que inmoviliza.

53. Luis Napoleón Dillon (*op. cit.*, principalmente en las pp. 36-40 y ss.) es el que ha realizado el más completo estudio sobre los asuntos citados y su libro constituye la base de todos los estudios posteriores. Véase además *El 9 de Julio de 1925*, Ed. La Unión, Quito, 1973, pp. 42-54, escrito por Luis Robalino Dávila.

permiten al Estado controlar la emisión de moneda, guardar la reserva monetaria y vigilar el funcionamiento de los bancos privados. Se crean la dirección de Aduanas, de Impuestos, del Tesoro, de Ingresos, de Presupuestos, de Estancos y se expiden las leyes de Impuestos Internos, de Impuestos Municipales, Orgánica de Aduanas, de Herencias, Legados y Donaciones, de Derechos Consulares y Orgánica de Hacienda con lo que se consigue centralizar las rentas públicas, aumentar las recaudaciones, crear nuevos impuestos y mejorar la administración fiscal. Se organizan el Consejo Nacional de Economía, las direcciones de Suministros y de obras Públicas y el Banco Hipotecario —que será el germen de los futuros bancos de Fomento— y se expiden las leyes de Industrias, de Alcoholes y Aguardientes, de Fomento Turístico y algunas relativas al comercio que le permiten al Estado cumplir un papel más activo en la promoción de las actividades económicas, a través de la construcción de infraestructura, del otorgamiento de créditos y de ciertas liberalizaciones arancelarias. Con la creación de un Sistema de Seguridad Social y la expedición de las primeras leyes y reglamentos laborales y posteriormente del Código del Trabajo, se regulan las nuevas relaciones de producción de tipo capitalista que aparecen en la minería, en las industrias, en los servicios y en el gran comercio, reconociéndose por primera vez los derechos sociales de los trabajadores.

2. Dependencia político-cultural

En 1825, Gran Bretaña y otras potencias europeas a la Gran Colombia. Este mismo año se celebra con aquel país un Tratado de Amistad y Comercio, de carácter perpetuo, el cual, según el historiador Cevallos, "hecho aparentemente por las reglas de la equidad y la reciprocidad, se apartaba bien lejos de ellas", permitiendo de esta manera al gobierno inglés "sacar cuanto provecho quiso".[54] Constituida la República del Ecuador (1830), si bien los ingleses mantienen sus relaciones comerciales que tanto impulso adquirieron a raíz de la independencia (1820), no establecen relaciones diplomáticas con el nuevo país que sólo es reconocido en 1840 por Inglaterra y otras potencias europeas, incluso España. Los intereses económicos de la Gran Bretaña se reducen al intercambio comercial y a la navegación

54. Pedro Fermín Cevallos, *op. cit.*, t. III, p. 85.

marítima. A diferencia de otros países latinoamericanos, el Ecuador no recibe inversiones británicas y el único interés de esta nación está representado por la "deuda inglesa" originada en las guerras de la Independencia. Las frecuentes suspensiones en el pago del capital y de los intereses por la crónica penuria fiscal, son objeto de múltiples negociaciones y para satisfacerlas hasta se llega a pensar en el otorgamiento de concesiones territoriales. Recién a fines del siglo pasado y a principios del presente se producen las primeras inversiones de capitales británicos. Los escasos intereses económicos que tiene Inglaterra en Ecuador explican que no haya llegado a producirse una intervención militar como la que se dio en otros países latinoamericanos.

Mientras en lo económico el Ecuador depende de Inglaterra, en lo cultural se subordina a Francia. Rotas las vinculaciones con España, las élites se identifican con la cultura francesa cuya influencia se mantiene hasta la tercera década de este siglo. Vale citar la opinión de un ecuatoriano registrada por un viajero extranjero: "Ah, mientras que en Francia [...]. Sabe usted, nosotros amamos a Francia tan intensamente por acá que hubo ocasiones en que patrones y sirvientes pensaron que fuera del Ecuador y del Perú no existía sino Francia y la única otra ciudad, además de Quito y Guayaquil, era París. En español es más fácil decir francés que extranjero, por eso a todos los extranjeros los llamamos franceses"[55] Es natural que haya sucedido tal cosa. La formación que recibieron de España las élites "blancas" y el mantenimiento de las estructuras económicas coloniales durante la República, no les habilitaba para comprender y valorar los aportes y necesidades de los pueblos nativos, sino más bien para interesarse por los problemas de Europa. España les había modelado de acuerdo a su visión del mundo de la que estaban excluidos indígenas y negros cuyos valores eran deliberadamente rechazados. Aunque trivial, cabe notar un detalle muy ilustrativo: hasta hace poco, ningún "blanco" se atrevía a vestir poncho en las ciudades, hasta cuando los turistas norteamericanos comenzaron a hacerlo. Siendo el país biológicamente indomestizo[56] y definiéndose culturalmente

55. Ludwing Belmelmans, *op. cit.*, p. 26.

56. Alfredo Espinosa (*op. cit.*, p. 37) escribe lo siguiente: "En nuestro país [...] son muy escasas las familias que habrán logrado conservar pura y sin mezcla, la raza blanca, pues por lo general, los criollos ecuatorianos siempre tienen alguna mezcla con las razas de color por más que su piel sea tan blanca como la de un europeo y tenga los cabellos rubios. Un refrán popular dice: 'lo que no tiene de inga tiene de mandinga', lo que quiere decir, que casi todos los pobladores tienen en sus venas algunas gotas de sangre india o negra".

como blanco, no pudo originar una cultura nacional que siempre requiere de un prerrequisito: la existencia de un nación, esto es de una comunidad de origen, de prácticas y de fines. Por esto el arte y dentro de él la literatura, copió a destiempo motivos, estilos y actitudes europeos.[57] Una cultura desarraigada como fue la nuestra, sin un contenido propio que ofrecer, adopta una actitud hipnótica que la coloca en una situación colonial. No debe pues extrañarnos que la posición meramente imitativa de la "gente decente" frente a lo extranjero, no le sirva para aprender elementos y técnicas útiles, sino más bien para empeorar su gusto.[58] La dependencia cultural alcanza tal dimensión que en muchos casos llega a la sumisión. Hay que subrayar que el fenómeno imperialista se facilita por la actitud colonial de algunos ecuatorianos. Por ejemplo, las empresas extranjeras ordinariamente están acostumbradas a cumplir con las leyes de sus países. Pero en el Ecuador se alejan del respeto a la ley, en parte porque los abogados nacionales les inducen a hacerlo.

El acervo cultural de las élites es el resultado de una mezcla rudimentaria de filosofía, teología, jurisprudencia y literatura. Un viajero extranjero que visita Quito (1847), dice que sólo hay seis escuelas, dos colegios y una universidad y que en ella se enseña jurisprudencia, medicina y teología.[59] Otro que llega en 1852 anota que la capital posee una universidad y una biblioteca pública; que la primera no parece conocer la menor noción de filosofía contemporánea y que la segunda no es concurrida, que no hay un sola librería y que no circulan más libros que los catecismos y las novelas de Alejandro Dumas.[60] El juicio de González Suárez es terminante sobre la educación en la segunda mitad del siglo pasado: "[...] la Filosofía especulativa era la más atrasada de todas las ciencias: ninguna de las partes de

57. Un estudio más amplio sobre este punto se puede ver en: Agustín Cueva D., *Entre la Ira y la Esperanza*, Ed. CCE, Quito, 1967.

58. Albert Franklin (*op. cit.*, pp. 124-126) dice que el buen gusto de la arquitectura colonial quiteña, incluso de las casas de los pobres, contrasta con las construidas en el norte de la ciudad, las cuales salvo excepciones, constituyen "el mayor conjunto de monstruosidades arquitectónicas que hasta ahora se hayan reunido en un espacio tan pequeño". Luego añade que los fabricantes ingleses de papel de pared han descubierto que los rollos con "un dibujo fundamentalmente malo" se venden fácilmente en Quito, donde tienen "el gran mérito de ser importados y el mérito secundario de no tener nada que ver con los buenos principios de la decoración de paredes, ejemplificados por los grandes y bellos monumentos de Quito".

59. *El Ecuador visto por extranjeros*, pp. 300-301.

60. Alexander Holinski, *L'Ecuateur: Scénes de la Vie Sudamericaine*. Citado por Luis Robalino Dávila en *Orígenes del Ecuador de hoy*, *op. cit.* vol. III, p. 488.

ella era digna del nombre que llevaba. Todo era manuscrito en el curso de Física y el alumno gastaba la mayor parte del tiempo en copiar cuadernos: nuestro estudio de Física experimental fue todo meramente especulativo; jamás vimos ningún instrumento ni presenciamos experimento alguno"[61] La ausencia de disciplinas científicas en la formación de las élites es más o menos general hasta bien entrado el siglo XX, ya que de poco o de nada sirven los intentos de García Moreno y de los liberales para introducir la educación técnica. El perspicaz Teodoro Wolf con mucha razón anota que los "ecuatorianos son más adictos a las bellas artes que a los estudios serios; la República ha producido algunos poetas y literatos notables, pero ningún físico, químico, geógrafo, naturalista, en fin ninguno que sobresalga en las ciencias exactas, que necesitan largos años de estudio y mucha paciencia. Por la misma razón, de trabajar más con la fantasía y el corazón, que con el entendimiento y la cabeza; son muy aficionados a la música y a la pintura y escultura, y para estas artes manifiestan mucho talento".[62] De esta manera se forman talentos especulativos enajenados de la realidad, incapacitados para comprenderla y, peor aún, para transformarla. Son excepcionales los espíritus científicos; las actitudes creativas; la capacidad de invención, iniciativa y síntesis; el sentido de previsión y de organización. Los presidentes Rocafuerte, García Moreno y Flores Jijón tuvieron estas cualidades, pero quizá por la educación que recibieron en Europa. Si bien a partir de 1938 se crean facultades de economía en las Universidades, hasta los años 50 sus estudios se reducen a materias jurídicas y contables, en gran parte. Ni la Federación de Estudiantes Universitarios (1919) escapa a lo dicho. Su actividad más importante constituye la organización de "suntuosos juegos florales" con reinas universitarias, cortes de honor y concursos de versos.[63] Las clases altas que no llegan a la universidad entienden por cultura "el desenvolvimiento en el trato social, la ligereza y la frivolidad para tratar superficialmente las cuestiones más corrientes de la actualidad".[64] Más aún, antes de la Revolución Liberal, ni siquiera pudieron circular libremente las ideas, pues, según la opinión de uno de sus ideólogos "con los conservadores, ni para obras literarias teníamos aduana libre y era com-

61. Federico González Suárez, *Memorias Íntimas*, Clásicos Ariel, Quito-Guayaquil, 1972, p. 86.
62. Teodoro Wolf, *op. cit.*, p. 542.
63. Ángel Felicísimo Rojas *op. cit.*, p. 162.
64. Alfredo Espinosa Tamayo *op. cit.*, pp. 81-82.

pleta nuestra ignorancia del movimiento intelectual de Europa".[65]

En 1822 los Estados Unidos reconocen a la Gran Colombia y en 1838 a la República del Ecuador. A pesar de que en 1845 Ecuador y Estados Unidos firman un Tratado de Paz, Comercio y Navegación, las relaciones económicas entre los dos países son débiles ya que el comercio ecuatoriano está orientado hacia Europa. En 1854 se firma un Tratado por el que los Estados Unidos reciben concesiones guaneras en las Islas Galápagos y se comprometen a garantizar la soberanía ecuatoriana en el Archipiélago contra las incursiones de otros países o de aventureros.[66] La inexistencia de los yacimientos de guano hace que quede sin efecto este Tratado celebrado por el General Urvina y de esta manera el país logra mantener su soberanía sobre las islas en una época en que la doctrina del "Destino Manifiesto" llevaba a los Estados Unidos a extender su territorio a costa del de otras naciones. Muchos años más tarde (1910), luego de algunas dilatorias, el gobierno del General Alfaro desiste de arrendar el Archipiélago a los EE. UU. por 99 años en la suma de 15 millones de dólares. Las concesiones otorgadas a negociantes norteamericanos durante el gobierno de García Moreno —petróleo y pesca de perlas— no llegan a explotarse o son abandonadas, de manera que la compañía del ferrocarril constituye la primera inversión importante de capital norteamericano. Es desde este siglo y luego de concluida la Primera Guerra Mundial, que la economía ecuatoriana se orienta hacia los Estados Unidos, país que pasa a ser el principal comprador y vendedor del Ecuador y el proveedor de recursos financieros para la explotación de oro en Portovelo y Macuchi y la instalación de plantas eléctricas.[67] La penetración cultural sigue a la económica: en 1938 se funda el Colegio Americano de Quito y el Centro Ecuatoriano-Norteamericano. Sin embargo Alemania compite por la influencia política hasta principios de la II Guerra Mundial, cuando en el gobierno de Carlos Arroyo del Río (1940-1944) se consolida la hegemonía norteamericana. En efecto, durante este período por las presiones de Estados Unidos y con su colaboración financiera el go-

65. Abelardo Moncayo, *Añoranzas*, p. 126.

66. Pedro Moncayo, *El Ecuador: 1825-1875*, Ed. Rafael Jover, Santiago, 1885, p. 228.

67. En los años 30, un importante guayaquileño confiesa lo siguiente a un viajero extranjero: "Los norteamericanos dieron desarrollo a este país. Nuestro automóvil era norteamericano. Los yanquis establecieron la primera fábrica de gas aquí; las locomotoras de nuestro ferrocarril son norteamericanas; los tranvías, el primer bote que surcó el río y ahora la planta eléctrica, todo norteamericano". (Ludwing Belmelmans, *op. cit.*, p. 26).

bierno ecuatoriano expropia una compañía de aviación alemana, rompe relaciones diplomáticas con las potencias del "eje" y otorga a los Estados Unidos bases militares en Santa Elena y en las Islas Galápagos. El país recibe los primeros créditos norteamericanos; vienen misiones técnicas y se establecen los Servicios Cooperativos de Salud Pública y Agricultura, dentro de los programas del Punto IV. Militares viajan a capacitarse en academias de guerra norteamericanas y sus misiones asesoran al ejército nacional; la política monetaria del Ecuador cae bajo los dictados del Fondo Monetario Internacional.

La doctrina del "aislamiento" que históricamente había inspirado la política exterior norteamericana termina con la II Guerra Mundial. Una vez concluido el conflicto emerge un nuevo sistema de poder mundial dividido en dos grandes bloques económico-políticos: el "mundo libre" liderado por los Estados Unidos y el "mundo socialista" dirigido por la Unión Soviética. Los conflictos que se dan entre estas dos potencias, conocidos con el nombre de "guerra fría", en última instancia se reducen a una pugna por mantener y ampliar el campo de su respectiva influencia y reducir la de su adversario. Para ello los Estados Unidos articulan un sistema mundial de alianzas que en América Latina se concreta en el Tratado Interamericano de Asistencia Recíproca (1947) y en la Organización de Estados Americanos (1948), instrumentos de los que se vale el Secretario de Estado norteamericano para dictar la política exterior del Ecuador y manipular sus asuntos internos, en función de un supremo interés: la "defensa de la democracia" contra el "comunismo internacional". Como consecuencia, el país está impedido de mantener relaciones diplomáticas o comerciales con los países socialistas; en los organismos internacionales concurre con su voto para oponerse a la política soviética, apoyar las iniciativas norteamericanas y legitimar las intervenciones que en Latinoamérica realiza el imperialismo norteamericano. En el ámbito interno los gobiernos están obligados a perseguir las "ideas comunistas" y en general toda posición progresista, para lo que cuentan con la colaboración de los servicios de inteligencia (CIA) de los Estados Unidos.[68] El ejercicio de la hegemonía norteamericana se explica además por tres factores complementarios. En primer lugar, la ideología prevaleciente en el país formada mediante

68. La magnitud de la intervención de la CIA en la política interna del Ecuador recién puede apreciarse ahora con la publicación del libro del ex agente Philip Agee, *Inside the Company: CIA Diary*, Penguin Books Ltd., Harmondsworth, England, 1975.

el monopolio de la información colectiva, responde a los intereses de los Estados Unidos. Así, por ejemplo, en 1962, un influyente diputado llegó a sostener que no podía exportarse banano a los países socialistas porque a través del comercio llegarían al país las ideas comunistas. Ese mismo año, en las principales ciudades del país se realizan multitudinarias manifestaciones populares para solicitar al gobierno rompa relaciones diplomáticas con Cuba y comerciales con Checoslovaquia y Polonia, cosa que se ve obligado a hacer ante la "presión nacional". En segundo lugar, por la coacción económica ejercida en virtud de que Norteamérica constituye la única y, más tarde, la principal fuente de crédito.[69] Al respecto es muy ilustrativa una declaración del ex-Presidente Carlos Julio Arosemena (1961-1963), quien afirmó que cuando estaba por firmarse en Washington un préstamo para el plan de vialidad, se condicionó su otorgamiento a la liberación de los buques atuneros apresados por pescar ilegalmente en el límite de las 200 millas. Al negarse el Gobierno a aceptar esta "sugerencia", las negociaciones se paralizaron y el préstamo es finalmente negado. En tercer lugar, por el adoctrinamiento pronorteamericano y anticomunista que reciben los más altos oficiales de las Fuerzas Armadas que en su casi totalidad son formados en las academias de guerra de los Estados Unidos. En efecto, representando un anticomunismo agresivo y primitivo, obligan al Presidente Arosemena a que rompa relaciones diplomáticas con Cuba y, durante su gobierno (1963-1966), reprimen violentamente toda expresión de lo que denominan "comunismo internacional" y subordinan al país a los dictados e intereses de la política norteamericana, llegando incluso a suscribir un protocolo secreto autorizando a las compañías americanas pescar dentro de los límites de las 200 millas.

3. Límites de la dependencia

Generalmente los estudios realizados sobre la "dependencia" se han interesado más por el análisis del "sistema capitalista mundial" que por las estructuras internas de dominación, a las que se les ha considerado como un simple resultado reflejo de aquél. Este hecho, sumado al tratamiento abstracto y teórico del tema y al plantea-

69. Estimamos que el capital extranjero que entre 1941 y 1950 ingresa al país llegó a los 200 millones de sucres que representan un promedio de 1,5 millones de dólares por año. La mayor parte de estos recursos financieros provinieron de los EE.UU.

miento dogmático de un instrumento analítico útil pero no absoluto, ha llevado a sostener que la dependencia constituye la causa final y determinante de la situación económica y social del Ecuador. Evidentemente esto es una simplificación. Sin desconocer la influencia ejercida por las "fuerzas externas" en la formación económica, social, cultural y política del país —como puede advertirse en el estudio realizado en las páginas anteriores— consideramos que el subdesarrollo no puede ser planteado como una consecuencia mecánica del fenómeno imperial y que, por tanto, los "factores internos" tienen cierta autonomía que les permite favorecer o reducir la dependencia. Por tanto, es necesario considerar a la "dependencia" como uno de los varios condicionantes de la situación del país y no como la causa y determinante de la historia nacional. Por otra parte, hay que tener en cuenta la especificidad de este fenómeno en el caso ecuatoriano y las variaciones que se producen en cada período histórico. Sólo así será posible fijar los límites de su influencia en la *Estructura del Poder* que se analiza.

Como se vio antes (cfr. pp. 80 y ss.), la Independencia y la constitución de la República traen consigo la liquidación de las exportaciones textiles serranas y el desarrollo de las exportaciones agrícolas costeñas. Excepto en breves períodos, su crecimiento es firme y continuado, sobre todo en la segunda mitad del siglo pasado y especialmente a principios del presente. Efectivamente, entre 1830 y 1859 el valor anual de las exportaciones representa un promedio de 1,4 millones de dólares anuales; entre 1860 y 1883 sube a 4,4 millones; entre 1884 y 1895 llega a 7,7 millones y entre 1896 y 1920 asciende a 11,2 millones de dólares. A partir de 1921 la tendencia se invierte. Las exportaciones tienden a estancarse e incluso a reducirse, excepto desde 1942, de manera que el período comprendido entre los años 1921 y 1949, las exportaciones anuales, incluidas las de petróleo y oro, apenas alcanzan un promedio de 18 millones de dólares anuales. El desarrollo sostenido de las exportaciones en el siglo pasado se debe a la ruptura de las trabas coloniales y a la expansión del comercio mundial por la Revolución Industrial. Dentro del sistema internacional de división del trabajo en el que Inglaterra cumple un papel dominante, el Ecuador provee productos agrícolas, principalmente alimenticios, entre los que se destaca el cacao para la industria del chocolate. En la primera mitad del siglo pasado e incluso más tarde, el comportamiento de las exportaciones no sólo es condicionado por la demanda mundial; también influyen factores internos como las pestes de fiebre amarilla y los incendios que detienen la producción por la reducción de mano de obra y capitales e impiden el tráfico comercial por el bloqueo del puerto de Guayaquil. Si bien durante el siglo XIX las exportaciones siempre tienden a crecer, es a partir de 1886 que adquieren un mayor dinamismo que se mantiene hasta 1920. En estos años la vulnerabilidad del país aumenta porque las ventas de cacao llegan a representar más de las dos terceras partes de las exportaciones; porque un país —Inglaterra primero y los Estados Unidos después— controla la mayor parte del comercio exterior y porque cualquier incremento es causado por una mayor demanda externa. En la caída de las exportaciones de 1920 también influyen factores internos y externos: las plagas que liquidan buena parte de los cultivos y la contracción económica de post-guerra que origina una baja de los precios del cacao. En lo sucesivo, serán generados desde afuera todos los cambios que se producen en la composición y en el volumen de las exportaciones: tal es el caso del café y de los sombreros de paja toquilla en los años siguientes a la crisis de 1920. Más tarde, un hecho absolutamente circunstancial —la II Guerra Mundial— genera una demanda imprevista de arroz, caucho, cascarilla y palo de balsa; del primero porque el conflicto corta las relaciones comerciales con Asia y los otros porque constituyen materias primas estratégicas. Además, es gracias a inversiones extranjeras que se inicia la explotación de petróleo y oro que pasan a ser dos nuevos productos de exportación.

Inglaterra y las otras potencias europeas alentadas por la expansión económica capitalista, sobre todo en la segunda mitad del siglo XIX, se proyectan en América Latina en la que invierten capitales en la construcción de ferrocarriles y de medios de comunicación, en plantaciones agrícolas, ganadería, comercio, transporte marítimo y en la explotación de minas. El aislamiento geográfico del país y sus escasos recursos naturales explotables hacen que el Ecuador escape de esta corriente financiera. Hasta fines del siglo pasado la presencia inglesa se reduce a su participación en el intercambio comercial mediante la compra de cacao y la venta de manufacturas, a un virtual monopolio del tráfico marítimo y al crédito otorgado para las guerras de la Independencia. Sólo a principios del presente siglo los capitales ingleses incursionan en la economía ecuatoriana, cuando cofinancian la construcción del ferrocarril y toman a su cargo la explotación de petróleo en Santa Elena y décadas más tarde en el Oriente. En la misma época se producen las primeras inversiones norteamericanas en plantas eléctricas y en la compañía del ferrocarril, en las minas de oro de Portovelo y más tarde en las de Macuchi. Es a partir de la quinta década de este siglo que adquiere alguna significación el flujo de capitales provenientes de los Estados Unidos que son captados por los sectores público y privado. Por lo tanto, hasta fines de los años 40 los "enclaves" extranjeros se reducen a dos minas de oro y a un yacimiento petrolero, pues el de Oriente es abandonado luego de la etapa de exploración. Una vez nacionalizado el ferrocarril (1925), la planta eléctrica de Guayaquil es el único servicio público importante que no es ecuatoriano. Como se ve, en el Ecuador no es significativa la presencia de capitales extranjeros y más bien se produce una exportación de recursos financieros por la propensión al consumo de bienes importados y porque los hacendados gastan sus fortunas en Europa.

Todas las otras actividades económicas se encuentran en manos nacionales. El sector agroexportador es controlado por la oligarquía criolla en la que se juntan las calidades de productor y de comerciante, condiciones que le permiten manejar la comercialización con cierta autonomía, naturalmente de acuerdo con las condiciones fijadas por el mercado mundial. La producción agrícola para el consumo interno se hace en las haciendas de los antiguos latifundistas serranos. El comercio interno y el de importación son ejercidos por migrantes o por nacionales no pertenecientes a las clases altas. Casi todos los servicios públicos —muy escasos por entonces— son explotados por el Estado; junto a la infraestructura física constituyen la única inversión pública productiva. Los agricultores y comerciantes no evolucionan hacia la industria y por tanto no aparece una "burguesía nacional" que tome a su cargo la modernización del país. En este hecho también intervienen las condiciones económicas y sociales poco favorables para que pueda darse un desarrollo industrial —no debe considerarse como tal la instalación de unas pocas industrias— porque el Estado no se interesa en promoverlo, porque la banca privada destina sus recursos al comercio, actividad que permite una rápida recuperación de los créditos, y por la exigüa demanda. En los años siguientes a la constitución de la República el mercado consumidor de productos industriales no debió llegar a las 20 mil personas y a principios del siglo XX a las 200 mil.

Las exportaciones constituyen la variable más dinámica de la economía por el efecto multiplicador que ejercen en todas las actividades. Para satisfacer la creciente demanda externa es necesario incrementar la producción y ello trae consigo una elevación de las tasas de empleo. La capacidad para importar bienes de consumo y de capital está condicionada por las disponibilidades de divisas. Como los recursos del Estado, en cerca de sus tres cuartas partes provienen de los impuestos a las importaciones y a las exportaciones, su capacidad financiera está sujeta a la suerte del comercio exterior. De esta manera el desarrollo económico del Ecuador es generado "desde afuera" por las compras de un producto —el cacao— realizadas por un país —Inglaterra o EE.UU.—

Por otra parte, es necesario señalar que el auge agroexportador no trae consigo modificaciones esenciales en la organización de la economía. La estructura productiva colonial se mantiene, incluso en las haciendas que cultivan cacao en las que se utiliza principalmente el trabajo precario. Como sus áreas productoras se localizan en la cuenca del río Guayas servida por un sistema de vías naturales de comunicación y el cacao en el mercado mundial no tiene mayor competencia, los sistemas de transporte y cultivo no se modernizan. Los incrementos en la producción se deben a la incorporación de nuevas áreas y no al mejoramiento de la productividad. El ferrocarril más bien se construye para favorecer el intercambio regional. En estas condiciones, es explicable que la agricultura ecuatoriana no pueda enfrentar un mercado mundial competitivo y combatir las plagas que afectan la producción. La revolución demográfica constituye el cambio más importante y quizá el único que trae consigo el auge agroexportador, al producirse una transferencia masiva de población de la Sierra a la Costa.

Como ha sido poco significativa la presencia de capitales y de empresas extranjeros, que sólo aparecen en las primeras décadas del siglo XX, en el Ecuador el comercio exterior ha constituido la principal expresión del fenómeno de la dependencia, en la medida en que el volumen y el precio de las exportaciones del país han sido decididos por los países industrializados. Además, el deterioro de los términos del intercambio ha permitido a las naciones capitalistas apropiarse de buena parte de la escasa riqueza generada por el país, a través de las exportaciones subvaloradas y de las importaciones sobrevaloradas. El problema reviste una mayor gravedad si se toma en cuenta la insignificancia de las exportaciones realizadas en el período analizado (1820-1949), que apenas alcanzan un valor total de mil millones de dólares, cifra inferior en 260 millones a las exportaciones de 1974. Esto quiere decir que las exportaciones de un solo año han sido superiores a las de 130 años. Por otro lado, las escasas inversiones extranjeras y otras circunstancias anotadas anteriormente, impiden que un capitalismo mercantil —que apenas se circunscribe a Guayaquil— evolucione hacia un sistema propiamente capitalista, como sucedió en los otros países de América Latina. Si bien de esta manera el país escapa de una mayor dependencia, sufre efectos de otra índole al no recibir transferencias de recursos, de técnica y de sistemas empresariales que requería para la explotación de sus potenciales riquezas y para la construcción de una infraestructura que favorezca la integración nacional.

Finalmente, cabe subrayar lo dicho en el estudio de la dependencia político-cultural (cfr. pp. 102 y ss.) sobre el efecto desnacionalizador y enajenante ejercido por la dependencia cultural y el progresivo encauzamiento del país dentro de los intereses políticos de los EE.UU, a partir de la I Guerra Mundial.

IV LOS CONFLICTOS POLÍTICOS

1. El bipartidismo conservador-liberal

a) *Origen: 1820-1875*

En las luchas que preceden a la Independencia y en el proceso de Constitución del nuevo Estado se dan ciertas discrepancias que constituyen el origen más remoto de los partidos políticos ecuatorianos. Entre los próceres que ejecutan la conspiración del 10 de agosto de 1809 se distinguen los monárquicos y los republicanos: los unos consideran que el nuevo Estado debe organizarse respetando la autoridad de Fernando VII y los otros que debe buscarse la total autonomía. Entre éstos se encuentran los "letrados" Juan de Dios Morales y Manuel Quiroga, seguidores de las ideas libertarias del precursor Eugenio de Santa Cruz y Espejo y de alguna manera informados sobre el pensamiento político de la época. Cuando se constituye la Gran Colombia esta discrepancia se acentúa. Alrededor de Simón Bolívar se juntan los partidarios de los gobiernos fuertes y estables y de una autoridad con las atribuciones suficientes para dominar la anarquía, llegando algunos a pensar en la necesidad de la Presidencia y el Senado vitalicios e incluso en la restauración del sistema monárquico; los que consideran que las libertades deben ser restringidas porque la sociedad no está preparada para usarlas y porque de ellas se valen los demagogos y los conspiradores; los que proponen la centralización del poder y la eliminación de la autonomía de las municipalidades a las que culpan de arrogarse facultades soberanas. Los seguidores de estas ideas integran el Partido Bolivariano junto con aquellos que sin interesarse por estas "disquisiciones jurídicas", tienen en común una admiración y una fidelidad a la persona del Libertador, bajo cuyo mando militar habían luchado en las guerras de la Independencia. Junto a Francisco de Paula Santander se reúnen los que consideran que las libertades públicas no deben sufrir restricción alguna; los defensores del sistema democrático, contrarios al fortalecimiento de la autoridad del Presidente de la República y a la preponderancia del Ejecutivo y opuestos a cualquier forma de monarquía o de presidencia vitalicia; los partidarios del sistema federal y por tanto de las autonomías regionales y provinciales. Civiles seguidores de estos principios, ilustrados en las ideas de las revoluciones norteamericana y francesa y militares que sólo tienen en común odios y celos contra el Libertador, integran el partido "santanderista" también llamado "liberal".

Según un historiador, en el actual Ecuador "casi todos los ciudadanos influyentes eran Bolivarianos".[1] Así debió ser y este hecho explica el ascenso al poder del general Juan José Flores con el respaldo de los notables, la hegemonía política que ejerce durante quince años y la no aparición de los enfrentamientos —muchas veces armados— entre conservadores y liberales, que en Colombia afloran a los pocos años de constituido el nuevo Estado y que en el Ecuador recién se dan en el último tercio del siglo XIX. Si se examinan los actos de gobierno y las ideas políticas del general Flores, se encuentran razones para considerársele un seguidor del pensamiento bolivariano y el primer presidente "conservador" del Ecuador. En efecto, se perpetúa en el poder entre 1830 y 1845 y es él quien unge como Presidente a Vicente Rocafuerte en cuyo mandato ejerce la preponderante función de General en Jefe del Ejército. Impone su rígida autoridad, restringe las libertades públicas y subordina al Congreso Nacional. Pero donde el pensamiento "conservador" del general Flores adquiere forma es en la Constitución de 1843, en la que se advierte la influencia ejercida por los principios políticos bolivarianos contenidos en la Constitución de 1826 dictada por el Libertador para la República de Bolivia. En la denominada "carta de la esclavitud" se prorroga el mandato del Presidente de la República y de los legisladores; se dilata la reunión del Congreso Nacional; se establece el sufragio restringido para la elección de senadores; se fortalece la autoridad del Ejecutivo y se consagra su influencia en las funciones legislativa y judicial; no se establece régimen municipal; y, no se garantizan ciertas manifestaciones de la conciencia.[2] Pero, por entonces,

1. Jacinto Jijón y Caamaño, *Política*..., t. I, p. 215.
2. Ramiro Borja y Borja, *op. cit.*, El libro de este autor, constituye el más completo estudio sobre la evolución del derecho constitucional ecuatoriano. De esta fuente hemos tomado las apreciaciones que se acaban de hacer y las que se hagan en materia constitucional en las páginas suguientes. (Véase, t. II, pp. 350 y ss.)

más que del "Partido Conservador" se habla del "Partido Floreano".

Para oponerse a las arbitrariedades del Presidente Flores y de sus gobernadores militares y defender los derechos de los ciudadanos y la vigencia de las leyes, el coronel Francisco Hall —educado en el liberalismo inglés, discípulo de Jeremías Bentham y oficial del ejército libertador—, junto con otros militares y civiles quiteños, "todos hombres de cuenta por su instrucción, talento, caudal o familias a que pertenecían",[3] constituyen la *Sociedad del Quiteño Libre* (1833). Bajo la dirección del ideólogo Hall, este grupo de intelectuales estudiosos de Plutarco, Cicerón y Tácito, da origen al primer núcleo de oposición al "floreanismo" y de difusión de las ideas "liberales", a través de un periódico que fundan en el que defienden el régimen representativo y las libertades públicas sistemáticamente conculcadas por el militarismo gobernante.[4] Vicente Rocafuerte, que en Europa parece conoció el pensamiento liberal francés, integrante del Partido Liberal en las Cortes de España, opuesto al absolutismo de Fernando VII y a las pretensiones monárquicas de Agustín de Iturbide durante su estancia en México, se convierte en el caudillo alrededor del cual se unen los adversarios del general Flores y los seguidores de las ideas libertarias difundidas por la *Sociedad del Quiteño Libre* en cuyos registros se inscribe. Este grupo, que se disuelve al poco tiempo por la represión o la incorporación al poder, sólo constituye una vaga expresión de las ideas liberales, pues, en este orden, su preocupación no va más allá del absolutismo del general Flores. Por ello, indistintamente se denominan "republicanos", Partido Nacional, *chihuahuas* —nombre con el que se hace referencia a la participación de Rocafuerte en la política mexicana— o simplemente "antifloreanos".

En los hombres de la Revolución de Marzo (1845) las tendencias conservadora y liberal se vuelven mucho más confusas. Vicente Ramón Roca, elegido por los "conservadores", derrota al candidato de los "liberales" José Joaquín Olmedo, pero en sus actos de gobierno, en cuanto al respeto a las libertades públicas, asume actitu-

3. Pedro Fermín Cevallos, *op. cit.*, t. V, pp. 79 y ss. Los militares integrantes de la Sociedad del Quiteño Libre son: Francisco Hall, José María Sáenz, Pablo Barrera, Manuel Matheu, Ricardo Wright y los jóvenes intelectuales: Pedro Moncayo, José Miguel Murgueitio, Ignacio Zaldumbide, Manuel y Roberto Ascázubi, Vicente Sáenz, Manuel Ontaneda. Algunos habían sido antes partidarios de Flores.

4. Pedro Moncayo, *El Ecuador*, pp. 77-79.

des liberales para al concluir su mandato aliarse con los representantes de esta tendencia. Manuel de Ascázubi, Diego Noboa y Antonio Elizalde eran republicanos amantes de la democracia y de la libertad. Sin embargo a los dos primeros se les considera conservadores, a Ascázubi por sus ideas autoritarias defendidas cuando fue Vicepresidente de Roca, a pesar de que, cuando ejerce la Presidencia, practica una política de amplia tolerancia y libertad; y a Noboa por ser elegido por los partidarios del Estado fuerte, por los destierros y persecuciones a los que recurre en el ejercicio del poder, por recibir a los jesuitas expulsados de Colombia y por ser un católico "devoto", a diferencia del general Elizalde que se proclama "libre e independiente" y que siempre fue contrario a las tendencias autoritarias de Flores y Rocafuerte.[5] Esta falta de claridad en las definiciones políticas se debe a que en la "Revolución Marcista" confluyen las más diversas tendencias que sólo coinciden en el rechazo del absolutismo del general Flores y a la prepotencia del militarismo extranjero. De allí que la Constitución "marcista" de 1845, en materia religiosa demuestre un claro espíritu católico y sólo se limite a restringir las facultades del Presidente de la República para así debilitar la autoridad del Ejecutivo.

El general José María Urvina inicialmente forma parte del grupo "floreano" y se muestra adversario del "liberal" Rocafuerte. Cuando se da el conflicto entre los "liberales" de Elizalde y los "conservadores" de Noboa, se enrola en las filas de éste y se convierte en el factor determinante de su triunfo. Pero una vez que Diego Noboa es elegido Presidente se vuelve contra su aliado, en representación y defensa de las ideas liberales, que había aprendido de los granadinos cuando vivió en Colombia como funcionario diplomático y desterrado político. Al asumir Urvina el poder, el liberalismo por primera vez adquiere alguna coherencia. Sus aliados son los "elizaldistas", los "roquistas" y en general todos los hombres de pensamiento liberal.[6] En la Constitución de 1852 se encuentran algunas ideas liberales, cuando se amplía la participación popular en la designación del Presidente de la República y se crea la garantía a la vida. Pero, para definir el "urvinismo" que en el ejercicio del go-

5. Véase, Pedro Moncayo, *op. cit.*, pp. 176, 192, 198; Jacinto Jijón, *Política...*, pp. 307-308.

6. Integran el liberalismo: Pedro Carbo, Pedro Moncayo, Francisco Javier Aguirre, Juan Illingworth, Manuel Gómez de la Torre, Mariano Cueva, Francisco Montalvo, Manuel Bustamante, Pablo Merino y otros.

bierno ordinariamente rebasa la Constitución y las leyes, es necesario analizar su acción política. Expulsa a los jesuitas; decreta la abolición de la esclavitud y de las protecturías de indios; limita el ingreso de comunidades religiosas y suspende de hecho las relaciones con la Santa Sede; objeta un decreto legislativo que prohíbe la existencia de logias masónicas; elimina ciertos impuestos a las exportaciones; declara la libre navegación de los ríos [7] y ejerce una autoridad "despótico-tolerante". En el gobierno de su sucesor y pupilo, general Francisco Robles, se elimina el tributo indígena. Durante este período (1851-1859) se alienta una amplia difusión de las ideas liberales con la intervención de los diplomáticos colombianos en Quito y el liberalismo deja de ser civilista para transformarse en militarista.

A pesar de las diferencias anotadas, son tan débiles y confusas las fronteras que separan a conservadores y liberales que no es fácil determinar el contenido ideológico de las dos tendencias y ubicar a sus seguidores. En efecto, en la Constitución de 1843, a pesar de ser inspirada por el "conservador" Juan José Flores, se introducen las primeras disposiciones contrarias a los intereses de la Iglesia Católica.[8] A Vicente Rocafuerte se le considera liberal por el ensayo que escribió en México sobre la tolerancia religiosa, por sus ideas regalistas, por su defensa del patronato y de la libertad de pensamiento frente al ataque de ciertos clérigos y por la secularización de algunos establecimientos educacionales. Pero en cuanto al ejercicio de la autoridad es un "conservador". Se declara enemigo del "libertinaje" propiciado por los "demagogos" y firme defensor de un ejecutivo fuerte y disciplinado, de allí que no gobierna con los "liberales" que se convierten en sus adversarios y cuenta con el apoyo y colaboración de los "conservadores".[9] Todos los "marcistas" son leales católicos y entre ellos incluso se encuentran clérigos resentidos por los devaneos "liberales" del general Flores. Sus coincidencias son el nacionalismo, el "antifloreanismo" y una común preocupación —sobre todo en el caso de los costeños— por la crisis económica del país causada por el

7. Jacinto Jijón, *Política*..., t. I, p. 310; Pedro Moncayo, *op. cit.*, p. 221.

8. Sólo con la Revolución Liberal se superaron las disposiciones de esta Constitución en materia religiosa que, entre otras, fueron las siguientes: se prohíbe que los ministros del culto sean miembros del Congreso, excluye del Consejo de Gobierno al representante eclesiástico; establece cierta tolerancia de cultos.

9. Por la forma en que asume el poder Vicente Rocafuerte y sobre todo por su autoritarismo, muchos "liberales" se consideran traicionados y se convierten en sus adversarios. Algunos engrosan las filas del floreanismo. (Véase, Francisco Aguirre Abad, *op. cit.*, p. 310)

descenso de las exportaciones de cacao (1844), hecho que explica que este movimiento político se geste en Guayaquil. En la expulsión de los jesuitas realizada por el general Urvina, más que motivos antirreligiosos, intervienen las presiones del gobierno de Nueva Granada [10] y la resistencia de importantes sectores al influyente papel de esta Orden, como sucedió durante la Colonia. Tanto los "conservadores" como los "liberales" son terratenientes y, por tanto, miembros de las más encumbradas familias de la sociedad ecuatoriana.

Gabriel García Moreno, que había formado parte de las filas "liberales" junto a la candidatura presidencial de José Joaquín Olmedo y que por muchos era considerado seguidor de esta tendencia que le hace elegir Rector de la Universidad Central de Quito,[11] es el definidor de la ideología conservadora y por oposición de la liberal, durante el período en el que gobierna o ejerce su influencia política (1859-1875). En la Constitución de 1869, que la dicta inspirándose en la del chileno Portales, se encuentra contenido el pensamiento político "garciano" que luego será adoptado por los conservadores y que se resume en los siguientes principios: fortalecimiento de la autoridad presidencial; reducción de las funciones del Congreso Nacional; restricción de las libertades públicas; moralidad pública; centralización gubernamental; institucionalización del poder político; preponderancia de la Iglesia Católica.

Como son de responsabilidad del Presidente de la República el mantenimiento del orden, el progreso de la sociedad y en general la resolución de todos los problemas del país, se le atribuye amplias funciones administrativas, legislativas y jurisdiccionales que le convierten, por sobre los otros poderes del Estado, en la fuente principal y acaso única de autoridad, libre de toda vigilancia. Se reducen considerablemente las funciones del Legislativo en cuanto al control político del Ejecutivo y a la expedición de leyes. Como en ninguna otra constitución se restringen las libertades públicas, especialmente la seguridad individual y el derecho a la vida, a fin de que el Ejecutivo pueda, sin ninguna restricción, "mantener la paz" y librar a la República de la "anarquía" y la "demagogia". Al acumularse toda la autoridad en el gobierno central se reduce el régimen municipal al punto que prácticamente deja de existir. Se amplían los períodos de ejercicio del Presidente de la República y de los legisladores, se faci-

10. Pedro Moncayo, *Ecuador*, p. 222.

11. Antonio Borrero Cortázar, *Refutación al libro del P. A. Berthe*, Ed. CCE. Azuay, Cuenca, 1968, t. I, p. 105.

lita la reelección y se restablece el senado aristocrático. La sociedad y el poder político se subordinan a los principios de la Iglesia Católica a la que se le otorga amplias atribuciones en el control de las ideas y en general en todos los campos de la vida política (cfr. p. 71). De la Constitución "liberal" de 1861 sólo se mantiene el sufragio popular directo para la elección del Presidente de la República y de los legisladores y la eliminación del requisito de la posición económica para ser ciudadano. La aplicación de estos principios lleva a García Moreno a organizar una sociedad teocrática y a ejercer una autoridad omnímoda y represiva que se convierte en el ideal político de los conservadores.[12]

El problema social indígena –denunciado por García Moreno cuando fue senador–[13] no es tocado por el gobernante, pero sí el problema económico y en su enfoque coincide con el pensamiento liberal e incluso se adelanta –no en vano se educó en Europa y vio el desarrollo francés en el Segundo Imperio– cuando finca el progreso del país en la construcción de obras públicas, en la modernización de la educación, en el aliento de las actividades productivas y en el mejoramiento de la administración pública (cfr. pp. 85 y ss). En cuanto al principio de la "soberanía popular", que por primera vez se enuncia en 1850,[14] tampoco hay discrepancias con el liberalismo porque las dos constituciones "garcianas" lo reconocen. Los conflictos con el dictador católico se originan en sus abusos de autoridad, en la limitación de las libertades y en la creciente influencia eclesiástica. En efecto, los liberales defienden los derechos de los ciudadanos y las garantías individuales contra los atropellos del poder público; se oponen a la concentración de la autoridad en manos del Presidente de la República y condenan su ejercicio absoluto; reclaman las atribuciones legislativas y políticas del Congreso; no admiten la doctrina de la "insuficiencia de las leyes"; abogan por la autonomía municipal e impugnan el centralismo;[15] y, sobre todo, critican el Estado

12. Los periódicos de la oposición son perseguidos y en general cualquier discrepancia; los congresos son manipulados; sin fórmula de juicio a los adversarios políticos se les apresa, se les carga de grillos, se les confina en el Oriente y se les somete a toda clase de vejámenes como por ejemplo la pena de azotes que oscilaba entre 25 y 600. (Véase, Friederich Hassaurek, *op. cit.*, pp. 129, 130 y 138.)

13. Piedad y Alfredo Costales, *op. cit.*, t. I, p. 82.

14. M. A. González Páez, *Memorias Históricas*, p. 5.

15. Pedro Carbo, ideólogo y "jefe liberal" de la época, que preside el Municipio de Guayaquil, junto con sus integrantes defiende el régimen municipal y se opone a los afanes centralistas de García Moreno. Cuando se discute la Constitución de 1861, es uno de los

teocrático y el clericalismo.[16] Alrededor de García Moreno se juntan los miembros de la aristocracia quiteña y de las altas clases de Guayaquil, Riobamba y Cuenca; las mismas clases sociales y ciertos intelectuales integran los grupos que se le oponen.[17] Durante la dominación "garciana" el "conservadorismo" se transforma en civilista y el "liberalismo" ve en los militares el único medio para derrocar al tirano.

En estos años se integran los primeros núcleos políticos conservadores y liberales, se editan periódicos partidarios [18] y se precisan los contornos de las dos ideologías. Pero no llegan a estructurarse los partidos Conservador y Liberal que no existen como organizaciones de carácter nacional y tampoco poseen un cuerpo de doctrina que sea aceptado por todos. García Moreno gobierna solo y no cuenta con una organización partidaria que le respalde. Antes que partido Liberal existen corrientes de opinión de los más variados matices que van del liberalismo católico al liberalismo laico. Pero esta última tendencia es todavía muy vacilante ya que todos los liberales son católicos.[19] Esta inconsistencia ideológica y la inexistencia de una organización política explican la indefinición de los políticos de la época. Así por ejemplo, un escritor liberal considera integrantes de su Par-

---

mayores adversarios a la eliminación de la representación departamental al Congreso Nacional y al establecimiento de la representación provincial y proporcional, de acuerdo a la población. La primera había sido un coadyuvante para la pugna regionalista. (Véase, José le Gouhir y Podas, *op. cit.*, t. II, ed. Prensa Católica, pp. 137-140 y Julio Tobar Donoso, *Desarrollo Constitucional de la República del Ecuador*, Ed. Ecuatoriana, Quito, 1936, pp. 42-43.)

16. En un discurso que García Moreno dirige a la Convención de 1869, refiriéndose a conservadores y liberales afirma: "Hay que poner un muro de separación entre los adoradores del verdadero Dios y los de Satanás". (Luis Robalino Dávila, *op. cit.*, vol. V, t. I, p. 33.) Este tipo de conceptos y la política religiosa garciana —que llevaron al Arzobispo González Suárez a decir que se pretendió convertir al Ecuador en una "casa de ejercicios" espirituales— provocan la natural reacción anticlerical. Los liberales buscan eliminar la influencia del clero que la consideran dogmática, tiránica y "contraria a las luces del siglo"; consideran que el Concordato es antipatriótico porque priva al Estado de su jurisdicción sobre el clero; partidarios de la libertad de conciencia se oponen a la hegemonía de la Iglesia Católica sobre las expresiones del pensamiento.

17. Luis Robalino Dávila, *Orígenes*..., vol. IV, pp. 390 y 486-489.

18. En 1867 circulan en Quito los periódicos *El Joven Liberal* y *El Joven Conservador*. En Guayaquil para replicar al *Eco Liberal* se funda *La Estrella de Mayo*. (M. A. González Páez, *op. cit.*, p. 13.)

19. El ideólogo del liberalismo serrano, Pedro Moncayo, (*op. cit.*, p. 286) escribe un pasaje revelador: Cuando García Moreno quiso que Ordóñez fuera elegido Arzobispo de Quito, el Partido Liberal "protegió abiertamente la candidatura del señor Checa, sacerdote modesto y virtuoso que vivía entregado al ejercicio de la caridad como un verdadero discípulo de Jesús".

tido a Jerónimo Carrión y a Xavier Espinosa, sucesores y seguidores de García Moreno.[20] En las elecciones de 1869, Francisco Xavier Aguirre es el candidato de conservadores y liberales y Pedro Carbo de algunos liberales. "Conservadores" o "católicos-liberales" cuencanos se oponen a la política "garciana" en materia de libertades públicas. Luego de la primera presidencia de García Moreno, sus amigos —algunos de los cuales habían colaborado con Urvina y Robles— por primera vez usan el nombre de conservadores traído de Colombia;[21] hasta entonces, se les denominaba liberales a todos los ciudadanos opuestos a las dictaduras y a las arbitrariedades de los gobernantes. Por eso se les llamó liberales a los adversarios del "liberal" general Urvina.[22]

b) *Conformación: 1875-1895*

Las tendencias políticas tan vagamente expresadas en los años anteriores, en este período dan origen a los Partidos Conservador, Liberal y Progresista.

García Moreno no se interesó por la formación de un organismo político que encarne sus ideas y las defienda y su acción eminentemente personal no fue propicia para la aparición de un grupo de hombres que continúen su obra. Según un historiador, sus ministros, salvo pocas excepciones, fueron "simples amanuenses del Presidente".[23] Careciendo los conservadores de organización política y de unidad ideológica; siendo algunos de ellos seguidores de la persona del Presidente, antes que de un grupo de ideas y de un programa; una vez que es asesinado el caudillo se disgregan. Según frase feliz de Juan León Mera, "si García Moreno fiaba sólo de sí mismo, ellos fiaban demasiado exclusivamente de él".[24] Su debilidad llega a

20. Pedro Moncayo, *op. cit.*, p. 321.
21. Antonio Borrero, *op. cit.*, t. I, pp. 90 y 105 y t. II, p. 133.
22. "[...] entre los conservadores hoy viejos, uno solo no hay que hasta 1862 no haya sido más o menos liberal: díganlo los ponces, los salazares, los espinosas, el mismo Ramón Borrero, los Cevallos (Pedro, etc.) y otros mil. Y prueba aún más elocuente de lo dicho es la Constitución misma del año 60, dictada exclusivamente por los partidarios del caudillo triunfante y cuando en toda la república era ya poderosa la influencia de García Moreno [...]" (Abelardo Moncayo, *Añoranzas*, Talleres Tipográficos Nacionales, Quito, 1923, p. 114).
23. Jacinto Jijón, *op. cit.*, t. I, pp. 356-357.
24. Juan León Mera, *La Dictadura y la Restauración en la República del Ecuador*, Ed. Ecuatoriana, Quito, 1932, p. 10.

tal punto que pierden el poder. Los esfuerzos que realiza el obispo José Ignacio Ordóñez para reconstituir las dispersas fuerzas del conservadorismo, no producen resultado. Los senadores, diputados y más amigos de García Moreno reunidos en el obispado de Riobamba no logran acordar una sola candidatura a la Presidencia y dividen sus votos entre Julio Sáenz y el "católico-liberal" Antonio Borrero que es elegido Presidente de la República. En su gobierno (1875-1876), si bien algunos colaboran, los más se le oponen a través del periódico *La Civilización Católica* en el que los conservadores motejados de "terroristas" asumen la defensa del ideal "garciano" que debe permanecer intocado, tanto en sus instituciones como en sus prácticas de gobierno.[25] Tal posición choca con la del nuevo gobernante, cuyos principios democráticos le lleva a proponer la reforma de la constitución de 1869 y a ejercer una autoridad tolerante, respetuosa de los derechos individuales y de las libertades públicas. Preocupados de las ideas "liberales" de Borrero, ciertos conservadores acuden donde su antiguo coideario, el general Ignacio de Veintimilla, pero cuando advierten que en la conspiración de este militar los liberales tienen un papel influyente, se vuelcan a la defensa del régimen constitucional. Establecida la Dictadura se convierten en el núcleo de la oposición, sobre todo cuando el "Capitán General" toma algunas medidas contrarias a los intereses de la Iglesia, persigue a religiosos y sustituye la Constitución de 1869 que para los conservadores constituye el resumen más acabado de su pensamiento político.[26] Como el fraude electoral sólo les permite obtener ocasionales representaciones legislativas y la ausencia de libertad de imprenta les impide utilizar la prensa, conspiran, inducen alzamientos militares y se suman a la guerra civil que derroca a la Dictadura de 1883.

El asesinato de García Moreno crea condiciones propicias para la acción política de los liberales. El papel que tuvieron en la oposición al caudillo conservador y el caos que cunde en las filas de sus seguidores, les permite liderar el proceso político que lleva al poder a

25. Al respecto, Juan León Mera (*op. cit.*, p. 14) escribe lo siguiente: "Los conservadores deseaban que se mantuviese el principio de autoridad con mano vigorosa, como más necesario que nunca para frenar la demagogia, reorganizar el orden legal y la administración gubernativa y afianzar la paz amenazada de muerte. Por otra parte abrigaban el temor de que llegasen a triunfar por completo las doctrinas liberales trasladándose a la práctica [...]."

26. Véase, Juan León Mera, *op. cit.*, pp. 7 a 27; Abelardo Moncayo, *Añoranzas*, pp. 108 y 109; Antonio Borrero, *op. cit.*, t. III, pp. 197, 199, 203 y 221.

Antonio Borrero. Pero, pronto le retiran su respaldo, resentidos por el nombramiento de algunos conservadores y, sobre todo, porque el nuevo mandatario —legalista como era— dilata las reformas de la Carta Política "garciana", al proponer que se sometan al trámite previsto en la Constitución. Muchos conspiran y alientan el golpe militar contra el gobierno constitucional al que, en el manifiesto de Guayaquil (8 septiembre 1876), acusan de haber sido "inconsecuente a los principios liberales" y de adoptar una "política siniestra enteramente contraria a las ideas del gran partido que le llevó al poder".[27] Estas declaraciones, sumadas a la presencia de liberales en altas funciones públicas en el gobierno de Veintimilla —Pedro Carbo, al que se le considera el "jefe del Partido Liberal", es nombrado Ministro General—; a las publicaciones anticlericales de los adictos al Gobierno; y, a la profesión de liberalismo hecha por el régimen, colocan en las filas de la oposición a los conservadores y a la Iglesia que se erigen en defensores de la religión contra las embestidas de los "masones", "impíos", "herejes" y "comunistas", a pesar de que todos los liberales —o casi todos— son buenos y leales católicos y hacen públicas profesiones de fe religiosa.[28] Por eso, la Constitución de 1878, a pesar de ser dictada por una Asamblea Constituyente liberal, si bien desconoce el origen divino del Estado y de la Autoridad, garantiza sus buenas relaciones con la Iglesia al declarar que la religión católica es la oficial. Más bien los constituyentes introducen normas que resuelven los problemas que por entonces interesan al liberalismo: la reducción de la influencia del Presidente de la República; el fortalecimiento del Congreso y de la autonomía municipal y la ampliación de las libertades públicas.

27. Juan Murillo, *Historia del Ecuador de 1876 a 1888*, Ed. El Comercio, Quito, 1946, p. 125.

28. En un juicio que el liberal Abelardo Moncayo hace sobre Pedro Carbo dice lo siguiente: "Otra enseñanza sublime que se desprende de los últimos momentos del excelso caudillo de la democracia ecuatoriana: su religiosidad. Alma tan pura, ni necesidad tuvo quizá de acto exterior que le reconciliase con Dios y consigo mismo, pero, aun sin quererlo tal vez, nos ha probado que, como en el Hombre Dios, pueden muy bien anidarse en el corazón, la mansedumbre de la paloma y la aversión invencible al fariseísmo y a esa asquerosa hidra llamada superstición. Nos ha probado que, como afirma León XIII, pueden perfectamente conciliarse un espíritu ilustrado católico y una República verdaderamente tal, esto es, sin sombra de teocracia que la envilezca, ni vestigio de intolerancia que la corrompa o la ridiculice. Nos ha probado, por fin, la mala fe y la hipocresía de nuestros adversarios: 'Soy católico, nos ha dicho D. Pedro Carbo, no en sus postrimerías solamente, sino en toda ocasión; soy católico, pero no conservador, no argollista, no fariseo'. Y ni le ha rechazado la Iglesia ni menos negado el ultimo ósculo". (Abelardo Moncayo, *Páginas Olvidadas*, t. I, p. 24.)

Siempre la Iglesia había sido muy sensible a todo lo que consideraba contrario a la "doctrina católica". Para defender la integridad de su pensamiento se vale de los eclesiásticos que intervienen como legisladores en el Congreso Nacional, de las pastorales de los obispos, de los sermones de los religiosos y de los conservadores. Ya en el Congreso de 1833, tres presbíteros proponen que se otorgue facultades extraordinarias al Presidente para que persiga a los miembros del "Quiteño Libre", bajo la consideración de que "debía cortarse un miembro gangrenado para conservar la salud del cuerpo político".[29] Cuando se aprueba la Constitución de 1843 que autoriza cierta libertad de cultos, se producen violentas reacciones de los eclesiásticos. Algo parecido sucede en 1846 al presentar los liberales la tesis de la libertad de conciencia y pensamiento;[30] en 1847 ante un proyecto para modificar "la doctrina católica en lo relativo al sacramento del matrimonio" [31] y cuando son expulsados los jesuitas. Con estos antecedentes, la toma del poder por el "liberal" Veintimilla y el peligro de que sean reformadas las leyes e instituciones católicas creadas por el "campeón del Sillabus", provocan una violenta reacción eclesiástica que el gobierno responde con el destierro de obispos y sacerdotes y con la supresión del Concordato, con lo cual aparecen en el Ecuador las primeras formas de lucha religiosa. Pero es necesario tener en cuenta que el anticlericalismo de los liberales sólo tiene por objeto reducir la exagerada influencia eclesiástica en los asuntos públicos y no esconde manifestaciones antirreligiosas. Abelardo Moncayo considera que el liberalismo de esta época fue a "lo Padre Ventura, a lo Lacordaire, a lo Donoso Cortés, a lo Balmes y a lo más a lo Momtalembert".[32]

La persecución que sufren los conservadores durante los gobiernos de Veintimilla fortalece su unidad política y el anticlericalismo reinante les permite ampliar la base partidaria con los católicos descontentos. Esta circunstancia sumada a la consideración de que la desorganización de los católicos había hecho posible los gobiernos "liberales" de Borrero y Veintimilla y bien podía facilitar el triunfo del "radical" Eloy Alfaro, les lleva a buscar la constitución de una organización política de carácter nacional.[33] Juan León Mera re-

29. Pedro Fermín Cevallos, *op. cit.*, t. V, p. 100.
30. Alfredo Espinosa, *op. cit.*, p. 138.
31. M. A. Gonzales Páez, *op. cit.*, p. 4.
32. Abelardo Moncayo, *Añoranzas*, p. 114.
33. En la Sierra y especialmente en las provincias de Pichincha y Chimborazo se ubi-

dacta el ideario y reformula la política del conservadorismo al proponer su sustitución por un Partido Católico Republicano, bajo el criterio de que entre los liberales había católicos y de que no todos los conservadores lo eran. Esta declaración de principios, con modificaciones, es aprobada en 1883, año en el que se constituye el *Partido Católico Republicano*, nombre con el que se funda el Partido Conservador y que será desechado al poco tiempo por influencia de los grupos más tradicionales de este sector político.[34] El ideario que aprueban representa una superación de las ideas "garcianas" y una aceptación de ciertos valores democráticos y libertarios. En efecto, en materia religiosa sólo se limita a pedir la libertad, respeto y protección para la Iglesia Católica; explícitamente reconoce las libertades de imprenta y asociación; propugna la independencia de los tres poderes del Estado; acepta la descentralización administrativa; se opone a la reelección inmediata de los presidentes; y declara la igualdad de todos los ecuatorianos no sólo teórica sino "rigurosamente práctica".[35] Este pensamiento político se refleja en la Constitución de 1884 dictada por una Asamblea en la que existe una representación mayoritaria del naciente "Partido Católico Republicano". En efecto, se debilita notablemente la autoridad del Presidente de la República; se reconoce la autonomía municipal; se mantienen las garantías individuales consagradas en la liberal constitución anterior; se eliminan los requisitos de posición económica para ejercer funciones públicas; y no se otorgan nuevos privilegios a la Iglesia.

A pesar de que en esta época se precisa más el contenido ideológico del liberalismo y se fortalecen los núcleos liberales, sobre todo los costeños y en particular el de Guayaquil, no llega a constituirse el Partido liberal, de manera que entre sus seguidores se dan las más diversas conductas políticas. A pesar de que el General Veintimilla se titula liberal y de que Marieta de Veintimilla, en su polémico libro, intenta dar un contenido ideológico al Gobierno de su tío, llegando a atribuirle la constitución del Partido Liberal,[36] no puede conside-

---

can los principales núcleos conservadores. El grupo conductor está constituido por Camilo Ponce Ortiz, el Obispo de Riobamba José Ignacio Ordóñez y Juan León Mera.

34. Ver: Julio Tobar Donoso, *Introducción al libro La Dictadura y la Restauración de Juan León Mera*, pp. XXII, XXIII, XXV y Jacinto Jijón, *Política*, t. II, pp. 14 a 17.

35. Luis Robalino Dávila, *Orígenes...*, vol. V, t. II, pp. 309-310.

36. Véase, Marieta de Veintimilla, *Páginas del Ecuador*, Imp. Liberal de F. Macías, Lima, 1890. Una selección de sus más importantes capítulos consta publicada en la Biblioteca Ecuatoriana Mínima, en el tomo titulado *Cronistas de la Independencia y la República*, Ed. Cajica, Quito, 1960.

rársele propiamente como tal. Sus posiciones liberales y sus vinculaciones con el liberalismo las mantuvo por serle útiles para llegar al poder y conservarse en él. Cuando algunos liberales doctrinarios abandonan la colaboración, cansados de sus abusos de autoridad y la sistemática conculcación de las libertades, busca un acercamiento a los conservadores y acuerda una nueva versión del Concordato. Entre los liberales también se dan posiciones disímiles. Juan Montalvo es desterrado por oponerse a la conspiración y luego se convierte en el principal adversario de la Dictadura. Eloy Alfaro no se suma a los liberales que colaboran con el régimen y ocupan altas funciones públicas. Desengañados por sus arbitrariedades, muchos lo abandonan y engrosan las montoneras revolucionarias conducidas por Alfaro, el nuevo caudillo liberal. Juntos, los ejércitos en la Costa y los ejércitos conservadores en la Sierra, derrocan la dictadura de Veintimilla y representantes de los dos partidos integran el Pentavirato que se constituye para reemplazarla.

Entre estas dos tendencias políticas, desde la segunda administración de García Moreno, aparece una tercera que en el período que analizamos da origen al Partido Progresista. El núcleo inicial —y el más importante— se forma en Cuenca y lo constituyen católicos de pensamiento "republicano" opuestos al autoritarismo presidencial, a la limitación de las libertades, a la intolerancia religiosa y en general a los principios políticos contenidos en la Constitución de 1869. Su "antigarcianismo" es tan definido que luego del asesinato del "Vengador del Derecho Católico" organizan en Cuenca, con la intervención de Luis Cordero y Antonio Borrero —entre otros—, una "Sociedad Anticonservadora" para impedir la restauración de la "tiranía" y el "despotismo" y defender la dignidad de los hombres libres.[37] El progresismo todavía indefinido ideológicamente y no constituido políticamente, con el apoyo del liberalismo consigue la elección de Antonio Borrero a la Presidencia de la República. Este "católico liberal",[38] no recurre a la Constitución y a las leyes "garcianas" y ejerce una autoridad respetuosa de todas las libertades, particularmente de la de imprenta que tan importante era para todos

37. M. A. González Páez, *op. cit.*, pp. 54-56.

38. Borrero no aceptó este calificativo aduciendo que su liberalismo era sólo político y se reducía a defender las libertades y a oponerse a los abusos de autoridad y que en este sentido también fueron "católicos liberales" los que se opusieron a las arbitrariedades de García Moreno como "los ilustres arzobispos Riofrío y Checa y los ilustres obispos Aguirre y Tola, como también otros muchos sacerdotes de virtud y ciencia". (Véase, Antonio Borrero, *op. cit.*, y en particular el t. II, pp. 55 y 123 y t. III, p. 169.)

los grupos políticos, incluso para los conservadores y para la Iglesia, cuando se encontraban en la oposición. Al presidente José María Plácido Caamaño (1883-1888) también debe considerársele dentro de la tendencia progresista. Precisamente su elección se debe a que se le considera un político independiente no vinculado al conservadorismo o al liberalismo. Su reforma a la Constitución restableciendo la pena de muerte por delitos políticos se explica por las "montoneras" revolucionarias que en la Costa adquieren el carácter de una verdadera guerra civil. En lo demás, el gobierno de Caamaño encaja en los principios progresistas: tolera la libertad de prensa, cuenta con la colaboración de conservadores y liberales moderados en materia religiosa no cae en los excesos de los conservadores.

Durante la administración del Presidente Antonio Flores Jijón (1888-1892) el Partido Progresista se define ideológicamente y, si bien no llega a constituirse formalmente, de hecho forma una organización política. Hasta entonces, este movimiento no se había desvinculado del Partido Conservador dentro del cual constituía una tendencia. En efecto, si bien los progresistas fueron opuestos al conservatismo "garciano", estuvieron de acuerdo con el programa elaborado por Juan León Mera para el Partido Católico Republicano. Pero mientras los conservadores buscan reducirlo a los principios más ortodoxos de la doctrina católica, los progresistas se interesan por mantener su integridad y más bien buscan ampliar el sentido "liberal" de su contenido. Antonio Flores nunca se declaró conservador, criticó los excesos políticos y religiosos de García Moreno y se proclamó miembro del "Gran Partido Republicano" también llamado Nacional o Progresista.[39] Su larga permanencia en Europa le permitió entrar en contacto con las nuevas tendencias del catolicismo representadas por Lamenais, Montalembert y Lacordaire y su experiencia política le hacía pensar en la necesidad de integrar a conservadores moderados y a liberales católicos, prescindiendo de "terroristas" y "radicales", para así superar la lucha religiosa y conseguir que el Estado se interese en el progreso del Ecuador a través de un gobierno que garantice el pleno ejercicio de las libertades públicas. Para el efecto, una vez que es elegido Presidente se empeña en la constitución de un "tercer partido" que sostenga los siguientes prin-

39. En la *Historia* de Luis Robalino Dávila (vol. VI, pp. 277-292) consta un estudio detallado sobre la organización del Progresismo. De él hemos tomado algunas de las informaciones que citamos. Véase también, Oscar Efrén Reyes, *op. cit.*, t. II-III, pp. 630-633.

cipios: pleno respeto a los derechos de los individuos y a las libertades públicas, especialmente a la de imprenta; reconocimiento del derecho de asociación —en el gobierno de Flores se constituyen varias asociaciones de artesanos— sobre todo en lo referente al derecho de los partidos políticos a organizarse, a difundir sus ideas y a participar en la lucha política; democracia y legalidad, esto es, suficiencia de las leyes y de las instituciones democráticas para el gobierno del Estado; antimilitarismo y libertad de sufragio; aliento y modernización de la economía mediante la organización de la hacienda pública y la eliminación de las trabas que obstaculizan el comercio, la agricultura y la industria; tolerancia religiosa y exclusión del clero del debate político. Estas ideas fueron compartidas por Federico González Suárez cuyo pensamiento político se inscribe en el progresismo [40] y por algunos liberales.[41]

Los conservadores son los principales adversarios del progresismo. Acaudillados por Camilo Ponce Ortiz y por el Arzobispo de Quito José Ignacio Ordóñez, se valen del Congreso, de la prensa, de la Iglesia y de la conspiración militar para crear toda suerte de problemas al partido de los "termi-católicos". A pesar de las frecuentes profesiones de fe católica de los progresistas y de las bendiciones pontificales que recibe el Presidente Flores Jijón lo califican de liberal y de masón y lo acusan del "insensato empeño de suprimir de manera absoluta en el Ecuador el juego de todo elemento religioso y moral"; se oponen a que el Ecuador concurra a la Exposición Universal de París porque con ella se pretende celebrar el primer centenario de la Revolución Francesa y no es posible que el país concurra a tan "impío certamen"; votan por la expulsión del senador liberal Felicísimo López porque su excomunión le priva de idoneidad para integrar el Congreso Nacional; combaten la sustitución del diezmo porque atenta contra un derecho "natural y divino" y porque esclavizaría la Iglesia a un Estado impío. Ni siquiera las prohibiciones dictadas por el Vaticano son suficientes para impedir la intervención de obispos y clérigos en las luchas políticas: en las elecciones de

40. El futuro Arzobispo de Quito públicamente negó haber pertenecido al Partido político de García Moreno. Siempre se mostró abierto y tolerante y nunca fue un instrumento de los conservadores y tampoco su auspiciador. Así por ejemplo, cuando en el Congreso se vota la expulsión del senador Felicísimo López por el hecho de haber sido excomulgado, González Suárez abandona la cámara para no apoyar una decisión con la que estaba en desacuerdo.

41. Abelardo Moncayo (*op. cit.*, p. 70) califa al gobierno de Flores Jijón como un ensayo de la "verdadera República".

1892 el clero interviene activamente en la campaña electoral a favor de Camilo Ponce y en los sermones y pastorales amenaza con el infierno y la excomunión a los que voten por el "liberal" Luis Cordero,[42] tan católico como el anterior.

En estos años el Partido Conservador y la Iglesia se identifican ideológicamente y constituyen una unidad política que subsistirá hasta el presente siglo. Bajo el criterio de que la "Iglesia tiene que ver con la política y mucho", obispos y clérigos se convierten en agentes políticos del "partido de los católicos" por el que ordenan a los fieles votar o lo sugieren de manera que constituye una verdadera orden. En obispados y conventos se realizan sesiones partidarias y conspiraciones políticas. Los eclesiásticos definen la ideología del conservadorismo y se convierten en los consultores de la ortodoxia doctrinaria y en los preservadores de la fe. En el Congreso Nacional son los portadores de un pensamiento bastante retrasado y frecuentemente reaccionario.[43] Pero, a pesar del formidable apoyo que recibe de la Iglesia, el Partido Conservador se debilita, en parte porque algunos de sus antiguos seguidores engrosan las filas progresistas. Además, porque la dirección centralizada en Quito, preocupada por las diarias contingencias políticas, no se interesa en el fortalecimiento de los organismos provinciales que permanecen desvinculados. También involuciona ideológicamente cuando el ideario de 1883 sufre variaciones en sentido autoritario y clerical, al aprobarse las "bases doctrinarias" de la *Sociedad Católica Republicana* el 15 de agosto de 1885.[44]

Si bien algunos liberales participan en el gobierno de Plácido Caamaño o lo apoyan, la fracción radical acaudillada por Eloy Alfaro se alza en armas en la Costa (1884) y, a través de las "montoneras revolucionarias", inicia una intransigente oposición armada, en parte debida a que el Presidente de la República, a pesar de carecer

42. Luis Robalino Dávila, *op. cit.*, vol. VI, pp. 223, 249, 280, 283, 289, 450-460, 699.

43. El siguiente texto de Abelardo Moncayo (*Añoranzas*, p. 183) es muy ilustrativo. "Pero que ¿no hemos tenido Prelado que llamó al ferrocarril *camino de los demonios* y el más aparente para que todo un pueblo se precipite en las llamas infernales? ¿No tiene otro el telégrafo por cosa de *brujos* y digno por tanto de la hoguera? ¿En plana Cámara no gruñó otro que, en vez de dar a la nación lo necesario para terminar el teatro que se construye en la capital, debía votar el Congreso una cantidad para que se destruyese lo edificado? ¿No hubo otro que llamó a un profesor, que quería enseñar el idioma francés, y le ofreció doble sueldo con tal de que no lo enseñase, porque *hay libros malos en esa lengua?*" Los subrayados constan en el original.

44. Luis Robalino Dávila, *op. cit.*, vol. VI, pp. 278 y 281.

de atribuciones constitucionales, recurre al destierro y a la pena de muerte para reprimir a los conductores de la revuelta. Este liberalismo, motejado con el epíteto de "machetero" por el origen político centroamericano de sus dirigentes y por el nivel cultural de sus integrantes, asume el liderazgo del Partido Liberal. Muchos de sus miembros carecen de principios políticos y su incorporación a los ejércitos revolucionarios se debe al reclutamiento forzado o a sentimientos de lealtad para sus jefes o amos. La otra corriente liberal se integra con los intelectuales doctrinarios formados en el debate político en los gobiernos de García Moreno, Borrero y Veintimilla. Su oposición es civilista y la realizan a través de la prensa y el Congreso Nacional, donde combaten la reforma constitucional que autoriza la pena de muerte para los delitos políticos. Derrotado el liberalismo radical en los campos de batalla y pacificado el país (1887), la corriente doctrinaria otra vez asume el papel de portavoz del Partido y cuando el Presidente Flores Jijón otorga una amplia amnistía y realiza un gobierno tolerante, respetuoso de las libertades públicas, recibe el respaldo de los liberales, explícito unas veces, implícito otras. Abelardo Moncayo ilustra muy bien la posición del liberalismo en esta época al decir que el Presidente Flores Jijón "[...] con la práctica sincera de las Instituciones Republicanas y el fiel cumplimiento de la Constitución sin distinción de Partidos ni de Jerarquías [...] y la recta organización de nuestros partidos", será posible que "se cierre la era calamitosa de las luchas armadas, y comiencen las nobilísimas del pensamiento y la virtud".[45] Los liberales se interesan en la organización partidaria y el 24 de julio de 1890; presidida por Pedro Carbo. se reúne en Quito la "Primera Asamblea del Partido Liberal Ecuatoriano" que acuerda constituirlo como entidad política.[46]

A pesar de la constitución formal del Partido Liberal subsisten diversas tendencias que actúan autónomamente. La civilista es partidaria de la legalidad y en algunos casos está dispuesta a establecer relaciones con el gobierno y a participar en él. La militarista no acepta ningún tipo de transacciones por considerar que la vía armada es la única que permitirá que el liberalismo acceda al poder. A estas

45. Abelardo Moncayo, *Páginas Olvidadas*, t. II, pp. 66-67.
46. En la constitución del Partido Liberal intervienen 33 delegados, entre los que se cuentan Pedro Carbo, Lino Cárdenas, J. Montalvo, J. M. Sáenz, Ricardo Valdivieso, J. A. Polanco, Luis F. Borja, Joaquín Gómez de la Torre, Manuel Montalvo, B. Albán Mestanza, Domingo Gangotena. (Estos estatutos y todos los otros que citemos han sido consultados en el Archivo Aurelio Espinosa Pólit).

dos, que son las principales, se suman otras que proceden independientemente sin ajustarse a ninguna disciplina. Por esto, en las elecciones presidenciales de 1892, unos apoyan a Luis Cordero, un progresista de antecedentes liberales; los "fusionistas" se unen a los conservadores para favorecer la candidatura del ultraconservador Camilo Ponce Ortiz; otros mantienen su independencia frente a estas dos tendencias. Elegido Luis Cordero, cuando para apaciguar al Clero, afirma que en caso de conflicto entre el Estado y la Iglesia, estará por los intereses de ésta que son superiores a los de aquél,[47] la mayor parte de los liberales se suman a la iracunda oposición de los conservadores y junto con los radicales forman el Directorio Nacional para combatir al Gobierno.[48] Con tan poderosos adversarios a los que se suma la politizada Iglesia Católica; sin una organización política que le respalde y sin mayoría en el Congreso Nacional; hostilizado por las sublevaciones militares alentadas por los conservadores y liberales "fusionistas"; cuando se produce la acusación de "indignidad nacional" el Presidente Cordero es forzado a renunciar. El Partido Progresista pierde el poder y en los años siguientes desaparece. Sus miembros se retiran de la política o se integran a los partidos conservador y liberal.[49]

c) *La dominación liberal: 1895-1925*

Estas circunstancias, muchas de ellas impredecibles, crean condiciones favorables para la Revolución Liberal, poco antes considerada imposible.[50] Dividida la Sierra en dos sectores irreconciliables —conservadores y liberales por un lado y progresistas por otro— el Par-

47. Luis Robalino Dávila, *op. cit.*, vol. VI, p. 468.

48. En el Directorio Nacional los conservadores son representados por Camilo Ponce, los liberales por Manuel A. Larrea y los radicales por Luis Felipe Borja. En Guayaquil y otras provincias se constituyen organismos similares.

49. Jacinto Jijón, *Política...*, t. II, p. 81.

50. En marzo de 1895 el liberal Luis Felipe Borja declara que no era posible la revolución "ya porque nuestros ricos, siempre egoístas y tímidos, no suministrarían los cuantiosos fondos que necesitaban, ya por la falta de caudillos de inteligencia y de prestigio" (*Epistolario del Doctor Luis Felipe Borja al Dr. Juan Benigno Vela*, citado por Julio Tobar D., *Desarrollo Constitucional...*, p. 63.) En efecto, habían fallecido Pedro Moncayo, Juan Montalvo y Pedro Carbo, considerado como el Jefe Liberal. Pero el Dr. Borja no contaba con la generosidad de los guayaquileños, con la audacia de Eloy Alfaro y con la circunstancia política. En cuanto a las condiciones económicas, es evidente que ellas no estaban maduras para el advenimiento del liberalismo.

tido Conservador pierde el control de la región en la que había basado su hegemonía. La Costa puede entonces asumir la conducción del proceso político. En ella las condiciones son muy favorables: las ideas liberales se habían extendido gracias a la libertad de prensa practicada por los progresistas y a la escasa presencia eclesiástica que facilitó la práctica de cierta libertad de pensamiento; la riqueza proveniente del auge cacaotero acrecienta la preponderancia económica del Litoral que cuenta con un caudillo curtido en treinta años de montoneras revolucionarias. Sólo una condición faltaba para que pueda darse la revolución: el veredicto de los "patricios guayaquileños". Éstos, que habían estado muy ligados con los gobiernos progresistas y aceptaban el gobierno de unidad nacional integrado por el sucesor constitucional de Cordero, se encontraban empeñados en buscar un candidato para las elecciones convocadas. Parecida era la situación de muchos liberales que incluso habían llegado a un acuerdo electoral con los conservadores. Ésta es la coyuntura cuando el 5 de junio de 1895 el pueblo de Guayaquil proclama al General Eloy Alfaro. Los notables guayaquileños, con su característico sentido de ubicuidad política, se suman a la manifestación popular y encabezan con sus firmas el "Acta del Pronunciamiento Liberal de 1895", en la que se designa Jefe Supremo de la República al General Eloy Alfaro. El caudillo liberal concilia todos los intereses en juego y es por tanto la persona más adecuada para la circunstancia política: su condición de comerciante da confianza a los ricos guayaquileños; su probada militancia liberal asegura su fidelidad a los principios liberales; su origen social le hace popular en sectores sociales cansados de las familias predestinadas al mando; su origen costeño le convierte en el portavoz de los intereses de la región; y su competencia militar le acredita como el jefe más idóneo para dirigir la guerra civil que habrá de venir.

Para comprender el pensamiento político del Partido Liberal es necesario examinar las dos constituciones que rigen durante sus treinta años de dominación. En la Constitución de 1897 se establece la igualdad ante la ley, la libertad de pensamiento, la abolición de la pena de muerte para los delitos políticos y la garantía absoluta a la vida. Las otras reformas se refieren a lo religioso: se suprime la participación de un eclesiástico en el Consejo de Estado; se acepta la libertad de cultos; se desconocen los fueros de los eclesiásticos; se prohíbe el ingreso de comunidades religiosas y que los clérigos extranjeros sean prelados y administren bienes eclesiásticos; y se determina que las creencias religiosas no obstan al ejercicio de los derechos políticos y civiles. En cambio conserva la declaración de que el Estado profesa la religión Católica y que es su obligación protegerla y hacerla respetar. Como se puede ver, son moderadas las reformas en materia religiosa, por lo que algunos diputados se niegen inicialmente a firmar la nueva Constitución que está en "desacuerdo con el credo político-liberal-radical".[51] En la Constitución de 1906 se concretan los principios políticos liberales. Es la más avanzada en cuanto al número y al grado de protección de las garantías fundamentales y la primera en excluir la intervención de la Iglesia en la vida pública. Suprime la declaración de que la religión del Estado es la Católica; establece la educación laica, adopta el régimen de separación entre la Iglesia y el Estado al que queda subordinado aquélla; reconoce la libertad de conciencia en todas sus expresiones; y prohíbe que los religiosos sean legisladores. En cuanto a la estructura del Estado y a las atribuciones de la autoridad presidencial no se modifican los principios del derecho constitucional conservador, pues los liberales, una vez en el poder, se convierten en defensores del principio de autoridad.[52] Más bien el liberalismo se interesa en el problema social cuando introduce una disposición constitucional ordenando a los Poderes Públicos "proteger a la raza indígena", declaración a la que acompañan algunas medidas que tienden a hacerla efectiva: exoneración de la contribución territorial y del trabajo subsidiario de los indígenas (1895-1898) y eliminación de la prisión por deudas (1918).

Pero es necesario tener en cuenta que alguna distancia existió entre la declaración constitucional y la práctica política. A pesar de que en las constituciones liberales los derechos humanos y las libertades públicas alcanzan su más amplio reconocimiento, en la acción de gobierno, de hecho son desconocidos: se destierra y fusila a los enemigos del régimen; se confiscan los bienes de los adversarios políticos; se practica el reclutamiento y las contribuciones forzosas; las elecciones que nunca fueron antes un modelo de pureza pasan a ser manifiestamente fraudulentas; cuando ni siquiera ellas son suficientes se recurre al golpe de Estado; el Congreso Nacional pierde indepen-

51. Luis Robalino Dávila, *Orígenes*..., vol. VII, t. I, p. 310.

52. En 1915 el Presidente Leonidas Plaza deplora el "espíritu ligero" de quienes hicieron una constitución "a propósito para dar auge, vida, recursos, impunidad y casi invencibilidad a nuestras locuras revolucionarias [...]" y se pronuncia por un Ejecutivo vigoroso (Citado por Julio Tobar D., *Derecho Constitucional*..., p. 69.)

dencia por la presión de las "barras" que hasta hostilizan a los mismos legisladores liberales; la libertad de prensa sufre atentados de todo tipo; en los congresos, virtualmente es eliminada la representación conservadora.

El ejército liberal no constituye un ente políticamente homogéneo. En su oficialidad hay hombres de formación doctrinaria, individuos ligados sentimentalmente con la idea liberal y seres sin principios que por el azar o razones personales ingresan a las filas del liberalismo y obtienen ascensos en los campos de batalla. Los soldados provienen de la recluta forzosa, de las deserciones del ejército gubernamental que abandonan ante las nuevas circunstancias políticas y de las clientelas personales de los señores de la tierra.[53] Éstos son los hombres que al concluir la guerra civil toman el poder y ocupan las más elevadas funciones en la administración pública y en el ejército y las comandancias militares en las provincias. Siendo el liberalismo todavía una minoría, de la fuerza militar depende la supervivencia del Partido y a ella deben subordinarse todos. Los intelectuales serranos y las burguesías guayaquileñas son relegados a un lugar secundario a pesar de que obtienen representaciones legislativas y funciones ministeriales. La preeminencia de hombres sin principios ideológicos sólidos explica las contradicciones iniciales del liberalismo y la sistemática arbitrariedad de los jefes militares poco interesados en el respeto a la libertad y a los derechos individuales, principios que no conocían y por los que no habían luchado. Para ellos, su única obligación es defender al Gobierno y, más que a él, a su jefe con el que se encuentran ligados por sentimientos de lealtad personal. Pronto vendrán las disidencias de los que no consideran que los ideales liberales están siendo representados por el gobierno de Eloy Alfaro. Primero discrepan los intelectuales —Julio Andrade, Modesto A. Peñaherrera, Juan Benigno Vela y Luis Felipe Borja—; luego los comerciantes: Lizardo García, Emilio Estrada y José Luis Tamayo. Por ello en las asambleas constituyentes de 1897 y 1906 y en los sucesivos congresos, la oposición proviene de los mismos liberales descontentos.

Es natural entonces que luego de la toma del poder el Partido Liberal como institución haya sufrido *una capitis diminutio*. Triunfante la revolución, una asamblea liberal reunida en Quito elige un Directorio el 29 de septiembre de 1895.[54] Pero este ensayo ni los

53. Jacinto Jijón, *Política*..., vol. I, pp. 388-390.
54. Luis Robalino, *Orígenes*..., vol. VII, t. I, p. 169.

que se repiten en el futuro sirven para reconstituir la organización del Partido, pues, las directivas no son acatadas y las múltiples facciones que proliferan proceden por su propia cuenta. Si bien superviven las diferencias entre liberales moderados y radicales, las discrepancias más bien se producen por razones personales determinadas por los intereses y ambiciones de los dos caudillos mayores —Eloy Alfaro y Leonidas Plaza— y de los numerosos caudillos menores —Manuel Antonio Franco, Flavio Alfaro, Pedro Montero, Carlos Concha, etc.—, todos ellos militares. Si alguna vez se reúne una "convención" del liberalismo, no es para señalar su rumbo ideológico o estudiar la conducta programática del Gobierno. Ella sólo es el instrumento del que se valen los sectores descontentos para imponer sus candidaturas, las cuales, obviamente, no son tomadas en cuenta por el Presidente de la República o por el caudillo en ejercicio que con absoluta autonomía designa a su sucesor. Cuando muere el general Eloy Alfaro, el general Leonidas Plaza se convierte en el árbitro del Partido Liberal y en su "gran elector", con la colaboración del Gerente del Banco Comercial y Agrícola de Guayaquil, Francisco Urvina Jado (cfr. pp. 95 y ss.). Recién el 18 de septiembre de 1923 —es decir, veintitrés años después de haber tomado el poder y dos años antes de perderlo— se reúne en Quito una Asamblea Liberal que declara "constituido el Partido Liberal Ecuatoriano como un todo orgánico", para lo cual aprueba sus Estatutos y un Programa. Los intereses que representa le impiden aplicar sus avanzadas declaraciones programáticas y explican la conducta neoconservadora de los gobernantes liberales en materia social y económica. En efecto, mientras el Programa Liberal condena el Imperialismo, la plutocracia, el militarismo, el caudillismo y se pronuncia por la libertad de sufragio, por la intervención del Estado en la economía privada y por los derechos sociales de los trabajadores, los gobiernos liberales se basan en el militarismo y en el caudillismo, favorecen la inversión extranjera, sirven los intereses de la oligarquía agroexportadora e institucionalizan el fraude electoral. Con mucha razón un historiador dice que "algunos pensadores liberales condenaban la plutocracia pero la plutocracia sostenía el liberalismo en el gobierno y le daba dinero para las elecciones. La plutocracia misma era liberal".[55]

El problema religioso constituye la gran discrepancia entre con-

55. Alfredo Pareja Diezcanseco, *La lucha por la Democracia en el Ecuador*, Ed. Rumiñahui, Quito, 1956, p 79.

servadores y liberales y en ciertas épocas la única. Si cuando gobernaba el "católico, apostólico y romano" presidente Antonio Flores Jijón, hubo católicos que lo calificaron de "masón, hereje e impío", ya se puede deducir la reacción que iba a tener la Iglesia cuando los "liberales-radicales" tomaran el poder. Sin embargo, y quizá por termor a la reacción eclesiástica, son moderadas las primeras medidas que toman en materia religiosa. Como hemos visto, a pesar de las disposiciones que se introducen a la Constitución de 1897, se mantiene la declaración de que la religión católica es la oficial del Estado y su obligación de protegerla y hacerla respetar. El propio Alfaro, cuando es designado Jefe Supremo invoca a Dios y una vez en el poder concurre a ceremonias religiosas, presenta su respetuoso saludo al Papa y solicita la beatificación de Mariana de Jesús. Pero la sola presencia de los liberales en el poder y las aludidas reformas constitucionales ya eran suficientes para perturbar y atemorizar a la ultraconservadora Iglesia Católica cuyo pensamiento no había sufrido ninguna evolución desde los lejanos años de la Colonia.[56] El liberalismo ecuatoriano, a diferencia de otros liberalismos latinoamericanos y europeos, no era irreligioso y por tanto no se proponía eliminar los sentimientos y las prácticas religiosas del pueblo ecuatoriano cuya fe católica reconocía. Esto se advierte al leer los escritos de sus principales ideólogos —José Peralta, Abelardo Moncayo y Juan Montalvo— generalmente considerados como anticatólicos.[57] A los liberales les

56. En las páginas anteriores hemos visto cuan tradicional era la postura de la Iglesia Católica. José Peralta (*El Régimen Liberal* y *El Régimen Conservador*, p. 6) dice que en la educación estaban cerradas todas las puertas a las nuevas ideas, que los conocimientos científicos eran proscritos y que mientras el mundo había reconocido las teorías de Galileo, en Quito se enseñaba la doctrina "geocéntrica como ortodoxa y única verdadera". Sin duda el mismo García Moreno se habría escandalizado de este hecho que no lo consideramos exagerado, pues, el atraso de las ideas en el Ecuador se confirma leyendo los relatos imparciales hechos por viajeros extranjeros en los libros que han publicado. Conocemos que en los años 30 de este siglo, hubo prelados y sacerdotes que se oponían a la difusión de las encíclicas sociales que intentaban hacer los católicos de avanzada.

57. José Peralta escribe (*op. cit.*, pp. 67-69): "El liberalismo ecuatoriano no ha puesto la mano sobre la religión cristiana: el predominio hierático, la intrusión del sacerdote en negocios seculares, la riqueza monástica con sus consecuencias perniciosas, la avaricia de los párrocos, la simonía convertida en comercio público, las prácticas supersticiosas y bárbaras, la intolerancia inquisitorial, la esclavitud de la conciencia, la oscuridad del alma, el grillete del espíritu, no son, no pueden ser, componentes de la religión de Jesús, mártir de la libertad y del amor". Luego añade "Decirles a los Obispos: ¿Qué hacéis aquí en los Congresos, en los Municipios, en las rudas campañas de la política, en el estadio ensangrentado de las luchas civiles, en la arena movediza de los negocios del siglo; vosotros discípulos de Cristo, cuyo reino no era de este mundo; vosotros que no recibisteis otra misión que la de predicar, amar y bendecir a todos los hombres? ¿Qué hacéis aquí, olvidados, apartados, de

preocupan las prerrogativas y privilegios de la Iglesia Católica; su influencia incontrastable en toda la vida nacional, principalmente en la pública; la inexistencia de las libertades de pensamiento y de conciencia; la intervención de los obispos y clérigos en la lucha partidista y en los organismos públicos; [58] el poder económico de la Iglesia; el enriquecimiento de los religiosos; y los abusos de los eclesiásticos ya denunciados por Jorge Juan y Antonio Ulloa ciento ochenta años antes. Los liberales, antes que "impíos y herejes" eran anticlericales y regalistas.

Pero, las agresiones del "liberalismo machetero", el sectarismo prevaleciente en la sociedad ecuatoriana y, sobre todo, la reducción de la hegemonía eclesiástica, llevan a la Iglesia a desencadenar una violenta oposición a través de sermones y pastorales, a convertir las iglesias y los conventos en lugares de conspiración política y a proteger y alentar las guerrillas conservadoras que se alzan para defender la religión católica. Los conflictos se agudizan y los liberales radicalizan su posición anticlerical que se concreta en la Constitución de 1906 y en varias leyes, la mayor parte de ellas expedidas por Leonidas Plaza que es el definidor político del liberalismo. Mediante la Ley de Patronato (1899) y la Ley de Cultos (1904) se coloca a la Iglesia bajo la autoridad del Estado, como antes lo hicieron los reyes católicos y los primeros gobernantes ecuatorianos; con las leyes de Instrucción Pública (1897), de Registro Civil (1900), de Matrimo-

---

vuestras santísimas y sublimes funciones? Volveos al templo: allí están vuestro trono y vuestro dominio; allí la esfera de acción que os trajo Jesucristo; allí, la puerta del cielo, a donde debéis conducir las almas; sin mezclarlas en los intereses mundanales, ni de manera indirecta, porque mancharíais la blanca vestimenta de los ungidos del Señor. Decirles todo esto a los Obispos, a los Canónigos, al Clero en general, es impiedad horrorosa, sacrilegio inaudito, hegemonía descomunal, guerra a muerte al Crucificado y a su religión santa".

Abelardo Moncayo escribe (*Añoranzas*, t. II, pp. 70-71) "[...] no es el sentimiento religioso, manifestación de la vida humana tan sagrada como cualquier otra, lo que el radicalismo combate y llama a suprema liquidación: tolerancia mutua de nuestras opiniones como elemento de paz y como deber ineludible de toda sociedad bien constituida, es apenas la que ha marcado con el sello de garantía constitucional. No queremos que la Iglesia Católica sea esclava del poder civil; pero tampoco le compete el cetro en otra esfera que la suya; ni es en las luchas políticas en donde debe la eficacia que ha menester para su desarrollo. Entréguese de lleno y exclusivamente a su misión augusta, al reinado del evangelio, y viéndose de esta manera exenta de los abusos que siempre le han ocasionado desolación y ruina, no solamente nada tendrá que temer y sí mucho que esperar de quienes otra cosa no ambicionan que el progreso de la patria, basado en moral incorruptible".

58. José Peralta llama a los congresos "concilios eclesiásticos" y a los municipios "sínodos diocesanos", por el número de religiosos que participaban en estos organismos y por la influencia que ejercían en ellos (*op. cit.*, p. 10).

nio Civil (1902), de Divorcio (1910), se establecen el Estado y enseñanza laicos; la Ley de Beneficencia (1908) y otras leyes y decretos limitan el poder económico de la Iglesia cuando son confiscadas las haciendas de las comunidades religiosas y se prohíben los priostazgos, los pases del niño y el cobro de contribuciones por la administración de sacramentos. Además se derogan los decretos que declaraban Patrona de la República a la Virgen de las Mercedes y que consagraban el Ecuador al Corazón de Jesús. A estas medidas legales, los turbulentos clerófobos suman la violación de iglesias y conventos, el asesinato, confinio, destierro y expulsión de religiosos, la profanación de objetos del culto católico y toda suerte de vejámenes. Indirectamente, los conservadores no están exentos de culpa sobre estos hechos.[59]

Por concesión, sólo en el Congreso de 1898 los conservadores obtienen alguna representación: cinco senadores y cinco diputados en un total de setenta legisladores. En los demás, la representación conservadora es prácticamente eliminada [60] mediante el sistemático fraude electoral, bajo el criterio de que el liberalismo no podía "perder con papeletas lo que había ganado con bayonetas". En efecto, las burguesías urbanas y la clase media, que habrían de constituir las clientelas electorales del liberalismo, no se habían desarrollado suficientemente. En cambio el Partido Conservador seguía contando con los votos de la mayor parte de los ecuatorianos y el apoyo monolítico de la Iglesia y aun de ciertos liberales disidentes. Cerradas

59. Son conocidos los crímenes y sacrilegios perpetrados el 4 de mayo de 1897 en la Iglesia y Convento de los jesuitas en Riobamba. Pero es necesario tener en cuenta que la invasión de las tropas liberales a esta casa religiosa se debe a que los guerrilleros conservadores la utilizaban para lanzar su ataque contra el vecino cuartel militar y para cubrir su retirada. (Véase Luis Robalino Dávila, *Orígenes...*, vol. VII, t. II, pp. 766-788; además, Francisco Guarderas, *El viejo de Montecristi*, Quito, 953, p. 252.) Al respecto Federico González Suárez (*Obras Pastorales*, t. I, p. 439) escribe: "Un grupo de la facción conservadora [...] en la madrugada del 4 de mayo de 1897 se instaló en la Iglesia de los jesuitas y la "convirtió en baluarte y en atrincheramiento. Si desde el punto de vista de la táctica militar se examina este hecho, no puede menos que reprobarse como un grave desacierto: ¿qué diremos, si lo consideramos desde el punto de vista religioso? [...] Encerrarse en una Iglesia, para asaltar desde ahí un cuartel vecino, disparando desde las ventanas del templo, era condenarse de antemano a ser vencidos y derrotados [...] El cuartel del batallón Pichincha estaba frente a la Iglesia y entre ella y el cuartel mediaba sólo una calle pública".

60. A la Asamblea de 1897 sólo concurren constituyentes liberales. Entre 1898 y 1924 en 6 congresos no hay un solo legislador conservador. En el Senado la representación conservadora ordinariamente oscila entre 1 y 3 y en Diputados entre 2 y 4. El autor que citamos dice que esta representación se debió a excusa o inhabilidad de los legisladores principales o a la benevolencia de ciertas autoridades provinciales. (Julio Tobar, *El Derecho Constitucional...*, pp. 66 y 71.)

las puertas de la vía democrática de acceso al poder —que sólo descansa sobre la fuerza de las armas— los conservadores recurren a la guerrilla para derrocar al liberalismo, como antes lo hicieron los liberales con el conservadorismo. Las "montoneras" revolucionarias se extienden entre 1895 y 1901, años en los que, como sucedió antes con el liberalismo, el eje político del Partido Conservador se desplaza hacia los jefes guerrilleros. Pero ahora la lucha se desarrolla en la Sierra y adquiere las características de una guerra santa de los "católicos" contra los "impíos y masones". Para los conservadores, sólo en la religión católica y en la Iglesia se encuentran las fuentes doctrinarias que han de regir la organización de la sociedad. Por esta razón y, además, por responder a los deseos de una minoría que ha despreciado los sentimientos religiosos de casi la totalidad del pueblo ecuatoriano, la legislación liberal es "ilícita y debe ser derogada".

Derrotadas las guerrillas y consolidados los gobiernos liberales, los conservadores abandonan la lucha armada y emprenden la reconstitución de su organización política, para la cual se toman varias iniciativas en la primera década de este siglo. Frente a los que aún consideran vigente el pensamiento "garciano", aparece una tendencia moderada que, en vista de las nuevas realidades políticas, se propone renovar el ideario conservador. El pensamiento político y doctrinario de estos grupos se encuentra contenido en la "Manifestación del Directorio del Partido Conservador del Azuay" (1911), en la que se pronuncian por el régimen constitucional y la acción política pacífica; reconocen las libertades públicas, incluso el derecho de habeas corpus; sólo reclaman la facultad de los padres a educar religiosamente a sus hijos, defienden la propiedad privada; se interesan por el desarrollo económico; piden la protección de los trabajadores; y, rechazan "la voracidad imperialista de cierta poderosa nación".[61]

61. Por su importancia, transcribimos *in extenso* la parte pertinente de esta última declaración: "La integridad territorial no sólo puede comprometerse por cesión expresa o por una mutilación producida por la conquista: hoy se puede perder territorios en una forma más insidiosa, pero tan segura como la conquista misma. Las concesiones a potencias amigas, el arrendamiento a largos plazos, los privilegios a empresas extranjeras, la colonización bajo la protección de poderosos estados, traen en definitiva a los países débiles la imposición del fuerte, la provilegiada situación de entidades e intereses extranjeros dentro del territorio, y al cabo de segregaciones y la deshonra y muerte de la patria. Las tentativas sobre nuestro archipiélago; la formidable dictadura económica que ejerce aquí nuestra única compañía ferrocarrilera, cuyo asiento legal se encuentra en los Estados Unidos; el rechazo de la soberanía ecuatoriana, por parte de una pequeña colonia extranjera en la provincia de Manabí, etc., etc., indicando están claramente que el Ecuador está tal vez previsto como presa para la voracidad imperialista de cierta poderosa nación". "Es deber de todo ecuatoriano

Esta última declaración que constituye la primera expresión antiimperialista de un partido político ecuatoriano, no es compartida por los liberales que, en esta materia, se declaran partidarios de la venida de capitalistas extranjeros a los que brindan protección y aliento.

Pero la apertura de los conservadores cuencanos dirigidos por Remigio Crespo Toral y de un núcleo juvenil que se constituye en Quito —Jacinto Jijón y Caamaño, Julio Tobar Donoso, Manuel Sotomayor y Luna— y que más tarde inspirará la renovación ideológica del Partido Conservador, no es compartida por el sector "terrorista", de manera que cuando finalmente se reúne una Asamblea en Quito (1918), se produce una escisión por el desacuerdo que existe entre las dos tendencias.[62] Sin embargo se elige un Directorio y se aprueban los Estatutos que en el artículo 1.º señalan que el Partido Conservador se compone "de todos los ecuatorianos que profesan los principios católicos, como necesario fundamento de la vida republicana". En 1912 apoya la candidatura presidencial de un "liberal de orden" —Carlos Rodolfo Tobar— y en 1915 la de Rafael María Arízaga, su dirigente nacional. El fracaso de esta y otras iniciativas por el fraude electoral, llevan a los conservadores a recurrir otra vez a las gerrillas, ahora conducidas por el civilista Jacinto Jijón y Caamaño (1924). En esta época también se dan ciertos acercamientos entre conservadores y liberales. El Presidente Leonidas Plaza, ante los triunfos del disidente General Concha en Esmeraldas (1913), consulta a notables de su Partido sobre la conveniencia de una fusión con los conservadores.[63] Cuando gobierna el Presidente Luis Tamayo, por primera vez un liberal incluye en su gabinete a un miembro del Partido Conservador.

En una sociedad marcadamente tradicional como era la ecuatoriana, cerrada a las nuevas ideas y a las innovaciones, la Revolución Liberal sin duda contribuye a que el país entre en contacto con el mundo exterior y con el pensamiento filosófico y científico contemporáneos, en los que tan interesados estaban los positivistas liberales, opuestos a la hegemonía ejercida por la Teología en todos los campos del pensamiento y deseosos de que en el Ecuador imperen la

---

rechazar la intervención extranjera, los privilegios a favor de compañías que obran bajo otra bandera y toda negociación que pueda comprometer la integridad territorial." (P. 7 del citado documento.)

62. Pío Jaramillo Alvarado, *Estudios Históricos*, Ed. Artes Gráficas, Quito, 1934, p. 363.

63. Ibid., p. 357 y ss.

ciencia y la razón, únicas vertientes en las que se han de nutrir las ideas.

d) *Ocaso del bipartidismo: 1925-1948*

El golpe de Estado el 9 de julio de 1925 pone fin a la dominación liberal y constituye el inicio de un período de deterioro y pérdida paulatina de vigencia del bipartidismo conservador-liberal que es desbordado por las nuevas circunstancias económicas, sociales y políticas. La suma de estos fenómenos que estudiaremos en detalle en el presente acápite, trae consigo un período de inestabilidad política en el que se suceden 27 gobiernos en el lapso de 23 años, esto es, un gobierno cada 10 meses. Del total, sólo 3 provienen de elecciones populares directas, por cierto fraudulentas; 12 son formados por personas a las que se les encarga el poder —ministros de gobierno, presidentes del senado o diputados y simples ciudadanos—, 8 son dictaduras y 4 elegidos por asambleas constituyentes. Al perder los partidos tradicionales el marco de la democracia, se reduce su influencia en el proceso político y el Partido Liberal es desplazado del control hegemónico del poder, pero crece su influencia ideológica. En el período analizado, 15 gobiernos son independientes, sólo 11 liberales y 1 conservador con una duración de apenas 14 días. Pero si bien el Partido Liberal no forma parte de los primeros, muchos liberales los integran. A pesar de que la Revolución Juliana se hace contra la dominación liberal-plutocrática, algunos liberales forman parte de las dos juntas de gobierno y ocupan en ellas ministerios, llegando uno de ellos —Luis Napoleón Dillon— a convertirse en su ideólogo. Lo mismo sucede en todos los gobiernos independientes que vienen después, ninguno de los cuales deja de contar con ministros liberales, en unos casos afiliados y en otros disidentes.[64] En cambio el Partido Conservador sufre un proceso inverso. Se reduce su influencia ideológica y comparativamente aumenta su acceso a las funciones públicas, por la participación de sus afiliados como ministros en los gobiernos independientes e incluso en los liberales y porque si bien se sigue practicando el fraude electoral, éste sólo le cierra las puertas a la Presidencia, mas no a los concejos municipales, alcal-

64. Un detalle sobre la participación política de conservadores y liberales en este período puede verse en: José Alfredo Llerena, *Frustración Política en 20 años*, Quito, 1959

días y representaciones parlamentarias, de manera que un conservador llega a ser elegido presidente de la Asamblea Constituyente de 1946, cosa que no había sucedido en los sesenta años anteriores. Pero cuando el independiente Neptalí Bonifaz, con el apoyo de los conservadores es elegido Presidente de la República (1932), le descalifican en buena parte por los sentimientos anticonservadores prevalecientes. Algo parecido sucede con Mariano Suárez Veintimilla que debe renunciar a la sucesión presidencial para "salvar la paz" de la nación. Para los liberales, el control del poder político por los conservadores significa un peligro para las libertades públicas y la supervivencia de las instituciones y leyes laicas. Por ello, la Asamblea Liberal de 1925 muy francamente declara que respetará la Constitución "siempre que la Carta Fundamental de la República se ajuste a los principios liberales".

También este período registra el fortalecimiento de la institución "partido", al consolidarse su organización y desaparecer los caudillos que en años anteriores la habían manipulado a su antojo, sobre todo en el caso del Partido Liberal. Por esto debe considerarse a 1925 como el año en el que el conservadorismo y el liberalismo se constituyen propiamente como partidos políticos. Efectivamente, las asambleas partidarias se reúnen con cierta regularidad para discutir, aprobar o reformar declaraciones de principios, estatutos y programas; escoger candidatos, elegir directivas y fijar bases de la acción política. Sobre todo el Partido Conservador, gracias a la dirección de Jacinto Jijón, alcanza una organización nacional que llega hasta el nivel cantonal y que le permite contar con una fuerza coherente y disciplinada. El Partido Liberal, a pesar de constituir una organización inferior, frecuentemente indisciplinada y caótica, mantiene su influencia gracias a su ascendencia en la educación, en la prensa, en los cuerpos militares y en los "centros de opinión" y a la supervivencia del fraude electoral. Ninguno de los dos partidos constituye una organización de masas; ambos son partidos de cuadros que se reclutan por su "prestigio' o "fortuna". Cada uno de estos notables, que cumplen el papel de verdaderos caciques políticos, controlan sus respectivas clientelas electorales que se convierten en la masa de votantes de conservadores y liberales que, como partidos, cuentan con muy pocos afiliados.

El 9 de octubre de 1925, tres meses después de la Revolución Juliana, se reúne en Quito una Asamblea del Partido Conservador que adopta una nueva posición doctrinaria contenida en el Programa y Estatutos que aprueba, con el propósito de responder a los "nuevos y apremiantes problemas" del Ecuador. En ellos se advierte la influencia de la encíclica *Rerum Novarum*, de la *Carta de Laboro* dictada por Benito Mussolini y del pensamiento social cristiano del Partido Popular Italiano, como lo reconocen Jacinto Jijón Caamaño y Julio Tobar Donoso, autores de la actualización doctrinaria del conservadorismo.[65] El cambio más importante se da en el orden religioso. Si bien mantienen su oposición al laicismo, "ante las nuevas circunstancias" y conforme a la "autorización de la Iglesia Católica", modifican sus antiguas posiciones en materia religiosa, aceptan la tolerancia de los cultos no católicos y reconocen la vigencia de hecho de algunas leyes liberales en materia de matrimonio, educación y cultos llegándose incluso a suprimir la exigencia de que sólo pueden ser conservadores los católicos. Además se pronuncian por un respeto más amplio a las libertades públicas; por la intervención "justa y moderada" del Estado en el orden económico; por el respeto y regulación de los derechos de los trabajadores como un medio de evitar los problemas sociales; por el aumento de los salarios a los campesinos y la educación del indio; por la reforma fiscal mediante la adopción del impuesto progresivo; por el aliento de la economía y de las actividades productivas; por la autonomía municipal a la que antes no fueron favorables; y por el respeto a la propiedad privada y su defensa ante los ataques "especialmente colectivos". Las dos asambleas siguientes (1938 y 1942) no modifican este planteamiento programático, aunque en las posiciones políticas del Partido Conservador se advierte la influencia del corporativismo y del nacionalismo europeos. Un historiador afirma que en la época del apogeo del falangismo español, del fascismo italiano y del nazismo alemán, los conservadores se muestran muy simpatizantes de estos regímenes. La Asamblea de 1945 modifica ligeramente el Programa de 1925, dentro de los postulados de una nueva encíclica: la *Quadragessimo Anno.* En efecto, reconoce la función social de la propiedad; propone la organización cooperativa y el salario familiar; amplía el reconocimiento a las libertades públicas; y pone una insistencia mayor

65. Jacinto Jijón, *Política Conservadora*, t. II, pp. 478 y 504. Además, Julio Tobar Donoso, en *Programa y Estatutos del Partido Conservador Ecuatoriano y su Exposición Doctrinaria*, La Prensa Católica, Riobamba, 1926, pp. 43-45. Estos dos libros contienen un amplio estudio sobre la renovación ideológica del conservadorismo. Jacinto Jijón incluso va más allá de la doctrina conservadora al proponer cierta forma de "reforma agraria" para impedir el "monopolio del suelo por pocos terratenientes", (t. II, p. 510).

en los problemas económicos: obras públicas, agricultura, comercio, industria, crédito, finanzas, impuestos, etc. Sin embargo, continúa la xenofobia de los conservadores y el criterio de no pocos "sigue siendo de una estrechez desconsoladora".[66]

La II Asamblea liberal se reúne en Guayaquil el 10 de diciembre de 1925. En el programa que aprueba declara que el Partido Liberal se integra con todos los ciudadanos que profesan las doctrinas liberales, "aun las más avanzadas", pues reconoce que en su seno coexisten las fracciones "liberal, radical y socialista". La presencia de esta última explica ciertas declaraciones socializantes que ya hizo la Asamblea de 1923 y que reitera la de 1925, como aquellas que proponen el reparto de tierras y el exterminio del latifundio mediante la reforma agraria, la protección del trabajo de las mujeres y de los niños y en general de los obreros. En lo demás reafirma y precisa las bases doctrinarias contenidas en el Programa de 1923; libertad de asociación; restricción de las facultades extraordinarias; igualdad de los hijos legítimos e ilegítimos; promoción cultural de la mujer; impuesto a la renta para reemplazar a los indirectos; representación funcional de los "organismos vivos" en el senado; pleno respeto a todas las libertades individuales que no han de tener otro límite que las de los demás asociados. Si bien estos principios no se modifican en las asambleas de 1935, 1937 y 1949, en la práctica política del Partido Liberal se advierte un paulatino abandono de las ideas socialistas y una afirmación de los principios históricos del liberalismo: libertades públicas, iniciativa privada, instituciones democráticas, Estado laico, respeto a la propiedad, libertad de empresa e inversión extranjera. Así por ejemplo, según un autor, en 1938 los liberales no se muestran muy entusiasmados con el nacionalismo del general Enríquez, por el interés que tienen en mantener su amistad con el mundo comercial norteamericano.[67] Este retorno ideológico se debe a que la "fracción socialista" [68] abandona el Partido Liberal

66. Luis Robalino Dávila, *Testimonio de los Tiempos*, Ed. Ecuatoriana, Quito, 1971, p. 189.

67. Albert Franklin, *op. cit.*, p. 325. No es una simple coincidencia que los tres más importantes bufetes de abogados vinculados con empresas extranjeras sean dirigidos por prominentes liberales: Carlos Alberto Arroyo del Río, Antonio J. Quevedo y José María Pérez Echanique.

68. Tanto en la Asamblea Liberal de 1923 como en la de 1925, es la "fracción socialista" la que define el programa del liberalismo. Sus integrantes —entre otros Benjamín Carrión, Jorge Carrera Andrade y Colón Serrano— en 1926 abandonan el Partido Liberal y pasan a formar el Partido Socialista.

y constituye el Partido Socialista (1926), eliminándose de esta manera la contradicción interna que llevó a los liberales a sostener principios extraños y opuestos a sus ideas.

Pero la atención principal del liberalismo continúa centrada en el problema religioso. La Asamblea de 1925 propone que los conventos sean secularizados "por ser incompatibles con la civilización actual"; la más "omnímoda tolerancia religiosa"; la oposición a toda ingerencia eclesiástica y a toda soberanía religiosa o espiritual; el respeto al Estado laico y el mantenimiento de las leyes laicas. Estos postulados se reafirman en las tres asambleas siguientes del liberalismo, sobre todo por parte de los "radicales" –desde 1905 se usa el nombre de Partido Liberal Radical– que son los que sostienen las posiciones más extremas en el orden religioso. Conscientes de que el factor religioso desempeña un papel importante en la determinación del voto, se oponen a todo tipo de intervención eclesiástica en los asuntos políticos. A pesar de la separación entre la Iglesia y el Estado, la religión católica sigue ejerciendo una influencia determinante en amplios sectores sociales –sobre todo serranos y rurales– para los que todas las actividades humanas tienen un sentido sagrado. La influencia de la Iglesia en la orientación política de los ciudadanos se hace a través de sermones o pastorales en los que en forma más o menos expresa se exhorta a votar por los "candidatos católicos" que no son otros que los del Partido Conservador, llegando algunos curas párrocos a ejercer verdaderos actos de coacción moral.[69] Todavía en 1958, en una *Instrucción del Episcopado sobre la Obligación de Votar* se declara que "Sólo un católico sincero que cree, confiesa y practica la Religión de Cristo; que tiene fe en Dios, acata su autoridad y se doblega a sus leyes, puede ofrecer serias garantías a la Iglesia Católica de que reconocerá la divinidad de su origen [...]. Católicos ecuatorianos, hombres y mujeres, acudid todos a

69. Existe sin embargo el caso excepcional del Arzb. González Suárez que tajantemente deslinda la religión de la política, cuando dice cosas como las siguientes: "Siguiendo las enseñanzas de la Santa Sede, sostenéis decididamente que nunca se ha de hacer la causa de la Iglesia Católica solidaria con los intereses temporales de ningún partido político, sea éste el que fuere y llámese como se llamare". A esta instrucción emitida cuando fue Obispo de Ibarra suma una declaración más terminante: "Los sacerdotes no han de aconsejar jamás la revolución contra los poderes constituidos, como medio de defender la causa de la Iglesia, aunque los gobiernos sean de origen ilegítimo [...] Parece que la primera declaración produjo tal reacción del clero politizado que el mismo González Suárez hace alusión al hecho de haber sido calificado de "impío, blasfemo y víctima estúpida de las Sociedades Secretas y Logías Francmasónicas". (Véase, *Obras Pastorales*, t. I, pp. 214, 215, 235, 237.)

las urnas electorales; votad y votad bien; votad por ciudadanos en verdad católicos, probos y capaces". A veces, a la asesoría doctrinaria del conservadorismo hecha por obispos y sacerdotes se suma la franca intervención en las contiendas políticas.[70] Por su parte, los conservadores proclaman su fidelidad a la doctrina católica y se constituyen en los defensores de los derechos de la Iglesia, de la educación particular y de la unidad de los católicos. En un manifiesto que el Partido Conservador dirige a la "conciencia católica del país" (1950), reclama la unidad de "todos los ecuatorianos que profesan un solo credo" para conseguir que las leyes se inspiren en las "enseñanzas de Jesucristo" y así se alcancen "todos los bienes de la patria".

No puede negarse la contribución del liberalismo a la democratización de la educación, a la valorización de las libertades públicas y a la apertura ideológica del país. Si la Revolución Liberal no hubiera liquidado el asfixiante dogmatismo en el que vivió la república en el siglo pasado, no habrían sido posibles los cambios que se producen a partir de 1925. Pero si se deja a un lado el problema religioso y se toma en cuenta la acción política de conservadores y liberales —y no solamente sus declaraciones doctrinarias— son muy tenues las diferencias que separan a los dos partidos que, frente al problema económico-social, mantienen posiciones bastantes parecidas. La gran discrepancia constituye el problema religioso y su influencia en el conflicto conservador-liberal, hace que el debate político degenere en la absorbente discusión clericalismo-anticlericalismo, confesionalismo-laicismo. Basta señalar el tiempo que los legisladores dedican a impugnar o defender la inclusión del nombre de Dios en las constituciones, como se pudo ver hace apenas diez años, en la Asamblea Constituyente de 1966. Al abandonar la política el ámbito temporal, que es el campo propio de su actividad, los problemas económicos y sociales quedan relegados a un lugar secundario. Esta discusión filosófica deja dos grandes perdedores: el país y el pueblo. El primero se estanca en su desarrollo económico con relación a los otros de América Latina y el segundo no consigue que cambie su situación de pobreza y explotación. Las grandes familias distribuyen sus miembros entre los dos partidos que en el orden social ejercen una

70. Cuando en el sector político de la "derecha", Ruperto Alarcón (conservador) y Camilo Ponce (socialcristiano) disputan la candidatura presidencial (1956) interviene el Cardenal de la Torre presionando a Alarcón para que retire su candidatura y no se rompa la unidad de los católicos.

función similar: mantener la armonía del sistema guardando y protegiendo los intereses del grupo "blanco" dominante.[71]

2. Las luchas personales de caudillos y militares

El estudio realizado en la páginas anteriores nos permite apreciar la influencia relativa de los partidos en el proceso político y el papel dominante de las personalidades convertidas en caudillos. Por esta razón, resultan imprecisas ciertas periodificaciones que intentan dividir la historia del Ecuador en una época conservadora y en otra liberal. Para establecer períodos históricos es más útil y correcto recurrir a la figura política dominante. Antes de la fundación de la República, en la Junta Suprema de 1809 hay "montúfares" y "guerreros" y en la Segunda Junta Suprema "montúfares" —la Casa Grande— y "villa orellanas". En la Gran Colombia la división se da entre "bolivarianos" y "santanderistas". Constituido el Ecuador adviene el "floreanismo" (1830-1845) al que le suceden el "urvinismo" (1845-1859), el "garcianismo" (1859-1875), el "veintimillismo" (1876-1883), el "alfarismo" (1895-1912), el "placismo" (1912-1925) y finalmente el "velasquismo" (1933) que subsiste hasta nuestros días. Incluso en el democrático período "progresista" la política se subordina a los individuales criterios de un "hombre fuerte": José María Plácido Caamaño (1883-1895).

La voluntad de Juan José Flores es la que cuenta en sus tres gobiernos y sólo gracias a su aquiescencia Vicente Rocafuerte llega al poder que lo ejerce con el apoyo de los "floreanos" y la ayuda del mismo Flores designado Comandante en Jefe del Ejército. "Roquistas" se denominan los empleados de la administración de Vicente Ramón Roca y "noboístas" y "elizaldistas" los que pugnan por sucederle. Los que derrocan a Diego Noboa se llaman "urvinistas" por esta acaudillados por el General José María Urvina que ejerce una autoridad indiscutida, primero como Jefe Supremo, luego como Presidente Constitucional y después como Gobernador de Guayaquil en el gobierno de su "gemelo" Ignacio Robles. La personalidad de García Moreno es la determinante en la toma del poder y en la forma en que lo ejerce y sus particulares puntos de vista son los úni-

71. George I. Blanksten, *Ecuador: Constitutions and Caudillos*, Berkeley University of California Press, 1951, p. 59.

cos que cuentan en la concepción y ejecución de sus programas que son obra exclusiva del caudillo civil. Como muchos otros, recurre al golpe de Estado para retornar al poder y a la expedición de una constitución para legitimar su permanencia en él. Las posiciones políticas del dictador Ignacio de Veintimilla giran en función de sus intereses personales y de la conservación del poder en el que se mantiene gracias a una red de fieles formada mediante el otorgamiento de favores y la concesión de prebendas.[72] Una vez concluido el período presidencial de Plácido Caamaño, desde su puesto de Gobernador de Guayaquil se convierte en el gran elector de Presidentes, senadores, diputados y concejales y en el árbitro de la política nacional. La ambición de Camilo Ponce Ortiz en buena parte explica la oposición que hacen los conservadores al "progresismo". El 5 de junio de 1895 un caudillo se impone por sobre todas las fracciones liberales. Cuando Eloy Alfaro termina su mandato designa como sucesor a Leonidas Plaza y éste impone a Lizardo García por sobre el criterio de una asamblea liberal. Su gobierno es derrocado por una insurrección encabezada por el caudillo Alfaro que para perdurar en el poder, mediante dádivas y concesiones a sus conmilitones, "forma un partido personalmente afecto a él".[73] Concluido su mandato, mediante la revuelta otra vez intenta adueñarse del poder. El caudillismo del general Plaza es más sutil: se vale de su influencia y de sus amigos —el más importante fue el Gerente del Banco Comercial y Agrícola de Guayaquil, Francisco Urvina Jado— para ejercer el papel de gran elector hasta 1925. En los años siguientes, de entre los caudillos menores que se disputan el poder emerge uno nuevo cuya autoridad no reside en la fuerza sino en el voto libre de sus electores y que, a diferencia de los anteriores, no impone sucesores ni testaferros. Pero como en los otros casos, es su voluntad personal la que norma sus actos y los de su movimiento político.

Un observador extranjero que vive en el Ecuador durante la dominación "garciana" dice que en las discusiones que ha escuchado entre los hombres integrantes de distintos partidos se oye una gran cantidad de criticismo personal y rara vez principios abstractos, alguna cuestión de ciencia del Estado o de economía política. Como la

72. Abelardo Moncayo anota: "Si Veintimilla no tuvo otra bandera que su persona ¿por qué hubo de ser lo que no entendió? No fue conservador ni liberal, fue pura y simplemente Veintimilla". (*Añoranzas*, p. 167.)

73. Belisario Quevedo, *Historia del Ecuador*, t. III, vol. VI, Ed. Rumazo Gonzáles, pp. 198-199.

adhesión a un caudillo es de carácter personal no importan los cambios que sufran sus principios y su conducta política.[74] Este fenómeno sobrevive y a principios del siglo XX es descrito en los siguientes términos por un sociólogo ecuatoriano: "La lucha prosigue pues alrededor de los mismos tópicos que hace treinta años servían para diferenciar a los unos de los otros. Pero desgraciadamente los programas y plataformas, como ahora se dice, no han sido casi siempre más que la máscara, encubridora de ambiciones de poder y mando de las facciones contendientes y por regla general la concupiscencia y el deseo de medrar han sido los móviles que han empujado a la una contra la otra quedando la cuestión ideológica en segundo plano. Los caudillos elevados al poder han frustrado generalmente las esperanzas de los ideólogos y de los patriotas de su partido, no cuidándose de satisfacer más que su propia vanidad y favorecer los intereses de sus amigos incondicionales defraudando las esperanzas que sus partidarios o el país pusieron en ellos. Por regla general nuestros políticos han carecido de ideales y han desconocido en lo absoluto el arte de gobierno, la técnica de la gestión administrativa y la manera de guiar un estado: conductores de hombres en los campamentos han sido malos conductores de pueblos en el gobierno. De nada ha servido que antes de subir al poder brillantes proclamas, casi siempre escritas por algún amigo del caudillo, prometieran confusamente a la multitud libertad, progreso, desarrollo de la industria, del comercio, protección de la agricultura, porque tales promesas sólo han sido hechas con el objeto de deslumbrar al país, ignorando el que prometía cómo ha de llegar a cumplirlas". Más adelante añade: "[...]las simpatías personales y las conveniencias individuales han servido de guía y norma para el desaguadero de las pasiones públicas y de allí que el caudillaje y el oportunismo dominaran en los partidos más que los ideales y el deseo de bienestar nacional". Concluye diciendo: "La falta de bandera y de programas permite a los descontentos agruparse alrededor de cualquier caudillo de ocasión, para hacer oposición al gobierno que no ha satisfecho sus aspiraciones personales o pasar de un bando a otro sin el menor escrúpulo adaptándose a todas las situaciones; de donde resulta que los más dúctiles y maleables son los que perduran en la política y los que aprovechan y usufructúan los destinos públicos"[75]

74. Friedrich Hassaurek, *op. cit.*, p. 138.
75. Alfredo Espinosa Tamayo, *op. cit.*, pp. 143 y ss.

El caudillo constituye una prolongación del caciquismo del que sólo se diferencia en que se expresa a nivel nacional superando el ámbito provincial o regional. Es pues el resultado natural y lógico de la estructura social generada por el sistema hacienda que estudiamos en detalle en páginas anteriores. (Cfr. pp. 60 y ss.) En este sentido, responde a la realidad del país y viene a ser uno de los pocos fenómenos políticos típicamente nacionales, hecho que explica su reiterada aparición y la supervivencia que ha tenido hasta ahora y probablemente por mucho tiempo más. La democracia no podía funcionar en un Estado económico y políticamente débil, sin el monopolio de la fuerza militar, con partidos y organizaciones sociales endebles o inexistentes y, sobre todo, con una autoridad carente de legitimidad, por no tener un origen propiamente democrático y por no ser socialmente reconocida. (Cfr. pp. 159 y ss.) Por estas razones, en muchos períodos históricos la presencia de un caudillo ha sido la única garantía contra la anarquía y la inestabilidad política y el requisito para que pueda existir una autoridad. Efectivamente, los caudillos disponen de la fuerza que constituye el medio indispensable para la toma del poder y para mantenerse en él mediante la eliminación de los adversarios a los que se les considera fuera de la ley, siendo por tanto de toda suerte de confiscaciones, retaliaciones, arbitrariedades, etc. Además dispone de los recursos del Estado para satisfacer las ambiciones de su círculo de fieles y atraer o neutralizar a sus enemigos. En una sociedad en la que existen tan pocas fuentes de empleo, el ejercicio de funciones públicas constituye una de las ocupaciones más apetecidas. Con estos antecedentes, es explicable la observación formulada por el citado Hassaurek cuando dice que ningún gobierno que quisiera respetar la ley y la constitución podría mantenerse ni siquiera una semana en el poder.[76]

Como la fuerza se encuentra en manos de los hombres armados las conspiraciones comienzan con el soborno de los cuarteles, convirtiéndose así el ejército en el instrumento principal del caudillismo, de allí que todos los caudillos hayan sido militares, salvo los casos de García Moreno y Velasco Ibarra. "Una vez terminada la guerra de la Independencia, quedó en Colombia una clase social nueva, la clase militar, cuyos hábitos de vida y cuyas aspiraciones eran muy poco a propósito para el planteamiento del gobierno democrático. Así, desde la fundación de la república, hasta ahora, la clase militar ha

76. Friedrich Hassaurek, *op. cit.*, p. 139.

sido la que mayor parte ha tomado en los trastornos y en las revoluciones políticas; y en ocasiones ella ha sido el único autor y el cómplice de nuestras revoluciones." [77] Frente a ella nada pudieron hacer los líderes civiles considerablemente disminuidos por la matanza del 2 de agosto de 1809. Los héroes de la libertad que habían dirigido la "sociedad en armas" inevitablemente se convierten en los conductores del nuevo Estado. Este predominio militar es la consecuencia natural de la condición de guerra permanente que entre 1812 y 1829 vive la Audiencia de Quito y más tarde el Departamento del Sur. Primero son las campañas para liberar al país, luego las acciones bélicas contra los realistas parapetados en Pasto y el Perú y después la guerra para desalojar a los ejércitos invasores peruanos. Salvo breves períodos, durante estos años el país se convierte en un enorme campamento militar condicionado por las necesidades de la guerra. Los militares son los únicos que dan órdenes y ellas deben ser acatadas por todos, incluso por la autoridades civiles. Los atropellos y las violaciones de las leyes no cuentan si son realizados por soldados. Todos están obligados a aceptar su voluntad pues las personas y los bienes no tienen otro dueño que los militares: reclutan hombres forzadamente, se apoderan de alimentos y animales y se alojan donde les place. Esta situación es descrita por el historiador Cevallos en los siguientes términos. "Un largo sartal de generales, coroneles, comandantes y oficiales, los más de ellos sin educación ni modales, cundían por las oficinas, y sus mandatos ejecutivos y despóticos tenían agitadas y aburridas a las poblaciones. Comandantes en jefe, comandantes departamentales, comandantes de provincia, comandantes de cantones y aun de parroquias, y cruzándose de aquí por allí; tales eran las autoridades que regían en nuestros pueblos, sin que los civiles tuvieran la menor potestad para reprimir cuanto más para cortar abusos." [78]

Pocos son los jefes militares ecuatorianos; la mayor parte provienen de Colombia y Venezuela. Los atropellos y la hegemonía política de los militares extranjeros son tan grandes que se hacen "detestar mucho más que lo que los españoles lo fueron antes", [79] de manera que en 1827, cansada de sus arbitrariedades, Guayaquil pedía que se dejara la administración pública en manos de sus propios hijos; Quito y Cuenca habrían hecho lo mismo si hubiera contado con

77. Federico González Suárez, *Historia*, t. I, p. 34.
78. Pedro Fermín Cevallos, *op. cit.*, t. III, p. 21.
79. Francisco Aguirre Abad, *op. cit.*, p. 205.

un mínimo de libertad.[80] Si bien luego de la separación de la Gran Colombia y la constitución del Ecuador comienzan a figurar algunos nacionales en la política y en la administración, se mantiene la hegemonía del militarismo extranjero alentada por el Presidente Flores. Vicente Rocafuerte, en sus Manifiestos a la Nación, dice que de tres comandancias generales, la de Cuenca es patrimonio de un general venezolano, la del Guayas de un general irlandés, la de Pichincha de un general inglés. De los quince generales que hay en la República doce son extranjeros y tres nacionales, estos últimos fuera de servicio. El inspector General del Ejército es francés, el primero y segundo batallones son mandados por generales venezolanos, el primer regimiento de caballería, por un español y el segundo por un venezolano.[81] Habría podido añadir que el Presidente de la República también era un general venezolano. Contra la preponderancia y los abusos del militarismo extranjero se levanta el nacionalismo civilista, y el conflicto político entre estos dos sectores alcanza tal magnitud desde la libertad de Guayaquil (1820) hasta el derrocamiento de Flores (1845), que un sociólogo afirma que "en el primer período de la República la lucha se verificó exclusivamente entre las clases dirigentes, entre la militar y la civil, hasta el triunfo de ésta en 1845".[82]

Con la Revolución Marcista se inicia un breve período civilista que concluye en 1851. Impotente para resistir los embates de los soldados insurrectos cede ante el militarismo nacional en formación acaudillado por el general José María Urvina que en las haciendas de la Costa conforma "su" ejército de "tauras" —"mis canónigos" los llamaba— de los que se vale para imponer su arbitraria autoridad hasta 1859. Contra este "militarismo vernáculo" educado en la escuela del militarismo extranjero y fiel seguidor de sus abusivas prácticas, reacciona el civilismo que se propone arrebatar a los militares el ejercicio de la función política. Pero García Moreno, a pesar de su civilismo, para ejercer el poder sin la intromisión del ejército debe recurrir al autoritarismo, vestir el uniforme de soldado y demostrar condiciones de conductor y jefe militar en los campos de batalla. Luego de su muerte, otro arbitrario General se alza con el poder y ejerce una dominación absoluta entre 1876 y 1883. Ignacio de Veintimilla, mediante un ejército de incondicionales suyos a los que

80. Pedro Fermín Cevallos, *op. cit.*, t. III, p. 132.

81. Leopoldo Benítez, *op. cit.*, p. 196.

82. Alfredo Espinosa Cevallos, *op. cit.*, p. 72. Además, Pedro Moncayo, *Ojeada...*, p. 42.

excluye de todo sometimiento a la ley y les entrega el usufructo del erario nacional, establece la dictadura más arbitraria y corrompida que ha tenido el Ecuador. Al período civilista-progresista 1883-1895) sucede otra etapa militarista (1895-1912) cuyas características y expresiones son fundamentalmente iguales a las anteriores, sobre todo en el caso del llamado "militarismo machetero". En estos años, antes que de un ejército liberal, más preciso es hablar de los ejércitos alfarista, placista, franquista, conchista, etc., según sea el nombre del caudillo que aglutina a las fuerzas revolucionarias, Este retorno del predominio militar se explica si se toma en cuenta que la Revolución Liberal se realiza mediante la guerra civil en la que los generales y los soldados emergen como los nuevos caudillos por su heroísmo demostrado en los campos de batalla. Frente a ellos poco pueden hacer los civiles hasta que el General Leonidas Plaza, a pesar de su condición de militar, inicia un nuevo período civilista que se prolonga hasta 1925. Con la Revolución Juliana retorna la influencia militar pero con características diferentes, como veremos más tarde.

Estos ejércitos no se integran con soldados y oficiales regulares y no tienen por tanto un carácter nacional. Las Fuerzas Armadas no existen como institución y tampoco una carrera militar propiamente dicha. La profesión no se aprende en academias y los ascensos no se producen por antigüedad, estudios y pruebas de aptitud. El militar de la época se autoeduca en la ciencia de las armas mediante la experiencia práctica adquirida en los campos de batalla durante las campañas de la Independencia, en las guerras civiles y en las montoneras revolucionarias. Los ejércitos se constituyen para cada ocasión cuando un caudillo decide realizar una revolución en la que el improvisado recluta, a fuerza de manejar armas y defender su vida, termina vistiendo el uniforme de soldado y luciendo la charretera de general. La descripción que hace José de la Cuadra de esta carrera militar es muy precisa. "Creado el héroe —militar, por lo corriente— cualquier gamonal, o individuo que aspira a serlo, decide 'levantarse'. Reúne bajo su mando gente voluntaria, que nunca falta, o su propia peonada; se acoge al nombre del héroe como a una bandera, y se lanza a combatir las fuerzas regulares en guerra de guerillas. Si triunfa el pretendiente en todo el país y se trepa al sillón quiteño, el cabecilla de montonera ocupará una situación privilegiada, mientras que sus hombres supérstites regresarán a las casas abandonadas a referir sus hechos de armas; si pasa al revés, regresarán los sobrevivientes acompañados de su glorioso jefe, se internarán en la selva y se dedicarán al vandalaje. La montonera derivará hacia la cuadrilla de ladrones."[83] Los soldados son campesinos o artesanos y los grados superiores se llenan con hombres que tienen este mismo origen social o que provienen de ciertos "sectores medios", pues, las clases acomodadas siempre han despreciado la carrera militar que sólo excepcionalmente es seguida por alguno de sus miembros.

Instalado en el poder el "jefe supremo" busca la legitimación de su autoridad mediante la convocatoria a una Asamblea legislativa que lo elige Presidente de la República y dicta una Constitución. Como el Estado constituye una importante fuente de empleos y favores, dispone de muchos medios para retribuir la lealtad de sus seguidores y ampliar su número con los soldados derrotados que deciden sumarse a los cuerpos del triunfador. Es tan amplia la facultad del presidente o dictador para otorgar nombramientos, grados militares y ascensos que según refiere un historiador, a los siete años de edad recibió del Presidente de la República los despachos de Capitán de Ejército como regalo de confirmación.[84] Ejércitos constituidos sobre la base de sentimientos de lealtad y fidelidad personales no se sujetan a las leyes ni responden a la autoridad del Estado. Dependen solamente de los intereses del caudillo al que ciegamente deben servir para mantenerlo en el poder o para volverlo a él mediante una montonera o un cuartelazo a los que denominan revolución. Para ello los caudillos militares cuentan con "sus" ejércitos que utilizan a su arbitrio, como fue el caso de Flores, Urvina, Veintimilla, Alfaro y muchos otros.

El prestigio social que acompaña al éxito político permite al dictador y a sus más cercanos colaboradores ingresar en el círculo exclusivo de las clases dominantes, a través del matrimonio —por ejemplo, Juan José Flores, Leonidas Plaza y Olmedo Alfaro— o mediante la

83. José de la Cuadra, *op. cit.*, p. 892.

84. Luis Robalino Dávila (*Memorias de un Nonagenario*, Ed. Ecuatoriana, Quito, 1974, pp. 13 y 14) cuenta la siguiente anécdota: "Tendría quizá siete años cuando fui confirmado, supongo que en la capilla del palacio Arzobispal. Escogieron mis padres como padrino a su amigo el señor doctor don José María Plácido Caamaño, Presidente de la República. Fue sobremanera extraño el regalo que hizo el Presidente a su ahijado: ¡los despachos de Capitán de Ejército, con el sueldo correspondiente! Fue grande el disgusto de mis padres. Mi madre clamaba: mi hijo se hará militar ¡qué horror! Con altas lecciones de moral y dignidad, me inculcaron mis padres el santo horror del militarismo y de la dictadura. La amistad con el Presidente Caamaño estuvo a punto de terminar. Mas, todo se arregló, merced a la intervención de un compañero de Universidad de mi padre, el General y Doctor don José María Sarasti. Y retiró Caamaño su propósito indiscreto".

incorporación de la aristocracia terrateniente a las más altas funciones públicas: diputaciones, senadurías, ministerios, embajadas, consulados, etc. Esta colaboración además es indispensable por dos razones. En primer lugar porque la situación de conspiración y guerra civil permanentes obligan al jefe supremo o al presidente a delegar funciones administrativas y a ejercer la función militar de la que depende la conservación del poder. En segundo lugar, porque, en general, la escasa preparación de los caudillos hace necesaria la colaboración de los "notables", en cuyas manos dejan la elaboración de las leyes y la administración de los asuntos públicos y por tanto la orientación y dirección del Estado en todo lo relativo a la organización económica y social del país.

3. Dictadura o democracia

¿Por qué la aristocracia terrateniente sólo asumió indirecta o secundariamente la autoridad política que, como acabamos de ver, pasa a ser ejercida por los militares? A esta pregunta responde uno de sus integrantes cuando analiza los años anteriores a la constitución de la República. "En las colonias no existía, al terminar el siglo XVIII, ninguna fuerza organizada, que pudiera dominar el resto de la sociedad; las familias nobles, por muy poderosas que fueran, nunca llegaron a disponer ni de la fortuna, ni de las influencias de los Grandes de España, y habían estado supeditadas por los gobernadores peninsulares y por sus paisanos, los nativos de España, que constituían la casta privilegiada; no formaban estado superior, ni siquiera el eclesiástico que, no obstante la riqueza reunida por algunas Ordenes Religiosas, estaban a merced de la Corona, a consecuencia del Patronato. Muchos eran miembros de la aristocracia, pero carecían de la organización de casta, y no estaban dispuestos a concederse preeminencias mutuamente. Faltaban, pues, a la sociedad hispanoamericana, en sus clases dirigentes, los elementos fundamentales para una organización monárquica; para ello habría sido preciso la venida de príncipes extranjeros, que trajesen Corte y diesen cuerpo a la aristocracia nativa, escogiendo sus componentes de entre los hijos dalgos de raza y los soldados gloriosos." [85]

Efectivamente, los proyectos monárquicos enfrentaban condi-

85. Jacinto Jijón, *Política...*, vol. I, pp. 197-198.

ciones muy poco favorables. Con las guerras de la Independencia se produce el ascenso social de muchos jefes militares de origen humilde, algunos de color cobrizo y negro, para los que era indispensable el establecimiento de la democracia que garantizara el mantenimiento de la influencia, prestigio y poder alcanzados e impidiera cualquier tipo de segregación ejercida por las clases dominantes blancas. Era evidente que una monarquía, la aristocracia terrateniente, que en algunos casos ya disponía de títulos de nobleza se reservaría honores, privilegios y cargos. Las ideas prevalecientes en los ideólogos de la Independencia tampoco eran favorables para la creación de una monarquía. Se había luchado para ser libres y para dejar de ser vasallos. Si bien los principios de soberanía popular, autonomía y democracia eran rudimentariamente conocidos y peor asimilados, para las clases dirigentes que estaban en capacidad de fijar las bases del nuevo Estado constituían requisitos esenciales de los que no podía prescindir la nueva sociedad republicana. Los obstáculos eran mayores para la venida de un príncipe extranjero. Precisamente las cruentas y largas guerras por la libertad se habían realizado para escapar de la dominación extranjera y constituir un gobierno propio que estuviera en manos de los hijos de la nación. Hay que recordar que uno de los principales conflictos políticos de la época colonial fue el que se dio entre los criollos y los extranjeros. Alcanzada la libertad no iba otra vez a enajenársela ante un príncipe europeo. Incluso para más amplios sectores la venida de un monarca inglés o francés —no podía ser español por razones obvias— significaba la presencia de una persona ajena a la nacionalidad y a la cultura del país, incluso con un idioma y una religión extraños. Por todas esta razones fracasan el proyecto de monarquía constitucional del Libertador y de sus seguidores y los posteriores intentos de Juan José Flores y García Moreno.

De acuerdo a las ideas republicanas prevalecientes se organiza un Estado democrático que se inspira en los principios de la Revolución Francesa y copia el modelo político constitucional concebido por los Estados de Norteamérica. A pesar de los cambios que se introducen en las quince constituciones que se dictan hasta 1946, las características generales del derecho constitucional ecuatoriano pueden resumirse en los siguientes puntos: el gobierno es democrático, popular, representativo, alternativo y responsable; corresponde al sufragio ejercido por los ciudadanos la designación de las más altas autoridades; se reconoce la existencia de una serie más o menos extensa de garantías o libertades públicas a las que tienen derecho todos los habitantes; el poder se divide entre las funciones ejecutiva, legislativa y judicial a las que se les reconoce su respectiva independencia; el congreso nacional se reserva la atribución de legislar y el ejercicio del control político sobre el ejecutivo. Estas constituciones son dictadas por los letrados y clérigos que integran mayoritariamente los congresos y que son los únicos con alguna versación en ciencias políticas. Preocupados por el predominio militar buscan la constitucionalización de instituciones jurídicas que impidan o limiten sus abusos y garanticen el ejercicio de ciertos derechos y libertades sistemáticamente conculcados por los soldados y sus jefes.[86] Estos intelectuales, carentes de formación científica, cargados de valores éticos y educados en disciplinas jurídico-filosóficas se interesan principalmente por el "deber ser" y como consecuencia organizan un sistema jurídico-político ideal y teórico que no guarda ninguna relación con las condiciones concretas del país. Élites integradas principal o exclusivamente por abogados, profesión que forma mentes deductivas acostumbradas a razonar partiendo de supuestos normativos, son incapaces de extraer conclusiones de los datos concretos de la realidad económica y social y por tanto de pensar en los medios que han de permitir alcanzar las grandes metas finales. Además, el conocimiento rudimentario que tienen de las doctrinas republicanas —los liberales del "Quiteño Libre" leían a Plutarco, Cicerón y Tácito antes que a los filósofos franceses— y la dependencia ideológica a la que les redujo el sistema colonial —que más tarde sólo cambia de centro hegemónico— les lleva a imitar servilmente las instituciones políticas norteamericanas y no les permite crear un derecho constitucional propio, como de alguna manera lo han hecho los pueblos africanos y asiáticos que se independizan en el presente siglo.

Una sociedad con distintos grados de evolución, todos ellos diferentes de un sistema capitalista y en algunos casos absolutamente opuestos, no ofrece las condiciones esenciales y básicas para que pueda funcionar la democracia clásica concebida por los legisladores. Las condiciones del país son descritas con gran precisión por Vicente Rocafuerte en la tercera década del siglo pasado y las características generales que establece no sufren modificación hasta bien entrado el siglo XX. En sus mensajes a la Convención de 1835 y al Congreso de 1837 dice: "Una población variada en castas y colo-

86. Ibid., p. 195.

res, la mayor parte de ella está sujeta al tributo, gime bajo el vergonzoso feudalismo aún más fuerte que el de Rusia; no habla el idioma del legislador; vive en la miseria y la desnudez; destituida de conocimientos útiles, se entrega a todos los vicios del hombre embrutecido por la ignorancia y la superstición [...]".[87] "Nuestras instituciones no están en consonancia con nuestras costumbres coloniales; con los restos de una aristocracia que funda sus méritos en antiguos pergaminos; con los intereses de un clero que no carece de miembros educados en las máximas de la Inquisición; con la ausencia de justicia que se pierde en el laberinto de nuestra confusa legislación compuesta de leyes góticas, españolas, colombianas y ecuatorianas; con la carencia de estudios formales en los diversos ramos científicos, de donde resulta una escasez notable de luces y una falta irreparable de patriotas ilustrados en toda la extensión de la República [...] una oligarquía dominadora, que ha reemplazado la tiranía española, y que cubierta con el manto de la libertad, se interesa en tener a la mayoría del pueblo sujeta a la gleba; proclama la igualdad y continúa la desigual contribución de indígenas; se jacta de dar libre curso a la industria y la encadena a monopolios; se manifiesta admiradora del sistema liberal y lo contraría, esforzándose en perpetuar los anteriores abusos políticos, religiosos, forenses y comerciales. Nuestras leyes son muy liberales en el papel, y en la práctica muy contrarias a su espíritu y a nuestras acciones."[88] No quedan allí sus reflexiones. Con mucho pragmatismo solicita a los legisladores que "entre los dos extremos de democracia y monarquía, es preciso buscar un término medio, una nueva combinación política que corresponda a la posición extraordinaria en que nos hallamos, y conduzca al verdadero objeto social que es la felicidad de los asociados".[89]

En estas condiciones no pudo existir la democracia, pues, ni siquiera llegan a practicarse los dos principios esenciales para que un sistema político pueda ser calificado como democrático: la participación periódica del pueblo en la elección de los gobernantes y el respeto a los derechos humanos fundamentales.

Las primeras constituciones consagran el sufragio restringido de carácter indirecto para la designación de los órganos del Estado, al reconocer la calidad de ciudadanos solamente a los que tienen "una

87. Luis Robalino Dávila, *Testimonio de los Tiempos*, p. 25.
88. Luis Robalino Dávila, *Orígenes...*, vol. II, pp. 61 y 62.
89. Luis Robalino Dávila, *Testimonio...*, p. 25.

propiedad raíz, valor libre de doscientos pesos,[90] o ejercen una profesión o industria útil, sin sujeción a otro, como sirviente, doméstico o jornalero". Si se tiene en cuenta la estructura económica de la época, no podían ser ciudadanos más de un 95 por ciento de ecuatorianos por su calidad de trabajadores dependientes, pues, sólo podían serlo los grandes hacendados y comerciantes y los profesionales. Y para ser Senador o Presidente de la República es necesario tener propiedades por un valor de seis mil pesos o una renta de mil. Sólo en la Constitución de 1861 se establece el sufragio directo y para ser ciudadano solamente se exigen los requisitos de saber leer y escribir y la mayoría de edad, y más tarde, en la Constitución de 1869 no se dispone que un candidato a legislador o a presidente deba poseer bienes raíces o percibir rentas. Además es necesario tener en cuenta que muchos gobiernos no se originan en el sufragio popular. De los 85 que ha tenido el país 21 son dictaduras; 25 han sido ejercidos por personas a las que se les ha encargado el poder por corresponderles constitucionalmente o por así haberlo decidido los "notables"; 20 provienen de asambleas constituyentes o congresos dominados por el dictador o por el caudillo triunfante; y sólo 19 han sido elegidos a través del sufragio popular ordinariamente fraudulento, salvo en las últimas décadas, aunque no siempre. Cabe referir un caso original: Antonio Flores Jijón fue elegido Presidente de la República cuando se encontraba residiendo en París, ciudad en la que se le notificó su nombramiento.

Las disposiciones de los textos constitucionales o el número de elecciones realizadas no son suficientes para apreciar la significación del sufragio popular en la designación de los gobernantes, pues, el ejercicio del voto por los ciudadanos estuvo condicionado por las estructuras prevalecientes en la organización social que impedían la participación efectiva y libre del pueblo. Como en el siglo XIX probablemente más del 90 por ciento de la población era analfabeta y en las primeras décadas de este siglo una cifra superior al 60 por ciento, la mayor parte de los ecuatorianos siempre estuvieron incapacitados de votar. En las elecciones realizadas entre 1948 y 1968, a pesar de que en estos años ya se había producido un considerable incremento del número de alfabetos, inscritos y votantes, sólo votó un mínimo

90. Para tener una idea de la significación de este requisito es necesario tener en cuenta que por ejemplo el valor de una cabeza de ganado vacuno era de 4 pesos en los primeros años de la República.

del 9 y un máximo del 18 por ciento de los habitantes del país.[91] Y en cuanto a los que alcanzan la ciudadanía, hay que considerar que su condición social en muchos casos les convierte en instrumentos de caciques políticos que les reducen a la condición de simples clientes electorales. La discusión de principios políticos, el enfrentamiento de partidos, las pugnas de candidaturas son problemas que interesan a restringidos sectores sociales que por su riqueza y cultura están en capacidad de "hacer política". Para los hombres sujetos a una situación de dominación el problema es mucho más simple. Existe un amo, un patrón, un señor o un gamonal con el que están ligados por relaciones personales de fidelidad y al que están obligados a servir y obedecer. Sus intereses políticos son los del cacique en cuyas manos está la dirección política de sus dependientes que concurren a votar "empujados por los demás" como dice un campesino.[92] Siendo el Ecuador un "país territorio" antes que un "Estado nación" no puede darse una política nacional ni formularse un proyecto colectivo que sólo son posibles cuando una amplia mayoría de ciudadanos participan en la vida del cuerpo político con el que se encuentran identificados en sus metas y problemas. Para muchos sectores dominados la patria ha sido una entidad indefinible e inexistente y continúa siéndolo como lo han verificado recientes investigaciones.[93] Y esto, a pesar de todos los cambios que ha sufrido el país.

En consecuencia, el "quehacer" político queda reducido a un pequeño círculo que, en razón de la representación de la que se autotitula investido y que de alguna manera es reconocida por la sociedad, es el llamado a solucionar la crisis y a trazar el nuevo ordenamiento legal. La vieja práctica colonial según la cual una docena de "padres

91. John Martz, *Ecuador: Conflicting Political Culture and The Quest for progress*, Allyn and Bacon, Boston, 1972, p. 128.

92. "El campesino ha participado en la política. Si, pues no como decir: Bueno yo tengo derecho a hacer la política, sino haciendo manifestaciones porque ha llegado el patrono, o por el teniente político o por el sacerdote o por las personas del pueblo. Les ha inquietado con unos tragos y les han hecho ofertas y el campesino se cree y participa, no porque quiere sino empujado principalmente por los demás." (John Hamonch y Jeffrey A. Ashe, *Hablan los Líderes Campesinos*, Gráficas Murillo, Quito, 1970, p. 36.)

93. "La patria, para los socios indígenas de una cooperativa agropecuaria del Chimborazo, era, más precisamente, el nombre de la empresa de transportes leído en la cabina de un bus que les llevaba a la feria." (Alain Dubly, *Una nueva alfabetización para la aculturación del campesino andino*, mimeografiado CEAS, Riobamba, 1971.) Una muestra aplicada en 1971 entre campesinos cargadores migrantes en la ciudad de Quito arrojó los siguientes datos: el 62 por ciento no saben quién es el Presidente de la República, el 91 por ciento no saben quién es el Alcalde de Quito, ninguno sabe lo que es la patria. (Revista Mensajero, *El Cargador*, Quito, abril de 1972.)

de familia", en representación de la nobleza, el clero y el pueblo designaban a los miembros del Cabildo,[94] se ha repetido durante la República. Así se conforman las Juntas Supremas de 1809 y 1812 y el Congreso Constituyente de este último año. Del mismo procedimiento se valen el General Sucre y los soldados de los ejércitos libertadores para que las diversas provincias de la Audiencia de Quito se "pronuncien" por su anexión a la Gran Colombia. En 1830, los "padres de familia" de Quito constituyen la República del Ecuador y se encarga el mando supremo civil y militar del nuevo Estado al General Juan José Flores, decisión que ratifican los "partidos" guayaquileños y los "notables" de las otras ciudades. Otro "pronunciamiento" inducido por el vencedor de Miñarica, en el que "según la costumbre establecida, se deliberó y se decidió a nombre del pueblo que en tales juntas muy rara vez interviene",[95] resuelve elevar a Vicente Rocafuerte de Jefe Supremo del Guayas a Jefe Supremo de la República. Estas prácticas políticas se repetirán en los años siguientes. Ignacio de Veintimilla derroca al gobierno constitucional de Borrero alentado por las insinuaciones de los notables de Guayaquil que luego adquieren el carácter de "proposiciones formales". Declarada la dictadura, ellos la proclaman mediante un "pronunciamiento" suscrito en la casa del Municipio de Guayaquil por los "padres de familia y más ciudadanos".[96] Otra "junta de notables" integrada por comerciantes, banqueros y hacendados secunda la movilización popular y militar del 5 de junio de 1895 y nombra al General Eloy Alfaro Jefe Supremo de la República. Durante la dominación liberal la opinión de los patricios de Guayaquil y de los notables de Quito es la que cuenta en la designación de presidentes y en la organización de los gobiernos. Algo parecido sucede en el período que sigue al año 1925. En 1946, Velasco Ibarra pide a treinta personas de prestigio, que él escoge personalmente, dictaminen sobre la bondad de un proyecto constitucional que servirá de base para la nueva carta política que luego expide una Asamblea Constituyente. Todavía en 1966, a la caída de la Junta Militar de Gobierno, una docena de caciques políticos acuerdan designar a Clemente Yerovi Presidente de la República, decisión que luego es "legitimada" mediante el pronunciamiento de "personas representativas" que se reúnen en el Ministerio de Defensa. Por otro lado hay que tener en cuenta que

94. Pedro Fermín Cevallos, *op. cit.*, t. I, pp. 87 y 104.
95. Francisco Aguirre Abad, *op. cit.*, p. 286.
96. Juan Murillo, *op. cit.*, pp. 123 y 124.

todos los gobiernos, cualquiera haya sido su origen, han debido contar con la colaboración de los "notables" en el Congreso Nacional, en los ministerios, en las gobernaciones de provincias y en los concejos municipales. Lo mismo ha sucedido con los partidos Conservador y Liberal cuya acción política se ha basado en el poder de los caciques locales y de sus respectivas clientelas electorales.

A pesar de su legalidad formal —cuando ésta existió— un sistema democrático con estas características careció de legitimidad. El pueblo no podía desear y reclamar instituciones que no conocía y que no le brindaban ninguna protección. Para él no tenían sentido las declaraciones constitucionales sobre las libertades públicas y los derechos fundamentales de la persona, a los que sólo podían acogerse sectores sociales muy restringidos. Su situación social y económica y su absoluta dependencia le colocaban en los niveles inferiores de una organización social fuertemente jerarquizada. Y esta realidad no sufría variaciones gobierne un Jefe Supremo, un Presidente Constitucional o un Encargado del Poder. La vigencia de las instituciones democráticas sólo interesa a los integrantes de las clases dominantes que son las que intervienen en el conflicto político que se da entre democracia y dictadura.

Siguiendo las enseñanzas del Libertador contenidas en la Constitución de Bolivia de 1826, unos buscan la organización de un Estado autoritario, que reconozca las jerarquías sociales existentes y garantice la permanencia y estabilidad del Presidente de la República, principios que reconocen las llamadas Carta de la Esclavitud (1843) y Carta Negra (1869). Otros proponen un Estado ortodoxamente democrático en el que se limite la autoridad presidencial, se extiendan las facultades del Congreso, se consagre una garantía amplia a todas las libertades y se respete la autonomía municipal. Todas las otras constituciones, unas más otras menos, recogen estos principios. Pero las condiciones económicas y sociales del país se imponen por sobre las formulaciones jurídicas. Como hemos visto, de los 85 gobiernos que ha tenido el país, 20 fueron elegidos por asambleas constituyentes o congresos y 19 mediante sufragio popular directo. Los otros ni siquiera en su origen han sido democráticos. Salvo pocas excepciones, incluso los gobiernos constitucionales han tenido un origen viciado por provenir de elecciones fraudulentas. No han respetado las garantías y las libertades individuales, los congresos han sido manipulados por el presidente y su camarilla y el jefe del Estado de hecho ha ejercido una autoridad ilimitada. Detrás de la aparente legalidad frecuentemente se han escondido formas disimuladas de dictadura. La fuerza ha constituido el medio más idóneo para adueñarse del poder y permanecer en él y, al plantearse en estos términos la lucha política, el Ecuador ha caído en un círculo vicioso: dictadura, democracia, anarquía. En los 145 años de República, cada año, ocho meses y catorce días se ha producido un cambio de gobierno y cada nueve años, de Constitución.

4. El regionalismo

Un cuarto conflicto político, que en algunos períodos históricos alcanza una importancia capital, ha constituido la pugna entre provincias y regiones por la defensa de sus intereses o el mantenimiento de su preeminencia. Estos movimientos localistas ordinariamente han tenido por finalidad conseguir que sean atendidas las siempre apremiantes necesidades provinciales, principalmente consistentes en materia de vialidad, con cuyo objeto han organizado "paros" de todas las actividades económicas. Sólo hay dos casos importantes en los que estos movimientos "regionalistas" van más allá de estas reivindicaciones locales. La formación de la Federación Lojana que desata una fiebre federalista en la Constituyente de 1861[97] y el gobierno que forma en Esmeraldas el Coronel Carlos Concha en 1912.

Es en Guayaquil donde el regionalismo adquiere características más definidas y se expresa con cierta continuidad y no excepcionalmente como ha sucedido en otras ciudades del país. Los guayaquileños han sido muy sensibles a cualquier medida considerada contraria a sus intereses, se han opuesto sistemáticamente al centralismo de Quito y han adoptado posiciones federalistas y autonomistas. Desde la Colonia se oponen a que se abra un camino que una a Quito con Esmeraldas por temor a perder el control del comercio exterior que en su totalidad se realiza por el puerto de Guayaquil. Cuando en 1820 la Provincia de Guayaquil declara su independencia, muchos guayaquileños son partidarios de unirse al Perú con el que siempre habían mantenido "íntimas relaciones sociales y comerciales" y contrarios a formar parte de la Gran Colombia con cuyos habitantes

97. Luis Bossano, *Apuntes acerca del Regionalismo en el Ecuador*, Quito, 1930, pp. 90 y ss.

apenas mantenían "comunicación epistolar".[98] Para los porteños, tanto los colombianos como los habitantes de la Sierra son personas extrañas. Constituida la República, el Jefe Supremo Juan José Flores reconoce las rivalidades regionales cuando en el Reglamento de Elecciones que dicta para la Primera Asamblea Constituyente de Riobamba establece una representación igual para los departamentos de Quito, Guayaquil y Cuenca, pues estas dos últimas ciudades, al declarar su conformidad con la separación del Departamento del Sur, lo hacen con la condición de que no se tomará en cuenta los habitantes y por tanto tendrán el mismo número de legisladores que Quito.[99] Tanto los guayaquileños como los cuencanos luchan por mantener esta disposición en las siguientes constituciones y se oponen tenazmente a la decisión de García Moreno de establecer la representación proporcional que se considera contraria a los intereses de Guayaquil y Cuenca. El liberal Pedro Carbo y el progresista Antonio Borrero son los abanderados de estas tendencias "regionalistas".[100] Los intereses locales también se expresan en los períodos de anarquía política, cuando Quito y Guayaquil forman sus propios gobiernos y luchan por imponerlos a las otras provincias del país. Los acontecimientos de 1859-1860, de 1883 y en cierta medida los de 1845 constituyen algunos ejemplos. También se presenta el mismo fenómeno en la designación de presidentes por asambleas constituyentes, congresos o elecciones populares. La ciudad de origen del candidato juega un importante papel en el comportamiento electoral de los votantes y para neutralizar las actitudes regionalistas se busca un presidente costeño y un vicepresidente serrano o viceversa. Igual equilibrio se trata de obtener en la designación de los ministros de Estado y los dignatarios del Congreso Nacional. Por ejemplo, en la nominación de José María Plácido Caamaño como Presidente de la República se consideró que sus "sólidos entronques familiares en Guayaquil y Quito" unirán "a las dos regiones siempre recelosas entre sí".[101]

Las tendencias regionalistas se expresan en el orden económico cuando el gobierno o el congreso discuten leyes o proyectos que pueden perjudicar los intereses de la Sierra o de la Costa. Como el puerto ha controlado la economía del país, las otras ciudades y parti-

98. Francisco Aguirre Abad, *op. cit.*, p. 196.
99. Pedro Fermín Cevallos, *op. cit.*, t. IV, p. 109.
100. Antonio Borrero, *op. cit.*, t. I, p. 115.
101. Luis Robalino Dávila, *Orígenes...*, vol. VI, p. 83

cularmente Quito, han tratado de limitar su influencia y de acrecentar su participación en la riqueza acumulada por Guayaquil. Han sido frecuentes las discusiones sobre si las importaciones y las exportaciones deben ser libres o más o menos restringidas y el debate sobre este asunto ha sido tan importante que más interés se ha puesto en el estudio del arancel de aduanas que en el contenido de la Constitución.[102] En este orden de cosas los mayores conflictos se producen a partir de 1925. Desde los primeros años de la República y sobre todo durante la dominación liberal-oligárquica, la hegemonía político-económica de Guayaquil había sido absoluta (cfr. pp. 80 y ss.). Cuando los gobiernos que origina la Revolución Juliana crean el Banco Central, organizan una administración de aduanas, dictan un nuevo arancel y sustituyen el impuesto predial que establecía menores tasas para las provincias de la Costa por el impuesto territorial progresivo único, medidas que tienden a controlar la actividad del puerto y de la Costa, se organiza una oposición cerrada contra el centralismo de Quito al que acusan de menoscabar los intereses de Guayaquil y del litoral. En un telegrama suscrito por numerosos ciudadanos guayaquileños se afirma que todo el progreso conquistado por las provincias serraniegas se debe en su mayor parte a los "esfuerzos desarrollados por el Litoral", que la política del Ministro de Hacienda perjudica a Guayaquil, ciudad a la que condena a la "postergación definitiva" y solicitan a la Convención próxima a reunirse la "medida salvadora de una Federación Económica" [103] idea que frecuentemente aflora en las luchas regionalistas y que los porteños consideran como el único medio para escapar del "centralismo absorbente" de Quito.[104] Como se puede ver, la oposición a los gobiernos "julianos" es de los costeños y no de los liberales pues muchos los apoyan y uno de ellos se convierte en su ideólogo. Además, es necesario recordar que en la Asamblea Liberal de 1923 ya se hicieron algunos de los planteamientos que luego ejecutarán los gobiernos "julianos". Parecidas manifestaciones regionalistas se repiten en los años siguientes. En el gobierno de la Junta Militar (1963-1966), los comerciantes guayaquileños consiguen la movilización de importan-

102. Belisario Quevedo, *op. cit.*, p. 208.

103. Luis Bossano, *op. cit.*, pp. 108-109.

104. En la Asamblea de 1878, Pedro Carbo exige que se garantice la más amplia descentralización administrativa "tal como existe en los EE.UU. [...]" (Julio Tobar Donoso, *Desarrollo Constitucional...*, p. 58). A fines del siglo pasado, Emilio Estrada editaba en Guayaquil el periódico *El Federalista* para luchar por esta "idea disolvente". (Luis Robalino Dávila, *Orígenes...*, vol. VI, p. 104.)

tes sectores sociales —"fuerzas vivas" se denominaron— en contra de ciertas reformas fiscales y arancelarias que consideran perjudiciales a los intereses de Guayaquil y favorables a los de Quito. Cabe recordar que en 1926, cuando se funda el Partido Socialista, su congreso estuvo a punto de dividirse por un violento enfrentamiento de socialistas quiteños y guayaquileños por la sede directiva del nuevo partido.

Si bien el regionalismo tiene una raíz económica también han influido factores de muy diverso orden —históricos, geográficos, culturales, políticos— que explican la extensión alcanzada por los sentimientos regionalistas que han llegado a afectar sectores populares importantes de la Sierra y de la Costa y principalmente de Quito y Guayaquil. Cualquier hecho —una simple competencia deportiva, por ejemplo— es enfocado a través del lente del regionalismo si están de por medio los intereses de estas dos ciudades. Un colega acaba de referirnos que en Toronto, Canadá, existe una numerosa colonia de ecuatorianos en la que los conflictos entre serranos y costeños se expresan con virulencia al punto de que cada uno cuenta con su propio barrio. A pesar de que los costeños son el resultado de las centenarias migraciones serranas, la falta de contactos frecuentes y regulares entre las dos regiones, las diferentes características geográficas, los diversos valores culturales y la distinta composición étnica han originado dos entidades extrañas, recelosas y en permanente enfrentamiento.[105]

Evidentemente ha existido una centralización administrativa en Quito muchas veces asfixiante. Esta circunstancia y la consideración de que la riqueza generada por Guayaquil no se utiliza en satisfacer sus apremiantes necesidades, por destinarse a resolver problemas de otras ciudades y principalmente de la capital, han llevado a los guayaquileños a crear instituciones independientes del Gobierno central, para la atención de sus propios problemas. La importancia y el

105. Friedrich Hassaurek (*op. cit.*, p. 92) dice que el espíritu de provincialismo es mayor en la Costa. Odian y desprecian cordialmente a los serranos. Las damas de Guayaquil están llenas de estos prejuicios. A los serranos se les acusa de falsos, avaros y sucios. En Guayaquil son el objeto de los chistes populares. Los serranos usan retaliaciones. Pero cuando un Guayaquileño visita al interior es generalmente tratado con gran consideración y atención. Jacinto Jijón (*Política*..., t. II, p. 252) escribe: "[...] el guayaquileño menosprecia al manabita y esmeraldeño por montubios (lo que equivale a selvático); al serrano, azuayo o quiteño, por apocado, servil o sucio; el quiteño mira a menos al costeño, al que supone bárbaro, ignorante, pendenciero, presuntuoso y casquivano; al cuencano al que imagina rústico, testarudo, quimérico e inepto para la acción, aun cuando reconozca que muchos de ellos son habilísimos para el consejo".

poder que alcanzan estos organismos nos da el siguiente hecho. En el año 1966 se presenta en la Asamblea Constituyente un proyecto para la creación del Ministerio de Salud, la posición de los legisladores guayaquileños sólo se salva cuando se acuerda mantener la autonomía de las instituciones de salud de la provincia del Guayas, en la que además se deja el domicilio de la Dirección Nacional de Salud del nuevo Ministerio. A este propósito se realizan en Guayaquil grandes manifestaciones populares en contra del centralismo de Quito. Pero las entidades autónomas también se han constituido en las otras provincias del país y su desarrollo ha sido tan grande que en 1969 la Junta de Planificación establecía que su número llegaba a 1.418, cifra en la que se incluyen 669 Juntas Parroquiales, que en la actualidad ya no existen, y 138 municipios y consejos provinciales.[106] En la época de los años sesenta, estos organismos autónomos llegan a controlar cerca del 60 por ciento de la inversión pública.[107] Como se puede ver, con estos organismos, a pesar de mantenerse jurídicamente la estructura unitaria del Estado, se ha llegado a formas disimuladas de autonomismo administrativo, financiero y político.

El conflicto regionalista ha beneficiado a los dos grandes centros urbanos del país. En los territorios de Guayas y Pichincha se ha concentrado cerca del 80 por ciento de la inversión industrial y se han instalado los mejores servicios de infraestructura física y social. Las otras provincias se han convertido en tributarias de Quito y Guayaquil, ciudades a las que han provisto de recursos humanos y financieros. Sus intereses postergados y el estancamiento en que han caído algunas de ellas se han expresado en los "paros" que han constituido un arma de presión política para que el gobierno central atienda la construcción de ciertas obras o financie a sus instituciones. Parecida función cumplen en el Congreso Nacional los legisladores a través de la obtención de partidas presupuestarias para la atención de las necesidades locales.[108]

106. Junta Nacional de Planificación y Coordinación, Entidades Descentralizadas y Privadas que participan de Ingresos Públicos, Mimeografiado, Quito, 1969.

107. Así por ejemplo, en 1965 la inversión del sector público se dividía de la siguiente manera: Gobierno Central, 43 por ciento; Entidades Autónomas, 39 por ciento; Municipios, 13 por ciento y Consejos Provinciales, 5 por ciento. (*Banco Central, Memoria del Gerente General, 1970*, Quito, 1972, p. 61.)

108. En las épocas en que las emisiones de bonos eran autorizadas por el Senado con el sistema del "voto compensado", por el cual un legislador apoyaba la petición de otro a cambio de recibir respaldo para la suya, muchos obtuvieron autorizaciones para que el Ejecutivo emitiera bonos para atender obras de su provincia. (*Carta Económica*, vol. IV, n.º 25, Quito, 1972, p. 297.)

5. La lucha de clases

Según el concepto marxista de la historia, todas las luchas sociales, sean éstas de carácter político, ideológico o religioso, no son otra cosa que el resultado de los conflictos existentes entre intereses económicos antagónicos que se expresan en la lucha de clases, condicionada por el desarrollo de las fuerzas productivas.

A la luz de esta teoría analizaremos los conflictos políticos hasta ahora estudiados —el antagonismo conservador-liberal, las luchas personales de caudillos y militares, la contraposición democracia-dictadura y el choque de intereses regionales— para luego específicamente tratar el conflicto entre "explotadores y explotados". Para ello es necesario tener en cuenta todo lo dicho en las páginas anteriores de esta Segunda Parte.

Como es sabido, en Europa, al "modo de producción feudal" sucede el "modo de producción capitalista", cuando los descubrimientos geográficos, el auge del intercambio comercial, el aumento de la producción agrícola, la revolución científica e industrial y la acumulación de capitales, traen consigo la aparición y desarrollo de burguesías de comerciantes e industriales que representados ideológicamente por el liberalismo, acceden al poder político. Muchos estudios históricos y sociológicos consideran que este proceso se ha repetido en el Ecuador. En consecuencia, afirman que en el período analizado (1820-1949) ha existido un conflicto fundamental, que algunos incluso lo consideran único, entre los latifundistas serranos y las burguesías de comerciantes costeños —más preciso sería decir guayaquileños— los primeros representados políticamente por el Partido Conservador y los segundos por el Partido Liberal, proceso que ha sido marcado por una "formación social feudal" en deterioro y una "formación social capitalista" en consolidación. De esta manera, sin considerar diferencias de espacio y tiempo, se ha pretendido encontrar en el Ecuador una evolución de las fuerzas productivas similar a la que se dio en Europa y como consecuencia, parecidas relaciones entre las clases sociales que, supuestamente, han cumplido el mismo papel histórico. Un traslado mecanico de instrumentos analíticos creados para estudiar contextos económicos diferentes sin las correspondientes mediaciones y un mínimo de criticidad —en este campo también se advierte la influencia del colonialismo cultural— ha traído consigo interpretaciones falaces de la realidad nacional.

Lamentablemente, como ya se indicó en la Introducción, la complejidad del problema teórico y las limitaciones propias de este trabajo, impiden entrar en una discusión profunda del tema. Sin embargo, al menos esquemáticamente, es necesario distinguir algunas diferencias entre la formación social que hemos denominado *sistema hacienda* (cfr. pp. 59 y ss.) —considerado como predominante— y los sistemas feudal y capitalista.

A pesar de las características similares que se encuentran en el feudalismo y en la hacienda, sobre todo en cuanto a que en ambos el "señor" se apropia de los excedentes a través de contribuciones en especie y trabajo, gracias al ejercicio de una coacción extraeconómica y a la práctica de formas parecidas de servidumbre que colocan al campesino en una situación de dependencia personal, existen algunas diferencias que cabe anotar. En la hacienda el latifundista, además de tener el título jurídico de propiedad sobre la tierra, ejerce en ella la posesión efectiva; el *precarista* sólo recibe una pequeña parcela en usufructo ya que todos los campesinos trabajan en una misma unidad productiva bajo la dependencia del hacendado, hecho que explica su subordinación y explotación en muchos casos mayores a las que se dieron en el feudalismo; el terrateniente ordinariamente practica el ausentismo pues vive en la ciudad y delega su autoridad en manos de administradores, mayordomos e incluso arrendatarios; no existe un tributo en dinero a que esté obligado el campesino. A estas relaciones económicas y sociales que caracterizan a la hacienda y que dan origen a un modo de producción distinto al feudal, es necesario añadir las conocidas diferencias que existen en el orden político.

Ahora corresponde establecer los límites del "modo de producción capitalista". Evidentemente no tiene sentido calificar a la economía agrícola serrana como capitalista si se tiene en cuenta que siempre fue explotada por trabajadores precaristas a través del sistema hacienda y que no existieron trabajadores libres con derecho a disponer de su fuerza de trabajo.[109] En la producción agrícola de la Costa si bien se advierte la presencia de trabajadores libres asalariados, hubo también campesinos dependientes sujetos a diferentes formas de trabajo precario. Desgraciadamente los escasos estudios que se han hecho sobre esta región impiden precisar la importancia relativa de cada una de estas dos formas de trabajo. Pero sobre la base

109. Según el Censo Agropecuario de 1954, en la Sierra, sólo el 2 por ciento de su población agrícola estaba constituida por trabajadores jornaleros independientes. (Véase, CIDA, *op. cit.*, pp. 16 y 151.)

del análisis realizado (cfr. p. 62) puede afirmarse que la significación de los precarismos fue mayor que la generalmente aceptada. En efecto, la expansión de los principales cultivos de la Costa —cacao, café y arroz— se hace mediante la utilización de la *sembraduría*, forma de trabajo precario que subsiste hasta época muy reciente: por ejemplo, los sembradores de arroz sólo son liberados en 1972. Y en estas haciendas a las que no es correcto denominarlas "plantaciones", la existencia de "tiendas de raya" permite a los latifundistas controlar las operaciones monetarias de sus trabajadores, a los que venden productos necesarios para la subsistencia. Además, hay que recordar que gran parte de la riqueza generada por el cacao se consume en importaciones suntuarias o se gasta en París y por tanto no se dan procesos de acumulación e inversión de capitales. En la Sierra, ni siquiera se desarrolla una economía capitalista en las ciudades que carecen de una industria y de un comercio que merezcan el nombre de tales siendo absolutamente dependientes de la producción agrícola. Si bien en la Costa adquiere cierta importancia un "capitalismo mercantil", éste sólo se desarrolla en Guayaquil y se caracteriza por estar ligado a la actividad agrícola de la que depende y en la que mantiene intereses, pues, los comerciantes además son latifundistas. Las primeras industrias se establecen a fines del siglo XIX y principios del presente y este "desarrollo industrial" es tan débil que no puede compararse ni aun con el de otros países latinoamericanos (cfr. pp. 90 y ss.). Por todas estas razones no puede calificarse a la economía ecuatoriana, y tampoco a la costeña, como "predominantemente capitalista".

Más grave es el error de aquellos que la definen como capitalista por el solo hecho de su integración en el mercado mundial.[110] En primer lugar esa afirmación peca de unilateral. Sin desconocer la influencia que ejercen las variables "externas" y las "relaciones de dominio y explotación" que originan, no puede considerarse que el proceso histórico de un país es el simple reflejo de un "sistema mundial"

110. Un caso muy típico es el de Fernando Velasco. En un reciente libro (*Ecuador: Pasado y Presente*, Ed. Universitaria, Quito, 1975) editado por el Instituto de Investigaciones Económicas de la Universidad Central, publica un ensayo (*Estructura Económica de la Audiencia de Quito; notas para su análisis*, pp. 61-110) en el que otra vez se vale de la teoría de la dependencia, aunque con menos rigidez que antes, para sostener que la formación social colonial por su inserción en el sistema capitalista fue capitalista pues en ella se dio una "hegemonía de lo capitalista". Defender esta tesis, aparte de los errores teóricos y empíricos que entraña, implica sostener que en la Audiencia de Quito hubo capitalismo antes que en España y que su desarrollo fue paralelo al de Inglaterra o más adelantado, pues, bien es sabido que generalmente se acepta el siglo XVII como el del nacimiento del capitalismo.

omnipresente en todos los hechos y conflictos del Ecuador, sin que importen para nada las condiciones "internas", y, sobre todo, las *relaciones de producción* prevalecientes. Y bien es sabido que son éstas las que definen el carácter de una formación social, y no los procesos de acumulación del capital y de circulación de los bienes. Por otra parte, los apologistas de la teoría de la "dependencia" no toman en cuenta la especificidad del caso ecuatoriano y, como consecuencia, olvidan que la economía nacional tuvo débiles relaciones con el mercado mundial. Si bien la expansión de las exportaciones coincide con la Independencia, ellas son muy escasas hasta el último cuarto del siglo XIX y aunque mejoran en los años siguientes su significación no es apreciable. También es necesario repetir que el capital extranjero tarda en llegar al país y que su presencia en el presente siglo prácticamente se reduce a unas cuantas plantas eléctricas, a las minas de oro de Portovelo y Macuchi y al yacimiento de Ancón, los tres poco importantes.

Luego de estas consideraciones, corresponde examinar hasta qué punto el conflicto conservador-liberal es la expresión de los distintos intereses económicos existentes dentro de la clase dominante.

En la investigación realizada en las páginas anteriores, no aparecen datos empíricos que permitan confirmar la difundida tesis de que los latifundistas serranos, representados por el Partido Conservador, ejerzan el poder hasta la revolución de 1895, año a partir del cual gobiernan las burguesías guayaquileñas con el Partido Liberal. Los datos históricos más bien apoyan la tesis de que los comerciantes costeños, junto con los latifundistas serranos participan en el ejercicio del poder desde la constitución de la República y que si bien la cuota de influencia de aquéllos aumenta con la Revolución Liberal, no se produce el desplazamiento de los propietarios agrícolas por no existir una contraposición de intereses entre estas dos "fracciones" de la clase dominante. Ningún gobernante, cualquiera que sea su ideología, puede prescindir de la colaboración de los latifundistas serranos y tampoco del grupo que controla la producción del cacao y el comercio exterior, del que provienen entre el 40 y el 70 por ciento de los ingresos fiscales.

En la medida en que el cacao constituye el motor de la economía, el liderazgo que asumen los guayaquileños en la declaración de la Independencia —cuyas guerras en buena parte financian— lo mantienen una vez constituida la República y lo ejercen en hechos decisivos de la política. Al "conservador" Juan José Flores no puede considerársele como representante de los latifundistas serranos por su matrimonio con una aristócrata quiteña, ya que sus propiedades se extienden a la Costa y gobierna con el apoyo de los ricos porteños. Éstos no son los únicos que respaldan a Rocafuerte que también cuenta con la colaboración de los latifundistas serranos. Lo mismo sucede con los gobiernos que emergen de la Revolución de Marzo. Al partido del comerciante Roca pertenecen miembros prominentes de las altas clases quiteñas: "el hijo del marqués de San José (don Modesto Larrea) y los sobrinos del Duque de Gandía (los señores Borja)".[111] Como no son diferentes los círculos que apoyan a los presidentes Urvina y Robles, las medidas que dictan contra la esclavitud, la protecturía de indios y el cobro de tributos, deben tomarse como un producto del "humanismo liberal" y no como el deseo de disminuir el poder de un grupo para favorecer a otro. Además, la primera afecta por igual a los hacendados costeños y serranos, pues ambos tenían esclavos, la segunda a la Iglesia y la tercera al fisco que al perder esta fuente de ingresos se torna más dependiente de la oligarquía agroexportadora. Tampoco a García Moreno debe considerársele representante de los intereses económicos de los latifundistas. Más que su matrimonio con una rica propietaria serrana y su filiación conservadora es necesario tener en cuenta que su origen guayaquileño le vincula con los hombres de negocios del puerto —su hermano Pedro era un acaudalado exportador de cacao—[112] y que en el ejercicio de sus gobiernos presta invalorables servicios a las burguesías costeñas: desarrolla la infraestructura para favorecer el intercambio comercial; dicta leyes que propician la creación de circuitos financieros; impulsa el transporte fluvial y marítimo; abre el país al capital extranjero; apoya la educación técnica y el establecimiento de industrias; y convierte al estado en un importante cliente de los bancos de Guayaquil. La candidatura presidencial de Antonio Borrero y la dictadura de Ignacio de Veintimilla son proclamadas por los guayaquileños. José María Plácido Caamaño, el "hombre fuerte" en los doce años de progresismo, cuenta con "sólidos entronques familiares en Guayaquil y Quito" y, entre los atributos que se toman en cuenta para su designación presidencial se considera que supo "domar a los feroces peones de Tenguel, la célebre hacienda de cacao que había administrado con éxito mientras otros fracasaron".[113] Otro de

111. Antonio Borrero, *op. cit.*, t. I, p. 80.
112. Julio Estrada Ycaza, *op. cit.*, t. II, p. 118.
113. Luis Robalino Dávila, *Orígenes...*, vol. VI, p. 83.

los presidentes progresistas, Antonio Flores Jijón, aunque procede del latifundismo serrano, aboga, por la "abolición absoluta de los derechos de exportación"[114] y crea la Cámara del Comercio de Guayaquil a la que le atribuye las ilimitadas funciones de asesorar al Gobierno en materia fiscal y aduanera, en la expedición de leyes mercantiles y en la celebración de convenios internacionales de comercio y migración. Los intereses de los comerciantes guayaquileños nunca estuvieron mejor servidos que durante el período progresista, razón por la que sólo a última hora cuando ven el triunfo inminente del "liberalismo", proclaman Jefe Supremo a Eloy Alfaro. Entre los liberales serranos existen muchos latifundistas como se puede verificar con la lectura de los nombres de los ministros y legisladores de la época. Otros, pliegan a las filas del triunfador en "previsión cautelosa [...] de sus haciendas, sus comercios, sus fortunas".[115] Por ello cuando Lizardo García —que más tarde será Presidente— defiende en 1898 un proyecto de Ley de Banco y Moneda Nacional, dice que ha sido elaborado por una comisión representada por "todo lo que de más importante tienen las colectividades económicas del país: la banca, el comercio y los grandes propietarios".[116] Esta coparticipación en el poder continúa durante la dominación liberal-plutocrática en la que el gobierno real es ejercido por el General Leonidas Plaza desde su hacienda La Ciénaga y por Francisco Urvina Jado desde el Banco Comercial y Agrícola de Guayaquil. El examen de los actos de gobierno del liberalismo confirma este punto de vista. Continuando la política económica "garciana" y "progresista", impulsa las vías y los medios de comunicación, apoya la inversión extranjera y dicta leyes para favorecer la actividad comercial y el establecimiento de industrias. No se expiden leyes ni se toman medidas que consoliden el poder de los comerciantes y reduzcan el de los latifundistas. Más bien en los momentos de crisis se fijan impuestos a las exportaciones y, en cuanto a la supresión del *concertaje*, que en realidad sólo elimina la prisión por deudas, afecta por igual a propietarios serranos y costeños, pues, en ambas regiones se lo practicaba. En lo demás, la institución continúa vigente en la medida en que los campesinos a través de las varias formas de *precarismo*, siguen dependiendo de la hacienda, sin libertad para vender libremente su fuerza

114. José Le Gouhir, *op. cit.*, t. III, p. 322.
115. Luis Robalino Dávila, *op. cit.*, vol. VII, t. I, p. 163.
116. Ibid., vol. VII, t. II, p. 501.

de trabajo.[117] Verdad es que los gobiernos que originan la Revolución Juliana reducen el poder omnímodo de la banca guayaquileña pero no el de los agroexportadores que mantienen su influencia, aunque disminuida, y ello más bien hay que atribuir a la crisis del comercio exterior que reduce su capacidad económica. Tampoco los latifundista serranos monopolizan la autoridad política ni consiguen que sus intereses se favorezcan explícitamente. Más bien hay un consenso nacional sobre la necesidad de que el Estado ejerza cierto control sobre la economía privada, por la experiencia de la reciente dominación plutocrática, por las nuevas ideas y por la influencia internacional. Hay que recordar que los norteamericanos integrantes de la Misión Kemmerer —que son los autores de la mayor parte de las reformas— ya habían cumplido parecido papel en otros países de América Latina. Es que en los gobiernos que origina la Revolución Juliana, los "latifundistas serranos" y los "comerciantes costeños" continúan repartiéndose sus habituales cuotas de influencia: ellos son los legisladores y ministros de todos los gobiernos y los integrantes de la Junta Suprema del Partido Liberal y del Directorio Nacional del Partido Conservador. Por estas razones es inexacto calificar el triunfo electoral de Neptalí Bonifaz (1932) como un intento de los terratenientes para reconquistar el poder que habían perdido con la Revolución Liberal.[118] En efecto, no sólo Bonifaz fue latifundista; también lo era el candidato liberal Modesto Larrea Jijón que más tarde desempeñará la Presidencia de la Cámara de Agricultura y que incluso tenía derecho al marquesado de San José. Y en cuanto a las fuerzas de apoyo, terratenientes y comerciantes se dividen entre los dos candidatos. Miembros conspicuos de la plutocracia guayaquileña respaldan a Bonifaz[119] y además considerables sectores populares que, junto con soldados, cabos y sargentos recurrirán a las armas para defender el triunfo electoral. Tampoco pueden ser calificadas de "reaccionarias" las ideas políticas de Bonifaz; sobre todo en ma-

117. Al respecto Abelardo Moncayo escribe: Ante lo "secular del abuso, lo rancio del pecado, digamos el carácter peculiar del indio" no es posible adoptar "la solución más radical y sencilla" que sería la de decretar "la libertad de los contratantes entre el que pide y presta el servicio" y en vista de que el concertaje tiene la "única ventaja" de la seguridad que proporciona a las labores agrícolas es necesario "conciliar la necesidad con la justicia" y lo más que se pide es "magnanimidad" hasta que llegue el ferrocarril a la Sierra y las migraciones obliguen a los hacendados a modernizarse. (*Añoranzas*, pp. 316-317.)

118. Agustín Cueva D. es el que ha sostenido más sólidamente esta interpretación en su libro *El Proceso de Dominación Política en el Ecuador*, Ed. Crítica, Quito, 1972, pp. 3 y ss.

119. Luis Robalino Dávila, *Memorias...*, p. 170.

teria económica más bien son progresistas, al punto de que con ocasión del éxito electoral se intenta constituir el Partido Social Demócrata.[120] Más recientemente tenemos el caso de Galo Plaza que si bien en 1948 no estaba afiliado al Partido Liberal fue ideológica y políticamente el candidato del liberalismo. Sobre su candidatura, en declaraciones publicadas en el diario *El Comercio* del 18 de abril de 1948, un industrial de la Costa dice que "muchos y poderosos elementos católicos, especialmente entroncados con la propiedad de la tierra y del capital serranos están firmemente decididos a apoyar al señor Galo Plaza como la única solución democrática del problema político, pues un eventual triunfo conservador puede abrir las puertas para incalculables desastres nacionales".

Por otra parte, es necesario señalar que a los comerciantes guayaquileños no se les puede considerar como "burguesías urbanas" propiamente dichas. Hay que recordar que son a la vez mercaderes y latifundistas y cuando alguno no lo es por herencia termina siéndolo por compra. Un agudo observador de la realidad nacional, dice que "al comenzar a figurar el Ecuador como nación independiente, sólo podrían considerarse dos clases: la dirigente formada por los propietarios y los pocos letrados que junto con ellos habían hecho la revolución y la clase popular [...]".[121] En la Sierra efectivamente así fue y también en la Costa en virtud de que los guayaquileños y en general los costeños tienen la doble calidad de comerciantes y agricultores. Éste es el caso, por ejemplo, de Vicente Rocafuerte y de gran parte de los miembros de la clase dominante que desempeñan funciones públicas en el siglo XIX. Y no podía ser de otra manera si se toma en cuenta que se mantienen las estructuras económicas prerrepublicanas. Por ello, en 1895 no son sólo las "burguesías" porteñas las que intervienen en el pronunciamiento que lleva el liberalismo al poder. "[...] en su mayoría son comerciantes, tanto importadores como exportadores. Otros son banqueros o terratenientes. No faltan tampoco los que son capitalistas y dueños de latifundios a la vez".[122] Muy gráficamente un viajero extranjero dice que junto a Eloy Alfaro "se juntaron sus amigos: los propietarios de las plantaciones de azúcar y de cacao se rodearon con sus peones".[123] Y un hombre de

120. Ibid.

121. Alfredo Espinosa, *op. cit.*, p. 71.

122. Oswaldo Albornoz, *Del Crimen del Ejido a la Revolución del 9 de Julio de 1925*, Ed. Claridad, Guayaquil, 1969, p. 83.

123. Albert Franklin, *op. cit.*, p. 306.

negocios guayaquileño —Lizardo García— en 1898 dice que en el Banco Comercial y Agrícola de Guayaquil "sus principales accionistas son grandes propietarios, lo cual demuestra que hay armonía de intereses entre agricultores y banqueros".[124] Esta realidad es reconocida por Alfaro cuando en 1909 decreta la transformación de la Cámara del Comercio de Guayaquil en Cámara del Comercio y Agricultura. Como se puede ver, en Guayaquil existe un solo grupo económico integrado por agricultores, comerciantes y banqueros. Los dos últimos, en el mejor de los casos forman una "burguesía comercial y financiera". No existe una "burguesía industrial" ya que el desarrollo fabril es incipiente, incluso en Guayaquil. Sólo en 1936 se funda la Cámara del Comercio e Industrias y se organizan separadamente las Cámaras de Agricultura.

Es evidente que los terratenientes, a los que no puede considerárseles como una clase del sistema capitalista, constituyen el grupo predominante, incluso en la Costa. Las burguesías comercial y financiera —que sólo se desarrollan en Guayaquil— no son independientes de los latifundistas, porque son simplemente su apéndice o porque en las mismas personas se junta el ejercicio de las actividades agrícola y comercial. Por lo tanto, hay unidad dentro de la clase dominante en la que no existen propiamente "fracciones" de clase. Esta realidad y el hecho de que no sean contradictorios los intereses económicos de los terratenientes y de los comerciantes explican la inexistencia de conflictos en el interior de la clase dominante en la que más bien se da una "fusión" de intereses. En estas condiciones, en el Ecuador el liberalismo no pudo cumplir el mismo papel que en Europa. En una sociedad con las características anotadas, el liberalismo no tenía qué intereses económicos representar.

¿Cuáles fueron entonces las causas del conflicto conservador-liberal? Parece claro que sólo hubo dos: el problema de la democracia y de las libertades y el problema religioso. En términos marxistas, esto quiere decir que los conflictos se producen en el nivel de la "superestructura" jurídico-política y religioso-ideológica (cfr. pp. 114 y ss.)

En el orden jurídico-político, el conflicto se da entre los que buscan una autoridad fuerte y la limitación de las libertades, como los medios necesarios para garantizar la estabilidad de los gobiernos y la

124. Luis Robalino, *Orígenes*..., vol. VII, t. II, p. 501.

paz de la república y los que proponen la reducción de las atribuciones de la autoridad, la extensión de las libertades y la ampliación de las facultades del congreso, sin las cuales la democracia constituye solamente una ficción. Éstas son las posiciones que dividen a conservadores y liberales. Pero las realidades sociales se imponen cuando los repetidos ensayos constitucionales no logran articular un sistema democrático y advienen periódicamente las dictaduras. Contra ellas se levantan, los liberales en unos casos, los conservadores en otros o ambos. Por ejemplo, a García Moreno combaten liberales y progresistas, a Veintimilla todos, a Eloy Alfaro liberales y conservadores y a Arroyo del Río la nación entera. Detrás de todas estas luchas está el deseo de que rija la democracia como sistema de gobierno y de que se practiquen las libertades públicas.

En el conflicto conservador-liberal son aún más importantes las motivaciones de orden religioso. Si bien en la discusión de la Constitución de 1843 y durante el gobierno del general Urvina ya se plantean problemas religiosos, estos se convierten en la discrepancia fundamental desde la dominación garciana. Los liberales impugnan la preponderancia eclesiástica y denuncian el "teocratismo" y el "clericalismo" reinantes. Cuando el "liberal" Antonio Borrero no deroga las leyes "garcianas" también se le oponen y lo mismo a Veintimilla al acordar el Dictador una nueva versión del Concordato con la Santa Sede; en cambio los conservadores amenguan sus iniciales críticas. Éstos se declaran adversarios de los presidentes progresistas porque no siguen fielmente los principios católicos. Al decretar Antonio Flores la supresión del diezmo, los latifundistas costeños apoyan la medida y los serranos la critican, no porque perjudique sus intereses, sino porque consideran que se le priva a la Iglesia de un derecho y se le encadena al poder civil, al quitársele la independencia económica. Una declaración del Presidente Cordero de que en su gobierno la autoridad de la Iglesia será considerada superior a la del Estado, le hace perder el inicial apoyo de los liberales que se aglutinan en su contra. Un análisis del pensamiento político del Partido Liberal y de la legislación que expiden sus gobiernos, confirma la importancia del problema religioso. En el *Decálogo Liberal* (1895) sólo tres puntos se refieren a asuntos temporales: ejército fuerte, ferrocarril al Pacífico y libertad de los indios. Los demás contienen planteamientos exclusivamente eclesiásticos: supresión de los conventos, expulsión del clero extranjero, decreto de manos muertas, eliminación de los monasterios, abolición del Concordato, enseñanza laica obligatoria, secularización eclesiástica.[125] La confiscación de las haciendas de las comunidades religiosas sólo busca reducir el poder económico de la Iglesia y no el de los latifundistas que mantienen su condición de arrendatarios o administradores. Las otras leyes sólo afectan intereses eclesiásticos; tal es el caso de las leyes de Patronato, de Cultos, de Instrucción Pública, de Registro Civil, de Matrimonio Civil, de Divorcio y las restricciones del culto público. A diferencia de lo que sucede con muchos estudiosos contemporáneos de la realidad nacional, para el Partido Liberal fue muy claro que el poder del Partido Conservador se fundamentaba en la influencia religiosa y no en la de los grandes propietarios de tierras. Por ello no dicta ninguna medida que afecte a los latifundistas y sólo se interesa en la eliminación del predominio eclesiástico. Consciente de que en la Costa la difusión de las ideas liberales se había hecho gracias a la escasa presencia de la Iglesia Católica, considera que en la Sierra el triunfo del liberalismo sólo será posible cuando se le prive del monopolio de la educación y del pensamiento mediante el establecimiento del laicismo. Un sociólogo, al que tanto hemos citado, con mucha razón afirma: "Si dejamos a un lado la cuestión de la libertad de conciencia y los dos partidos se encontrarían frente a frente: muy poca sería la diferencia que en el resto general de sus ideas políticas existiera y uno sólo el criterio para juzgar de las cuestiones sociales, económicas y administrativas excepción hecha de las pedagógicas".[126] Pero, como se ha visto, esta última discrepancia también tiene un ingrediente religioso.

Muchas veces los conflictos políticos son todavía más elementales (cfr. pp. 148 y ss.) Frecuentemente, antes que los problemas de las libertades públicas, de la democracia o de la religión, los únicos intereses en juego son los de un caudillo casi siempre militar. En los primeros quince años del Estado ecuatoriano se combate la dictadura del militarismo extranjero y en los años que vienen después la del militarismo nacional. Se ha visto en detalle el papel político cumplido por las personalidades y cómo ellas han escapado de los encasillamientos ideológicos. Cuando los intereses de un caudillo son los únicos que cuentan —y no podía ser de otro modo dadas las estructuras prevalecientes— los intereses económicos de una clase, como causa determinante de los conflictos políticos, son relegados a un lu-

125. Ibid., vol. VII, t. I, p. 156.
126. Alfredo Espinosa T., *op. cit.*, p. 140.

gar todavía más secundario. En la toma del poder, en su ejercicio y en su conservación sólo influye la ambición de un hombre.

El análisis hasta ahora realizado ha demostrado el predominio que han ejercido las causas jurídicas, religiosas, filosóficas y personales en los tres conflictos hasta ahora examinados a la luz de la teoría de la lucha de clases —el bipartidismo conservador-liberal, la contraposición democracia-dictadura y el enfrentamiento de militares y caudillos— y la secundaria importancia que han tenido las causas económicas en la generación del proceso histórico del Ecuador. En cambio aparece clara la intervención de factores económicos en el caso del regionalismo, al que erróneamente se lo ha confundido con el enfrentamiento conservador-liberal, sin tomar en cuenta que alrededor de los intereses de Guayaquil y de la Costa y de Quito y la Sierra se juntan liberales y conservadores, sin que hayan contado sus discrepancias ideológicas, pues, para costeños y serranos lo que importa es el control del poder político, de la economía y del gasto público en función de las necesidades e intereses de cada región. Al respecto, el lúcido Alfredo Espinosa dice: "[...] pero no hemos hallado, quizá por insuficiencia de perspicacia y exactitud en nuestro análisis, que pueda dicha teoría (la lucha de clases) ser aplicable al desarrollo histórico de nuestro país. Si en la lucha regionalista puede encontrar aplicación, en la lucha política no hallamos ningún indicio a qué atribuir que por una causa económica se haya establecido ninguna de nuestras contiendas: son más bien causas espirituales o biológicas las que quizás hayan influido; pero no las económicas, pues los intereses que se han encontrado eran contrapuestos en ideas pero no de un modo material y tangible". Y más adelante añade que en los congresos se produce una lucha enconada entre los diputados de la Costa y de la Sierra por la ejecución de obras públicas en su respectiva región; los segundos tratan de rehuir todo impuesto principalmente los que gravan a la propiedad y los primeros se oponen a que se recargue la aduana; los de la Costa se acercan al sistema de libre cambio y los de la Sierra se manifiestan proteccionistas.[127]

Al suprimirse los tributos indígenas aumenta la importancia del impuesto a la aduana como la principal fuente de ingresos fiscales. En razón de que la casi totalidad de las exportaciones y de las importaciones se hacen por el puerto de Guayaquil y de que en la Costa se produce la mayor parte de los bienes exportables, sus habi-

127. Ibid., pp. 66, 67, 122 y 123.

tantes consideran que generándose en esta región el 80 por ciento de las rentas públicas no es justo que "su riqueza" se gaste principalmente en la Sierra. En cambio los serranos creen que es paritario el aporte fiscal de las dos regiones por los mayores impuestos prediales que se pagan en la Sierra y porque en ella se consume buena parte de las importaciones, siendo en cambio superiores las necesidades por su mayor población que, según las épocas, llega a representar entre el 80 y el 60 por ciento del total nacional. Como Quito es la "capital política" del Ecuador y Guayaquil la "capital económica", los costeños buscan ejercer o controlar la autoridad, para escapar de la vigilancia del gobierno central y orientar el gasto público primordialmente a la satisfacción de sus necesidades. En cambio los serranos, quieren librar al Estado de la influencia de los acaudalados guayaquileños y distribuir las disponibilidades fiscales en función de los requerimientos nacionales. Para conseguir estos propósitos, entre las dos regiones hay una sorda pugna por el control del poder; los primeros se oponen a la eliminación de la representación departamental que reduce la significación proporcional de sus legisladores en el Congreso Nacional, favorecen el federalismo y promueven la creación de entidades autónomas. Los segundos, en cambio, apoyan la representación legislativa en relación al número de habitantes y defienden la centralización administrativa. Pero este regionalismo, hasta bien entrado el siglo XX, es un fenómeno que se da fundamentalmente en Guayaquil debido a que las otras ciudades de la Costa carecen de significación. El puerto considera que la captación de "su riqueza por el centralismo quiteño" y por los "parasitarios serranos" impide que sean atendidos sus apremiantes problemas, pues, periódicamente la fiebre amarilla y los incendios paralizan la economía guayaquileña y la falta de vías de comunicación limita la ampliación de los cultivos y de las empresas comerciales de los emprendedores porteños.

No se advierten conflictos entre las oligarquías nacionales y los intereses extranjeros. Quizá por la escasa significación de éstos y, sobre todo, porque los grupos dominantes consideran altamente conveniente la venida de capitales a los que es necesario brindar las máximas seguridades y las más amplias facilidades para su operación a fin de que sea posible el progreso de la agricultura, la minería y la provisión de servicios públicos. Como para las élites la cultura nativa no tiene nada que ofrecer, la extranjera se constituye en el modelo ideal a imitarse. Ya se indicó que los primeros planteamientos nacionalistas son hechos por el Partido Conservador, siempre receloso de todo lo "extranjero" y posteriormente en la tercera década de este siglo por los integrantes de la embrionaria "clase media". A diferencia de lo que sucede en Europa, esta "pequeña burguesía" no se integra con medianos empresarios sino más bien con profesionales, por lo cual, sus propósitos modernizadores no se expresan en las actividades económicas particulares sino en el sector público en el que ocupa funciones burocráticas o políticas, de las que se vale para impulsar las medidas innovadoras de los gobiernos posteriores a la Revolución Juliana (1925-1931) y las primeras medidas antimperialistas en la dictadura del General Enríquez (1937-1938).

Finalmente es necesario examinar la lucha de clases ya no como la expresión de los conflictos que se producen dentro de la clase dominante, sino más bien entre los trabajadores y los propietarios de los medios de producción, esto es, entre explotados y explotadores. Para el efecto recurrimos al concepto de lucha de clases más generalmente aceptado por el pensamiento marxista-leninista. Según él, este conflicto sólo se da cuando los sectores más avanzados de la clase obrera, por la conciencia que adquieren de su unidad y de la explotación que sufren, se enfrentan a toda la sociedad y específicamente a los capitalistas y a sus representantes políticos —el gobierno— con el propósito de destruir las relaciones de producción que permiten la explotación del hombre por el hombre.

Al proletariado industrial se le atribuye la capacidad de asumir un papel protagónico en la conducción de la lucha de clases, por ser el más preparado y organizado y porque las condiciones en que realiza su trabajo productivo le permiten adquirir altos niveles de conciencia de clase. En un país de economía agrícola precapitalista, como ha sido el caso del Ecuador, este proletariado industrial no existió. Las primeras industrias que aparecen a fines del siglo pasado y principios del presente no superan la fase elemental pues sólo se dedican a satisfacer ciertas necesidades de alimentos y vestidos. Muchas de ellas están fuertemente ligadas a la agricultura e incluso algunas se instalan en el campo y ocupan como obreros a indios conciertos. Como las ciudades son centros de consumidores y no de productores, sólo cuentan con una población obrera reducida que en su casi totalidad se integra de artesanos ya que en la producción manufacturera predomina el taller antes que la fábrica. Otros trabajadores se ocupan en los incipientes servicios públicos, en el escaso comercio y en dos o tres minas relativamente pequeñas. Los artesanos por su calidad de trabajadores independientes no están en capacidad de adquirir conciencia de clase. Los pocos obreros fabriles y los trabajadores de los servicios y el comercio sólo se interesan por reivindicaciones individuales. No tienen conciencia de la unidad de la clase obrera y no les preocupan los problemas globales de la sociedad. No hay por tanto un cuestionamiento del sistema como el causante de la explotación ni un planteamiento de reformas estructurales a largo plazo. Su espontánea lucha reformista sólo busca obtener mejores salarios, seguridad social, jornada de ocho horas, etc.[128] Sólo hay un caso en que esta lucha económica adquiere algunas características de una lucha política, cuando en la revuelta popular del 15 de noviembre de 1922 se plantean algunos problemas globales de la sociedad aunque sin cuestionar el sistema mismo. Este movimiento se inicia con la protesta de los trabajadores del ferrocarril, electricidad, agua potable, cervecería y astilleros de Guayaquil, por las condiciones de trabajo y por los bajos salarios. La crisis económica causada por devaluaciones monetarias y el aumento de los precios, hace que este movimiento sindical encabezado por la Confederación Obrera del Guayas englobe a artesanos, empleados, subempleados y a profesionales con lo que se inicia una masiva movilización popular que culmina con la matanza del 15 de noviembre ejecutada por las fuerzas policiales del Gobierno. En esta lucha política, a las reivindicaciones propiamente laborales el pueblo suma el planteamiento de los problemas más generales de la sociedad y el cuestionamiento de la política económica gubernamental orientada a favorecer a pocos y a perjudicar a muchos.[129]

Siendo la estructura económica del Ecuador fundamentalmente agrícola, los campesinos constituyen el sector más importante de la "clase trabajadora". Pero el campesino enfrenta serias limitaciones para desarrollar una conciencia de justicia social y, sobre todo, para

128. A su manera, el Obispo de Riobamba Carlos María de la Torre, en una carta pastoral expedida en 1921, describe la situación prevaleciente en los siguientes términos: "Sin duda alguna la llamda cuestión social, es decir, la eterna lucha entre el obrero y el patrono, el trabajo y el capital no se ha planteado todavía en el Ecuador, como en otros países de Europa y América. ¿Quién ha divisado jamás en nuestro bendito suelo no digo la pobreza —patrimonio inseparable de una porción notable del género humano en todo tiempo y lugar— sino el terrorífico y espantable fantasma del *pauperismo*? ¿Cuándo se ha visto circular por nuestras calles y plazas aquellos ambulantes espectros que agitando violentamente los descarnados brazos asordan los aires con los descompensados gritos de trabajo, *trabajo trabajo y no limosna*?". (Los subrayados constan en el original.)

129. Osvaldo Hurtado y Jacinto Herudek (INEDES), *La Organización Popular en el Ecuador*, Ed. Fray Jodoco Ricke, Quito, 1974, pp. 66 y 67.

enfrentar a sus explotadores. Su aislamiento geográfico, el efecto alienante de la "ideología" transmitida por la Iglesia, sus sólidos lazos de dependencia, el control absoluto de la hacienda y de la autoridad política, el analfabetismo generalizado, la pasividad y el fatalismo impiden el desarrollo de su conciencia de clase y no le permiten contar con los medios necesarios para cambiar su situación de explotación. Sin embargo son los campesinos los que se rebelan y su movilización no se produce en la Costa o en las provincias de la Sierra mejor integradas sino en las regiones más atrasadas del país, en las que se dan las peores condiciones de explotación: Chimborazo, Tungurahua, Cañar, Imbabura y Cotopaxi. Los "levantamientos indígenas" no buscan reivindicaciones individuales de tipo salarial o social, excepto quizá el caso del producido en la hacienda Leyto en 1923; claramente se dirigen a la liquidación del sistema de explotación mediante la eliminación física de los "blancos", denominación que no debe entenderse en sentido racial sino más bien cultural pues incluye a los mestizos. Para ello se organizan militarmente y asaltan haciendas y poblados con el propósito de destruir a sus explotadores: latifundistas, administradores, mayordomos, diezmeros, comerciantes, teniente político, curas párrocos, etc. Las causas de los levantamientos son las exacciones de los diezmeros, los abusos de los hacendados y de sus empleados, el reclutamiento forzado para las obras públicas, el temor de que los censos de población sean un medio para establecer impuestos y restituir tributos. Numerosos son los levantamientos indígenas que se producen en el período histórico analizado, siendo el más importante el acaudillado por Fernando Daquilema (1871) que logra constituir una organización político-militar y controlar una apreciable región territorial de la provincia del Chimborazo.[130] Todas estas luchas indígenas fracasan. La anárquica y la espontánea organización de la revuelta y el primitivismo de los instrumentos de guerra, ni siquiera les permite muchas veces enfrentar exitosamente a sus opresores y peor aún al aparato policial y militar del Estado. Fuera de su circunscripción geográfica no cuentan con aliados y más bien se encuentran con una "opinión pública" que unánimemente se vuelve en su contra. Nadir defiende la legitimidad de la revuelta pues toda la sociedad se siente amenazada, ya que, como se recordará, en la explotación de los campesinos no sólo intervienen los latifundistas: además participan las autoridades, los fun-

130. Véase, Alfredo Costales Samaniego, *Fernando Daquilema*, pp. 83-136.

cionarios y empleados, los artesanos, los profesionales, los comerciantes, en fin, todos.

Sólo en el caso de estos levantamientos indígenas encontramos que la "lucha de clases" alcanza el nivel político y por tanto puede considerársele como tal. Pero al respecto hay que tener en cuenta ciertas particularidades. Los levantamientos constituyen una rebelión de un grupo étnico —el indio— contra otro —el blanco— sin que haya necesariamente de por medio una crítica a las relaciones de producción existentes y el deseo de cambiarlas, sino simplemente a los blancos como tales. De haber triunfado, nos encontraríamos con una situación parecida a la que hoy se da en África o Asia. Si sumamos a ellos la movilización popular del 15 de noviembre de 1922 y otros movimientos menos significativos y recordamos sus peculiaridades,[131] es forzado concluir que estos conflictos entre explotadores y explotados hayan constituido "el motor" de la historia del Ecuador. Excepto en estos casos, la explotación social ni siquiera ha dado origen a una lucha económica y menos a una lucha política. Ignorar este hecho y sostener lo contrario es falsear la realidad. Son muchos los procesos históricos que no se explican por causas económicas, que se han producido independientemente de las relaciones de producción y que más bien han influido en ellas. Se ha demostrado la importancia de los conflictos que se dieron a nivel de la "superestructura" en los órdenes religioso y jurídico. Frecuentemente incluso el hombre y su naturaleza son los que han tenido un papel determinante. En una sociedad con las características anotadas y sin fuerzas sociales organizadas y actuantes, los intereses de las personalidades, sus ambiciones y sus impulsos han influido en muchos acontecimientos importantes de la vida nacional. No ver los problemas de la democracia, de las libertades, del caudillismo, de militarismo, de la religión, del regionalismo y sólo ver las "relaciones de producción" es mirar en una sola dirección.

Naturalmente en el período histórico que comprende esta Segunda Parte. A partir de 1950, como se verá enseguida, los cambios económicos y sociales que sufre el país hacen que los conflictos políticos se planteen en otros términos.

131. Estos otros movimientos de trabajadores, expresados en las huelgas realizadas en las pocas fábricas existentes y en las minas de Portovelo y Ancón, más bien tuvieron un carácter económico-reivindicativo. La participación de la "clase obrera" en el derrocamiento del gobierno de Carlos Arroyo del Río (1944) tuvo otros propósitos: reivindicar la dignidad nacional, restaurar las libertades y eliminar un gobierno represivo.

TERCERA PARTE

LA CRISIS DEL PODER EN LA ÉPOCA CONTEMPORÁNEA

(1950-1975)

El objeto de esta Tercera Parte es estudiar la forma en que se produce la crisis de la estructura del poder basada en la hacienda, proceso que comprende un período histórico que va desde 1950 hasta nuestros días. Se ha tomado dicho año como punto de partida porque en él adquiere importancia la actividad agrícola bananera que, a diferencia de la cacaotera, cafetalera y arrocera, no se realiza en la hacienda tradicional sino en una nueva forma de explotación —la plantación— en la que con claridad aparecen "relaciones capitalistas de producción". De la misma manera que en la Segunda Parte se incluyeron algunos hechos sucedidos en los años cincuenta y sesenta del siglo XX, también en esta Tercera Parte se estudiarán fenómenos que ya se advierten antes de 1950, pues, en las ciencias sociales no es posible hacer cortes matemáticos de los tiempos históricos. Para sistematizar el análisis de la *Crisis del Poder*, a sus causas se las agrupará en ocho capítulos: el desarrollo del sector capitalista de la economía y la descomposición del sistema político tradicional; la urbanización de las ciudades y la aparición del populismo; la crítica ideológica representada por las ideas, partidos e instituciones; la organización de los trabajadores; el reformismo militar; la participación estudiantil; la renovación de la Iglesia Católica; y las nuevas relaciones de dependencia. En cada uno de estos temas se estudiarán los correspondientes conflictos políticos.

I. DESARROLLO CAPITALISTA Y CRISIS DEL SISTEMA POLÍTICO

1. Las nuevas formas de producción capitalista

El Presidente Galo Plaza (1948-1952), un liberal modernizante, plantea el problema económico del Ecuador en términos de aumento y diversificación de la producción, con el propósito de fortalecer el sector externo y así contar con los recursos de capital necesarios para reactivar la economía y emprender un proceso de desarrollo. Para el efecto, con el "consejo técnico" de funcionarios de la *United Fruit*, compañía que operaba una pequeña plantación en la Costa y que consideraba factible la expansión del cultivo del banano en el país, emprende un ambicioso programa de incremento del cultivo de esta fruta, mediante créditos otorgados por el Banco de Fomento.[1] Gracias al crecimiento de la demanda externa por las plagas que afectan a las plantaciones centroamericanas y al estímulo que otorga el Estado a la producción y comercialización, las exportaciones de banano se desarrollan aceleradamente. Mientras en 1948 los ingresos por las exportaciones de este producto no llegaban a los 2 millones de dólares, en 1950 suben a 17 y a 90 en 1960, año de mayor expansión de la economía bananera. De esta manera, los otros productos agrícolas son desplazados a un lugar secundario al representar juntos sólo el 34 por ciento de las exportaciones, mientras el banano alcanza el 60 por ciento.[2]

Al generar el banano las dos terceras partes de las divisas que recibe el país por su comercio exterior, se convierte en el principal cultivo del Litoral. Pero este producto, a diferencia de los tres tradicionales —cacao, café y arroz— no se cultiva en la *hacienda* sino en la *plantación*, unidad de producción en la que no existen trabajadores dependientes sino obreros asalariados sujetos a relaciones capitalistas de producción, que produce preponderante o exclusivamente para el mercado y utiliza más o menos intensivamente capital y técnica. El vertiginoso desarrollo de la economía bananera, en la que intervienen sociedades empresariales, grandes propiedades familiares y también medianas y pequeñas, genera una considerable demanda de mano de obra que es remunerada mediante un salario. Los dueños de las haciendas tradicionales, cultivadores de cacao, café y arroz, para poder conservar a sus trabajadores, en algunos casos se ven obligados a pagar salarios o a arrendar sus tierras para así mantener sus rentas, con lo cual los antiguos precaristas finqueros se transforman en peones libres o en pequeños empresarios. Para 1954, los jornaleros independientes ya representan alrededor del 52 por ciento del total de familias agricultoras de la Costa.[3] También se dan formas salariales de

1. Gonzalo Abad Ortiz, *El Proceso de Lucha por el Poder en el Ecuador*, Tesis de Grado mimeografiada, El Colegio de México, 1970, pp. 39-40.

2. Estas cifras y las otras que se citarán en este capítulo sobre producción y exportación, salvo indicación en contrario, provienen de las Memorias del Gerente General del Banco Central del Ecuador. Se han utilizado las correspondientes a los años de 1949 a 1973, pero principalmente las de 1959, 1964, 1969 y 1973.

3. CIDA, *op. cit.*, pp. 16, 409 y ss.

remuneración del trabajo en las plantaciones de caña de azúcar —que desde 1962 se convierte en el cuarto producto de exportación—, en las que recientemente se establecen para el cultivo de oleaginosas y de fibras vegetales y en las haciendas ganaderas. Con la expedición de la Ley de Reforma Agraria (1964), de la Ley de Abolición del Trabajo Precario en la Agricultura (1790) y del Derecho 1001, desaparecen todas las formas subsistentes de trabajo dependiente de tipo precario y la economía agrícola costeña adquiere un carácter capitalista definido. Algo parecido sucede en el Oriente con el desarrollo de la ganadería y de las plantaciones de té. En la Sierra el proceso de transformación es más lento. La demanda externa sólo influye en la aparición de relaciones capitalistas de producción en el caso de las plantaciones de piretro. Las modificaciones más bien se deben a las reformas que sufre la estructura jurídico-política por la expedición de la Ley de Reforma Agraria que liquida el *huasipungo* y el *arrimazgo*. Para retener a estos ex-precaristas transformados en peones libres, los hacendados se ven obligados a recurrir al pago de salarios. En otros casos racionalizan la utilización de mano de obra mediante el uso intensivo de capital y técnica, para así mejorar la productividad.

Igualmente en las ciudades las formas capitalistas de producción adquieren importancia. En efecto, mientras antes de 1950 el producto interno bruto no agrícola representaba el 60 por ciento, en 1975 asciende al 80 por ciento. La industrial fabril crece muy dinámicamente: entre 1950 y 1959 en un 8 por ciento anual, en la siguiente década en un 10 por ciento y a partir de 1970 a un promedio del 13 por ciento anual. A este desarrollo fabril se suma el de la construcción y el de la pesca industrial cuyo incremento ha sido significativo. Algo parecido sucede con el denominado sector terciario integrado por los servicios, el comercio, la banca, los seguros, los bienes inmuebles, el transporte y las comunicaciones. Pero para apreciar exactamente la significación de este desarrollo de la economía urbana es necesario hacer algunas precisiones. Las plantas fabriles no se instalan en todas las ciudades sino en muy pocas y principalmente en Guayaquil y Quito en las que se concentra más del 70 por ciento de la producción industrial. Dentro del sector manufacturero, cuyo aporte al producto interno bruto apenas representa el 15 por ciento, la industria fabril sólo llega a ocupar el 25 por ciento de los trabajadores industriales, pues, el restante 75 por ciento labora en la artesanía. Además hay que considerar que la producción industrial se reduce básicamente a la elaboración de artículos de consumo y que las fábricas de bienes intermedios y de capital —que son muy pocas— sólo se instalan en los últimos años.

En este desarrollo del sector capitalista de la economía intervienen el Estado, la empresa privada y el capital extranjero.

Antes, dentro de los principios clásicos de la economía liberal, la intervención del Estado se había reducido a la prestación de servicios y a la vigilancia de ciertas actividades económicas a fin de que se sujeten a las leyes y al "interés nacional". Ahora se considera que el Estado no puede continuar como simple observador de las libres fuerzas del mercado y que, sin eliminarlas, debe intervenir en la economía promoviendo, alentando y regulando los procesos de producción y distribución, mediante la prestación de servicios técnicos y financieros, el control del comportamiento de los factores productivos y la creación de nuevas actividades económicas incluso con su participación financiera en empresas estatales o mixtas. Consciente de que el desarrollo del país se genera "desde afuera", en la medida en que el comercio exterior es la variable que más influye en la capitalización de la economía, se busca diversificar la producción (1948) a fin de reducir la vulnerabilidad exterior. Posteriormente (1963) se propone un modelo de desarrollo "desde dentro" a través de un proceso de industrialización vía sustitución de importaciones y mediante la ampliación del mercado consumidor. Para alcanzar estos objetivos se toman tres medidas. En primer lugar se ejecutan ambiciosos programas de infraestructura física que faciliten la explotación de los recursos naturales, doten de servicios a las actividades productivas y faciliten el intercambio comercial. Se crean el Instituto Ecuatoriano de Recursos Hidráulicos y el Instituto Ecuatoriano de Electrificación que construyen canales de riego y plantas eléctricas; el fortalecimiento financiero del Ministerio de Obras Públicas, cuyo presupuesto llega a representar hasta el 18 por ciento del gasto público, permite dotar de un sistema de carreteras, puentes, puertos, aeropuertos y comunicaciones que prácticamente integran a todas las localidades del país y a éste con el mercado mundial. En segundo lugar se emprende la modernización y fortalecimiento de la estructura jurídico-administrativa con el propósito de convertir al Estado en el principal agente del desarrollo económico. Se realiza el primer censo de población (1950) —posteriormente se hacen dos más— para descubrir la situación, distribución y composición de los recursos humanos; se crean ministerios para la atención de la agricultura, la industria, la minería y el comercio y organismos especializados como el Centro de Desarrollo Industrial (CENDES) que realiza estudios de factibilidad y de mercado y presta asistencia técnica o el Servicio Ecuatoriano de Capacitación Profesional (SECAP) para mejorar la calificación de la mano de obra; se dictan las leyes de Fomento Industrial, de Fomento de la Artesanía y la Pequeña Industria, de Fomento Agropecuario y Forestal y de Fomento de Turismo. En 1954 se constituye la Junta Nacional de Planificación y Coordinación Económica a la que se le encarga "formular planes sistemáticos de Desarrollo, tanto regionales como nacionales, en el campo económico y social; coordinar la política económica de los ministerios y organismos estatales y, de modo particular las inversiones que hagan los mismos; intervenir en los procesos financieros, especialmente en la contratación de deudas internas y externas, etc., todo con el objeto de promover el desarrollo económico y social del país".[4] Para acometer estas tareas el sector poco fortalece la posición financiera al ampliarse la participación del fisco en la riqueza generada por la economía mediante nuevas leyes que gravan la renta, las ventas y el comercio exterior; con ellas además se busca restringir el consumo suntuario, favorecer el ahorro y promover la inversión. Para facilitar la creación de sociedades de capital se dicta la Ley de Compañías y para dotarlas de recursos se amplía la capacidad crediticia del Banco Central y del Banco de Fomento y se crean nuevos circuitos financieros: Comisión de Valores-Corporación Financiera Nacional, Banco de Cooperativas, Banco de la Vivienda, Bolsa de Valores, Compañía Financiera Ecuatoriana de Desarrollo (COFIEC), etc.[5] Por otra parte, se busca extender el exiguo mercado consumidor de artículos industriales mediante la Ley de Reforma Agraria y el ingreso del país a la ALALC y al Pacto Andino. En tercer lugar, el Estado toma a su cargo la explotación de ciertas actividades económicas, asociado a los particulares con los que constituye empresas mixtas o individualmente a través de empresas estatales. Unas se ocupan de la prestación de los servicios de electricidad y comunicaciones. Otras incursionan en el transporte y la comercialización

4. Junta Nacional de Planificación y Coordinación Económica. *Ecuador: Política Planificada para el Desarrollo*, Imp. Junta de Planificación, Quito, 1966, p. 11.

5. En 1950 se otorgaron créditos a la industria por 209 millones de sucres y en 1973, a precios constantes, por 1.775 millones de sucres. Esto quiere decir que en los 23 años se ha producido un crecimiento anual promedio del 31 por ciento, el cual está dado sobre todo por los últimos años. En el período la tasa de crecimiento llega al 749 por ciento.

como por ejemplo es el caso de las flotas bananera y petrolera y de la Organización Comercial Ecuatoriana de Productos Artesanales (OCEPA). Pero, sobre todo a partir de la aparición del petróleo que permite al Estado acumular cuantiosos capitales,[6] cada vez son más importantes las inversiones del sector público en empresas industriales que fabrican bienes de consumo duradero, intermedios y de capital. Entre ellas, sin duda la más importante es la Corporación Estatal Petrolera Ecuatoriana (CEPE) que interviene en la explotación, comercialización e industrialización del petróleo y sus derivados.

La "empresa privada" constituye el segundo motor del desarrollo capitalista.[7] Los empresarios tienen dos orígenes. Unos provienen de la clase dominante tradicional constituida por agricultores, comerciantes, banqueros y profesionales que transfieren a la industria los capitales acumulados en el ejercicio de sus actividades y no gastados en el consumo suntuario. Otros, de los emigrantes árabes, italianos y judíos que llegan al país en las primeras décadas del presente siglo o de los colombianos, chilenos y peruanos que arriban más recientemente. A diferencia de los anteriores que forman sus capitales en el ejercicio de actividades comerciales, éstos llegan al país con recursos financieros e introducen criterios gerenciales en la gestión de las empresas. En los últimos años también aparece una joven burguesía, incluso en la Sierra y en ciudades tan tradicionales como Cuenca, sin los "escrúpulos" de la vieja clase tradicional, dispuesta a correr riesgos, e introducir innovaciones y cuyo objeto principal es el lucro. Todos estos empresarios se encuentran en condiciones muy favorables para la creación y desarrollo de nuevas actividades económicas, especialmente en el sector industrial. El Estado pone a su disposición apreciables recursos financieros en condiciones ventajosas de plazo e interés; gozan de liberaciones arancelarias e impositivas; por el crecimiento económico el mercado nacional experimenta cierta extensión; la integración andina facilita las exportaciones; barreras arancelarias restringen las importaciones de artículos manufacturados. Como se puede ver, el desarrollo industrial del Ecuador sigue un proceso

6. Según cifras oficiales, la participación del Estado en los resultados de la actividad petrolera mediante impuestos, regalías, etc., llega al 80 por ciento; el 20 por ciento restante queda en manos de las compañías petroleras.

7. De las 5.217 compañías anónimas constituidas entre 1900 y 1973, el 80 por ciento se han formado a partir de 1950, esto es, el período económico que ahora analizamos. Entre 1968 y 1973 los activos de las compañías anónimas se cuadruplicaron a precios corrientes y casi se triplican a precios reales. (Véase *Superintendencia de Compañías, Síntesis: 1964-1974*, pp. 30 y ss.)

diferente al de los países capitalistas. Mientras en las economías centrales una agresiva burguesía toma a su cargo la industrialización y la creación de condiciones que favorezcan su evolución, en el caso ecuatoriano los empresarios crecen bajo las alas protectoras del Estado que les dota de servicios y les presta su colaboración económica e institucional.

Finalmente tenemos el capital extranjero. Señalamos en la Segunda Parte que el aparato productivo estuvo controlado por nacionales o por migrantes extranjeros y que el Estado recibía pocos créditos externos. Esta situación, ligeramente atenuada, se mantiene en los años cincuenta de manera que en 1961 la Junta de Planificación afirma que la inversión extranjera en el sector industrial es irrelevante y reducida.[8] Pero esta situación cambia muy rápidamente en los años sesenta y sobre todo en la presente década. A las iniciales inversiones extranjeras en plantaciones de banano y en el comercio de exportación se suman otras en plantaciones de piretro y té y en el sector financiero de los seguros y los bancos. Luego tenemos el caso de las compañías petroleras que realizan la más importante inversión que haya recibido el país, tanto por su volumen[9] como por los efectos económicos que genera. En la actualidad los capitales foráneos parecen dirigirse preferentemente a la industria con el propósito de aprovechar los proyectos adjudicados al Ecuador en la programación sectorial del Pacto Andino y las nuevas condiciones económicas del país creadas por la aparición del petróleo. A ello se suma la necesidad que tienen los industriales de contar con tecnología para modernizar la producción e intervenir exitosamente en la competitiva industria contemporánea, mediante el mejoramiento de la productividad y la apertura de nuevas plantas fabriles.[10]

8. *Junta de Planificación*, *La Industria y la Minería*, mimeog., Quito, 1973, p. 45, en Plan General de Desarrollo Económico y Social: 1964-1973.

9. Por ejemplo, la inversión en la construcción del oleoducto, que transporta el petróleo desde el Oriente hasta el puerto de Balao, se estima en 2.650 millones de sucres que representan el 40 por ciento del presupuesto del Estado de 1971, año en el que se construyó el oleoducto.

10. La magnitud de la penetración del capital extranjero puede deducirse de las siguientes cifras: en 1973, en 1.400 compañías analizadas, el 60 por ciento de los activos estaban controlados por inversionistas extranjeros. De dicho total de compañías, el 32 por ciento correspondía a compañías extranjeras y el 6,5 por ciento a compañías mixtas en cuanto a la integración de su capital. (Véase, *Superintendencia de Compañías*, pp. 22 y 23.) En 1971 eran extranjeras el 80 por ciento de las compañías de seguros y el 35 por ciento de los bancos. (Véase, Guillermo Navarro, la *Concentración de Capitales en el Ecuador*, ed. Universitaria, Quito, 1975, p. 35.)

2. Las oligarquías

Las nuevas oligarquías tienen características muy peculiares que las diferencian de las europeas e incluso de algunas latinoamericanas.

Son evidentes los ligámenes y la escasa diferenciación existentes entre los cuatro principales grupos que integran la oligarquía: el latifundista, el agroexportador, el importador y el industrial.[11] En unos casos porque los terratenientes extienden sus intereses al comercio y a la industria, actividades en las que emprenden; en otros, porque comerciantes, industriales y profesionales enriquecidos adquieren tierras porque la propiedad de una "hacienda" sigue siendo símbolo de prestigio social. La fortuna de los nuevos ricos y la necesidad de supervivencia de la aristocracia empobrecida, permiten a las nacientes burguesías vincularse familiar y socialmente con la clase tradicional, cosa que incluso ha llegado a suceder con los emigrantes árabes originalmente mal vistos. Además, hasta antes de la aparición del petróleo, el sector agroexportador era el único en capacidad de generar procesos de acumulación de capitales de manera que de su éxito dependía el financiamiento del comercio y de la industria. Todas estas circunstancias —que no siempre se toman en cuenta— explican el papel no modernizador que han cumplido las nuevas burguesías. Al prevalecer los valores culturales de los viejos latifundistas y no diferenciarse claramente los intereses económicos de cada una de las "fracciones" de la clase dominante, los industriales han sido incapaces de conformar un sistema propio de valores y diseñar el modelo económico y político que les habría permitido constituirse en el sector hegemónico del sistema capitalista en formación.

La estructura de la empresa también ha impedido que las nuevas burguesías cumplan un papel modernizador. Las sociedades ordinariamente están constituidas por grupos familiares que toman el nombre de compañía anónima, siendo excepcional el caso de las que se integran con numerosos accionistas. Según la Superintendencia de Compañías, en el Ecuador la compañía anónima "es una organiza-

11. Al respecto es útil examinar los casos de los dos hombres probablemente más ricos del Ecuador —Luis Noboa Naranjo y Antonio Granda Centeno— ambos no provenientes de la clase tradicional. Sus actuales intereses económicos abarcan las actividades del comercio, la industria, la construcción, los servicios, la agricultura, la ganadería, los inmuebles, los bancos, los seguros. Similares son los casos de Manuel Jijón Caamaño, cuyo origen es latifundista o de la familia Isaías procedentes de la migración árabe. (Véase, *op. cit.*, de Guillermo Navarro, pp. 53 y ss.)

ción unipersonal o cuando más familiar y cuenta con un número pequeño de accionistas".[12] En 1973, en la mitad de las compañías anónimas existentes las acciones se distribuían en no más de 5 personas de manera que aproximadamente 1.500 accionistas, por sí solos o unidos a otro, controlaban el 85 por ciento de todas ellas y conviene tener en cuenta que la sociedad anónima contribuye en un 26 por ciento al P. I. B. y al 49 por ciento de la producción industrial, siendo de su propiedad el 85 por ciento de los activos totales.[13] Es natural entonces que en 1973 sólo 8 sociedades hayan cotizado sus acciones en la Bolsa de Valores. Con estos antecedentes, es lógico que los administradores sean designados por consideraciones personales o simplemente por ser los propietarios del capital. Si bien algunos han logrado desarrollar procesos de acumulación de capital y de expansión empresarial, generalmente ha sucedido lo contrario. En las empresas prevalecen formas tradicionales de organización y administración; como los administradores principalmente buscan la obtención de recursos para mantener o mejorar su posición social, no se interesan por la capitalización y las inversiones a largo plazo sino por la alta rentabilidad y el rápido éxito económico como empresarios especuladores que son; la promoción de proyectos, la formación de capital, la aceptación de riesgos, la adopción de nuevas técnicas, la delegación de responsabilidades, la introducción de innovaciones no son características frecuentes en estos administradores. Son evidentes los contrastes entre estos "gerentes" y el ascético empresario "weberiano" y el innovador empresario "schumpeteriano", portadores del progreso y de la modernización.

En estas condiciones, no ha podido surgir una "burguesía nacional" y al no existir no ha sido posible que cumpla el papel que pretenden asignarle tanto la derecha como la izquierda.[14] Los empresarios no se han interesado por ser los pioneros de la industrialización, los portadores de la modernización y los ejecutores de lo que hoy se llama desarrollismo. Estas peculiares características les han inhabilitado para reeditar en el país el modelo capitalista de desarrollo que

12. Véase, *Superintendencia de Compañías*, pp. 20-21.

13. *Superintendencia de Compañías, Características y compartimiento de la Compañía Anónima en el Ecuador*, mimeo., Quito, 1975, pp. 42, 69 y 77.

14. Consideramos de derecha los partidos o instituciones que quieren conservar las actuales estructuras en algunos casos mediante la introducción de ciertas reformas y de izquierda a los que quieren sustituir el sistema capitalista por otro de tipo socialista. Esta aclaración es necesaria porque en el Ecuador se sigue alineando a los partidos por su posición frente al fenómeno religioso.

promovieron en Europa.[15] Su interés en el control del aparato político ha tenido objetivos más "modestos": justificar o cubrir evasiones tributarias, continuar con protecciones arancelarias, eludir el cumplimiento de las leyes sociales y, en general, mantener el marco estructural que les permita obtener fáciles ganancias en una economía no competitiva. La "empresa privada" más bien ha visto con sospecha ciertas políticas públicas que en última instancia le eran altamente convenientes, como por ejemplo los intentos modernizadores de ciertos gobiernos progresistas (1963 y 1972) a los que se les ha calificado de desalentadores de las inversiones, contrarios a la libre iniciativa, estatizantes y enemigos de la empresa privada. A pesar de que ciertas políticas concebidas por los tecnócratas y ejecutadas por los militares favorecían específicamente a los industriales y, en el caso de haber sido mantenidas y aprovechadas adecuadamente, les habrían permitido convertirse en el principal grupo económico del país.[16] Obviamente, estas burguesías tampoco pueden ser el aliado idóneo para la realización de la "revolución democrático-burguesa, antioligárquica y antimperialista" que algunos teóricos consideran el paso previo para la revolución socialista. Primero, porque su escasa conciencia nacional les lleva a integrarse cultural y económicamente en los grandes centros metropolitanos y a despreciar al país y a su pueblo. En segundo lugar, porque su poca creatividad y sus hábitos dispendiosos les han dejado a merced de las empresas extranjeras para la provisión de capitales y sobre todo de *know how*, por lo que se han convertido en los más firmes defensores de la inversión foránea a la que "no debe imponérsele ningún tipo de restricción". Por ello, combaten el Régimen Común de Tratamiento a los Capitales Extranjeros del Acuerdo de Cartagena y la política petrolera nacionalista seguida por el Estado. Según ellos, todas estas medidas ahuyentan la inversión extranjera en un momento en que el Ecuador está en capacidad de convertirse en la "Suiza de América".

15. Sin embargo en una publicación que los "Empresarios Privados del Ecuador" hacen en el diario *El Comercio* de fecha de agosto de 1973, citando al escritor Uslar Pietri afirman "[...] para salir del subdesarrollo [...] no hay sino un camino, el de una nación que trabaja, produce, ahorra e invierte. Como lo hicieron los europeos del siglo XIX y los japoneses de éste".

16. Lo dicho se puede confirmar en las publicaciones de las cámaras de producción realizadas durante los dos últimos gobiernos militares. Pero el planteamiento más coherente se encuentra en el documento "Criterios de la Empresa Privada sobre una Política Ecuatoriana de Desarrollo", entregada al gobierno militar del general Rodríguez el 22 de diciembre de 1972.

Si bien éstas son las características generales de las nuevas burguesías, es posible distinguir dos grupos en cuanto a sus actitudes políticas. El primero se ubica principalmente en Guayaquil —pero no sólo en esa ciudad— y se halla dominado por la oligarquía agroexportadora que, gracias a la superioridad de los capitales que logra acumular, subordina a los comerciantes importadores, a los industriales y a los empresarios menores, domina la economía local y controla el aparato político. Hasta la aparición del petróleo —que altera la tradicional correlación de fuerzas— la oligarquía agroexportadora controlaba el sector más dinámico de la economía. Como ella proveía cerca del 90 por ciento de las exportaciones, de la suerte de éstas dependían las recaudaciones fiscales, el financiamiento de los otros sectores productivos y la capacidad para importar bienes de capital. Por ello, en el período histórico que analizamos, hasta 1972, ningún gobierno, sea éste dictatorial o democrático, de "derecha" o de "izquierda", pudo prescindir de su concurso. Los cinco regímenes constitucionales que se suceden desde 1948 hasta 1963, contaron con la colaboración de los dos jefes naturales de la oligarquía guayaquileña. Este grupo económico no concibe el progreso de sus empresas como inherente al desarrollo del país y su desinterés por la problemática nacional llega a tal punto que ni siquiera cumple con sus obligaciones fiscales —los impuestos a la renta que pagan algunos de sus integrantes apenas equivalen a los que devenga un modesto empleado— y tampoco con las leyes del Trabajo y de la Seguridad Social, de manera que sus trabajadores, por la persecución que sufren, enfrentan dificultades de todo orden para la constitución de sindicatos. Para estas oligarquías los conflictos sociales sólo se deben a la presencia de agitadores y la función del Estado debe reducirse a mantener la paz y garantizar el orden a fin de que los negocios gocen de un clima de confianza que les permita "contribuir al progreso del país" en una economía de mercado librecambista.

El segundo grupo considera que la empresa debe contribuir al desarrollo nacional y al bienestar de los trabajadores a los que se les reconoce el derecho a participar en los beneficios que deja el progreso económico. Plantea la responsabilidad social de la empresa que debe considerar una obligación suya el aumento permanente de la producción, la creación de fuentes de trabajo, el respeto de los derechos laborales y el cumplido pago de las cargas fiscales. Son conscientes de la necesidad de racionalizar la estructura de las empresas y de actualizar la mentalidad de los empresarios. Con este propósito organizan cursos de capacitación —de "alta gerencia"— con la participación de expertos de las escuelas de administración de negocios de otros países, principalmente de los Estados Unidos. Bien vale aplicar a estos "empresarios-administradores", la aguda observación de C. Wright Mills cuando dice que muchos creen que "para hacer al obrero feliz, eficaz y cooperador, lo único que necesitamos es hacer a los gerentes inteligentes, racionales, instruidos". Estos modernos empresarios no provienen solamente del sector fabril, como muchos equivocadamente creen cuando atribuyen a los industriales tendencias progresistas y a todos los otros orientaciones necesariamente conservadoras. El error se debe a que en sus análisis únicamente recurren a la actividad económica que consideran determinante de su conducta y no toman en cuenta otros factores como la educación universitaria recibida, la formación ideológica y la edad. En efecto, los dos núcleos de estos sectores avanzados de la burguesía están constituidos por la Asociación Nacional de Empresarios (ANDE) y por los Centros de Ejecutivos, organismos en los que participan muchos comerciantes.

Junto a estas burguesías grandes y medianas en los últimos años paulatinamente se ha ido formando una pequeña burguesía integrada por industriales, comerciantes y choferes que operan con capitales limitados y con escaso número de obreros. La acción política de estos grupos todavía no ha adquirido un carácter definido. Los choferes integrantes de las "cooperativas de transporte" inicialmente actuaron junto a las organizaciones sindicales de trabajadores. Como los pequeños industriales y comerciantes no han tenido identidad propia, han sido controlados por los grandes grupos oligárquicos. Por ejemplo, los "paros comerciales" organizados en 1965 contra la política arancelaria de la Junta Militar de Gobierno, fueron autónomamente decididos por sectores minoritarios de la gran burguesía que impusieron los términos de la lucha. En efecto, a pesar de que la Cámara de Comercio de Quito se integraba con 3.000 miembros, el paro sólo fue aprobado por los 40 comerciantes que asistieron a la asamblea que lo proclamó.

El poder de la oligarquía ha sido reconocido por el Estado que ha otorgado a las Cámaras de la Producción representaciones oficiales en diversos organismos públicos. En el Congreso Nacional han existido senadores funcionales del comercio, la agricultura y la industria y parecida representación se les ha dado en otras instituciones como la Junta Monetaria, la Comisión Nacional de Valores-Corporación Financiera Nacional, el Banco Nacional de Fomento, etc. Hubo una época en que la Junta Monetaria, a cuyo cargo está la dirección de las políticas crediticia, cambiaria y monetaria, estuvo dominada por una mayoría de representantes del sector privado. Además, estos grupos ordinariamente han ocupado los ministerios encargados de la gestión económica que, en el período analizado, sólo excepcionalmente han sido desempeñados por tecnócratas.[17] Finalmente, el "frente económico" siempre ha sido llamado a opinar, al más alto nivel, sobre las políticas gubernamentales. Se pueden mencionar varios casos de los que cabe extraer uno que es muy ilustrativo. Cuando en 1960 triunfa Velasco Ibarra con cerca del cincuenta por ciento de los votos emitidos, acaudillando un multitudinario movimiento popular y una plataforma antioligárquica, convoca a unas "conferencias nacionales" destinadas a escuchar los criterios de las Cámaras de la Producción que finalmente dirigirán la política económica del gobierno velasquista.

El predominio político oligárquico es una consecuencia de su poder económico. Como los partidos políticos carecen de financiamiento público y frecuentemente su organización es sólo electoral, deben recurrir a las clases dominantes en busca de erogaciones económicas, —sobre todo en las elecciones— y de apoyo político, aun en el caso de no representar específicamente sus intereses. A través de los medios de comunicación de masas —diarios, revistas, radio, televisión— se modela la opinión pública. El contenido de las informaciones y de los editoriales, la manera en que se presentan las noticias y la no publicación de ciertos hechos forman ideológicamente a la sociedad. Estos medios de información colectiva subsisten gracias a la publicidad ya que el precio de venta de diarios y revistas deja pérdida por ser inferior al de su costo. Y como ella es provista casi exclusivamente por el mundo de los negocios, la prensa, la radio y la televisión quedan a merced de quienes detentan el poder económico.[18] Gracias a su influencia hegemónica, las oligarquías también logran absorber "a los mejores hombres de las clases oprimi-

17. Para que esto suceda no ha importado la orientación del gobierno que ha ejercido el poder. Por ejemplo, en el último gobierno de Velasco Ibarra ocupó el Ministerio de Industrias, Comercio e Integración el abogado de la Cámara del Comercio de Quito. En el Gobierno Nacionalista Revolucionario de las Fuerzas Armadas fue reemplazado por el Abogado de la Cámara de Industrias de Quito.

18. Una revista editada por los jesuitas —*Mensajero*— al adoptar una línea política crítica, como represalia sufre el retiro de la publicidad de la empresa privada. Hoy subsiste gracias a la publicidad del Gobierno, pero desvirtuada en su contenido.

das", como lo diría Marx. De esta manera han domesticado a dirigentes y a partidos progresistas —los casos del Partido Socialista Ecuatoriano y de los líderes de la Federación de Estudiantes Universitarios (FEUE) son muy ilustrativos— y cuentan con los más competentes profesionales para la defensa de sus intereses. Es así como los valores y las actitudes de amplios sectores sociales son modelados en función de las conveniencias de la clase dominante de la que dependen para concretar sus aspiraciones y con la que terminan identificándose ideológicamente. El sistema capitalista, sin duda más abierto que el "sistema hacienda", ofrece muchas posibilidades de progresar económicamente y trepar en la escala social a ciertos sectores del proletariado y especialmente a la clase media.

La defensa de los privilegios oligárquicos se escuda en el interés nacional y en ciertos principios de aceptación más o menos general. Las Cámaras de Producción ponderan las ventajas de la libre empresa y de la iniciativa privada, recuerdan la calidad de derecho absoluto que tiene la propiedad privada, condenan el estatismo y las ideas foráneas, piden la adopción de soluciones nacionales, pregonan el fin de las ideologías y desacreditan la actividad política a la que, con la ayuda de militares y tecnócratas, han logrado otorgarle un contenido peyorativo.[19] Pero, como se ha visto, los empresarios ecuatorianos no parecen tener las cualidades de sus congéneres europeos o norteamericanos y ni siquiera de los de otros países de América Latina. En 150 años de vigencia de libre empresa y propiedad privada absolutas no se ha logrado el desarrollo económico del país; sin la intervención del Estado —que tampoco ha sido un modelo de eficiencia— poco habría podido hacer el sector privado; el nacionalismo no es precisamente un atributo de los "herodianos" grupos económicos dominantes detractores de la cultura nativa y plenamente identificados con las civilizaciones extranjeras; son falsas la pretendida apoliticidad y la supuesta neutralidad ideológica de las oligarquías, pues, la intervención en los asuntos públicos para que se orienten en el sentido de sus intereses no es otra cosa que el ejercicio de una acción político-ideológica.

Como se verá más tarde (cfr. pp. 254 y ss.), es evidente que el nuevo marco jurídico-institucional ha abierto muchas puertas para

19. En el citado documento, *Criterios de la Empresa Privada...*, se dice: Cuando la "etapa que vive el país requiere de programas de acción concretos para convertir en realidades las oportunidades que se derivan de la coyuntura petrolera... es inútil o meramente académico discutir teorías filosófico-políticas".

que los sectores dominados puedan reivindicar sus derechos. Pero esto no supone la existencia de iguales oportunidades o de que, a nivel político, exista una concurrencia perfecta por una parte de las fuerzas sociales y por otra de las fuerzas económicas. Son evidentes las ventajas de los empresarios para llegar a la instancia política e influir en las decisiones del Estado en forma mucho más eficaz que los trabajadores. Y cuando su influencia y las presiones no son suficientes para orientar las decisiones gubernamentales recurren a la "fuerza de la inercia"; [20] esto es, a la contención de las inversiones con lo cual provocan una recesión económica gracias al control casi absoluto que tienen sobre el aparato productivo. Ante esta perspectiva, los gobiernos se ven obligados a devolver la "confianza" al mundo de los negocios dejando a un lado sus políticas reformistas.

Como se indicó antes (cfr. p. 155), agroexportadores, industriales, comerciantes y latifundistas han constituido una unidad dentro de la clase dominante y por tanto no han llegado a formarse "fracciones autónomas" de clase propiamente dichas. No habiendo entre los cuatro grupos oligárquicos un conflicto fundamental sino más bien una "fusión" de intereses, han sido irrelevantes las discrepancias que han aflorado a nivel político cuando el Estado —que en ciertos casos actúa con relativa autonomía y al que no puede considerársele como un simple reflejo del poder económico— ha tomado medidas que podían afectarlos. En efecto, sólo cuando la Junta Militar expide un nuevo Arancel de Aduanas (1965) se advierte un conflicto político de intereses entre comerciantes e industriales.[21] Generalmente ha sido uniforme la conducta de los cuatro grupos oligárquicos frente a ciertas políticas reformadoras de los gobiernos, lo mismo que con respecto a los partidos políticos progresistas y a las fuerzas sociales populares, como se puede verificar al examinar los pronunciamientos públicos de las Cámaras de la Producción —de Agricultura, Comercio, Industrias y de la Construcción— a través de las que se han expresado los intereses de las oligarquías. Por ejemplo, los comerciantes y los industriales han compartido la oposición de los lati-

20. Ralph Miliband, *L'état dans la société capitaliste*, Francois Máspero, París, 1973, pp. 165 y ss.

21. Estas discrepancias y otras menos importantes sólo se producen frente a la distribución de la carga fiscal y no ante las políticas económicas globales. En el caso que se cita, el gobierno de la Junta Militar busca con el Arancel de Aduanas encarecer las importaciones que pueden producir la industria nacional y los artículos suntuarios. Ante esta medida se produce la rebelión de los comerciantes que mediante el "paro" de sus establecimientos consiguen la modificación de la política arancelaria del régimen.

fundistas a la reforma agraria a pesar de que les favorece por traer consigo la ampliación del mercado consumidor. Los comerciantes muy terminantemente incluso se oponen a que se aplique un artículo de la Ley de Reforma Agraria vigente, por el que se declaran afectadas las tierras no cultivadas.[22] Los industriales, si bien en un manifiesto reciente por primera vez expresan un pensamiento relativamente actualizado, afirman que una política de desarrollo agropecuario ha de basarse en la "creación de la empresa agrícola" que funcione con sistemas de "gerencia y administración" y que la "justicia social en el campo [...] no se ha de obtener exclusivamente por el sistema de distribución de tierras, que puede tener inclusive efectos negativos, sino que más bien puede lograrse a través de mecanismos redistributivos del ingreso, junto con mejoramientos sustanciales en los niveles de productividad y producción, y con leyes que devuelvan la confianza al agricultor".[23] En otras palabras, se pide la sustitución de la "hacienda" por la empresa capitalista y de la reforma agraria por la colonización, coincidiendo con los que consideran que existiendo tantas tierras baldías, no cabe distribuir las que se encuentran en explotación. El pensamiento económico uniforme de la empresa privada también se ha manifestado en otros asuntos. Todos los grupos económicos se oponen a la Ley de Impuestos a la Renta que dicta la Junta Militar para actualizar la legislación *tributaria* y redistribuir los ingresos a través del impuesto progresivo. Como la industria nacional no exporta su produccción y más bien consume materias primas extranjeras y los comerciantes mercadean principalmente artículos importados, las devaluaciones monetarias benefician específicamente a los agroexportadores, sin embargo han contado con el respaldo de todos los grupos dominantes. En efecto, en 1971 el gobierno decreta la devaluación de la moneda atendiendo a una solicitud presentada por las Cámaras de la Producción.[24] También

---

22. Diario *El Tiempo* del 20 de diciembre de 1975.

23. Declaración de la Federación Nacional de Cámaras de Industrias del Ecuador, diario *El Comercio* del 27 de noviembre de 1974.

24. Según un documento publicado por el ex Ministro de Finanzas, Luis Gómez Izquierdo (diario *El Comercio*, 4 de julio de 1971) la solicitud de devaluación dirigida por las Cámaras de la Producción al Presidente de la República, entre otras cosas decía lo siguiente: "Hay evidencia sustancial de que lo que el Ecuador necesita es una devaluación de por lo menos entre el 25 y 35 por ciento [...] Ninguna otra política por sí sola, ni ninguna otra combinación de políticas, puede ofrecer tales ventajas [...] En consonancia con lo consignado en los capítulos anteriores, y contando además con el respaldo casi unánime de la opinión pública que clama porque se llegue a una solución integral del problema ecuato-

ha sido conjunta la oposición al ingreso del Ecuador al Pacto Andino y a la aprobación del Régimen Común de Tratamiento a los Capitales Extranjeros, así como la crítica a la política petrolera nacionalista del Estado, medidas que han sido calificadas como "favorables a los intereses foráneos" y "nefastas para la economía nacional".

Finalmente, es necesario considerar un fenómeno que, a pesar del avance del sistema capitalista, ha contribuido a que no se produzca una correlativa diferenciación de los grupos que integran la oligarquía. Si bien en los últimos años ha mejorado la integración nacional, todavía el regionalismo constituye un factor que frecuentemente determina la conducta política de amplios sectores sociales. Muchas medidas económicas y administrativas siguen enfocándose a través del lente regionalista que hace ver únicamente los intereses locales afectados y no los de los grupos económicos en conflicto. Es así como los comerciantes guayaquileños, han logrado movilizar a los otros sectores de la clase dominante del puerto, e incluso a las masas populares, en defensa de los "intereses de Guayaquil" amenazados por el "centralismo burocrático de Quito". De los mismos medios se han valido los "patricios" guayaquileños para conseguir el respaldo de todos sus conciudadanos.[25]

3. La crisis del bipartidismo

Además de este desarrollo del sector capitalista de la economía, otros factores que examinaremos en los capítulos siguientes, particularmente la urbanización de las ciudades (cfr. pp. 214 y ss.), en suma, la agonía del "sistema hacienda", traen consigo la crisis del bi-

riano, las Cámaras de la Producción, así como las demás instituciones y personas que firman la presente exposición, estiman que la única medida técnica y radical para salvar al país de la penosa situación económica en que se encuentra consiste en [...] un reajuste de la paridad monetaria internacional [...]"

25. Son muchos los ejemplos que pueden citarse. Sólo examinaremos dos casos. Cuando la Junta Militar intenta centralizar las rentas públicas (1964) desperdigadas en un sinnúmero de entidades autónomas, los "patricios" guayaquileños —que se habían servido de ellas para articular su poder político—, manipulan una reacción provincial contra los "burócratas serranos". Algo parecido sucede con el Arancel de Aduanas proindustrialista expedido por la misma Junta Militar, al que se oponen los industriales costeños, en solidaridad con los comerciantes, a pesar de que evidentemente les beneficia tanto como a los industriales serranos.

partidismo que paulatinamente pierde su preponderancia política. En unos casos es derrotado electoralmente por los nuevos movimientos políticos emergentes; en otros, conservadores y liberales se ven obligados a buscar alianzas para conservar una cuota de poder. Efectivamente, en el período histórico que analizamos no ejerce la Presidencia de la República ningún afiliado al Partido Liberal o al Partido Conservador. Sin embargo conservan alguna influencia ya que, de los 12 gobiernos que se suceden desde 1948, en 4 participan conservadores, en 3 los liberales, en 2 ambos partidos y en los 4 restantes no interviene ninguno. Como mantienen un número todavía significativo de parlamentarios en las cámaras del senado y diputados y controlan algunos municipios y consejos provinciales, los gobiernos no pueden prescindir de su concurso.

En el deterioro del Partido Conservador influyen también los cambios que sufre la Iglesia Católica. Como consecuencia del Concilio Vaticano II, de las encíclicas papales y de la Conferencia del Episcopado Latinoamericano realizada en Medellín, adopta una posición progresista frente a los problemas económicos y sociales del país (cfr. pp. 296 y ss.). Ante las nuevas enseñanzas de la Iglesia muchos católicos laicos y religiosos consideran que el Partido Conservador no representa la nueva doctrina social ni constituye el medio adecuado para la liquidación de las injusticias sociales denunciadas. En consecuencia, le privan de su respaldo e incluso se tornan en sus opositores. Además, la secularización de la sociedad como resultado del proceso de urbanización que sufre el país lleva a muchos católicos, sobre todo en las ciudades, a deslindar del ámbito religioso su actividad política que no la consideran dependiente de las instrucciones eclesiásticas. Más aún, la misma Iglesia declara explícitamente que no se compromete ni se identifica con ningún grupo o sistema político,[26] de manera que el Partido Conservador pierde el respaldo que, como se vio en la Segunda Parte, le brindaron muchos clérigos convertidos en sus agentes políticos.

Ante estos hechos, el Partido Conservador busca actualizarse ideológicamente. Para el efecto, en la nueva Declaración de Princi-

26. En la Declaración Programática emitida por la Conferencia del Ecuador consta lo siguiente: "La Iglesia en razón de su misión transcendente, no puede identificarse ni comprometerse con ningún grupo o sistema político. Ella está por encima de las luchas partidarias. Está decidida a no salir, por ningún motivo, de la esfera propia de su misión, que es la de ser educadora de las conciencias para el cumplimiento fiel de los deberes cívicos de decisiva importancia para el bien común, cual es, entre otros, el del ejercicio del sufragio".

pios que aprueba la Asamblea de 1966 acepta la intervención del Estado en la planificación del desarrollo económico y en la organización y transformación de la sociedad a fin de que "todos los habitantes del país y todas las categorías sociales tengan participación adecuada en el aumento de la riqueza nacional"; propone una estructura empresarial que junte en las mismas personas el aporte de capital y trabajo; se pronuncia por una reforma agraria "profunda e integral" del régimen de propiedad y producción agrícola —es el primer partido que presenta en el Congreso Nacional un proyecto de ley sobre esta materia—; y, finalmente, en materia religiosa modera sus tradicionales posiciones confesionales. Ya en su Asamblea de 1955, en uno de los considerandos del nuevo Programa que aprueba, reconoce que si bien "la doctrina católica es la verdadera y la que conduce a los asociados a la felicidad temporal y eterna, y aunque la mayoría de ciudadanos es católica, las leyes han roto desgraciadamente la unidad religiosa". Como consecuencia, sólo reclama el respeto del Estado para la Iglesia Católica a fin de que pueda actuar con libertad y la regulación de las cuestiones religiosas "en materia mixta". En la Declaración de Principios de 1966 va más lejos al afirmar que el Estado y la Iglesia "son en sus propios campos, soberanos e independientes y autónomos" y que, estando ambos al servicio de la sociedad, deben fijar "los términos de una sana colaboración". La evolución ideológica del conservadorismo no sólo se debe a la renovación doctrinaria de la Iglesia y a las nuevas realidades sociales y económicas; también influyen las modificaciones que sufre su "composición de clase". Algunos políticos provenientes de las tradicionales clases dominantes engrosan las filas de los otros partidos de derecha —denominación que se usa para todos los partidos defensores del actual sistema social y no únicamente para los "partidos católicos"— y en el Conservador asumen un papel importante hombres desvinculados de la propiedad de la tierra, de clase media y en muchos casos de extracción popular.

El Partido Liberal también sufre los efectos del ocaso de la vieja sociedad en la que, como se vio en la Segunda Parte, igualmente basó su poder. Además, sin comprender las nuevas condiciones del país, continúa enfrascado en el conflicto religioso, como se puede verificar con la lectura de las declaraciones programáticas de sus asambleas y analizando su conducta política en las campañas electorales de los años cincuenta. El laicismo sigue siendo su bandera de combate y sus alianzas políticas las realiza para detener el "oscurantismo conservador" e impedir que sean destruidas las instituciones laicas. Ortodoxamente, en sus nuevas declaraciones de principios se pronuncia porque se otorguen "garantías suficientes al capital extranjero" y propone que la "actividad económica del país debe fundamentarse principalmente en la iniciativa individual [...] y desenvolverse dentro del régimen de libre empresa y libre competencia".[27] Como consecuencia, el Partido Liberal es incapaz de responder a las necesidades del sistema capitalista en formación y a los intereses de las nuevas burguesías urbanas, empeñadas en la industrialización y en la modernización del país —procesos que requerían de la indispensable colaboración financiera e institucional del Estado— y por lo tanto, de convertirse en su representante político. Por otra parte, es rebasado por las consecuencias políticas de la urbanización, fenómeno que le hace perder, a manos de los partidos populistas, apreciables contingentes electorales de la Costa, región de la que dependió siempre su influencia política. Por todas estas razones, los liberales no logran convertir a su movimiento político en el "partido del desarrollo", papel en el que habrían sido secundados por muchos conservadores.[28]

Los dos partidos se debilitan aún más por las diversas tendencias que afloran en su interior. Dentro del Partido Conservador aparecen los "clásicos" y los "auténticos": los primeros representan a los sectores aristocráticos y los segundos a las nuevas capas sociales medias y populares. Más recientemente se conforma una fracción claramente progresista que entra en pugna con los grupos más tradicionales del conservatismo. Algo similar sucede con el Partido Liberal. Muchos de sus afiliados actúan autónomamente: colaboran con los gobiernos en ejercicio o engrosan diversas plataformas electorales a pesar de ser contrarios a los intereses políticos del liberalismo. Dentro del mismo partido se forman dos tendencias: la una representa los viejos principios liberales en lo económico y en lo religioso

27. Véanse, las Declaraciones de Principios del Partido Liberal aprobadas en sus dos asambleas de 1953.

28. Sin embargo existe la excepción de Galo Plaza que, según Agustí Cueva D. (*El proceso*... p. 55), fue el iniciador de la política que hoy se denomina desarrollista: contrató la realización de estudios técnicos, planteó el problema de la producción, elaboró y ejecutó planes de fomento mediante el otorgamiento de asistencia técnica y crediticia, planificó el aprovechamiento de algunos recursos naturales, trató de tecnificar la administración. Algo parecido podríamos decir del gobierno de Camilo Ponce que en el sector de los partidos "católicos" también representó la tendencia desarrollista. Por cierto que ninguno de los dos, fueron afiliados a los partidos Liberal y Conservador.

y la segunda más bien se interesa por los problemas contemporáneos del Ecuador y por el "cambio de estructuras". Una parte de sus integrantes abandonan el Partido Liberal y constituyen la Izquierda Democrática; los que quedan, concretan sus ideas en el Plan de Gobierno que publican en 1972 con marcadas tendencias desarrollistas.

La crisis del bipartidismo conservador-liberal trae además consigo la aparición de nuevos partidos políticos que se organizan con el propósito de responder a las realidades del país y a los intereses en juego.[29] Conscientes de que es hora de superar la confrontación clericalismo-anticlericalismo, confesionalismo-laicismo, plantean la necesidad de "desvincular lo religioso de lo político" a fin de que la acción de los partidos "descanse en principios prácticos de acción". Muchos de estos movimientos tienen una existencia efímera que no va más allá de la campaña electoral que origina su nacimiento; en otros casos subsisten pero como simples etiquetas políticas. Sólo tres de ellos logran constituir una organización nacional e influir en la política de las últimas décadas: Acción Revolucionaria Nacionalista Ecuatoriana (ARNE); Partido Social Cristiano (PSC); Coalición Institucionalista Demócrata (CID).[30] Doctrinariamente estos parti-

29. Ahora sólo estudiaremos los partidos que no proponen el cambio del sistema económico y social del país. Por sus características peculiares, los partidos populistas se examinarán más tarde.

30. ARNE se forma en 1942 cuando un grupo de estudiantes funda las Compañías Organizadas Nacionales de Ofensiva Revolucionaria (CONDOR). Este movimiento se transforma en el Partido ARNE bajo la inspiración del falangismo y del fascismo europeos y la dirección política y doctrinaria de Jorge Luna Yépez, un abogado quiteño. Se desarrolla muy rápidamente entre los jóvenes católicos y en sectores laborales con los que llega a constituir el Frente Nacional del Trabajo. Ambos son muy motivados por los planteamientos políticos del nuevo partido que reivindica los derechos territoriales del Ecuador conculcados por el Protocolo de Río de Janeiro, que critica el fracaso de las instituciones políticas democráticas y de los partidos tradicionales y que propone una lucha frontal contra la penetración del comunismo internacional. Los arnistas adoptan una organización paramilitar que consideran indespensable para enfrentar a los partidos marxistas en las universidades y en los sindicatos y para conquistar el poder por la fuerza. Pero su lucha frontal "contra todo y contra todos" —incluso se enemistan con la Iglesia Católica— les lleva a un embotellamiento político, para salir del cual, en 1952 cambian de estrategia y deciden acercarse a los factores efectivos de poder mediante una alianza electoral con el velasquismo. Triunfan electoralmente y obtienen algunas funciones públicas llegando incluso a disponer del diario *El Combate*. El contacto con las realidades políticas del ejercicio del poder provoca la formación de dos facciones; la "ortodoxa" acaudillada por Jorge Luna Yépez, expulsa a la "colaboracionista" que permanece en el gobierno y que luego se confundirá con el velasquismo al que proveerá de algunos de sus más importantes dirigentes. En la campaña presidencial de 1956 ARNE se alía con los partidos Conservador y Social Cristiano y lo mismo en la de 1960. Combate militarmente al gobierno "procomunista" de Arosemena Monroy (1961-1963) y colabora no oficialmente en la Junta Militar que le sucede e igualmente con el gobierno militar de 1972. En las elecciones que se realizan entre estos años interviene independientemente

dos tienen algunas características comunes. A pesar de que dos de ellos (ARNE y PSC) critican expresamente el sistema capitalista y el tercero propone vagamente la "transformación económica y social

---

con candidatos propios, incluso a la Presidencia, pero con resultados muy negativos. Hoy ARNE se encuentra estacionado y enfrenta un proceso de deterioro.

El PSC remonta sus orígenes al Partido Demócrata Nacional formado en 1945 que desaparece al poco tiempo y que luego se reconstituye con el nombre de Movimiento Social Cristiano en 1951. Lo fundan un grupo de católicos de la alta burguesía, a los que se suman unos pocos exsocialistas, no logrando en los primeros años rebasar el pequeño círculo de sus fundadores reducido a la ciudad de Quito. Sus vinculaciones electorales con el velasquismo permiten a su inspirador —Camilo Ponce Enríquez— ocupar el Ministerio de Gobierno (1952) a través del que logra proyectar un liderazgo nacional, gracias al cual capta la Presidencia de la República en 1956 mediante una alianza electoral con ARNE, el Partido Conservador y una fracción del velasquismo. Gracias al ejercicio del poder el socialcristianismo logra estructurarse a nivel nacional. Pero la organización partidaria es desbordada por Camilo Ponce que, convertido en un caudillo, forma la Federación Nacional Poncista como un organismo paralelo al Partido Social Cristiano. A pesar del notable desarrollo del "poncismo", sobre todo en la Costa, y de que mantiene su alianza electoral con el conservadurismo, fracasa en sus intentos de remontar la Presidencia de la República en 1966 y en 1968. El Partido Social Cristiano se queda corto en su intención de representar doctrinaria y políticamente a la Democracia Cristiana, como puede verse al examinar su obra de gobierno (1956-1960) y analizar su Declaración de Principios de 1951 e incluso una más renovada que adopta en 1964. Por estas razones se producen dos escisiones de sus núcleos juveniles más radicales: la una en 1964 y la otra en 1972. En la actualidad más correcto es hablar de "poncismo" que de social-cristianismo; por lo tanto, el futuro de este movimiento político dependerá de lo que suceda con la figura de Camilo Ponce.

CID es fundado en 1965 por viejos dirigentes políticos que ordinariamente no estuvieron afiliados antes a otros partidos pero que habían intervenido junto a liberales y velasquistas, movimientos que les permitieron ocupar importantes funciones públicas. Su fundador, Otto Arosemena Gómez, es muy vinculado a los hombres de negocios del puerto gracias a los cuales obtiene la senaduría funcional por el Comercio. La CID interviene en las elecciones para la Asamblea Constituyente de 1966 y logra elegir sólo tres diputados. Sin embargo, gracias a una hábil negociación política, con el apoyo de diputados representantes de las cámaras de la producción, de "poncistas" y de conservadores, Otto Arosemena es elegido Presidente de la República. Su gobierno, como pocos de los que han ejercido el poder en los últimos años, ha representado muy claramente los intereses de los grupos oligárquicos. Entre otras medidas, paraliza la reforma agraria y la reforma fiscal iniciadas por la Junta Militar. Al respecto, un exfuncionario de la AID (Clarente Zuvekas, diario *El Comercio*, del 25 de mayo de 1972) escribe lo siguiente: "Pero algunos suponen que el motivo real para terminar con este programa (de asesoría tributaria de AID) fue su preocupación de que estas medidas estaban mejorando la administración de impuestos. Como miembro de la comunidad financiera de Guayaquil (Otto Arosemena) resulta razonable suponer que estuvo presionado por grupos económicos privilegiados que habrían de ser los más afectados con estas reformas". Tanto la CID como su líder, proyectados gracias al ejercicio del poder, hoy se encuentran deteriorados por la participación que tuvieron en el otorgamiento de una concesión petrolera en el golfo de Guayaquil realizado en el gobierno de Arosemena, hecho que ha originado un escándalo ventilado judicialmente.

Existe un cuarto movimiento político denominado Partido Patriótico Popular que no se analiza por su escasa significación. El PPP se origina en la escisión de un alto dirigente conservador, el Dr. Ruperto Alarcón Falconí.

del pueblo ecuatoriano", no concretan un sistema económico alternativo, ya que en general lo aceptan y sólo desean limitar sus excesos. Los tres consideran que el problema de las "desigualdades sociales" se ha de ir progresivamente resolviendo si se aplican estrictamente las leyes laborales; con la participación de los trabajadores en las utilidades de las empresas; mediante una legislación fiscal que debe usarse como un instrumento de redistribución de la riqueza; y a través de una reforma agraria que consideran debe hacerse sólo en las tierras mal cultivadas y en la que incluyen a la colonización. Con diversos matices, consideran que la libre empresa y la iniciativa privada son medios adecuados para alcanzar el desarrollo económico del país, aunque reconocen la intervención del Estado para regular los conflictos sociales y fomentar la industrialización. En materia de inversión extranjera la CID adopta una actitud de liberalidad y ARNE opta por la nacionalización de los medios de producción para así defender la autodeterminación nacional, siempre que ello no signifique estatización o confiscación. Los tres movimientos políticos se definen como anticomunistas por muy diversas imputaciones que hacen al marxismo: materialismo, negación de la democracia, totalitarismo, estatismo, internacionalismo, lucha de clases, etc. El PSC y la CID aceptan las instituciones de la democracia liberal mas no ARNE que propone un Estado orgánico y una democracia autoritaria.[31]

ARNE es un movimiento político organizado y militante —al estilo falangista— y fuertemente ideológico. En cambio los otros partidos —como el Conservador y el Liberal— carecen de una estructura propiamente dicha y sus genéricas bases ideológicas ocupan un lugar tan secundario que les permite todo tipo de desplazamientos políticos, naturalmente dentro de ciertos límites. En efecto no constituyen organizaciones permanentes y estables y funcionan alrededor de los notables locales que reclutan los contingentes electorales en función de la figura del candidato, de las personas que lo rodean, de su influencia o de intereses burocráticos, antes que por las ideas que representa el partido o por el programa que se propone realizar. La vida del partido se circunscribe a la acción de un pequeño número de diri-

31. En forma muy resumida, sólo tomamos en cuenta los planteamientos doctrinarios que los partidos hacen frente al problema socioeconómico. Para ello se ha recurrido a las siguientes fuentes: Ideario de ARNE, Declaración de Principios del CID, Declaración de Principios del Movimiento Social Cristiano, Principios Doctrinarios de la "Democracia Cristiana Ecuatoriana".

gentes nacionales que lo representan políticamente, ya que los afiliados ordinariamente permanecen alejados de la organización partidaria, excepto en los períodos electorales en los que son llamados a ocupar representaciones o a cumplir funciones de propaganda. La debilidad de la estructura partidaria hace que estos partidos sean muy dependientes de sus líderes, de los caciques locales, de las alianzas político-electorales y del respaldo de los llamados "independientes".[32] Este sector, que tan importante papel tiene en la política nacional, se integra con "personas de prestigio" sin afiliación política, siempre dispuestas a "prestar su nombre" para altas funciones públicas o para ser candidatos al congreso o a los municipios. Por todas estas razones, tanto los dirigentes de tales partidos como los gobiernos que originan, se vuelven irresponsables en el sentido de que no tienen ante qué estructura partidaria responder de sus actos. Frecuentemente ni siquiera se molestan en consultarla sobre las principales líneas de su acción política. La débil organización sumada a las rudimentarias definiciones ideológicas y a la inexistencia de una posición clara frente a los principales problemas del país, les lleva a subordinarse a las necesidades inherentes a la toma del poder y a su conservación. Como el éxito político se mide en función del grado de acceso a las funciones públicas, lo ideológico y programático queda relegado a un lugar secundario. Con Max Weber, a estos partidos cabe calificarlos como "simples organizaciones patrocinadoras de cargos". Su pragmatismo incluso les lleva a adaptarse a las necesidades populares y tomar ciertas medidas que afecten los intereses de los grupos dominantes, si ello permite mantener o ampliar sus clientelas electorales; en otros casos por así exigirlo el "interés nacional". A ello contribuye además la no afiliación partidaria de la oligarquía que ordinariamente no milita en estos partidos oficialmente. Ella prefiere actuar como grupo de presión, a través del financiamiento de las campañas electorales o directamente influyendo a nivel gubernamental. Excepto en el caso del CID, partido en el que hay una clara participación de los hombres de negocios de Guayaquil, a los otros —Liberal, Conservador, Social Cristiano, ARNE— no cabe considerárseles como simples portavoces de los intereses oligárquicos. Por lo tanto, no puede decirse que la oligarquía o sectores

32. En una encuesta realizada entre 153 prominentes políticos, a la pregunta de su militancia partidaria, sólo el 14 por ciento aceptó estar afiliado a un partido político. (Alfredo Jaramillo, INEDES, *Diagnóstico Preliminar de la Situación de la Población y la Familia en el Ecuador*, mimeo., Quito, 1967, p. 12.)

de ella, como por ejemplo los industriales o los latifundistas, cuentan con un partido político propio, ya que usan alternativamente a todos.

Algunos de los problemas señalados no han permitido que los partidos de derecha respondan a las nuevas condiciones del país y cumplan con sus propósitos renovadores asumiendo la dirección del desarrollo económico capitalista del Ecuador. La subsistencia del conflicto religioso impide a conservadores y liberales encontrar sus puntos de coincidencia en materia económica y social —que son muchos— y, por tanto, lograr la unidad programática y política que les habría permitido mantener su hegemonía, emprender la modernización de la economía e impedir el nacimiento y supervivencia de otras fuerzas políticas con las que se ven ahora obligados a compartir el poder. Al ser sustituido el bipartidismo conservador-liberal por un sistema multipartidista, se ha tornado complejo el contexto político y más difíciles las alianzas y acuerdos y por tanto la concreción de una plataforma programática común. Finalmente es necesario señalar el bajo nivel de competencia de estos partidos en materias relativas al problema del desarrollo. El conocimiento que tienen de la realidad social y económica es muy elemental; sus programas —cuando se exhiben— son simples enumeraciones de propósitos escritos apuradamente para la campaña electoral; las estructuras partidarias no permiten seleccionar y capacitar a los afiliados para la administración de un Estado moderno; no cuentan con cuerpos técnicos —aunque en parte ello se debe al apoliticismo burocrático de los tecnócratas—; minimizan la planificación que impide al viejo político egocentrista actuar con absoluta libertad resolviendo toda suerte de problemas y asuntos y tratan peyorativamente aquello que denominan "falsa técnica".

II. URBANIZACIÓN Y POPULISMO

1. La presencia popular

Hasta 1949 el crecimiento de la población no superó el 1,5 por ciento anual. En los años siguientes se acelera muy rápidamente cuando en la década del cincuenta sube al 3 por ciento, en la siguiente al 3,2 por ciento y en la presente al 3,4 por ciento. Como consecuencia, la población del país que en 1950 fue de 3,2 millones de habitantes, en 1962 sube a 4,5 millones y en 1974 a 6,5 millones. Esta "explosión demográfica" no se debe a inmigraciones ya que el Ecuador no recibe contingentes importantes de población extranjera —el Censo de 1974 establece la presencia de sólo 39 mil extranjeros— y tampoco al aumento de la tasa de natalidad que se mantiene más o menos estática y que tiende a disminuir: 46,2 por mil en 1950 y 36,3 por mil en 1974. La causa radica en la disminución persistente de la tasa de mortalidad que en 1950 es de 17,3 por mil y en 1974 de 9,8 por mil. El vertiginoso crecimiento de la población a una tasa que se equipara a las más altas del mundo —sumado a otras causas— trae consigo la aceleración de las migraciones cuando se produce una apreciable transferencia de población de la Sierra a la Costa y del campo a las ciudades. En efecto, la participación del litoral en la población del país que en 1950 era del 40,5 por ciento pasa al 49 por ciento en 1974. Lo propio sucede con las ciudades cuya población en 1950 sólo representa el 28,5 por ciento y en 1974 el 42 por ciento. Algunas crecen en una forma más vertiginosa, sobre todo las de la Costa, a tasas superiores al 10 por ciento anual, como por ejemplo son los casos de Quevedo, Santo Domingo de los Colorados y Machala; otras como Esmeraldas, Portoviejo, Manta, Guayaquil y Quito en la Sierra superan la tasa del 5 por ciento anual.[1]

1. Las cifras citadas tomadas de los tres censos de población del país: 1950, 1962, 1974.

Las migraciones y la urbanización traen consigo consecuencias políticas. En primer lugar contribuyen a acelerar la descomposición del "sistema hacienda". Como se indicó antes, cuando él rigió hegemónicamente la mano de obra campesina fue absolutamente dependiente y por tanto no pudo abandonar el campo y lo mismo sucedió con otras personas que sin trabajar en dicha unidad agrícola de producción, en virtud de la fuerza del sistema social que originó, de los intereses creados y de los valores culturales transmitidos, tampoco pudieron desprenderse de él. Pero a partir de 1950 —e incluso antes— esta situación comienza a variar sustancialmente. Los medios de comunicación se amplían y se extienden prácticamente a todos los lugares del país, tanto por la construcción de caminos como por la difusión masiva de la radio. Gracias a ellos la sociedad rural entra en contacto con la urbana con la que, en el mejor de los casos, antes sólo había tenido relaciones esporádicas. De esta manera los grupos sociales más permeables, no dependientes absolutamente de la hacienda, constituidos por asalariados, artesanos, pequeños comerciantes y medianos propietarios que habitaban las parroquias rurales serranas o el campo costeño, emigran a las zonas bananeras o a las ciudades vecinas donde crece rápidamente el sector terciario de la economía constituido por el comercio, el transporte y los servicios. Efectivamente, las ciudades que más se urbanizan son las que se constituyen en centros de comercialización del banano: Quevedo, Santo Domingo de los Colorados, Machala, Esmeraldas y Guayaquil. La descomposición del sistema hacienda y el proceso migratorio se acentúan por la expedición de las leyes de Reforma Agraria y de la Abolición del Trabajo Precario en la Agricultura. Como con ellas no siempre el campesino obtiene la propiedad de la tierra —al menos en tamaño suficiente— y en cambio se transforman en libres los antiguos trabajadores dependientes, se abre la posibilidad de que migren a ofrecer su fuerza de trabajo en las plantaciones de la Costa o en los servicios urbanos. Al mismo tiempo, por los nuevos salarios mínimos, muchos hacendados se ven obligados a racionalizar el empleo de mano de obra. A esta "expulsión" de campesinos que se realiza desde la zona rural se suma la atracción de la ciudad por el incremento de la industria y de la construcción que a su vez alientan el crecimiento de los servicios, el comercio y el transporte, actividades que se desarrollan gracias a la acumulación de capitales generada primero por el banano y más tarde por el petróleo.

Los migrantes calificados —que son los menos— o que disponen de capitales, fácilmente se integran a los sectores económicos propiamente capitalistas —industrial, financiero, grande y mediano comercio, etc.— en los que obtienen ocupación segura, bien remunerada y los beneficios económicos, sociales, culturales y políticos garantizados por las leyes. Distinta es la suerte de las otras poblaciones migrantes. El incipiente desarrollo industrial, el uso de tecnología avanzada, las altas tasas de crecimiento de la población y en general la forma en que está organizado el sistema productivo, no permiten la creación de suficientes plazas de trabajo que absorban estos "excedentes" de mano de obra —en relación con los recursos explotados y no con los explotables— que al no encontrar ocupación en los sectores modernos de la economía, son relegados al desempeño de tareas escasamente remunerativas denominadas subempleos: comercio ambulante, servicios personales, artesanía, construcción, etc. Estas poblaciones constituyen los marginados —también se les denomina subproletarios— a los que el sistema incorpora como fuerza de trabajo, pero en actividades económicas de baja productividad, sin hacerles acreedores a los bienes y beneficios de que gozan los otros grupos sociales. Según la Junta de Planificación, en esta condición de marginalidad [2] se encuentra el 52 por ciento de la población activa.[3]

La formación de las poblaciones marginadas es una consecuencia de las peculiares condiciones que rodean al desarrollo del sistema capitalista en el Ecuador y por tanto no les son aplicables los conceptos marxistas de "ejército industrial de reserva", de "superpoblación relativa" y de "lumpenproletariado" y tampoco el de "mano de obra desocupada" de la economía clásica.[4]

2. El reconocimiento de este hecho social que se ha dado en llamar marginalidad no significa desconocer las "relaciones de dominio y explotación entre grupos culturalmente heterogéneos" que se expresan en el "colonialismo interno".

3. Junta Nacional de Planificación y Coordinación Económica, *Ecuador: Plan Integral de Transformación y Desarrollo 1973-77*, Ed. Santo Domingo, Quito, 1972, p. 9. En dicho porcentaje del 52 por ciento, naturalmente constan tanto los marginados del campo como los de la ciudad.

4. Carlos Marx (*El Capital*, Fondo de Cultura Económica, México, 1972, t. I, c. XXIII) llama indistintamente "superpoblación relativa" o "ejército industrial de reserva" a los trabajadores desplazados por las máquinas convertidas en el "competidor del mismo obrero". Esta "población sobrante, es decir, inútil por el momento para los fines de la explotación del capital", según Marx, tiene un destino múltiple: volver a la manufactura tradicional; emigrar a ultramar en "pos del capital emigrante"; incrementar la oferta de mano de obra para así mantener bajos los salarios de los trabajadores ocupados; constituir una reserva disponible de trabajadores para cuando lo exija el crecimiento de la industria, en los períodos de auge. Evidentemente ninguno de estos conceptos —y tampoco el de "desocupa-

En una economía de mercado, como es la urbana, en la que todos los bienes deben comprarse, los escasos ingresos que reciben estos migrantes no les permite satisfacer ni siquiera las necesidades vitales, siendo la más afectada la de vivienda. Es así como en las ciudades de la Costa, a fines de los años cuarenta comienzan a formarse los barrios suburbanos y en la década del sesenta los tugurios centrales en las urbes de la Sierra. Estas poblaciones expelidas por el campo y atraídas por la ciudad se encuentran con un contexto social diferente al que rodeó su aislamiento rural. En el escenario urbano entran en contacto con otros hombres que se encuentran en la misma situación y por primera vez tienen la posibilidad de constatar de cerca el bienestar de "los ricos". Para ello sólo tienen que caminar por los barrios residenciales, mirar los locales comerciales y observar los automóviles que recorren las calles. El proceso psicosocial por el que los migrantes, ante la constatación de la pobreza propia y de la riqueza ajena, abandonan la creencia de que su situación constituye una "calamidad natural e insubsanable" y buscan la posesión de los bienes que tienen "los ricos" es muy bien descrito con los nombres de "efecto de demostración", "efecto de deslumbramiento" y "expectativas crecientes". Pero las "relaciones de producción" en las que participan múltiples patronos y su condición de no asalariados

---

dos" aportado por la escuela clásica de la economía— encaja en el de población marginada, en los términos en que ésta se da en el Ecuador. Efectivamente, los marginados no son trabajadores cesantes de la actividad industrial a la que nunca han tenido acceso; no tienen ninguna posibilidad de emigrar a otros países por las nuevas condiciones del mundo y precisamente por su situación de marginalidad; no ejercen ninguna influencia en la fijación de los salarios de los trabajadores ocupados que más bien son determinados por la acción de otros factores: escasez de mano de obra calificada, presión sindical, legislación proteccionista; finalmente, es imposible que el desarrollo industrial del país, sujeto a tantos condicionantes internos y externos, pueda crear suficientes ocupaciones para absorber altas proporciones de una población marginada estimada en un 52 por ciento y que crece muy rápidamente a una tasa superior al promedio nacional del 3,4 por ciento. Tampoco es aplicable a los marginados el concepto de "lumpenproletariado". Dentro de él Marx incluye a los "vagabundos, los criminales, las prostitutas, en una palabra, al *proletariado andrajoso*" (*op. cit.*, t. I, p. 545. El subrayado consta en el original), al que, otra obra (C. Marx y E. Engels, *Manifiesto del Partido Comunista*, Ed. Ateneo, Buenos Aires, 1973, p. 47), califica como "el producto pasivo de la putrefacción de las capas más bajas de la vieja sociedad". Evidentemente, la enumeración y la definición no corresponden a los marginados. Sobre el tema se puede consultar: José Nun, *Superpoblación relativa, ejército industrial de reserva y masa marginal*, Revista Latinoamericana de Sociología, vol. V, n.° 2, julio 1969, pp. 178-227; Fernando H. Cardoso, *Comentarios sobre los conceptos de sobre población relativa y marginalidad*, FLACSO, Revista Latino Americana de Ciencias Sociales, n.° 1/2, junio-diciembre de 1971, pp. 57-76; Ignacio Sotelo, *Sociología de América Latina*, Ed. Tecnos, Madrid, 1972, pp. 132 y ss.; Darcy Ribeiro, *El Dilema de América Latina*, Ed. Siglo XXI, México, 1971, pp. 84-85; Ismael Silva, *Marxismo y Marginalidad*, mimeog. Quito, 1974.

no les permiten individualizar al explotador; el bajo nivel cultural limita la capacidad para comprender las causas de su situación y las condiciones que han de permitir su transformación; sus apremiantes necesidades —trabajo, vestido, alimentación, salud, vivienda— les colocan frente a problemas inmediatos cuya resolución no puede esperar la llegada de la revolución; finalmente, todavía influidos por la sociedad patriarcal propia del sistema hacienda y empujados por los valores paternalistas, buscan en la ciudad a otro "patrón" que atienda sus necesidades y les proporcione amparo y protección. Recientemente, un fenómeno parecido está surgiendo en las regiones rurales, cuando los campesinos, gracias a la compra de tierras y a la abolición de las formas de trabajo precario, han quedado fuera del control político de la hacienda.

Naturalmente, el líder carismático es el individuo más adecuado para representar los intereses e interpretar las frustraciones de estas poblaciones desarraigadas. A los ojos del pueblo se presenta con cualidades extraordinarias o al menos extracotidianas [5] y por tanto con capacidad para comprender y resolver todos los problemas del mundo marginado. Es honesto e incorruptible —"no se casa con nadie"— y por tanto nada le impide defender sus derechos y someter a las leyes a todos los explotadores; su sabiduría le permite conocer los más diversos asuntos; su abnegación y su sentido de sacrificio en el cumplimiento de la suprema misión de servir las causas populares le llevan a atender todo tipo de problemas y a recorrer los lugares más apartados constatando necesidades, desfaciendo entuertos y castigando culpables; los ataques que sufre de la oligarquía —conservadora como es le atemorizan sus proclamas— demuestran la solidez de su compromiso. Al atribuírsele al líder populista cualidades extraordinarias y hasta mágicas,[6] se forma alrededor suyo una mitología que impide a sus seguidores analizar las acciones en sí mismas. Todo acto es bueno, justo y legítimo si es ejecutado por él, ya que se le considera incapaz de cometer errores, los cuales, en el caso de aceptarse, siempre son atribuidos a sus colaboradores.

Los marginados fijan estas imágenes en su conciencia a través de las actitudes del caudillo —por ejemplo el enfrentamiento con ciertos

5. Ver Max Weber, *Economía y Sociedad*, Fondo de Cultura Económica, México, 1969, t. I, pp. 193 y ss., t. II, pp. 711 y ss.

6. Agustín Cueva D. (*El proceso...*, pp. 97 y ss.) describe muy bien cómo se desarrolla esta mitología en el caso de Velasco Ibarra al que el pueblo llega a considerar como su "apóstol" y "profeta".

representantes conspicuos de las clases dominantes— y más frecuentemente mediante la palabra hablada. Como a pesar de su aparente accesibilidad siempre guarda las distancias, el pueblo forma sus criterios masificadamente a través de la comunicación radial, de la manifestación pública, de la reunión barrial, de la concentración popular y de las audiencias. Éstos son los únicos momentos en que la masa toma contacto con el "hombre". Siendo la cultura del "subproletariado" visual y oral es la oratoria la que permite llegar a su corazón y no la razón y el pensamiento escrito. Es natural entonces que el demagogo, antes que por el contenido de sus discursos se interese por su expresión formal —belleza retórica, gesticulaciones, imprecaciones, timbre de la voz, etc.,— ya que lo que interesa es mover los sentimientos y las pasiones. Sus palabras siempre van cargadas de promesas, halagos y condenas; jamás hace abstracciones ni emplea tecnicismos de ningún tipo; al contrario, plantea los problemas y necesidades sentidos por el pueblo en los términos más sencillos e inteligibles.[7] Es tanta la importancia que se da a la oratoria que el "saber hablar" se considera como un requisito esencial que debe llenar el político que aspira a ser gobernante y aquel que "no sabe hablar" inevitablemente se lo cree privado de todo atributo y por tanto sin condiciones para ocupar la Presidencia de la República. Cuando la masa se encuentra con un caudillo carismático que reúna estas características se abandona a su posesión. Establece una relación personal caracterizada por la devoción filial, la lealtad a toda prueba y el respaldo incondicional, a cambio de lo cual aspira a recibir toda suerte de beneficios.

7. El siguiente pasaje de un discurso del Dr. Velasco Ibarra ilustra lo que se acaba de decir: "Vosotros, los hombres que estáis aquí, vosotros, los fuertes brazos que ya los quisiera para sí don Galo Plaza, el momento que sois velasquistas sois la despreciable chusma velasquista, pero yo os diré lo que el Presidente Alessandri, un grande hombre de Chile, decía en ocasión análoga: ¡Querida chusma, con vosotros cuento para levantar la grandeza internacional del pueblo...! Solemne insolencia: "chusma", "chusma". En esta chusma hay artesanos beneméritos, de gran corazón y noble espíritu; en esta chusma hay mujeres abnegadas que sacrifican su existencia para salvar a sus hijos de la pobreza, por educarlos, por redimirlos, por darlos a la patria; en esta chusma hay campesinos que siembran, cosechan y dan la vida práctica que el pueblo tiene: la vida agrícola; en esta chusma hay brazos esforzados, grandes almas, nobles espíritus, hombres que saben morir por su ideal, hombres que saben luchar y vencer por dar al país la libertad electoral; sí, ¡esta chusma es el alma de la patria, esta chusma es la que redime a la República de la corrupción, del estancamiento egoísta, calculador y corrompido en que hoy está; sí, esta chusma es la que nos purifica, nos da fuerzas y nos levanta! ¡Pobres señores del gamonalismo estrecho y miserable! (Discurso del 31 de mayo de 1960 en la Plaza de San Francisco de Quito, *Obras Completas*, Ed. Santo Domingo, Quito, 1974, t. XII B, p. 247.)

2. Los partidos populistas

Los partidos tradicionales son incapaces de comprender los efectos políticos de la presencia popular en las ciudades, de la descomposición de la sociedad rural dominada por la hacienda y, por tanto, de interpretar las nuevas condiciones sociales del país. Sus viejas ideas no responden a los problemas sentidos por la base social y sus organizaciones partidarias no son adecuadas para encauzar a las masas populares emergentes. Al perder los notables las instituciones en las que basaron el control político, son privados de sus clientelas electorales que pasan a ser mandadas por los "dirigentes" barriales y parroquiales. A todo ello se suma la eliminación del fraude electoral y el establecimiento del sufragio libre que multiplica sustancialmente el número de votantes. Mediante el sufragio, que constituye la única forma de participación política, las mayorías imponen su voluntad. Como consecuencia, el caudillo contemporáneo para llegar al poder, más que el apoyo de las armas y de los notables, requiere de los votos de los ciudadanos. En estas condiciones, se produce la inevitable crisis de hegemonía de la clase política tradicional y la aparición de los partidos populistas.

El "velasquismo" es el primer movimiento populista que aparece en el país. Si bien nunca se ha constituido propiamente como partido político, su influencia ha sido preponderante desde 1933 hasta nuestros días, años en los que su caudillo —José María Velasco Ibarra— ha contado con un multitudinario respaldo popular aglutinado alrededor de sus seis campañas electorales a la Presidencia de la República.[8] Como es sabido, el origen más remoto del velasquismo radica en la *Compactación Obrera Nacional* (1932) formada para apoyar la candidatura presidencial de Neptalí Bonifaz e integrada por hombres de muy modesta extracción social —artesanos, obreros, pequeños comerciantes, etc.— todos ellos afectados por la crisis económica del país causada por la deflacción mundial y la caída de las exportaciones. Cuando el triunfo electoral, que obtienen las masas populares en las primeras elecciones libres que se realizan en cerca de cuarenta años, es desconocido por el Congreso Nacional (cfr. pp. 143 y 175),

8. Velasco Ibarra ha ocupado la Presidencia en los siguientes períodos: 1934-1935; 1944-1947; 1952-1956; 1960-1961; 1968-1972. En las elecciones de 1940 perdió la presidencia por el fraude electoral. De los veinte años que le correspondió gobernar, debido a sus repetidos derrocamientos sólo ha podido ejercer el poder por 11 años.

vuelcan su frustración y su respaldo en favor del hombre que en la legislatura, primero como diputado y luego como Presidente de la Cámara, se alza por los fueros de la libertad de sufragio convirtiéndose en el más vehemente detractor del fraude electoral. Para los pueblos de la Costa, Velasco Ibarra es el adversario implacable del Presidente Juan de Dios Martínez Mera (1932) —elegido fraudulentamente— el odiado ex-gerente de la *Compañía Nacional de Estancos del Litoral* que, durante la "dominación plutocrática", había dado muerte a la pequeña industria tabacalera del litoral y arruinado a millares de pequeños propietarios.[9] Después de la renuncia de Martínez Mera forzada por la oposición parlamentaria de Velasco Ibarra, el caudillo popular es elegido Presidente de la República por primera vez (1934). Luego lo será por cuatro ocasiones más una de ellas plebiscitariamente. Antes, recorrerá el país "palmo a palmo", tomando contacto personal con la multitud, como nunca lo había hecho antes un candidato presidencial, en una campaña en la que promete —como lo hará luego en todas las siguientes— "liquidar" los privilegios, "triturar" la plutocracia y "pulverizar" las trincas. Es así como, sin que haya mediado por parte de Velasco el deseo deliberado de constituir un partido, en la interacción política diaria entre un pueblo cargado de problemas económicos que busca una expresión y el líder que recoge e interpreta sus aspiraciones, se produce una natural y espontánea simbiosis que en el andar originará el velasquismo.

En los hasta ahora cuarenta años de velasquismo, su caudillo ha contado con la permanente y leal adhesión de amplios sectores populares representados principalmente por los marginados. En efecto, los bastiones electorales del velasquismo han sido las ciudades de la Costa que han sufrido procesos de urbanización y ciertos campesinos semintegrados a la vida urbana.[10] Ellos han "arrastrado" a los obreros, que se han adherido individualmente, pues, a diferencia de lo que ha sucedido con otros populismos latinoamericanos —peronismo, varguismo, aprismo— el velasquismo no ha contado con un

9. Oscar Efrén Reyes, *Brevísima Historia del Ecuador*, Ed. abc. Quito, 1970, p. 447

10. Un líder campesino (Hammock y Jeffrey, *op. cit.*, p. 90) dice lo siguiente: "Claro, nosotros los campesinos como grupo político, estamos organizados dentro de la Federación Nacional Velasquista: los indígenas, la comunidad en general, porque esta comuna fue dada por el Dr. Velasco Ibarra. Entonces tenemos que ser siempre velasquistas porque él nos ha enseñado el camino, nos ayuda a ver una mejor manera. En cambio otros presidentes no les importa como vivimos". (Véase además Agustín Cueva D., *El Proceso*... pp. 76 y ss.)

aparato sindical que le respalde. La oligarquía ha sido su segunda fuerza de apoyo, sobre todo en el III y IV velasquismo, cuando el grupo agroexportador reafirma su tradicional poder gracias al desarrollo de la producción bananera. Él financia las campañas electorales y sus representantes ocupan las más altas funciones en los ministerios y organismos públicos que tienen a su cargo la conducción de la economía del país. Siendo tan débiles los partidos políticos, incluso el Conservador y el Liberal que como estructuras partidarias se organizan sólo ocho años antes de la aparición del velasquismo,[11] al caudillo no le es indispensable contar con su concurso y tampoco con el de los otros movimientos que surgen contemporáneamente.[12] Por eso le ha resultado muy fácil manipularlos a su antojo consiguiendo su adhesión sin "beneficio de inventario", provocando escisiones o desafiliaciones u obteniendo la colaboración de muchos de sus afiliados a "título personal". Los grandes adversarios del velasquismo han sido el movimiento estudiantil y las centrales sindicales, pero éstas más como una expresión de sus cuerpos directivos políticamente conscientizados.

El velasquismo ha constituido un movimiento político personalmente afecto a su caudillo y por tanto absolutamente dependiente de su voluntad. Como dentro de él la fidelidad personal vale más que la adhesión institucional y la disciplina partidaria, aquélla ha sido un requisito indispensable para ingresar al grupo de los colaboradores del Dr. Velasco y los que han perdido su confianza han caído en desgracia siendo excluidos del círculo de fieles y privados de toda ascendencia política. Al formar los velasquistas una clientela electoral per-

11. Consideramos equivocada la afirmación de que el velasquismo destruyó a los partidos Conservador y Liberal, pues, ya se vio antes que sólo en 1925 se constituyen como tales. (Cfr. pp. 143 y ss.) Más bien cabe sostener la tesis contraria, esto es, que las limitaciones del conservadorismo y del liberalismo, en todos los órdenes, explican y facilitan el desarrollo del velasquismo. El mismo Velasco Ibarra se inclina por este punto de vista cuando en 1935 escribía: "concedamos por un momento que haya en el Ecuador partidos políticos. Y para el efecto de mi estudio, voy a tratar del partido conservador, del partido liberal, del partido socialista, del partido comunista y del pueblo ecuatoriano, como agrupación política, única fuerza pura, único elemento vigoroso y noble". (*Conciencia o Barbarie*, Ed. Lexigrana, Quito, 1974, p. 47.)

12. Casi todos los partidos políticos han tenido alguna vinculación con el velasquismo. Los conservadores en el I, II y III velasquismo; ARNE en el III y una fracción suya en los siguientes; CFP inicialmente en el III y la fracción guevarista en el V; el poncismo-socialcristianismo en el II y III; el Partido Nacionalista Revolucionario en el V y su caudillo en los anteriores; Liberación Popular y el Partido Patriótico Popular en el V; los partidos Socialista y Comunista en la acción parlamentaria de 1933 y en el II; la Democracia Cristiana con un ministerio en la etapa constitucional del V velasquismo en la que su tradicional adversario, el Partido Liberal, también llega a un acuerdo político con el caudillo.

sonal del caudillo y al reducirse la función de sus dirigentes al reclutamiento de nuevos seguidores y a cumplir con el papel de simples intermediarios entre el "apóstol" y "su pueblo", ha sido necesario su presencia para que los adeptos se movilicen políticamente. Por ello han fracasado los proyectos de los que han pretendido convertirse en sus herederos o actuar por su propia cuenta. Es que el velasquismo, antes que un partido político ha sido un movimiento eminentemente electoral. Allí ha radicado su fuerza y su debilidad. La *Federación Nacional Velasquista* —también ha tenido otros nombres— se ha organizado únicamente para enfrentar las elecciones presidenciales y ha desaparecido de hecho una vez alcanzado el objetivo final de la toma del poder por su caudillo que, por lo tanto, en el ejercicio del gobierno se ha visto privado de un aparato político que le respalde. Pasado el aluvión electoral, la arena política ha quedado librada a la acción de sus adversarios crecidos en fuerza y representatividad y atrincherados en el Congreso Nacional. El mismo Velasco se ha opuesto sistemáticamente a que el velasquismo se organice como partido político, institución de la que ha sido su más grande detractor y a la que ha considerado absolutamente inútil.[13] Cuando en 1968 la *Federación Nacional Velasquista* se constituye legalmente como partido político, lo hace solamente para cumplir con una formalidad que le habilita para participar en la próxima contienda electoral.

Como es corriente en los partidos populistas, también se caracteriza el velasquismo por su incoherencia ideológica que permite confluir en su seno a muy diversas tendencias políticas, tanto de izquierda como de derecha. Entusiasmados por las denuncias que hace Velasco de las injusticias sociales, por sus promesas de "triturar a las oligarquías corrompidas", por su política internacional independiente, por la movilización popular que desencadena, por ciertas afirmaciones sobre la necesidad de tomar las "cuestiones aceptables" del socialismo y del comunismo [14] y fatigados por sus fracasos políticos,

13. En un discurso Velasco dice: "Hay, pues, que formar no partidos porque el mundo no está hecho para partidos. Hay que formar movimientos. Los partidos son instituciones anquilosadas de la etapa burguesa que ya pasó. La hora actual de este siglo, es la vehemente explosión de los reclamos de las muchedumbres, de los reclamos populares, de los reclamos nacionales. Hay que formar grupos, movimientos que penetren muy adentro de esta nueva hora en que los pueblos y las naciones se expresan y quieren fortificarse. Esto no lo van a entender jamás los anquilosados partidos políticos, esos grupos anarquizantes y descentrados que surgen hoy por todas partes". (Diario *El Comercio* del 23 de marzo de 1969.)

14. Citado por Agustín Cueva D., *El Proceso*... p. 92.

muchos ven en el velasquismo la posibilidad de que las transformaciones sociales puedan realizarse y se suman a él.[15] Otros, más perspicaces, conocedores de la psicología del demagogo y de su pensamiento económico y social, no precisamente favorable a los cambios, concientes de que el discurso retórico es una necesidad de la campaña electoral y seguros de la ascendencia que ejercen sobre el caudillo, no ven posibilidad de que sean afectados sus intereses y también le apoyan. Es que Velasco, como suele suceder con todos los líderes carismáticos, es un "creador de ideología" que la va definiendo pragmáticamente en la política diaria de acuerdo a los acontecimientos y a las circunstancias.

Si bien Velasco no ha llegado a resumir sistemáticamente su pensamiento en un cuerpo doctrinario orgánico,[16] del laberinto ideológico que constituye la doctrina velasquista es posible extraer las siguientes cuatro ideas constantes: defensa de las libertades religiosa y de sufragio, pasión por el progreso, sentido nacional, interés por la participación popular.[17]

Como lo ha declarado reiteradamente, doctrinariamente Velasco es un liberal, pero desprovisto de los prejuicios religiosos que han caracterizado a los liberales ecuatorianos. Al estilo de los progresistas y liberales del siglo pasado, es contrario a la utilización de la religión en la política y a la intervención de la Iglesia en las campañas electorales, sin por eso dejar de ser católico practicante. Defiende el laicismo, el Estado laico y las instituciones originadas en la

15. Tal cosa sucede en el II, III y IV velasquismo. Pero, apagados los fervores revolucionarios de los primeros meses, Velasco termina acercándose a los tradicionales sectores económicos, gobernando con ellos y enfrentándose a los sectores progresistas.

16. Cuando el Velasquismo es reconocido como Partido por el Tribunal Supremo Electoral presenta una declaración de principios que es obra de los velasquistas y no de Velasco. Sin embargo ella resume bien los principios de este movimiento político que se estudiará enseguida, para lo que nos valdremos de los ensayos filosóficos y jurídicos, de los mensajes presidenciales y de sus principales discursos contenidos en las Obras Completas del Dr. Velasco Ibarra (19 volúmenes) que acaba de publicar la Ed. Lexigrana.

17. Refiriéndose a la afirmación de un historiador de que "el velasquismo no tiene doctrina" Velasco responde de la siguiente manera: "El velasquismo tiene una doctrina, señor. Cree usted que no es doctrina el mantener y luchar originalmente, para que la libertad de sufragio sea un hecho definitivo, sistemático, en la República del Ecuador? Cree usted que no es una doctrina el haber luchado en la época de sectarismo más insensato y más ciego, por la libertad de enseñanza, y por la libertad religiosa en la República del Ecuador? Cree usted que no es una doctrina el haber planteado el derecho individual del hombre, con todas las consecuencias [...] que arrastra en lo económico, en lo social y en lo cultural... y el haber reivindicado los derechos internacionales del pueblo ecuatoriano [...]?". (Discurso del 27 de enero de 1961, en *Obras Completas*, t. XII B, Ed. Santo Domingo, pp. 297-298.)

Revolución Liberal, pero se opone a que se restrinja la libertad de la Iglesia Católica. Por ello, elimina la subordinación de los establecimientos educacionales confesionales a los públicos, contribuye al financiamiento de las escuelas y colegios misionales y autoriza la creación de las universidades católicas. Consciente de las consecuencias negativas que la lucha religiosa ha tenido para el progreso del país, quiere que el debate político se oriente al tratamiento de los problemas que interesan al pueblo y afectan al Ecuador contemporáneo.

Se preocupa también por el restablecimiento de la libertad de sufragio sistemáticamente conculcada por los gobiernos liberales. En lo demás, busca que el Ecuador entre en contacto con las ideas del siglo, un gobierno democrático y la vigencia de las libertades públicas. Pero aun en estas materias, en las que hace constantes y claras definiciones teóricas, cae en contradicciones flagrantes. Clausura periódicos, persigue periodistas, amilana y coacciona al Congreso Nacional con las "barras velasquistas", interviene en las campañas electorales a pesar de ejercer la Presidencia, rompe la Constitución y se declara dictador por más de una ocasión. Su temperamento autoritario frecuentemente le lleva a chocar con las leyes y las instituciones a las que considera obstáculos que paralizan la obra de gobierno. Estando de por medio su incansable afán de "servir al pueblo" no puede sujetarse a las "luguleyadas de los abogadillos sin conciencia"

Igual que los otros presidentes educados en Europa, advierte el notable atraso del Ecuador con respecto a otros países y se propone colocarlo a tono con la época. Considera que el progreso vendrá como una consecuencia de la realización de obras públicas y de la extensión de la educación. Es necesario comunicar la Sierra con la Costa, a los puertos con el interior, al Norte con el Sur, al país con el mundo. Hay que dotar de una escuela a todas las poblaciones aun a las que se encuentran en los más remotos confines. Para ello emprende en una febril construcción de caminos, puentes, puertos, aeropuertos, canales de riego; en la instalación de plantas eléctricas y telefónicas; en la edificación de escuelas y colegios y en la ampliación de la enseñanza universitaria. Promueve la creación de entidades autónomas que atiendan los problemas regionales y provinciales y suplan las insuficiencias del gobierno y de una administración pública centralizadora en Quito. No realiza el velasquismo transformaciones estructurales ni se preocupa por los problemas de los trabajadores, quizá por la consciencia que tiene de que su base política no se encuentra en los sindicatos. Velasco no estaba preparado ni intelectual ni políticamente para enfrentar el problema social. Su formación jurídico-filosófica le lleva a plantearlo en términos asistenciales, morales y éticos o a considerar que su obra de gobierno es el mejor medio para resolverlos.[18] Ésta es una de las causas que explica el fracaso del IV y V velasquismo.

En su atropellado afán de progreso y de atención urgente a los requerimientos populares, importan poco los costos de los contratos, la calidad de las obras y la honestidad de las negociaciones.[19] Tampoco los planes, los programas, los estudios de factibilidad y las observaciones de los técnicos. El pueblo sabe cuáles son sus necesidades y la obligación del gobierno de descubrirlas y atenderlas. Velasco en sus discursos peyorativamente se refiere a los "intelectualoides y tecnócratas de escritorio" que desconocen el alma popular. A pesar de ser el fundador de la Junta Nacional de Planificación, llega a tal punto su adversión a la programación que "dilata la ejecución de las obras", que hace caso omiso del mandato constitucional que le obliga a adoptar el Plan del año 1969 formulado por el organismo que creó. Esta irracionalidad en la acción de gobierno, la no consideración de los aspectos financieros y su desconocimiento de la ciencia económica, han llevado a los gobiernos a provocar devaluaciones monetarias y crisis insuperables de la economía.

Otra característica ha sido el contenido nacional e independiente de la política exterior de Velasco Ibarra. Siempre ha defendido la libertad del país para orientar las relaciones internacionales en función de sus intereses y no de los de otra nación, por poderosa que sea. En sus gobiernos, establece relaciones diplomáticas y comerciales con los países socialistas —la primera vez en 1944 con Rusia—, se opone a que Cuba sea expulsada de la OEA, recibe a Fidel Castro, propicia el ingreso de la República Popular China a las Naciones Unidas y, a pesar de la oposición de las Cámaras de Producción, aprueba la integración del país en el Pacto Andino. De esta política internacional

18. En los gobiernos de Velasco no se dictan leyes que favorezcan a los trabajadores. Tampoco se plantea el problema de los cambios estructurales. Sólo existe una excepción: la Ley de Abolición del Trabajo Precario en la Agricultura expedida en circunstancias muy particulares. Examinada la obra velasquista en materia social se encuentra lo siguiente: Banco de la Vivienda, Patronato del Niño, Junta de Defensa del Artesanado, Asociaciones Mutualistas, Dirección Nacional de Cooperativas, Almacenes de Subsistencias, relleno de los barrios suburbanos de Guayaquil.

19. Es conocida la absoluta honestidad personal del Dr. Velasco y la poca honradez de algunos de sus colaboradores a los que, un alto dirigente velasquista calificó como hombres "enloquecidos por el dinero".

"antimperialista" se ha valido el caudillo para, en muchas ocasiones, neutralizar la oposición de los partidos marxistas en cuya conducta tanto influye el fenómeno internacional.

Pero quizá lo que más define al velasquismo en su empeño por obtener la participación popular en la lucha política. Velasco descubre intuitivamente el fenómeno de la urbanización de las ciudades y lo interpreta políticamente. De alguna manera, los sectores sociales preteridos ingresan en la escena política en la que participan al menos formalmente. Además algunos son llevados al ejercicio de altas funciones públicas que ya no sólo son desempeñadas por hombres provenientes de las clases tradicionales. Este contacto directo entre el pueblo y su líder le permite a Velasco proyectar una imagen popular —a pesar de que cree en las jerarquías sociales y las defiende— y neutralizar la oposición de la prensa escrita que siempre ha sido su adversario.

Concentración de Fuerzas Populares (CFP) es el segundo partido político populista que se organiza en el país.[20] Su doctrina co-

20. Carlos Guevara Moreno que había participado con los republicanos en la guerra de España y ocupado el Ministerio de Gobierno en el II Velasquismo, funda CFP el año de 1949. Para ello utiliza la Unión Popular Republicana (1947), un movimiento electoral que se había formado para auspiciar la candidatura a la alcaldía de Guayaquil del Dr. Mendoza Avilés. De esta agrupación política, frustrada por la derrota electoral e integrada en gran parte por los habitantes del suburbio que comenzaba a desarrollarse, se vale Guevara Moreno para organizar un partido férreamente disciplinado, con una estructura que llega a nivel de manzana en la ciudad y de parroquia en la zona rural de la provincia del Guayas. Usa técnicas de movilización de masas no conocidas en el país: propaganda con profusión de símbolos y slogans, himnos, marchas, banderas, pancartas, movilizaciones, brigadas de choque, etc., al estilo de los partidos nacionalistas europeos. Con el grito de "pueblo contra trincas" el "cefepismo" enfrenta al gobierno de Galo Plaza y luego al de Velasco Ibarra a los que ataca despiadadamente a través de la *Revista Momento*. Se fortalece en la persecución política cuando en el gobierno de Velasco sus dirigentes son descalificados de las funciones para las que son elegidos, apresados y desterrados y muchos militares mueren en la lucha callejera. Para 1956 Guevara ya había sido elegido Alcalde y Diputado y adquiría los contornos de una figura nacional, con gran influencia en el electorado de la Costa. Es entonces cuando emprende la campaña presidencial en la que si bien pierde, alcanza un éxito notable al obtener cerca del treinta por ciento de los votos. En las elecciones que se realizan en el año siguiente aumenta su influencia en la ciudad de Guayaquil cuando uno de sus líderes —Luis Robles Plaza— gana la alcaldía con el 73 por ciento de los sufragios. A partir de este momento comienza su declinación: una mala administración municipal sumada a pugnas internas y purgas, debilitan la imagen política del "cefepismo" y minan su estructura interna, de manera que pierde la Alcaldía de Guayaquil, el control hegemónico de esta ciudad y, en las elecciones presidenciales de 1960, a pesar de formar una alianza con otros partidos, la CFP sufre una aparatosa derrota electoral al recibir en todo el país menos del 50 por ciento de los votos que antes obtuvo sólo en la provincia del Guayas. Guevara Moreno abandona la dirección del Partido, se exila voluntariamente y el "cefepismo" aparece liquidado políticamente. Sin embargo resucita liderado por Assad Bucaram,

rresponde a la que suele ser corriente en este tipo de movimientos. El contenido "autóctono" queda muy bien definido en los "Diez Puntos Doctrinarios del CFP" cuando afirma que su ideología "no es conservadora, ni totalitaria, ni liberal, ni socialista, ni comunista; es decir, no se funda en una colección de principios filosóficos abstractos e importados, desvinculados de nuestra realidad; la ideología del Cefepé es popular, porque mira al pueblo como conjunto y fenómeno nacional e histórico; y ecuatoriana, porque su razón de ser es el pueblo ecuatoriano, que vive en el territorio ecuatoriano y con la tradición de la historia ecuatoriana. De ahí su esencia profundamente democrática, progresista, antifeudal, contraria al caciquismo de trinca y señorones de influencia, republicana, juricista y de transformación social y nacional de vasta escala".[21] Respondiendo a las necesidades sentidas, sobre todo de Guayaquil, propone que las masas sean consideradas deliberantes, su incorporación activa a la vida política y al control de los servicios públicos y su participación en los beneficios sociales que otorga y debe ampliar el Estado; el imperio igualitario de la Ley para todos a fin de que "proteja a los desvalidos", castigue a las "trincas feudales y plutocráticas" y se constituya "en la norma de convivencia pública"; fiscalización de los bancos y control efectivo de su especulación comercial y usuraria; [22] rígido

---

un comerciante viajero de origen libanés elegido diputado suplente por la CFP en 1956 y diputado principal en 1958. Este locuaz e histriónico legislador que por entonces pocos tomaban en serio, aprovechando la ausencia del "capitán", el retiro o purga de muchos de sus "tenientes" asciende desde su puesto de "sargento", erigiéndose como el nuevo caudillo del CFP y en 1962 es elegido alcalde de Guayaquil con el 43 por ciento de los votos emitidos. Su figura crece gracias a una buena administración municipal y a la persecución que sufre de la Junta Militar la que le destituye de la alcaldía, de manera que cuando se restablece el régimen constitucional es elegido primer diputado por el Guayas a la Asamblea Constituyente (1966) que a su vez le designa Vicepresidente de ella. En 1967 es elegido por segunda vez alcalde de Guayaquil y en 1970 Prefecto Provincial del Guayas con más del 50 por ciento de los votos emitidos. El V velasquismo contribuye a proyectar la figura regional de Bucaram a nivel nacional, cuando lo destituye de la Prefectura Provincial, lo destierra e impugna su nacionalidad ecuatoriana, convirtiéndole en el seguro triunfador de las elecciones presidenciales que debían realizarse en 1972. En estas circunstancias, se produce el golpe de Estado del General Guillermo Rodríguez, entre otras razones, para impedir el acceso al poder del nuevo caudillo populista.

21. Lo citado y lo que se diga a continuación provienen de la publicación: Doctrina, Programa y Estatutos del CFP aprobados en la I y II convenciones del Partido.

22. En la ciudad de Guayaquil, en las décadas pasadas y aparentemente en algunos casos todavía ahora, era corriente que los bancos concentraran sus créditos en las empresas de sus grandes accionistas y que en los préstamos otorgados a otras personas, los gerentes recibieran un interés adicional para su beneficio personal, que debía ser cancelado por el cliente en dinero efectivo y sobre el que no se otorgaba ningún comprobante. A esta operación se le llamaba "interés bajo la mesa".

control del comercio exterior para garantizar la estabilidad monetaria y la capitalización del país; programas de vivienda para erradicar las habitaciones miserables y antihigiénicas del campo y de la ciudad; desarrollo industrial al que el Estado debe prestar todo su respaldo; construcción de infraestructura física y social que aliente el progreso del país. El programa prevé la organización cooperativa, la imposición progresiva y la nacionalización de las tierras incultas sin llegar a proponer la reforma agraria. Tampoco define una política laboral, probablemente porque el "cefepismo", igual que el velasquismo, no cuenta con una organización sindical ya que su clientela electoral está constituida fundamentalmente por los grupos sociales marginados.

En la evolución del CFP es posible distinguir dos etapas, según sea el caudillo que controla la organización política: la "guevarista" (1949-1960) y la"bucaramista" (1961...). En la primera, a pesar del manifiesto liderazgo del "capitán" —Carlos Guevara Moreno— el partido, como doctrina y estructura influye en la orientación política del CFP. Además, es importante el papel de un equipo de dirigentes nacionales e incluso provinciales, a cuya acción en parte se debe la expansión del cefepismo y la exitosa lucha política en las difíciles condiciones que rodearon sus primeros años. En cambio en la segunda, como organización político-doctrinaria el partido deja de existir, al convertirse en un simple instrumento de los intereses personales de su nuevo caudillo —Asaad Bucaram— que se ha valido de su autocrática autoridad para eliminar cualquier discrepancia. La doctrina del Cefepé, antes que situarse en las nuevas circunstancias del país y avanzar con respecto a la que fue elaborada por sus fundadores, más bien ha involucionado. Bucaram —que es el único que hace definiciones "ideológicas" dentro del CFP— muy claramente ha expresado su opinión poco favorable a la reforma agraria y, como buen comerciante, se ha pronunciado por el librecambismo. Su empirismo le lleva a deducir los principios doctrinarios de su experiencia vital —que es muy amplia por su profesión de agente viajero—, de manera que en sus planteamientos políticos revela habilidad para tocar los problemas locales y las necesidades y conflictos individuales mas no para plantear los problemas estructurales y en general los conflictos colectivos.[23] Quizá por su conciencia sobre estas debilidades, por afi-

23. Extraemos los párrafos más importantes de una reciente entrevista concedida por Bucaram a la Revista *Nueva* (n.º 20, junio de 1975, Quito), pp. 54 y ss.

nidades ideológicas y enfrentado a la inminente posibilidad de ocupar la Presidencia de la República, busca una alianza con el Partido Liberal junto al cual actúa políticamente en las campañas electorales en los últimos años.

Finalmente tenemos el Partido Nacionalista Revolucionario.[24]

— Señor Bucaram, si a usted le correspondiera ser Presidente de la República, ¿qué haría?

— "Yo haría lo que estoy diciendo. Lo primero que haría sería frenar la explotación, los privilegios. Distribuir la justicia social, los bienes del Estado entre los ecuatorianos [...] Bien podemos aprovechar del sistema capitalista lo aprovechable. Y del sistema socialista lo que conviene a la solución de nuestros problemas. Yo no hubiera dejado exportar ganado al Perú para luego traer las minivacas de Costa Rica. Debería haber un control de la producción. Un control de la exportación. Un control del comercio. Respetando la iniciativa privada, porque estamos desenvolviéndonos bajo un sistema capitalista, pero del sistema socialista se puede aprovechar lo que conviene a nuestros intereses."

— ¿Y qué es lo que a su juicio convendría del sistema socialista, Señor Bucaram?

— "¿Ah? [...] Bueno, una, una dirección adecuada de determinados aspectos de la economía, mi estimado amigo."

— ¿Se refiere a la planificación?

— "¿Ah? [...] No [...] Dirección de la economía. Claro, tiene que ser a base de planificación. Usted tiene que controlar la producción, por ejemplo. No se puede sembrar en una zona que no es conveniente sembrarlo. Tiene que sembrarse lo que técnicamente es adecuado para esa zona y también lo que necesita el país, sea para su consumo o para su exportación. Eso se llama planificación. Claro, así se llama. Usted me está ayudando a desarrollar mis ideas. Muy agradecido estimado amigo."

— ¿Qué aprovecharía usted del sistema capitalista, señor Bucaram?

— "¿Ah? [...] Bueno, yo alentaría al hombre a que tenga propiedad [...] Yo respetaría la iniciativa privada, la empresa privada, siempre que no vaya contra el interés colectivo [...] Un hombre que se conforme con utilidades justas. Que no trate de enriquecerse ilícitamente. Que no trate de duplicar su capital día a día, mes a mes o año a año. A ese hombre hay que alentarlo para que siga invirtiendo sus recursos para beneficio de la comunidad, en vez de recurrir a préstamos de afuera, aquí y allá y tratar de atraer empresarios extranjeros, cuando nuestros capitalistas, muchos de ellos, aún, aún, subrayo esa cosa, aún tienen su dinero en otros países.

24. En 1966, en Guayaquil se organiza una agrupación electoral denominada Movimiento Nacional Arosemenista para apoyar la candidatura de diputado a la Asamblea Nacional Constituyente de Carlos Julio Arosemena Monroy. Hijo de un presidente de la República y primo de otro —fundador del Partido CID—, proviene de una familia de banqueros. Muy vinculado con los grandes grupos económicos de Guayaquil, Arosemena siempre había militado en el movimiento velasquista del que fue su director y gracias al cual ocupó altas funciones públicas, como las de Ministro de Estado, legislador y Vicepresidente de la República. Su posición favorable a Cuba cuando fue Presidente, la campaña que en la Asamblea hace contra el militarismo y el imperialismo, a los que responsabiliza por su derrocamiento, y otras posiciones antimperialistas y nacionalistas como la defensa de las 200 millas del mar territorial, entusiasman a algunos hombres de izquierda. Éstos, junto con excolaboradores del gobierno de Arosemena y sectores velasquistas, constituyen el Partido Nacionalista Revolucionario (PNR). Su heterogénea composición y la autonomía con que procede su caudillo que ordinariamente prescinde de la organización partidaria, explican la ambivalente conducta política del PNR. En 1967 y 1970 se suma a las coaliciones antibu-

Como los otros movimientos populistas analizados, también éste está determinado por la personalidad de su fundador —Carlos Julio Arosemena Monroy— que en 1966 organiza una agrupación electoral denominada Movimiento Nacional Arosemenista sobre cuya base estructura el PNR. En él confluyen diversas tendencias ideológicas que van desde las más conservadoras hasta algunas de clara orientación marxista empeñadas en constituirlo en una "fuerza aglutinante de la izquierda, hoy dispersa en decenas de grupos atomizados".[25] Probablemente por la influencia que ejercen estas últimas, en su Manifiesto de fundación el PNR afirma que se organiza para representar políticamente a los campesinos, estudiantes y trabajadores y para luchar por la vía revolucionaria contra las oligarquías y los monopolios extranjeros, rescatando y desarrollando "los valores más auténticos de nuestra nacionalidad" y encarnando "los nobles anhelos de justicia y dignidad humana". En su Declaración de Principios propone una reforma agraria radical que acabe definitivamente con el ladifundismo; la nacionalización de los recursos fundamentales de la producción económica a fin de defender las riquezas naturales que posee el Ecuador; liquidación de los monopolios nacionales de exportación; política internacional que preserve la soberanía nacional y abierta a todos los países del mundo.

3. El populismo

Sin duda el más importante aporte del populismo constituye la incorporación masiva del pueblo al proceso político en el que se convierte en un factor determinante, al menos de las contiendas electorales. Los sectores sociales menos favorecidos ingresan en la escena política y se transforman en actores —pero sólo en forma parecida al coro de las tragedias griegas— cuando son escuchados por el caudillo o visitados por sus intermediarios, al asistir a las manifestaciones públicas, al ser recibidos en audiencias, al ver que se plantean sus necesidades y se denuncia la explotación que sufren, cuando sus candida-

---

caramistas integradas por los sectores más tradicionales de Guayaquil que intentan detener el ascenso político de Bucaram; en las elecciones presidenciales de 1968 forma filas con el velasquismo; en 1972 forma el Frente de la Patria junto con los partidos marxistas y el Partido Demócrata Cristiano; en 1975 otra vez se une a los grupos de derecha en la Junta Cívica que intenta derrocar al general Guillermo Rodríguez.

25. Revista *Mañana*, n.º 279, Quito, marzo de 1969.

tos triunfan en las elecciones. Mediante estas nuevas formas de reclutamiento y proselitismo político el caudillo populista forma su clientela electoral y llega al poder. Ahora la autoridad ya no se origina en la fuerza de las armas o en la influencia de los notables; como lo diría Michels, el dominio individual se basa en la voluntad colectiva, esto es, en la "omnipotencia democrática de las masas".[26]

Además el populismo constituye el primer intento de dibujar una "ideología nacional" en la medida en que representa los problemas sentidos por los grupos populares y responde a las condiciones objetivas del país. Estos partidos, con mucha razón llamados "autóctonos", descubren las nuevas condiciones económicas y sociales e interpretan políticamente a los emergentes sectores populares que aluvionalmente llegan a las ciudades. Rechazan explícitamente los aprioris ideológicos cuyo origen europeo les convierte en abstracciones teóricas extrañas a la realidad nacional. Mientras otros partidos buscan organizar a la "clase obrera" en un país en el que el proletariado es cuantitativa y cualitativamente débil, los caudillos populistas claramente ven que la fuerza popular se encuentra entre los marginados y se vuelcan a su movilización política. A este "subproletariado" le hablan en su lenguaje propio, procurando llegar principalmente a sus sentimientos, sin caer en abstracciones de ningún tipo y sólo empleando ideas simples fácilmente inteligibles, frecuentemente reducidas a *slogans* de consumo general. A hombres apremiados diariamente por necesidades de todo tipo no puede pedírseles que esperen una ininteligible "nueva sociedad".

Entre el caudillo y su movimiento político existe una absoluta identificación al punto que incluso llega a darle su nombre: bien podría decir "el partido soy yo" parafraseando al Rey Sol. No se inspira en principios doctrinarios precisos y son de su exclusiva incumbencia las definiciones ideológicas que las va haciendo con el correr de los días y de acuerdo a las circunstancias. El caudillo está excluido de la disciplina partidaria y sobre él la organización política no ejerce ninguna autoridad. Su compromiso con los intereses del pueblo y la magnitud de su misión impiden que se sujete a ningún tipo de control. Además, como lo señala Max Weber, la personalidad carismática es inestable por su propia naturaleza. Como consecuencia, todo el proceso político queda subordinado a la voluntad de

26. Robert Michels, *Los Partidos Políticos*. Amorrortu Editores, Buenos Aires, 1973, t. II, pp. 18 y 22.

un hombre que actúa con absoluta libertad. El poder que el caudillo recibe de la masa se torna irrevocable cuando se emancipa de ella en el ejercicio del gobierno y la convierte en un ente subordinado sin ninguna autonomía. Ejerce una función arbitral entre las fracciones que operan en su organización política y con respecto a las fuerzas económicas y sociales que acceden a la función pública. Sus desplazamientos programáticos y doctrinarios le llevan a realizar las alianzas partidarias menos previsibles y a ejecutar las definiciones políticas más inesperadas. Mientras un día los representantes de los grupos dominantes son perseguidos y se nombran ministros a hombres progresistas, al día siguiente éstos pasan al ostracismo y aquéllos les reemplazan en las funciones vacantes.

Refiriéndose al velasquismo, Agustín Cueva D. dice que ha constituido un elemento de conservación del sistema al que le ha permitido "absorber sus contradicciones más visibles y superar al menor costo sus peores crisis políticas".[27] En verdad los partidos populistas no han llevado a las masas a identificar claramente sus intereses y han constituido un instrumento del que se han valido los sectores dominates para manipular a los grupos sociales insatisfechos. Pero en el caso de que tales movimientos no hubieran aparecido, cabe preguntar si los marginados o los subproletarios —como algunos los denominan— se habrían adherido a posiciones revolucionarias. La respuesta es negativa ya que las causas del populismo radican en la evolución *sui generis* de las "fuerzas productivas". Un pueblo que participa en relaciones de producción no propiamente capitalista, movido por sentimientos espontáneos y por intereses inmediatos, es incapaz de identificar sus "intereses de clase" y por tanto alcanzar un nivel político de "conciencia de clase". Se ha visto con algún detalle que los marginados no atribuyen al sistema vigente la causa de su situación ya que no consideran que sus problemas tengan un origen estructural. Palabras como "capitalismo" o "imperialismo" para muchos de ellos no tienen ningún sentido. Son los problemas personales, circunstanciales y locales los que interesan a estos grupos sociales. Como se ha dicho reiteradamente, las "necesidades sentidas" dentro de una perspectiva bastante estrecha.

Las mayores debilidades del populismo afloran cuando triunfa y en el ejercicio del gobierno es incapaz de responder a las expectativas despertadas por el demagogo en la campaña electoral. En los parti-

27. Agustín Cueva D., *El Proceso...*, p. 82.

dos populistas es evidente la no participación de intelectuales y técnicos cuya racionalidad irremediablemente choca con la irracionalidad del líder carismático y con su autoritarismo que no tolera ninguna discrepancia. Siente fobia por los hombres que pueden hacerle sombra —que aumenta cuando más débil es su estatura política y está de por medio la reelección presidencial— a los que destruye sistemáticamente ya que, consciente o inconscientemente, busca fieles que se reduzcan a cumplir sus indiscutidas e indiscutibles órdenes. Como consecuencia, pierde el concurso de los equipos técnicos sin los cuales no es posible administrar un Estado moderno, sobre todo cuando es necesario concretar las pródigas ofertas realizadas en la campaña electoral. Otras razones también contribuyen a disminuir las posibilidades de éxito del populismo. El radicalismo verbal y las actitudes "efectistas" proyectan una imagen política radical que, si bien no guarda relación con la obra de gobierno —más bien conservadora—, atemoriza a los empresarios que detienen las inversiones, con lo cual el país asume el costo económico y social de todo proceso de cambio, pero sin que éste se realice. Sus pendulares desplazamientos ideológicos y la carencia de definiciones precisas —por ejemplo sobre el papel de la empresa privada, del Estado y de la inversión extranjera— le llevan a ejecutar políticas contradictorias que imposibilitan la realización de un programa coherente y articulado. Su pensamiento político asistencialista y la mentalidad paternalista de las masas, le hacen perder de vista los problemas de conjunto y quedarse en la atención de asuntos marginales que muchas veces se resumen en el otorgamiento de favores y en la concesión de dádivas. Al no tener claramente delineados sus objetivos y carecer de una idea precisa sobre los medios a emplearse, es desbordado por la vastedad de los problemas populares y por la magnitud de las expectativas despertadas. Muchas veces hasta es incapaz de ordenar una administración, de controlar la ejecución de las leyes, de cortar la anarquía y de impedir la corrupción. Con mucha razón, José Medina Echavarría dice que tales partidos "cualquiera que sea su humana generosidad, son desde el punto de vista técnico tan erráticos e improvisadores que llevan en su seno la esencia misma de la ineficacia".[28]

28. José Medina Echavarría, *op. cit.*, p. 100.

III. LA CRÍTICA IDEOLÓGICA

1. Las ideas

La acción de los intelectuales constituye una de las más importantes causas de la crisis del poder. Desde los años veinte de este siglo, adelantándose a la evolución de las "fuerzas productivas" se convierten en los profetas de los oprimidos, antes que en los portavoces de una "clase obrera" que como tal no existe. Como bien lo anota Agustín Cueva D. "si bien es cierto que por aquella época aparecen los primeros sindicatos obreros y los primeros levantamientos suyos ocurren y son reprimidos, no lo es menos que los grupos que en ellos participan son, después de todo, minoritarios y, lo que es más grave, la ideología mal comprendida o simplemente incomprendida de las grandes masas, se mantiene en pie gracias al afán de los intelectuales de la clase media".[1] Incapaces las antiguas élites de comprender las nuevas condiciones del país, no asumen la creacion de los instrumentos que hagan posible un proceso de modernización capitalista. Toca a una *intelligentsia* convertirse en la portadora de las ideas innovadoras. Combate a los tradicionales grupos de poder asentados en la estructura agrícola, se convierte en la más firme detractora del viejo sistema social y propone su sustitución por un nuevo orden de cosas. Para estas nuevas élites el desarrollo social es un requisito sin el cual no es posible el desarrollo económico; consideran que el Estado debe intervenir en la actividad económica; para orientarla de acuerdo a los intereses de la comunidad; promueven una legislación social que proteja los derechos de los trabajadores y reconozca su organización; proponen un sistema de seguridad social que garantice a los trabajadores contra todo tipo de contingencias; adoptan posturas nacionalistas y se oponen a la intervención imperialista extranjera; son las portadoras de la industrialización y los defensores de las libertades públicas y de la democracia.

1. Agustín Cueva, *Entre la ira...*, p. 235.

Naturalmente, la que se coloca en esta perspectiva de avanzada no es la clase media como tal —que no constituye un grupo homogéneo y que además era y es embrionaria— sino ciertos sectores de ella muy motivados políticamente. Son los intelectuales representados por periodistas, escritores, artistas, políticos, tecnócratas, maestros y profesionales, los que encabezan la crítica social. Como en los años 30, 40 e incluso 50, todavía no se había desarrollado el sector capitalista de la economía, encuentran trabajo en la administración del Estado, en las instituciones semipúblicas y en general en el ejercicio de profesiones liberales. Al no emplearse en la empresa privada —como por ejemplo sucede ahora—[2] no se identifican con los intereses de sus empleadores; al contrario, encuentran que el sistema es incapaz de satisfacer sus aspiraciones y asumen como suyas las luchas de los sectores populares.

Del campo de la literatura parte la crítica más frontal, agresiva y profunda de las estructuras sociales vigentes. La novela social, que por su magnitud y originalidad constituye un hito continental, con una fuerza avasalladora denuncia la explotación del indio, del montubio, del negro, del mulato, del cholo y en general de los campesinos y de los trabajadores urbanos y las acciones de sus expoliadores: el gamonal, el cura, el teniente político, el mayordomo, el comerciante. Como lo dice Benjamín Carrión, un pueblo que tiene que decir algo encuentra "un hijo esencial y profundo" que cuente "la muerte, el odio, la tristeza, la miseria, en los unos; la riqueza, el logro, la maldad, la lujuria inútil y ofensiva en los otros".[3] La avalancha principia con la novela indigenista de Fernando Chávez —*Plata y Bronce* (1927)— y se desencadena con los cuentos del cholo y el montubio —*Los que se van* (1930)— de Gallegos Lara, Aguilera Malta y Gil Gilbert que, junto con Alfredo Pareja y José de la Cuadra, formarán el llamado "grupo de Guayaquil" que tanta influencia ejercerá en la literatura ecuatoriana de los años siguientes. A las producciones de estos autores se suman las de muchos otros en las que siempre estará presente "una denuncia y una protesta". Tales son principal-

2. Hoy se advierte una clara incorporación de las clases medias a la nueva estructura en gestación. Incluso muchos tecnócratas han abandonado la función pública para ocuparse en la empresa privada. Como consecuencia, la clase media tiende a identificarse con el "nuevo orden establecido" al encontrar que sus intereses más coinciden con los de las clases dominantes que con los de los trabajadores.

3. Benjamín Carrión, *El nuevo relato ecuatoriano*, Ed. CCE, Quito, 1958, pp. 35 y 270.

mente los casos de Angel Felicísimo Rojas, Pablo Palacio, Pedro Jorge Vera, Humberto Salvador y sobre todo de Jorge Icaza que en su novela *Huasipungo* realiza una genial descripción de los peores excesos del sistema hacienda. Con la poesía sucede otro tanto; basta citar el monumental *Boletín y Elegía de las Mitas* de César Dávila Andrade.

A la literatura se suman las artes plásticas y dentro de ellas especialmente la pintura. Influidos por los artistas mexicanos Diego Rivera y José Clemente Orosco, los pintores buscan situar el movimiento artístico en conjunción con los problemas fundamentales del país mediante un nuevo estilo que se dio en llamar realismo social. También ellos se ocupan del pueblo —campesinos, artesanos, pescadores, comerciantes, obreros, etc.— al que pintan en sus tareas cotidianas, pero expresando en sus rostros y en sus figuras la tragedia de su situación social. En este campo los ejemplos también son numerosos; sólo cabe mencionar algunos nombres: Camilo Egas, José Enrique Guerrero, Bolívar Mena, Diógenes Paredes, Leonardo Tejada, Eduardo Kihgman, Enrique Tábara, Oswaldo Viteri y el más conocido de todos, Oswaldo Guayasamín.

A la crítica social realizada por los artistas es necesario añadir los ensayos sociológicos. Los estudios indigenistas se inician con el *Indio Ecuatoriano* de Pío Jaramillo Alvarado (1922) en el que por primera vez se aborda sistemáticamente el estudio del campesino serrano, temática que se enriquece con los libros de Moisés Sáez, Luis Monsalve Pozo, Gonzalo Rubio Orbe y de los esposos Costales, para sólo mencionar los principales. La Costa más bien produce duchos comerciantes y sólo se da el caso excepcional de José de la Cuadra que escribe *El Montubio Ecuatoriano*. Además se publican estudios sociológicos que comprenden temas más amplios y tratan de interpretar los principales problemas del país. A los precursores: Agustín Cueva Tamariz, Belisario Quevedo, Alfredo Espinosa Tamayo —el más completo de todos— y Jacinto Jijón que publican sus trabajos en las primeras décadas de este siglo, hay que añadir Ángel Modesto Paredes, Luis Bossano, Ángel Felicísimo Rojas, Leopoldo Benítez— autor del más completo estudio sociológico del país— y contemporáneamente Agustín Cueva D. Entre las publicaciones sobre la realidad ecuatoriana también cabe mencionar las del Instituto Ecuatoriano para el Desarrollo Social (INEDES).

Entre los economistas no es posible distinguir una obra personal de importancia. Sus estudios se hallan contenidos en las publicaciones realizadas por las instituciones públicas; siendo las más importantes las Memorias del Gerente General del Banco Central y los tres Planes de Desarrollo elaborados por la Junta de Planificación. En estos documentos se encuentran los principales análisis sobre la economía ecuatoriana y las más importantes fuentes estadísticas que permiten establecer las características estructurales del país sobre la base objetiva de datos y cifras. Por otra parte, la incorporación de cátedras sobre la realidad nacional en las facultades de economía y en otras carreras universitarias permite introducir un elemento científico en la crítica de la organización económica y social del país.

El pensamiento y la acción políticos también constituyen una forma de expresión de la crítica ideológica. Aparte de los comunicados y artículos de prensa que eventualmente se publican en los grandes diarios —que en el país no han sido absolutamente cerrados a las "nuevas ideas"— aparecen periódicos en los que se plantean algunos problemas de los trabajadores y que en ciertos casos se colocan en una posición de franca crítica al viejo orden social. Entre otros, desde 1906 hasta 1920 se publican: *Confederación Obrera, Defensa Social, El Primero de Mayo*, *Acción Social* y *Bandera Roja.*[4] Más tarde el Partido Socialista edita el diario *La Tierra* y el Partido Comunista de semanario *El Pueblo* a los que contemporáneamente cabe añadir las revistas *Mensajero* y *Nueva*. La acción política también se expresa a través del movimiento sindical (cfr. pp. 259 y ss.), del movimiento estudiantil (cfr. pp. 282 y ss.) y de los partidos políticos que estudiaremos enseguida.

2. Los partidos políticos

Los partidos, a través de la crítica ideológica, de la acción política y de la agitación social han ejercido una influencia en muchos casos decisiva en la transformación de las instituciones jurídicas que acompañaron al sistema hacienda.

El Partido Socialista Ecuatoriano (PSE) se funda en 1926[5]

4. Oswaldo Albornoz, *Del Crimen del Ejido a la Revolución del 9 de julio de 1925*, Ed. Claridad, Guayaquil, 1969, p. 105.

5. Entre el 16 y el 23 de mayo de 1926 se reúne en Quito la Primera Asamblea Nacional Socialista que acuerda constituir el PSE. Existen algunos antecedentes de este hecho: en 1922 se forma en Riobamba el Partido Social Demócrata; en 1923, Luis Napoleón Dillon que acaba de retornar de Europa, redacta el programa socialista que aprueba la

con la intervención principal de ciertas élites integradas por profesionales, intelectuales, maestros y empleados, de no pocos hombres acomodados y más bien de un escaso número de artesanos y obreros. Si bien es la clase media la que cumple el papel más importante, no se debe menospreciar el aporte de la clase alta. Hay que recordar que el industrial Luis Napoleón Dillon es el que elabora el primer "programa socialista" aprobado por la asamblea liberal de 1923, que la política económica que ejecuta como ministro de la Revolución Ju-

---

Asamblea Liberal reunida ese año; en 1924, con el patrocinio económico del coronel Juan Manuel Lasso, se organiza en Quito el grupo Antorcha que edita un periódico del mismo nombre en una imprenta donada por su mecenas; el mismo año, alentada por el Embajador de México, funciona la Sociedad Amigos de Lenin; en 1925 se organizan núcleos socialistas en las principales provincias del país —Guayas, Pichincha, Azuay, Loja, Chimborazo, Manabí— que llegan a realizar una Asamblea en la Universidad Central de Quito. Al Congreso de fundación del PSE concurren 54 delegados, entre otros los siguientes: César y Jorge Carrera Andrade, Pablo Charpantier, Emilio Uzcátegui, Juan Genaro Jaramillo, Ricardo Paredes, Hugo Moncayo, Adolfo Simonds, Gregorio Cordero León, Luis F. Chávez, Gonzalo Posso, Juan Manuel Lasso, María Luisa Gómez, Rafael Bustamante, Miguel A. León, Ángel Modesto Paredes, Juan Karolys, Luis Maldonado Estrada, Antonio Borja, Manuel Rumazo. Desde su constitución se hacen presentes dos tendencias que se alinean básicamente según sea su posición frente a la dictadura del proletariado y a la afiliación a la III Internacional. Si bien triunfa en el congreso la tesis socialista de no internacionalismo, el Comité Ejecutivo Central influido por los comunistas decide afiliar el PSE a la III Internacional. Los descontentos socialistas, contrarios a esta subordinación al movimiento mundial comunista dirigido por Moscú y afectados por divergencias ideológicas, abandonan el PSE que se transforma en Partido Comunista (1931) y constituyen un nuevo Partido Socialista que se define doctrinariamente en su Congreso de 1933 y agrupa a la mayor parte de los marxistas de la época. Desde entonces es notable la influencia del PSE en la política nacional. En su breve gobierno (1931) Luis Larrea Alba se presenta como socialista; en 1932 apoya la candidatura liberal de Modesto Larrea y una fracción, denominada Vanguardia Revolucionaria Socialista (VRS) la del comandante "juliano" Ildefonso Mendoza; el mismo año, en el gobierno de Alberto Guerrero Martínez (1932) actúan dos ministros socialistas y luego se suman a la oposición de Velasco Ibarra al gobierno plutocrático de Martínez Mera; en 1934 presentan la candidatura de Carlos Zambrano Orejuela y obtienen una alta votación, la mayor de su historia; en la dictadura de Federico Páez (1935) cuentan con cuatro ministros —dos afiliados y dos simpatizantes—, aunque luego son reprimidos y perseguidos; participan en la dictadura del general Enríquez (1937) y por una reglamentación electoral especial en la Asamblea de 1938 obtienen un tercio de los legisladores. Los socialistas se oponen al gobierno de Arroyo del Río (1940-1944) y se suman caudalosamente a la Alianza Democrática Ecuatoriana que reúne a todos los partidos opuestos al liberalismo arroyista; una vez derrocado ocupan importantes posiciones en el de su sucesor —Velasco Ibarra— al que luego se opondrán por sus transacciones con la derecha, recibiendo como consecuencia la represión y la destrucción de los talleres del Diario *La Tierra* que habían fundado en 1934. Pero la importante representación que obtienen en la Asamblea Constituyente de 1944 les permite ejercer una influencia ideológica notable en la Carta Política que dicta. En las elecciones de 1948 participan con un candidato presidencial propio —el exdictador Enríquez— que es derrotado ampliamente. Se oponen al nuevo presidente —Galo Plaza— que logra atraerlos ofreciéndoles una participación en el gobierno con dos ministros. Este hecho constituye el germen de la división que más tarde se produce

liana lleva a los socialistas a calificarla como el primer intento de introducir los "principios socialistas" en la administración pública [6] y que el coronel Juan Manuel Lasso, proveniente de una de las familias más tradicionales de Quito y propietario de un cuantioso patrimonio territorial, es el mecenas de los primeros marxistas, uno de los principales divulgadores de sus ideas y activo participante en el congreso de fundación del PSE. En el Ecuador, a diferencia de lo que sucedió en Europa, los partidos marxistas no se constituyen por la iniciativa de los sindicatos ni cuentan con su participación preponderante y activa; más bien son los intelectuales socialistas los que emprenden en la organización sindical y su influencia es tan grande que por mucho tiempo desempeñan las más altas funciones de dirección, como se puede observar en la Confederación de Trabajadores del Ecuador (CTE) cuya presidencia, hasta hace poco, ordinariamente fue ejercida por profesionales. La heterogeneidad social anotada paulatinamente se va clarificando de manera que a partir de los años cuarenta el PSE se presenta como una fuerza política fundamentalmente integrada por profesionales e intelectuales de clase media y por trabajadores.

La incoherencia inicial también se advierte en el orden ideológico. Como lo dicen dos autores marxistas, las ideas de los primeros socialistas son muy diversas y constituyen una gama de tonalidades doctrinarias que compreden una liberal con inquietudes sociales todavía exaltadoras de la libertad y de la propiedad privada; una comunista aunque todavía confusa y con una serie de lagunas; y una

---

en el socialismo, cuando dentro de él se forma una fracción de izquierda que impugna el "colaboracionismo" con un liberal representante del "gamonalismo feudal". Si bien en las elecciones presidenciales de 1952 y 1956 el PSE mantiene su alianza con el liberalismo, en 1960, cuando este partido otra vez designa como candidato a Galo Plaza se produce la ruptura. Oficialmente el PSE apoya a Plaza y su fracción de izquierda se separa y juntó con el CFP y el Partido Comunista forma la Unidad Democrática Anticonservadora que va a las elecciones con candidatos propios que obtienen la mitad de los votos que sólo el PSE obtuvo veinticinco años antes. A pesar de ello, forman los socialistas disidentes el Partido Socialista Revolucionario (PSR) el año 1963 cuando realizan su primer congreso. Su radical oposición al sistema le ha llevado a enfrentar a todos los gobiernos y, como consecuencia, a sufrir toda suerte de represalias. En 1966 se realiza un congreso de la unidad socialista que fracasa en su propósito y da origen a un tercer partido socialista, cuyos integrantes, desde el gobierno de la Junta Militar (1963) no ha dejado de colaborar con todos los gobiernos que se han sucedido. En 1972, en las elecciones que debían realizarse, el PSE forma el Frente de la Patria con comunistas, demócratas cristianos y nacionalistas revolucionarios. En la actualidad existen tres partidos socialistas: El PSE, el PSR y el Partido Socialista Unificado (PSU).

6. Oswaldo Albornoz, *op. cit.*, pp. 129-130.

tercera propiamente socialista que a la larga prevalecerá.[7] Tal cosa se confirma al examinar el Manifiesto que lanza a la opinión pública el Consejo Central del recientemente constituido PSE.[8] En él denuncia el fracaso de las doctrinas políticas tradicionales, el egoísmo e individualismo, la situación social del país, la aparición de la gran industria con todos sus males, el problema agrario, la concentración capitalista, la especulación de la burguesía, la rapiña internacional de los grandes estados, el acaparamiento de tierras por el latifundismo, el dolor y la injusticia que aquejan a las mayorías y especialmente a los campesinos. Pero, frente a este diagnóstico, los planteamientos son imprecisos y contradictorios. El PSE propone la educación socializada, el cambio de la situación de la mujer, el gobierno del pueblo mediante la dictadura de campesinos, obreros y soldados, el reemplazo de las clases explotadoras y explotadas y los postulados libertarios más amplios. El manifiesto no hace ninguna mención a la reforma agraria.

Sólo a partir del Congreso realizado en 1933, año en el que el PSE vuelve a constituirse separado de los liberales y comunistas, se clarifica su posición ideológico-programática. Proclama la reivindicación de la raza indígena a la que el Estado debe otorgar una protección especial y propone una reforma agraria que redistribuya la tierra y las aguas a sus antiguos dueños: los indios; atribuye a la industrialización un papel capital en el desarrollo económico del país; la nacionalización de las compañías extranjeras; la intervención del Estado en las actividades económicas; el control del comercio; la captación de la riqueza particular a través de los impuestos; la tecnificación y racionalización de los servicios públicos; la atención de los problemas de los trabajadores mediante una legislación que reconozca sus derechos, favorezca su organización y les proteja contra riesgos; la apertura del Ecuador a todos los pueblos del mundo en sus relaciones diplomáticas y comerciales; la lucha contra el imperialismo y el fascismo; educación gratuita, técnica, ralista y única.[9]

7. Véase, Luis Maldonado Estrada, *Socialismo Ecuatoriano: Ensayo sobre la Realidad Nacional*, Ed. Páginas Selectas, Guayaquil, 1935, pp. 35 y ss. y Oswaldo Albornoz, *op. cit.*, pp. 126 y ss.

8. Labores de la Asamblea Nacional Socialista y Manifiesto del Consejo Central del Partido, Imp. El Tiempo, s. f. Este y otros documentos que se han utilizado para el presente análisis han sido consultados en la Biblioteca-Archivo Aurelio Espinosa Pólit.

9. Véase el Programa Ideológico del Partido Socialista Ecuatoriano dictado por el Congreso de 1933 y la Declaración de Principios aprobada por el V Congreso del PSE el año 1939.

Pero quizás son dos las características que definen a los socialistas y les distinguen de los comunistas; el rechazo a la subordinación ideológica externa —se oponen a la afiliación a la III Internacional— y por tanto su no internacionalismo y la adopción de las instituciones democráticas vigentes —a pesar de sus críticas— como el medio en que se ha de encuadrar su acción política.

El trabajo de difusión ideológica es notable. Como lo dice un autor, el PSE a través del Diario *La Tierra*, del folleto, de la hoja suelta, del seminario, del periódico ocasional y del panfleto clandestino desarrolla una intensa propaganda política.[10] Gracias a aquél capta la mayor parte de los intelectuales, a muchos profesionales e influye poderosamente en los movimientos sindical y estudiantil que se constituyen en la base principal de su acción política. Pero no logra llegar a los sectores populares y esta circunstancia le impide ser una opción de poder, a pesar de que sus intervenciones electorales le permiten obtener algunos legisladores sobre todo en las asambleas constituyentes de 1938 y 1945. Al no convertirse en una alternativa al bipartidismo conservador-liberal por su debilidad electoral, influido por la confrontación religiosa y por la posibilidad de que el conservadorismo capte el poder y deseoso de concretar en medidas sus principios políticos, opta por participar en los gobiernos dictatoriales de Luis Larrea Alba, Federico Páez y Alberto Enríquez y en otros casos forma alianzas expresas o tácitas con el liberalismo y el velasquismo. Su influencia ideológica es clara en la asamblea constituyente de 1938 que elabora una carta política que no llega a regir y especialmente en la Constitución de 1945. El Código del Trabajo y varias leyes sociales expedidas por el General Enríquez y otros gobiernos en gran parte son obra de los intelectuales socialistas. Esta participación en el sistema, que siempre provoca resquemores en un sector del PSE, hace crisis cuando en 1950 acuerda colaborar con el gobierno de Galo Plaza muy conocido por sus ligámenes con el latifundismo serrano y con los intereses norteamericanos e ideológicamente bastante distante del pensamiento socialista.

Finalmente se produce la ruptura en 1960 cuando la fracción oficial decide de nuevo participar junto a Galo Plaza en la campaña presidencial del liberalismo. Otra, más radical, junto con comunistas y cefepistas forma la Unidad Democrática Anticonservadora que va a las elecciones con candidatos propios y obtiene resultados muy

10. Ángel Felicísimo Rojas, *op. cit.*, p. 150.

negativos. Más tarde (1963) se forma el Partido Socialista Revolucionario (PSR) que adopta la dictadura del proletariado como la tesis central de su acción política y por tanto rechaza toda forma de participación en la "democracia burguesa". En su Declaración de Principios el nuevo partido se declara marxista, antimperialista, de clase y autónomo, la cual prácticamente es la única característica que ideológicamente le diferencia del Partido Comunista. Propone una "revolución popular que destruya los rezagos feudales y la penetración imperialista" e implante el socialismo, mediante la transformación integral de la actual estructura socioeconómica, la supresión de la propiedad privada de los medios de producción y la instauración de la propiedad colectiva.

Al fracasar el congreso que en 1966 se hace para integrar las diversas fracciones socialistas, se produce el nacimiento de un tercer grupo que adopta el nombre de Partido Socialista Unificado (PSU), que política e ideológicamente evoluciona hacia posiciones muy alejadas de la doctrina socialista, cuando sus integrantes se vinculan con todos los gobiernos que se suceden. En la actualidad, tanto el PSE como el PSU se encuentran seriamente disminuidos y en la práctica sólo existen nominalmente. La fuerza del PSR se localiza con el movimiento estudiantil y en la Confederación de Trabajadores del Ecuador (CTE).

El Partido Comunista del Ecuador (PCE) es institucionalmente el continuador del PSE fundado en 1926. Si bien la Asamblea constitutiva de este año niega la tesis de la dictadura del proletariado y la afiliación a la III Internacional, el Consejo Central controlado por los comunistas desecha la resolución mayoritaria de la Asamblea y acuerda integrar el movimiento comunista mundial y someterse a sus principios. Ante esta situación de hecho los socialistas abandonan el PSE que se transforma en Partido Comunista.

Los primeros planteamientos ideológico-programáticos del PC son tajantes, alejado de la realidad política de la época y muy demostrativos de la influencia ejercida por la internacional comunista. Los marxistas ecuatorianos proponen el "derrocamiento del régimen capitalista" y la realización de una "revolución social" que permita la constitución de un "estado socialista" por medio de "consejos de obreros, campesinos y soldados"; la abolición de la propiedad privada y de las clases sociales; la igualdad completa de todos los ciudadanos; la nacionalización de la gran industria, de los bancos, de las empresas comerciales, de la tierra, del transporte, de la propiedad urbana y del comercio exterior; una política internacional antimperialista, la vinculación especial con los países socialistas y la creación de una patria universal.[11] Su estructura responde a esta perspectiva doctrinaria. Adopta la organización celular a la que se le asigna la función de realizar la movilización social, la lucha clandestina, la agitación política y la propaganda revolucionaria. Como el proletariado debe encabezar la revolución, dirigido por la vanguardia partidaria, el PC participa activamente en su organización, a través de la Confederación de Trabajadores del Ecuador. La tradicional sociedad nacional reacciona vivamente frente a este "germen de disolución y caos" que pretende "dividir a la familia ecuatoriana" introduciendo en su seno "ideas extrañas" que "destruyen la convivencia humana" y se le opone con todos los medios, de manera que los comunistas deben sufrir la represión, la persecución y la expatriación ejercidas por los gobiernos. A pesar de que, como se puede ver, la postura programática del PCE, su organización y por otra parte el contexto nacional, no le habilitan para participar en la vida democrática del país, interviene en eventos electorales y en ciertos "frentes nacionales".[12]

Dos acontecimientos internacionales afectan al desarrollo posterior del PC: la Revolución Cubana y el cisma chino-soviético. La primera da origen a la Unión Revolucionaria de Juventudes Ecuatorianas (URJE), inicialmente controlada por el PCE como un organismo parapartidario; luego, bajo la influencia ideológica del "castrismo", se desvincula y fija sus propias líneas políticas, adopta la vía violenta y llega a crear en 1962 un foco guerrillero. El fracaso de esta "aventura" y el agotamiento producido por un activismo febril origina su liquidación.[13] La segunda escisión es más importante. La adopción de la "coexistencia pacífica" por el Partido Comunista Soviético, cuando en su XX Congreso (1956) declara que la victoria

11. J. Gonzalo Orellana, *Resumen Histórico del Ecuador*, Ed. Fray Jodoco Ricke, Quito 1948, t. II, p. 19.

12. En materia electoral su posición es muy ambigua. Ordinariamente ordena a sus afiliados votar en blanco o nulo; a veces apoya a los candidatos del Partido Liberal y cuando interviene con candidatos propios fracasa estrepitosamente. Su suerte es mejor en los "frentes nacionales". Luego de la Revolución del 28 de mayo de 1944 obtiene notable influencia en la Constituyente de 1945 e incluso consigue un ministerio de Estado en el gobierno del Dr. Velasco Ibarra. También participa muy activamente en las Juntas Constitucionalistas que derrocan a la Junta Militar. En ambos casos, junto a todos los "partidos burgueses".

13. Son herederos de URJE el Movimiento de Izquierda Revolucionaria (MIR) y Vencer o Morir. Ambos grupos no tienen ninguna significación.

final de la revolución no se producirá necesariamente por la guerra contra el imperialismo y las luchas armadas sino más bien por el éxito en la competencia económica y en la lucha ideológica, provoca la violenta crítica del Partido Comunista Chino que denuncia estas tesis como conciliadoras con el capitalismo y contrarias al marxismo-leninismo. Cuando el PC se suma entusiastamente a la línea soviética una fracción impugna este "sometimiento ideológico", denuncia la "traición a la revolución ecuatoriana" y constituye (1964) el Partido Comunista Marxista Leninista (PCML) que adquiere una notable influencia en los medios estudiantiles y prácticamente liquida a la Juventud Comunista.

En los años siguientes se producen cambios evidentes en la acción política del PCE. En relación con sus posiciones anteriores, el programa que aprueba el IX Congreso de 1973 es bastante moderado. En efecto, propone la extirpación de las raíces económicas y políticas de la dominación imperialista; la realización de una reforma agraria auténtica y democrática que respete la pequeña y mediana propiedad agrícola y apoye el desarrollo de las cooperativas; la nacionalización del petróleo, del comercio exterior de exportación y de la banca; la defensa de las 200 millas y una política exterior independiente de paz con todos los países del mundo; el desarrollo de la industria nacional especialmente de la electricidad y la pesca, únicas ramas que específicamente se definen como administradas por empresas estatales; la elevación del nivel de vida del pueblo mediante una alza general de salarios y la congelación de los precios; la defensa de los intereses de los artesanos, maestros, estudiantes y de las capas medias de la población; el reconocimiento de las aspiraciones provinciales; el respeto y ampliación de los derechos de los trabajadores; y la vigencia de las garantías democráticas. En esta perspectiva "reformista", rechaza las formulaciones "dogmáticas", "sectarias" y "esquemáticas" que plantean la revolución en términos de "todo o nada" ya que "las conquistas parciales" bien pueden "servir como punto de apoyo [...] para avanzar por la seda revolucionaria".[14]

Guardando coherencia con esta nueva posición política, el PCE revisa su tradicional antimilitarismo al distinguir en las Fuerzas Armadas "tendencias nacionales que aspiran a transformaciones bási-

14. Resolución Política del IX Congreso del Partido Comunista del Ecuador en: PCE, *Documentos del IX Congreso*, Ed. Claridad, Guayaquil, 1973, pp. 150 y ss.

cas".[15] Propone además que la Confederación de Trabajadores del Ecuador establezca "vínculos más estrechos" con las otras centrales sindicales con miras a alcanzar la unidad; [16] condena el "aventurerismo revolucionario"; adopta de hecho la vía pacífica de acceso al poder; y se abre a otras fuerzas políticas en algunos casos no marxistas y en general a las instituciones de la "democracia burguesa". En efecto, desde 1966 participa regularmente en todas las elecciones generales que se realizan en el país [17]; en 1968 obtiene ante el Tribunal Supremo Electoral el reconocimiento oficial como partido político con el nombre de Unión Democrática Popular (UDP) y frente al gobierno militar del general Guillermo Rodríguez adopta una posición de gran tolerancia y hasta de respaldo.[18] La reacción que esta estrategia política origina en algunos sectores marxistas es bien resumida por el siguiente juicio: "El Partido Comunista tradicional que en los años pasados tenía en sus filas a todos los revolucionarios, ha dejado hace mucho tiempo de ser partido de vanguardia[...] ha demostrado su aburguesamiento y falta de vitalidad revolucionaria bajo los principios de la coexistencia pacífica y socialismo en un solo país [...]. El Partido ha participado en el juego ridículo de las elecciones democráticas y representativas en las cuales la mayoría del pueblo ecuatoriano no podía votar".[19]

Entre el PCE, el PSR y el PCML prácticamente no existen diferencias en el orden ideológico. Sus divergencias son fundamentalmente de orden estratégico-político. Tanto el PCE como el

15. Informe del Secretario General del Partido Comunista del Ecuador, en PCE, *Documentos...*, p. 15.

16. *Resolución Política...*, en PCE, *Documentos...*, p. 155.

17. Si bien desde antes de 1966 el PCE participa electoralmente esta estrategia se acentúa a partir de 1966. Su mejor éxito lo obtiene en 1968 cuando alcanza el 2 por ciento de los votos emitidos. Sin embargo no logra elegir un sólo concejal o diputado, ni siquiera en la provincia del Guayas donde se encuentra gran parte de la organización política del PCE. Dentro de la línea de los "frentes populares", en 1972 forma una alianza con el PSE y otros partidos no marxistas como el Nacionalista Revolucionario y el Demócrata Cristiano.

18. Ha sido absolutamente inusual la línea política seguida por el PCE frente al gobierno militar que se inicia en 1972, si se considera que si bien sus políticas de recursos naturales e internacionales han sido progresistas, en cambio en el orden económico-social el gobierno del general Rodríguez favoreció claramente a los grupos dominantes y no atendió a los intereses populares. Además, por la acción de la fuerza pública fueron victimados trabajadores y campesinos. La extensión del sector público de la economía es una consecuencia de la captación por parte del Estado de buena parte de las utilidades dejadas por el petróleo.

19. Joaquín Aymara, *¿Cuál es la vía revolucionaria en el Ecuador?*, Ed. Raúl Cedeño, s. f. pp. 9-10.

PCML consideran que la revolución se ha de hacer en dos etapas: la una "democrático-burguesa" y la otra "socialista" y rechazan la tesis del "foco guerrillero". Pero mientras el primero propugna alianzas con las "burguesías nacionales" mediante la constitución de "frentes populares antifeudales y antimperialistas" y la participación electoral, el segundo critica toda forma de "participacionismo" y se acoge a los "frentes únicos antifeudales y antimperialistas" dirigidos por el proletariado y el campesinado, que han de acceder al poder mediante la "guerra popular" producto de la "insurrección armada de las masas". En cambio el PSR rechaza: la tesis de la revolución "por etapas", porque en el Ecuador existe ya el "capitalismo aunque deformado", la vía pacífica de acceso al poder y la subordinación de los otros dos partidos a Moscú y a Pekín. Más bien demuestra simpatía por la Revolución Cubana y se interesa por la aplicación del marxismo a la realidad ecuatoriana.[20]

Varias son las limitaciones que afectan a los partidos marxistas y entre ellos especialmente a los comunistas.

Es clara la influencia que en la conducta política de estos partidos ejerce el fenómeno internacional. Es tan desproporcionado el interés que le dedican que cualquier hecho de la política mundial en el que intervengan los EE.UU. y la URSS ocupa más su atención que un problema nacional fundamental como puede ser el de la explotación campesina. Es frecuente que en la propaganda y en las manifestaciones de estos partidos tenga una mayor importancia Vietnam —para mencionar la guerra de liberación de más significación en los últimos años— que por ejemplo la reforma agraria en el país. Conscientes de esta realidad, gobiernos que han seguido una política interna oligárquica han neutralizado a los partidos marxistas tomando medidas progresistas en el orden internacional.[21] La hipertrofia del fenómeno imperial se debe en primer lugar a que la teoría leninista del imperialismo en la práctica cae en los mismos defectos que la teoría contemporánea de la dependencia, al considerar que la

20. Al respecto puede consultarse: PSR, *Socialismo y Comunismo en el Ecuador*; PCML, *Línea General de la Revolución Ecuatoriana*; PCE, *La revolución Ecuatoriana y sus características*.

21. Sobre todo han tenido un gran efecto político los enfrentamientos con el imperialismo norteamericano. Sirvan como ejemplos la política exterior independiente de Velasco Ibarra, la actitud de Otto Arosemena en la reunión de presidentes de Punta del Este y la defensa de los recursos naturales realizada por el gobierno del general Guillermo Rodríguez.

acción del imperialismo internacional es la causa final y única de todos los problemas nacionales. Además influye la subordinación ideológica y política de los partidos comunistas con respecto a Moscú y Pekín, ciudades en las que nuevas "curias romanas" definen la ortodoxia marxista. Este hecho es particularmente claro en el caso del PCE que ha sido un incondicional y obsecuente seguidor del liderazgo de la URSS, llegando incluso a plantear la sociedad soviética como el modelo ideal de socialismo a imitarse.[22] Al respecto, caben dos observaciones. El "internacionalismo proletario" no es el único elemento que juega en la política exterior de la URSS: además intervienen sus intereses nacionales geopolíticos de expansión y hegemonía mundiales calificados por el Partido Comunista Chino como "socialimperialismo".[23] Para amplios sectores de la población ecuatoriana el fenómeno imperial no tiene sentido y, por tanto los partidos que lo toman como el eje de su acción política se desenfocan de los problemas que preocupan a la base social.[24]

El "ideologismo" constituye otra debilidad de los partidos marxistas. Toda discusión se reduce a términos doctrinarios, cosa que se torna grave en el país por ser la filosofía la más atrasada de todas las ciencias y porque frecuentemente el conocimiento del marxismo se reduce a unas pocas ideas rudimentariamente aprendidas y peor asi-

22. Además de anotar la solidaridad y aplauso del PCE con todos los actos de la política soviética, incluso con respecto a la invasión de Checoslovaquia, vale citar dos declaraciones del Secretario General Pedro Saad: "A la cabeza del mundo del socialismo marcha la gloriosa Unión Soviética, que en cincuenta años ha logrado transformar, gracias al sistema socialista y a la sabia conducción del partido de Lenin, el gran Partido Comunista de la Unión Soviética, a la atrasada Rusia Zarista en la poderosa y libre unión Soviética, que se ha convertido en una gran potencia industrial y científica, donde las masas populares dueñas de su destino construyen victoriosamente el comunismo, mejoran diariamente en su vida, ayudan a todos los otros pueblos del mundo y los defienden de la agresión imperialista cualquiera que sea la forma que esta agresión adopta". (*Informe..., Documentos...*, pp. 75-76). Al informe rendido por Brezhnev ante el XXIV Congreso del Partido Comunista Soviético (1971), Pedro Saad lo califica de "Luminoso documento de importancia teórica, política y práctica extraordinaria, que significa una genial contribución a la educación ideológica de los comunistas del mundo entero, pero en primer lugar, de los comunistas del Ecuador". (Diario *El Universo* de Guayaquil, 24 de julio de 1973, p. 6.)

23. Es necesario tener en cuenta que en las luchas nacionalistas y en las guerras de liberación, no son necesariamente coincidentes los objetivos del país que las realiza y los del que le presta ayuda. El primero busca su independencia y el segundo debilitar al adversario. En este sentido, en la historia de la humanidad se encuentran muchas lecciones.

24. En una investigación realizada por INEDES (véase, cita p. 238) muchos trabajadores, sobre todo campesinos, no entendieron las preguntas sobre el imperialismo norteamericano y para explicarles su contenido fue necesario hablarles del Punto IV, del Cuerpo de Paz, de los protestantes, de los gringos, con lo cual identificaron a los norteamericanos pero no tanto el fenómeno imperialista.

miladas que en muchos casos no rebasan la condición de simples *slogans*. Este "ideologismo" es de tal magnitud que en los análisis científicos de muchos marxistas se acomoda la realidad nacional a lo que dice la teoría, de manera que los problemas no se ven como son sino como quisieran que fuesen. Al respecto, un marxista escribía en 1935 una observación que aún conserva su validez: "Sin un conocimiento cabal del medio y una madurez teórica suficiente, estimo que todos los juicios que se emitan sobre nuestra realidad, antes que interpretarla la inventan".[25] Es que algunos estudios no hacen otra cosa que repetir las observaciones que hizo Marx del capitalismo decimonónico y, en el país, como se ha visto a lo largo de este trabajo, la estructura económica y el papel de las fuerzas sociales no son iguales a los que se dieron en Europa hace cien años. Por otra parte, un mecanicismo económico les impide tomar en cuenta otras variables que a veces operan autónomamente. Como consecuencia de sus falsos análisis del Ecuador, siguen estrategias que al no responder a las "condiciones objetivas" del país, inevitablemente fracasan, como regularmente ha sucedido en sus largas trayectorias políticas. El uso de un lenguaje enrarecido sólo les permite llegar con su mensaje a unos cuantos iniciados y la enajenación de la realidad nacional les impide hacer planteamientos prácticos sobre los problemas sentidos por el pueblo.

La visión europea de las condiciones sociales del país, ha llevado a estos partidos a fundar su acción política en la organización y movilización del proletariado, sin tomar en cuenta que en el país la "clase obrera" apenas se encuentra en formación; que por lo tanto no existe cuantitativa ni cualitativamente; que dada la peculiar estructura económica del Ecuador más bien cabe hablar de una "clase trabajadora" o de la "organización popular" dentro de las que hay los más variados subgrupos muchos de ellos con intereses diferentes (cfr. pp. 259 y ss.); y que los marginados, convertidos en los principales actores políticos, han arrastrado detrás de sí al embrionario proletariado.[26] Es entonces explicable que los partidos comunistas y socialistas no hayan cuajado en la política nacional y que la realidad estructural se haya impuesto incluso en la integración de su militancia. No es exacto que estos movimientos, en cuanto a su extracción

25. Jorge Hugo Rengel, *Realidad y Fantasía Revolucionaria*, Loja, 1954, p. 32.
26. Cabe hacer la excepción del PCML, de orientación maoísta, que ha emprendido en la organización de los marginados alrededor del problema de la vivienda, mediante la constitución del llamado Comité del Pueblo.

social, sean partidos de la "clase obrera" ya que la mayor parte de sus afiliados son escritores, artistas, estudiantes, profesores, profesionales y en general intelectuales. Los trabajadores constituyen una minoría y en las directivas desempeñan un papel secundario. Ni siquiera la central sindical marxista ha sido dirigida por obreros; hasta hace poco ocuparon las más altas funciones de dirección profesionales o empleados afiliados al PSE, al PCE y al PSR. De allí que es muy explicable el importante papel que, a pesar de su condición de pequeños burgueses, han cumplido los intelectuales y los estudiantes universitarios, convertidos en intérpretes y portavoces de los intereses de los trabajadores y los últimos incluso en su "vanguardia".

Como el marxismo se enseña apologéticamente los partidos comunistas caen en un dogmatismo equiparable en su intolerancia al que fue corriente entre los católicos "garcianos" del siglo pasado. Cualquier afiliado que discrepe de las interpretaciones doctrinarias o de las líneas políticas emanadas de las directivas inmediatamente es calificado como "revisionista". En estas condiciones la ideología adquiere el carácter de un catecismo que no admite discusión y que debe ser aprendido escolarmente en su integridad. Son pues naturales las frecuentes purgas y escisiones que han originado una multiplicidad de partidos marxistas-leninistas, todos ellos provenientes de un mismo tronco común: el PCE.[27] El dogmatismo esteriliza la ideología que adquiere el carácter de una congelación estaliniana que les hace perder creatividad e imaginación, como se puede ver al leer las publicaciones de estos partidos en los últimos treinta años. El problema es más grave si se considera que las decisiones parten de directivas poco democráticas y muy centralizadas, en ciertos casos transformadas en simples correas de transmisión del pensamiento proveniente de los ejes mundiales del marxismo. Un movimiento político que se considera poseedor de la verdad absóluta y único conocedor del camino que ha de conducir a la revolución se convierte en un grupo cerrado y autárquico, incapaz de abrirse a otros partidos revolucionarios o progresistas; cuando lo hace, es para imponerles una

27. Además del PCE y del PCML, que son los más importantes,existen: el Movimiento de Izquierda Revolucionaria (MIR), Vencer o Morir, el Partido Obrero Revolucionario del Ecuador (1970) de orientación trotskista y el Partido Socialista Revolucionario (PSR), al que hay que considerársele dentro de la tendencia comunista o marxista-leninista. En cambio los otros dos partidos socialistas, el PSE y el PSU, más bien se acercan a la línea social demócrata. El PCML acaba de sufrir una escisión. A todos ellos se suma un número indeterminable de pequeños grupos marxistas.

pesada camisa de fuerza.

La suma de estos factores explica la debilidad de los partidos marxistas, a pesar de antigüedad que en los casos del PSE y del PCE llega ya a los cincuenta años. Pero la significación de estos movimientos políticos no debe analizarse solamente desde el punto de vista cuantitativo. Es necesario tener en cuenta otros elementos que en ciertas circunstancias políticas les permite multiplicar significativamente sus exiguas fuerzas. En primer lugar, hay que considerar que una organización en funcionamiento permanente les da una gran capacidad de encuadramiento colectivo y de conducción política: dominan y dirigen los movimientos estudiantil y sindical [28] que son dos grupos de presión claves en los momentos de crisis; el "centralismo democrático" les permite ejercer una autoridad vertical disciplinariamente acatada por una base partidaria obediente y no deliberante; se hallan preparados para la agitación política, para operar en la clandestinidad y para el uso de procedimientos paramilitares; la fragmentación, que constituye una limitación importante para el movimiento marxista, bien puede superarse cuando lo que importa es realizar la revolución. En segundo lugar, como se pudo ver en la Revolución Cubana, cuando no existen otros proyectos históricos alternativos los partidos comunistas imponen el suyo que cuenta con una ideología coherente y con un modelo político-económico que se ha demostrado útil para transformar una sociedad capitalista. Finalmente, hay que considerar que el marxismo-leninismo cada vez es más influyente en algunos sectores intelectuales que lo consideran como un método idóneo para interpretar la historia o como una vía apta para construir el socialismo. Si bien estos marxistas heterodoxos buscan nuevas formas de socialismo e incluso son adversarios del PC y del PCML, en el caso de no lograr articular un proyecto político propio, en un proceso de cambio inevitablemente serán desbordados por las necesidades de la revolución y encuadrados por uno de esos partidos o por cualquier otro.

Los hechos contemporáneos y las frustraciones de los últimos años originan la aparición de nuevas corrientes políticas de iz-

28. El PC controla una parte del movimiento sindical representada por la CTE. Pero en el futuro, como consecuencia de la política unitaria de las tres centrales y sobre todo en el caso de fusionarse en una sola, bien puede aumentar significativamente su influencia en el movimiento sindical. No se ve otro partido con mejores posibilidades de controlar y conducir la nueva "central única". El PCML controla las federaciones de estudiantes universitarios. En el movimiento sindical también tiene influencias el PSR.

quierda: en 1963 se forma Liberación Popular,[29] grupo hoy desaparecido; en 1964 la Democracia Cristiana; [30] en 1970 la Izquierda Democrática; [31] y en 1975 el Movimiento de Segunda Independencia.[32]

29. Liberación Popular es fundado por un grupo de profesionales jóvenes, algunos de los cuales habían militado en las organizaciones juveniles y estudiantiles, en las que reciben la influencia de la ideología "tercermundista" de los movimientos de liberación africanos y asiáticos. Si bien su organización no llega a extenderse más allá de Quito, Guayaquil y Cuenca, logra reclutar un importante grupo de profesionales y crecer con cierto éxito en las elecciones de 1966. En 1968 opta por sumarse a la candidatura presidencial del velasquismo con el que obtiene importantes posiciones de gobierno. Esta alianza y su vinculación con el poder provocan una escisión, su burocratización y su final liquidación en 1972. Su ideología puede consultarse en la publicación: Liberación Popular, Partido del pueblo para la Revolución Social, Ed. Sol, Quito, 1963.

30. El Partido Demócrata Cristiano se forma mediante la unión de grupos de esta tendencia que se habían formado en Guayaquil, Quito, Cuenca y Loja, a los que se suma una escisión de la Juventud Social Cristiana por la posición conservadora de este movimiento político. Algunas son las originalidades de este partido: no proviene de los tradicionales "partidos católicos"; no tiene vinculaciones con la Iglesia ni recibe su influencia; es fundado por estudiantes universitarios y por sindicalistas cristianos; la mayor parte de su militancia y dirigencia proviene de las clases media y popular. Los resultados que ha conseguido en sus intervenciones electorales más bien han sido negativos, lo que contrasta con la influencia política que ha obtenido en los últimos años. En 1968 participa en el gobierno constitucional de Velasco Ibarra con el Ministerio del Trabajo. Este hecho sumado a la influencia que ejercen los conflictos de la D. C. de Chile, provoca la desafiliación de algunos dirigentes juveniles que pasan a formar la Izquierda Cristiana (1969). Más tarde también se separa el grupo de profesionales, que ingresara al Partido en 1966, por interés en participar en la política inmediata a través de los gobiernos que se suceden en el poder. Desde entonces el PDC ha adquirido una mayor coherencia ideológica y política y se ha alineado en una posición muy progresista, llegando incluso a adoptar acciones comunes con los movimientos marxistas como por ejemplo sucede en 1972 cuando forma el Frente de la Patria con estos partidos para intervenir en las elecciones presidenciales de ese año. Su ideología puede consultarse en la publicación: *Partido Demócrata Cristiano del Ecuador, Declaración de principios y fundamentos ideológicos*, Ed. La Unión, Quito, 1964.

31. Dos hechos políticos dan origen a la Izquierda Democrática: la alianza en el Congreso Nacional entre el Partido Liberal y su tradicional adversario, el velasquismo (1968) y ciertas discrepancias en cuanto a las candidaturas para las elecciones de alcalde y ediles de Quito (1970). Es pues una escisión del Partido Liberal a la que se suman hombres independientes de orientación socialista. El éxito que obtiene en las elecciones de 1970 en Pichincha le permite fortalecerse en esta provincia de la que no ha logrado salir. En las elecciones presidenciales de 1972 intenta formar una alianza con el "cefepismo" de Bucaram, que provoca un principio de escisión. En este movimiento político es posible distinguir dos tendencias: una moderada portadora de un liberalismo reformista y modernizante y otra más radical. Hasta ahora no ha logrado constituir una organización política nacional ni definir globalmente su postura ideológico-programática.

32. El Movimiento de Segunda Independencia se integra con exmilitantes de los partidos marxistas a los que critica su dogmatismo, su enajenación y su dependencia internacional. Considera que el marxismo debe interpretarse a la luz de las actuales condiciones del país y del mundo, niega su carácter apologético y se abre a otras corrientes ideológicas y sociológicas. Como es un partido político en formación no es posible apreciar su significación ni precisar su ideología que todavía se encuentra en elaboración.

Son varios los caracteres que definen a estos partidos.[33] Para el acceso al poder se inclinan por la vía electoral, sin negar por eso otras como por ejemplo una "alianza militar". Creen que en el país la vía revolucionaria no tiene ninguna viabilidad, al menos en las actuales condiciones del Ecuador. Si bien existe la explotación de sectores vastos de la población, la mayor parte de ellos no tienen conciencia de esta situación y por lo tanto no se plantean la necesidad de cambiarla. La nueva clase dominante no enfrenta ninguna crisis; al contrario, el sector capitalista de la economía se consolida y sistemáticamente extiende su influencia mediante el control del aparato productivo, la incorporación de amplios segmentos de la clase media y el uso del sistema jurídico-político que se ha mostrado funcional para satisfacer los requerimientos del emergente proletariado. (Cfr. pp. 254 y ss.) Todas estas razones hacen que la organización política y las estructuras económicas modernas tengan "legitimidad" para amplios sectores sociales. Como la revolución no golpea las puertas de poco o de nada sirven la agitación política y el verbalismo revolucionario que más bien resultan nocivos para los fines del cambio social. No siendo prerrevolucionarias las condiciones políticas prevalecientes no atribuyen ninguna posibilidad a las vías insurreccional y guerrillera producto del "voluntarismo político" del "infantilismo revolucionario". Afirman que son irrepetibles las condiciones nacionales e internacionales que permitieron el triunfo de las revoluciones china y cubana. A este respecto son conscientes del serio problema que significa la localización del país en la órbita de influencia de los EE.UU.

Ante estas limitaciones planteadas por las "condiciones objetivas" de la presente circunstancia histórica, optan por un "reformismo radical" —que parece ser el que ahora sigue el PC—, según el cual, la sustitución de las tradicionales formas de producción y de poder y por tanto del tránsito de la sociedad capitalista a otra de tipo socialista, sólo puede ser posible a través de un progresivo proceso de transformaciones. Por lo tanto, cualquier cambio en favor de los sectores desposeídos es bueno si en última instancia contribuye a la transformación global de la sociedad. Atribuyen pues un papel

33. Como en toda generalización caben algunas excepciones, de manera que lo que se diga a continuación no debe tomarse como algo enteramente aplicable a todos los partidos que integran la "nueva izquierda". La esquematización sólo tiene propósitos analíticos que permitan ver los grandes procesos en gestación y no las particularidades que son muchas.

fundamental a la lucha por las reformas.

Estos partidos son democráticos. Critican el concepto leninista del partido vanguardia, niegan la dictadura del proletariado como forma de gobierno y se inclinan por una democracia pluralista que garantice los derechos humanos, respete las libertades públicas y permita una efectiva participación del pueblo en la generación de la autoridad y en la construcción de la nueva sociedad.

Se definen como movimientos nacionales y latinoamericanos que buscan encarnarse en las realidades del país y del continente. Consideran que por las peculiares características de la estructura social del país no puede considerarse al proletariado como la clase social privilegiada de un proceso revolucionario; junto a él existen otras que limitan su papel o le privan de su condición de vanguardia. Por esta y otras razones, algunas incluso de orden cultural, proclaman la necesidad de elaborar un proyecto ecuatoriano de socialismo. En esta perspectiva, no aceptan ninguna dependencia ideológica o de cualquier otro tipo con relación a los centros metropolitanos. Si bien consideran a EE.UU. como el principal adversario, son reacios a una alineación en los dos bloques dominados por las grandes potencias imperiales y más bien se inclinan por una política internacional no alineada.

Para estos partidos sólo constituye un primer paso la ruptura con el imperialismo y con el sistema capitalista de dominación. Después queda el problema fundamental de construir la nueva sociedad, proceso que se torna extremadamente complejo por la dependencia del país, por realizarse mediante un modelo democrático, por estar sujeto a una permanente fiscalización popular y porque los sectores dominantes se valen de todos los medios para preservar sus intereses. Por ello, a fin de superar tantas limitaciones, consideran indispensable poner una atención especial en los problemas del desarrollo, de la técnica, de la eficacia, de la racionalidad y del éxito. Pero estos partidos enfrentan un problema muy serio: no quedarse simplemente en el "reformismo" y terminar comprometiéndose con el sistema que proponen reemplazar.

3. Las instituciones

Más que por la acción del que habría de ser su beneficiario —el pueblo— las instituciones políticas que paulatinamente minan el régimen tradicional asentado en la hacienda nacen gracias a la lucha de intelectuales, tecnócratas, militares y de los partidos reformadores. Hombres provenientes de la clase media dejan de servir a la burguesía y, en un acto de "liberalidad esclarecida" —como lo diría Helio Jaguaribe— expiden una legislación favorable a los intereses de los trabajadores y de la comunidad nacional. Son obra de los intelectuales socialistas las leyes sociales dictadas en los años 30; tecnócratas y militares inician la industrialización del país e introducen los primeros cambios en la estructura de producción agrícola y en la distribución del ingreso en los años 60; los mismos actores impulsan una política nacionalista de reivindicación de los recursos naturales en 1972. La clase tradicional poco ha podido hacer para impedir estos cambios, ya sea por su limitado acceso a los gobiernos militares en los que se ejecutan la mayor parte de las reformas o porque sus representantes políticos se niegan a correr con el costo electoral que habría significado oponerse a una política popular. Así por ejemplo, la legislatura de 1938, a pesar de estar integrada en sus dos tercios por conservadores y liberales, ordena la promulgación del Código de Trabajo. Como se puede ver, a la nueva *intelligentsia* le corresponde asumir la dirección del proceso de modernización del país y no a la miope oligarquía que es incapaz de comprender la circunstancia histórica y de apreciar los beneficios que el desarrollo traería consigo. Hoy se puede verificar con claridad hasta qué punto la ampliación del mercado consumidor ha traído consigo el fortalecimiento y ampliación de la industria, el comercio y los servicios.

La presencia política de la clase media se facilita por la transformación que sufre la función pública. Cuando el caudillo triunfante, arbitrariamente nombraba y removía funcionarios escogidos de su clientela electoral a los que convertía en meros ejecutores de órdenes, la burocracia carecía en absoluto de independencia para influir en las decisiones políticas. Hoy los burócratas cuentan con una Ley de Servicio Civil y Carrera Administrativa (1966) que regula su designación y remoción y garantiza la estabilidad del empleado público, y el notable desarrollo de la legislación les permite disponer de un conjunto de textos legales que abarcan casi todos los aspectos de la vida económica y social, en las que pueden fundamentar sus actos administrativos y sus proposiciones. El caso del "teniente político" ilustra muy bien lo que se acaba de decir. Sin duda su ejercicio de la autoridad ya no es equiparable al que se dio en el sistema hacienda en el que se desempeñó como mero legitimador de los abusos patronales.

También contribuye la apertura democrática del país. La eliminación del fraude electoral, el otorgamiento del voto a la mujer y a los mayores de 18 años, el reconocimiento de la representación de las minorías, el incremento de la educación, el desarrollo de los medios de comunicación y la urbanización de las ciudades han permitido la ampliación del número de votantes ensanchando significativamente la base electoral.[34] A ello se suma cierta permeabilidad del régimen político [35] y de los medios de comunicación [36] que han demostrado alguna apertura a las nuevas ideas e innovaciones, naturalmente dentro de ciertos límites que no afectan al sistema en su conjunto. Si bien la participación electoral es muy limitada [37] y con frecuencia manipulada, a través de ella el pueblo ha podido adquirir influencia y ser escuchado en determinadas demandas, logrando de esta manera que gobernantes y legisladores se vean obligados, en ciertas circunstancias, a seguir una política "popular". Naturalmente nada de esto era posible en la vieja sociedad tradicional que cerraba todas las puertas a cualquier manifestación de los grupos explotados que carecían absolutamente de poder. Ahora mismo, si los analfabetos pudieran votar, otra sería la suerte de los campesinos y de la reforma agraria, que los gobernantes se verían obligados a ejecutar para mantener esta nueva clientela electoral.

La marcha de la legislación social se inicia en los años 10 y 20, cuando se dictan las primeras leyes que reconocen los derechos de los trabajadores en cuanto a su jornada de trabajo, descanso semanal, salario mínimo, indemnizaciones, cesantía, organización sindical, etc., los que son elevados a la categoría de norma constitucional por la Carta Política de 1929 que, además, es la primera en reconocer las limitaciones sociales de la propiedad. Este proceso se consolida y

34. La evolución de los votantes en las elecciones presidenciales ha sido la siguiente: 52.000 votos en 1931; 282.000 votos en 1948; 357.000 en 1952; 614.000 en 1956; 764.000 votos en 1960 y 853.000 en 1968.

35. En el Ecuador aun las dictaduras de alguna manera han respetado los derechos humanos y las libertades públicas, al menos si se las compara con otras de América Latina e incluso con ciertos gobiernos democráticos del continente. También ha existido apertura a las reformas sociales.

36. No ha sido excepcional el caso de medios de comunicación abiertos y en algunos casos hasta progresistas. Pero esta situación está cambiando, como consecuencia de la concentración económica. Hay dos diarios y dos canales de televisión que son de propiedad de tres importantes grupos financieros.

37. En las elecciones del año 1968, sólo se inscribieron el 68 por ciento de los ciudadanos en capacidad de hacerlo y votaron el 77 por ciento de los inscritos. Además hay que tener en cuenta que los analfabetos no pueden votar. (Osvaldo Hurtado, *Dos mundos*, 1969, p. 237.)

culmina con la creación del Ministerio de Previsión Social y Trabajo (1925), de un sistema de seguridad social (1937) y, sobre todo, con la expedición del Código del Trabajo en 1938. Contemporáneamente se dictan otras leyes —Ley de Cooperativas, Ley de Organización y Régimen de Comunas y Estatuto de las Comunidades Campesinas, las tres en 1937— que promueven la organización popular a la que le reconocen múltiples derechos que favorecen su acceso a bienes y servicios que antes sólo eran patrimonio de la clase dominante.[38] Además el Estado asume bajo su responsabilidad algunos problemas de los sectores menos favorecidos. A los programas sociales del Ministerio de Previsión Social se suma el Programa Andino (1954) impulsado por las Naciones Unidas, que en 1964 se transforma en la Misión Andina del Ecuador encargada de la promoción de las comunidades indígenas de la Sierra. En 1961 se constituye el Banco Ecuatoriano de la Vivienda para atender el déficit habitacional y poco después se inicia el Plan Nacional de Alfabetización de Adultos. Finalmente, en 1964 se expide la Ley de Reforma Agraria, se crea el IERAC para su ejecución y en 1970 se dictan la Ley de Abolición del Trabajo Precario en la Agricultura y el Decreto 1.001 que provocan importantes cambios en la estructura agrícola del litoral. Si bien es cierto que la supervivencia de las influencias de la sociedad tradicional limitan la aplicación de estas leyes y los gobiernos carecen de decisión política para ejecutarlas, son evidentes las modificaciones que introducen en las relaciones de producción y en las características de la fuerza de trabajo.

Las nuevas instituciones jurídico-políticas también modifican la función del Estado que definitivamente abandona su papel de mero observador de los fenómenos económicos para convertirse en el principal agente del desarrollo nacional. Amplía considerablemente los servicios de educación, salud e infraestructura física; crea sus propios circuitos financieros para la capitalización de la agricultura y la industria; asume bajo su responsabilidad la industrialización del país; interviene en la regularización de los salarios; e incluso tempranamente (1954) crea la Junta Nacional de Planificación y Coordina-

38. Como se acaba de ver, gran parte de la legislación social se expide antes de 1950, año que se ha señalado como el primero en el proceso de "crisis del poder". Pero, al respecto hay que tener en cuenta que esta legislación social si bien se expide en el período histórico anterior, de hecho comienza a aplicarse en el período histórico que ahora estudiamos, en la medida en que se va formando la economía capitalista y se desarrolla la organización popular. (Cfr. pp. 189 y ss. y 259 y ss.)

ción. Además, la adopción de una política nacionalista le lleva a constituir empresas estatales para la prestación de los servicios públicos de luz, teléfono, la instalación de industrias y la explotación de ciertos recursos naturales. (Cfr. pp. 171 y ss.)

Para evitar una mala interpretación del tono positivo de estas observaciones es necesario establecer sus límites. El Código del Trabajo y en general la legislación social sólo ha beneficiado a las clases medias y a los trabajadores integrados en los sectores capitalistas de producción. Por ejemplo, recién en 1950 se firma el primer contrato colectivo de trabajo y en 1969 el primer contrato colectivo de campesinos de la Sierra. La Ley de Reforma Agraria sólo ha servido para transformar el sistema hacienda en un sistema de producción capitalista. La participación popular alentada por la apertura democrática en gran parte se circunscribe al orden electoral y aun en este campo es muy limitada y en muchos casos manipulada. El alto grado de marginalidad en el que se encuentran ciertos grupos sociales no les ha permitido acceder directamente a la autoridad para reclamar la protección de la Ley. Para superar esta limitación han tenido que recurrir a intermediarios —ordinariamente abogados— que se han convertido en nuevos agentes de explotación.

Como se puede ver, las instituciones políticas no son el simple resultado mecánico y necesario de una formación económica o de los intereses de una clase social. Hay casos en que afectan el poder de las clases dominantes y se adelantan a la evolución de las fuerzas productivas constituyéndose en el punto de partida de los cambios de la estructura económica. Por ejemplo, el Código del Trabajo se dicta antes de que haya propiamente proletariado —y probablemente ésta es la razón de que se expida tan tempranamente en la medida en que no afecta intereses fundamentales—; a la expedición de la Ley de Reforma Agraria no precede una movilización del campesinado y al marco jurídico-político proteccionista creado por el Estado se debe la industrialización. Para comprender esta realidad hay que aceptar la autonomía relativa del Estado con respecto a las fuerzas económicas, entre las que frecuentemente cumple un papel arbitral, no siendo excepcionales los casos en que se pronuncia por los intereses "nacionales" y "populares", para conservar su legitimidad como "dispensador del bien común".

IV. LA ORGANIZACIÓN POPULAR [1]

La estructura social generada por el sistema hacienda no permitió la organización de los grupos sociales dominados, en la medida en que la mano de obra estuvo sujeta a una situación de absoluta dependencia. Pero, en el período histórico que comienza en 1950, como consecuencia de los cambios que sufre el sistema jurídico-político (cfr. pp. 254 y ss.) y la estructura económica (cfr. pp. 189 y ss.), se produce un desarrollo significativo de las más diversas formas de "organización popular". Efectivamente, al adquirir la economía agrícola un claro carácter capitalista y desarrollarse en las ciudades una economía industrial, aparecen los trabajadores libres con capacidad para disponer de su mano de obra remunerada mediante un salario. Al mismo tiempo, una legislación social que se adelanta al surgimiento del sector capitalista de la economía, reconoce los derechos de los trabajadores y les permite disponer de una organización para presionar a que sus garantías se apliquen y se amplíen.

La aparición de asociaciones colectivas de trabajadores altera las tradicionales relaciones de poder, que antes sólo les permitía enfrentar individualmente a los propietarios de los medios de producción y a la autoridad política, e impedían que pudieran tener éxito en sus reclamaciones en los pocos casos excepcionales en que se producían. En cambio ahora, organizados en asociaciones reconocidas por el Estado y contando con normas que protejan sus derechos, evidentemente mejoran las posibilidades de que sus intereses sean atendidos.

Pero la *sui generis* formación económica contemporánea del Ecuador, hace que la organización de los trabajadores adquiera ca-

1. Hemos preferido no utilizar el concepto de "clase obrera" porque dentro de él sólo se englobaría a los trabajadores de la industria fabril y, como se verá más tarde, el número de trabajadores industriales es insignificante y en cambio es abultado el de los que se ocupan en otras actividades, principalmente en la agrícola que emplea a más del 50 por ciento de la población activa. Dadas las peculiares características de la "clase trabajadora" en el Ecuador, como se verá en el presente capítulo, nos ha parecido más pertinente hablar de "organización popular".

racterísticas peculiares que le hacen diferente de la europea o norteamericana. En el país el sindicato no es la única forma de organización; junto a él subsiten los gremios artesanales y las comunas campesinas a los que se suman otras nuevas como la cooperativa y el comité barrial.

Si bien desde las primeras décadas del siglo XX se forman organizaciones sindicales éstas carecen de significación ya que, hasta 1937, sólo había 21 "sociedades de obreros" y 9 "sociedades de empleados". Es con la expedición del Código del Trabajo y la fundación de las dos primeras centrales sindicales —las hoy denominadas Confederación Ecuatoriana de Organizaciones Clasistas (CEDOC) en 1938 y la Confederación de Trabajadores del Ecuador (CTE) en 1944— que adquiere alguna significación el número de trabajadores organizados en comités de empresa, asociaciones y sindicatos de obreros y empleados. En efecto, entre 1938 y 1949 se constituyen 550 organizaciones de este tipo. Pero sólo a partir de los años 50 y sobre todo desde 1966 se puede hablar de un desarrollo de la organización de los trabajadores ya que, entre 1950 y 1973, se establecen 3.093 sindicatos lo que quiere decir que en los últimos 24 años se ha formado el 87 por ciento de todas las organizaciones sindicales actualmente existentes, como lo establece una reciente investigación.[2] Aun así, la representatividad de los trabajadores organizados sigue siendo muy relativa si se considera que el total de sindicatos —3.673— sólo agrupa a 184 mil afiliados, o sea el 9 por ciento de la población activa.

Es natural que sea tan elemental la organización sindical si se considera que su desarrollo siempre está supeditado a un previo proceso de industrialización y, según la Junta de Planificación, de los 2,1 millones de personas que integran la población activa en 1973 sólo 387 mil se ocupan en el sector secundario, esto es, el 18 por ciento.[3] Si estimamos que más de las dos terceras partes son artesanos, apenas 100 mil personas trabajan en actividades propiamente industriales: construcción, energía e industria fabril. Como consecuencia, bien puede afirmarse que la "clase obrera" en el Ecuador recién se encuentra en formación y apenas constituye un "proletariado embrionario".

2. Osvaldo Hurtado y Joachim Herudek, (INEDES), *La Organización Popular*, pp. 85 y ss. Salvo indicación en contrario, de esta fuente provienen todas las citas estadísticas.

3. Junta Nacional de Planificación, *Corrección de las cifras censales de la población activa y su proyección hasta 1980*, mimeo., Quito, 1971.

Las cooperativas —2.274 que agrupan a 104 mil personas— constituyen la segunda forma de organización popular en cuanto a su importancia numérica. Su evolución histórica es similar a la de los sindicatos ya que, del total de cooperativas actualmente existentes, el 92 por ciento se han formado desde 1950, sobre todo a partir de 1967 como consecuencia de la expedición de una nueva Ley de Cooperativas.

Las otras formas de organización son menos importantes: todas juntas sólo llegan a 2.962 y agrupan a 164 mil afiliados. Los gremios artesanales —714— y las comunidades indígenas —1.997 incluyendo colonias agrícolas y clubes 4F— existen desde la época colonial; pero sólo son reconocidas por la ley con la expedición del Código del Trabajo y de la Ley de Comunas. Por eso la mayor parte se organizan a partir de 1937 y 1938 y en la actualidad tienden a estancarse. Más bien se advierte un crecimiento de los comités barriales cuyo número asciende a 251.

Si se toman en cuenta todas estas organizaciones, y no solamente los sindicatos, la organización de los trabajadores adquiere una mayor significación: en tal caso existirían 8.909 organizaciones con 452 mil afiliados que representan un 21 por ciento de la población activa.[4]

La presencia de la organización popular y su acción política permiten a los trabajadores acceder a la autoridad política, conseguir que las leyes se ejecuten, obtener que se reconozcan y amplíen sus derechos y, en suma, debilitar el poder de las clases dominantes en los términos en que fue ejercido cuando rigió el sistema hacienda. Como se vio antes (cfr. pp. 254 y ss.) en la expedición de la legislación social los trabajadores ejercen una influencia muy relativa; en cambio su participación se torna importante en la lucha porque tales leyes se apliquen, hecho que se advierte claramente sobre todo a partir de los años sesenta.[5] Los sindicatos consiguen para sus afiliados la protección de la seguridad social, mejores salarios, estabilidad en el trabajo y en general el respeto de las garantías contempladas en el Código

4. La representatividad de la organización popular es menor porque algunas han desaparecido y porque existen casos de doble afiliación. Estimamos que un 10 por ciento de las organizaciones se encuentran en esta situación.

5. Por ejemplo, en la expedición de la Ley de Reforma Agraria poco influyen los campesinos y algunos ni siquiera saben de ella. Pero en cambio ha sido de alguna importancia su movilización para presionar a que los gobiernos la ejecuten. La legislación social existe desde los años 30, pero sólo con el desarrollo de la organización sindical, a partir de los años 50, comienza a aplicarse con alguna extensión.

del Trabajo. Las cooperativas agrícolas obtienen la propiedad de la tierra a través de programas de colonización y de reforma agraria; las de vivienda, casa de habitación; las industriales, la administración de las fábricas en que trabajan sus socios; las de ahorro, el acceso a los circuitos de crédito; las artesanales, diversificar y mejorar su producción e incursionar en la comercialización. Las comunas contribuyen para que los indígenas puedan preservar los valores de su cultura y la propiedad de las tierras comunales e impedir que se les prive del uso de caminos, pastos, agua y leña. Los gremios artesanales, mediante la Ley de Defensa Artesanal y de Fomento de la Artesanía y de la Pequeña Industria, consiguen la protección del Estado para el ejercicio de sus actividades económicas. Los comités barriales logran que los municipios y los gobiernos les provean de los servicios indispensables de canalización, luz y agua. En esta forma, algunos sectores populares organizados logran reivindicar sus derechos y satisfacer ciertas necesidades. En cambio los sectores dominantes pierden su poder absoluto y deben hacer partícipes a los trabajadores en algunos de los beneficios del sistema. Pero la alteración de las tradicionales relaciones de poder y la introducción de nuevos tipos de conflicto no implica que se hayan producido cambios en la situación de las clases sociales, las cuales, en unos casos siguen conservando la propiedad de los medios de producción y en otros la función de proveer de mano de obra, excepto en los casos de ejecución de la reforma agraria.

Es que la acción de los sindicatos ha sido fundamentalmente económica y reivindicativa. Los trabajadores han luchado para que mejoren sus ingresos reales, se respeten las garantías contenidas en el Código del Trabajo y se les afilie a la seguridad social; en suma, para que mejoren las condiciones de trabajo y su participación en la riqueza social —y con ello se han convertido en un sector "privilegiado" dentro de la clase trabajadora— sin que concomitantemente exista un cuestionamiento del sistema como tal, asunto que sólo preocupa a los dirigentes sindicales profesionales y a sus asesores. Es que los obreros recurren al sindicato, al pliego de peticiones y a la huelga sólo como un medio para que sean reconocidos los derechos e intereses de sus afiliados y, frente a esta realidad, poco pueden hacer los dirigentes formados ideológicamente para colocar a los sindicatos en una perspectiva política. En su lucha los obreros están dispuestos a correr cualquier riesgo pero siempre que estén de por medio asuntos que los afecten personalmente. En este sentido, su comportamiento se parece al de los marginados, en cuanto reaccionan ante las necesidades sentidas, carecen de motivaciones ideológicas, no se plantean los problemas globales de la sociedad, ni consideran que su transformación estructural es un requisito para que termine la explotación de "unos hombres por otros hombres".

A ello se suman ciertas limitaciones de las organizaciones sindicales como tales. Las "asociaciones de empleados", —25 por ciento de las organizaciones sindicales— integradas por miembros de la clase media que no trabajan con sus manos, tienen mucho que perder y poco que ganar y por tanto no son adversarias del sistema y no se consideran ni siquiera miembros de la clase trabajadora. Por otra parte, los trabajadores autónomos tienen dificultad para determinar el origen de su explotación ya que sus relaciones de producción se dan con varios patronos ocasionales y no con un solo patrón: éste es el caso de artesanos y pequeños comerciantes.

No son mejores las posibilidades de los campesinos organizados en sindicatos, comunas y cooperativas a pesar de su importancia cuantitativa —55 por ciento de la población activa— y del papel que les asignan algunos teóricos "maoístas". Las actitudes de los trabajadores rurales que se ocupan en las plantaciones capitalistas en nada se diferencian de las de los obreros industriales urbanos. Los otros sectores del campesinado han planteado el cambio de la estructura agrícola y la ejecución de la reforma agraria para lo cual, sobre todo en los últimos años, se han movilizado políticamente llegando incluso en algunos casos a las invasiones de tierras. Se ha visto también que cooperativas que ya han conseguido la adjudicación de tierras continúan participando en concentraciones campesinas a fin de que también las obtengan otras organizaciones. A pesar de estos hechos conviene no ser muy optimistas sobre las posibilidades revolucionarias del campesinado. Si crece el sector reformado de la agricultura los campesinos que obtengan tierras en propiedad probablemente orientarán su lucha a la obtención de ciertos servicios técnicos y de crédito, a la dotación de una infraestructura física y social, y sobre todo, a la obtención de mejores precios para sus productos. Si así sucede, sus intereses serán diferentes a los de los trabajadores urbanos y se tornará muy difícil la pregonada alianza "obrero-campesina". Queda por averiguar cuál será la evolución de ciertas formas de "racismo" que están apareciendo en algunas comunidades indígenas.

Si tales son las limitaciones de los grupos más dinámicos de la clase trabajadora ya puede deducirse cuál será el comportamiento político de las otras organizaciones populares. A los artesanos sólo les preocupa el otorgamiento de ciertas exenciones fiscales y arancelarias y la apertura de circuitos financieros preferenciales. Las cooperativas de vivienda y los comités barriales no tienen otra preocupación que no sea la obtención de casa propia y la creación o mejoramiento del equipamiento urbano.

Por todas estas razones, es explicable la elementalidad de la "lucha de clases" en el período histórico contemporáneo del Ecuador. No es relevante el papel de la clase trabajadora en el proceso social de los últimos años, en el que, en el mejor de los casos ha librado una "lucha económica" que no ha llegado a cuestionar las relaciones de propiedad y de poder y que, por tanto, no ha alcanzado un nivel político. Es que, a pesar del notable desarrollo industrial reciente, el número de obreros es todavía insignificante y, por tanto, no existe la clase a la que se le atribuye un papel conductor en las luchas sociales. Por otra parte, es necesario tener en cuenta que un proceso revolucionario no sólo requiere de la existencia de una clase obrera y de condiciones de opresión; además es necesario que los oprimidos tengan conciencia de ello, cosa que en el país sólo se da en los dirigentes sindicales profesionales afiliados políticamente, en el mejor de los casos.[6] Para decirlo en términos marxistas, existe una clase obrera "en sí" —pero todavía en formación— y de ninguna manera una clase "para sí". Aquí radica la explicación del fracaso político de los partidos marxistas, empeñados en representar una "clase obrera" prácticamente inexistente. Por ello, en las contiendas electorales el embrionario proletariado ha sido "arrastrado" por los marginados y se ha alineado en los partidos populistas.

Cuando los trabajadores plantean la lucha social en términos políticos las centrales sindicales son su principal instrumento. En este sentido, ha sido especialmente importante el papel de la CTE. A través del pliego de peticiones, del conflicto colectivo y de la huelga general —las cuatro organizadas desde 1948 las ha promovido o han

6. Una investigación realizada entre 758 asistentes a los cursos de formación de una central sindical arrojó los siguientes resultados: el 31 por ciento tenía un nivel bajo de conciencia de clase, el 28 por ciento un nivel medio y el 41 por ciento un nivel alto. Pero estos resultados no son proyectables a toda la clase trabajadora por las características especiales de la muestra. En efecto, gran parte de los entrevistados eran dirigentes, tenían una militancia sindical activa, habían recibido capacitación política y contaban con algunos años de educación primaria y secundaria, variables que ejercen una función decisiva en la formación de la conciencia de clase. (Alejandro Bernal, *CEDADIS-INEDES*, mimeo., Caracas-Quito, 1973, pp. 82-85 y 142-153).

contado con su preponderante participación— se ha constituido en la principal fuerza sindical del país y, hasta los años sesenta, prácticamente es el único portavoz de los intereses de los trabajadores. Su militancia le ha llevado a enfrentar a todos los gobiernos, sufriendo como consecuencia toda suerte de retaliaciones en una sociedad dispuesta a justificar cualquier medida de fuerza que liquide la "subversión" y a los "agitadores". Esta acción sindical se explica porque dentro de la CTE han predominado los obreros industriales y porque ha contado con conducción política, de la que han carecido las otras centrales, al ser dirigida por los intelectuales de los partidos Comunista y Socialista. Si bien sigue siendo la organización sindical más importante hoy ha perdido su tradicional hegemonía, principalmente por las siguientes causas: el desarrollo de las otras centrales; la desafiliación de sus dos más importantes sindicatos —los petroleros y los choferes—; y los conflictos internos originados en las pugnas ideológicas de los partidos marxistas.

La participación de la CEDOC ha sido menos significativa. Originalmente confesional e ideológicamente conservadora fue incapaz de representar los intereses de los trabajadores al preocuparse más bien por los actos del culto católico, por combatir el laicismo y por detener la "penetración comunista en los medios laborales". En su actitud también influye la casi ausencia de una militancia de obreros industriales y la preponderante influencia que ejerce una mayoría de artesanos. A partir de los años 60 y sobre todo desde su congreso de 1965 cambian estas características de la CEDOC al adoptar las posiciones doctrinarias del sindicalismo cristiano latinoamericano, conseguir la afiliación de organizaciones de trabajadores de la industria y los servicios —la principal es la de estibadores en la época de auge del banano— y sobre todo de campesinos que hoy constituyen su más importante fuerza. Desde entonces y especialmente desde el Congreso de 1975, ha radicalizado sus posiciones y su activa acción sindical le ha llevado a participar en los principales problemas del país, sobre todo en los de la reforma agraria.

La Confederación Ecuatoriana de Organizaciones Sindicales Libres (CEOSL) se constituye en 1962 con el propósito de agrupar a las organizaciones independientes no afiliadas a las otras dos centrales por su "confesionalismo" o su "politización". La influencia ideológica de la ORIT y del sindicalismo norteamericano le llevan a plantear su lucha sindical exclusivamente en términos reivindicativos y a desentenderse de los problemas globales de la sociedad nacional.

Como muchos trabajadores todavía no ven con claridad los objetivos revolucionarios o al menos los consideran secundarios frente a las necesidades de todos los días, la posición ideológica de la CEOSL le ha resultado sindicalmente rentable. Por ello, en pocos años ha logrado constituir una importante fuerza sindical integrada casi exclusivamente por trabajadores urbanos principalmente ocupados en el comercio y los servicios.

En conjunto, las tres centrales sindicales sólo agrupan a un poco más de cien mil trabajadores que representan menos del 5 por ciento de la población activa. Además, se debe tener en cuenta que algunas de sus organizaciones no están formadas por trabajadores asalariados por ser gremios artesanales y sobre todo cooperativas y comunas. Por otra parte, existen muchas organizaciones que no están afiliadas a ninguna de las tres centrales, las cuales agrupan a 110 mil trabajadores independientes. Finalmente es necesario señalar que cada central ha seguido su propio camino que en algunos casos les ha llevado al enfrentamiento: inicialmente la oposición se dio entre la CEDOC y la CTE y más tarde entre ésta y la CEOSL.[7] Parece que estos conflictos se han superado: desde 1971 participan conjuntamente en los desfiles del 1.º de mayo y en pronunciamientos públicos y en 1975 por primera vez organizan una huelga general unitaria.

Las diferencias ideológicas se dan a nivel de la dirección sindical y no en las bases en las que existe un pensamiento común, ordinariamente muy conservador, sin que importe para ello la central a la que está afiliado el trabajador. Un estudio empírico confirma esta apreciación al concluir diciendo que "no existe una relación significativa" entre el nivel de conciencia de clase de los trabajadores investigados y la central sindical a la que están afiliados.[8] Es que la afiliación de un trabajador al sindicato y de éste a una federación, no se origina en motivaciones ideológicas sino en la capacidad que atribuyen a estos organismos para reivindicar sus derechos y solucionar sus problemas. Por eso, cuando consideran que no están siendo "bien atendidos" por una central sindical, la abandonan y se incorporan a la que les proporcione una mejor asesoría. Para responder a esta realidad

7. La CEDOC veía en la CTE un "instrumento de la penetración del comunismo internacional en los medios laborales"; a su vez, ésta consideraba que aquélla era un "instrumento de la reacción". La CTE acusaba a la CEOSL de ser un "instrumento del imperialismo norteamericano" y ésta a aquélla de serlo del "imperialismo comunista".

8. Alejandro Bernal, *op. cit.*, pp. 142 y 153.

las centrales han tenido que organizarse en función de las necesidades de sus afiliados a fin de prestarles los servicios requeridos —principalmente los de defensa jurídica y a ello se debe el dominante papel de los abogados en el movimiento sindical— en las demandas individuales de trabajo, en los contratos colectivos y en los pliegos de peticiones; las que cuentan con cooperativas —la CEDOC especialmente— se han visto obligadas a montar asesorías técnicas y financieras. Si la función principal de la organización sindical es prestar servicios y conseguir una mejor participación de los trabajadores en la distribución del ingreso, antes que agitar, alentar y dirigir las luchas sociales, es explicable que sus dirigentes degeneren en la burocratización y que el sindicato se convierta en conciliador de conflictos.[9]

Pero hay que señalar algunas tendencias positivas que no se pueden perder de vista. El rápido crecimiento industrial —que cada vez será mayor como consecuencia del Pacto Andino— está creando las condiciones necesarias para la formación de un proletariado con las características de tal. Cada vez es más clara la emergencia del campesino y su participación en las luchas sociales. A pesar de su debilidad cuantitativa, potencialmente la fuerza de las centrales sindicales es muy grande gracias al control de los sindicatos tácticos con los que, en ciertas circunstancias, están en capacidad de paralizar todas las actividades económicas.[10] La adopción de una perspectiva política por parte de las centrales de trabajadores y su unidad de acción han multiplicado significativamente su poder de influencia.[11]

Además, no deben perderse de vista los imponderables históricos, el papel que en los procesos sociales juega la voluntad personal y

9. Un estudio más amplio del tema tratado en este Capítulo puede consultarse en la obra citada de Joachim Herudek y Osvaldo Hurtado.

10. La Huelga general que por primera vez organizan unitariamente las tres centrales sindicales el 13 de noviembre de 1975 paraliza gran parte del país. Si bien no se propuso derrocar al gobierno, más bien contó con su aquiescencia y respondió a la necesidad sentida por amplios sectores sociales de aumentos de salarios, es muy demostrativa de lo que se acaba de decir si se toma en cuenta que no participó la Federación Nacional de Choferes y que las tres centrales sólo agrupan el 5 por ciento de la población activa.

11. Pero acontecimientos sucedidos luego de que fue escrito este capítulo abren la posibilidad de que la influencia adquirida por el movimiento sindical se deteriore. En él se están repitiendo los mismos fenómenos que en la pasada década originaron la liquidación del movimiento estudiantil. Por la acción de jóvenes "pequeños-burgueses" —universitarios y profesionales— antes que por decisión de la "clase trabajadora", han aparecido posiciones ultristas, dogmáticas y sectarias que han provocado las primeras escisiones. Y en la medida en que esta suicida fragmentación avance, el movimiento sindical perderá el poder político alcanzado en los últimos años.

la función relevante de la organización y conducción políticas. De los muchos ejemplos que se pueden extraer de la historia, cabe citar la revolución soviética realizada en un país *—mutatis mutandis—* con características económicas y sociales parecidas a las nuestras y, por tanto, con condiciones objetivas no prerrevolucionarias.

V. EL REFORMISMO MILITAR

La Revolución Juliana de 1925 constituye la primera intervención institucional de las Fuerzas Armadas con el propósito de introducir reformas en la organización económica del país. Como lo dice el historiador Robalino Dávila, "de improviso el Ejército no quiso ya ser el servidor de los políticos que le daban sus normas directivas o que abusaban de su pasividad; tomó también conciencia de cómo iba la cosa pública en las manos de los regímenes liberales, resolvió deshacerse de un político y militar a quien se acusaba de manejar la República; e impulsado por civiles, se reunió en juntas secretas y un buen día derrocó al general Plaza y entregó el poder a un gobierno plural [...]".[1] En la Liga de los Militares Jóvenes —que es la que ejecuta el golpe de Estado— intervienen oficiales de baja graduación —de mayores para abajo y especialmente tenientes— los cuales forman una Junta Suprema Militar que, como depositaria del poder, origina dos juntas de gobierno predominantemente integradas por civiles que posteriormente terminarán en el gobierno unipersonal del médico Isidro Ayora, primero en calidad de dictador y luego de presidente constitucional. En estos seis años que comienzan el 9 de julio de 1925 y terminan el 24 de agosto de 1931, como se vio antes (cfr. pp. 101 y ss.), por primera vez el Estado establece ciertos controles sobre la "empresa privada", se reconocen algunos derechos de los trabajadores y se libera la autoridad pública del dominio de la "bancocracia" guayaquileña representada por el Banco Comercial y Agrícola.

La segunda intervención institucional de las FF.AA. se produce en 1937 cuando el Ministro de Defensa General Alberto Enríquez asume el poder por "resolución de las Fuerzas Armadas" para restablecer el régimen democrático,[2] cosa que efectivamente lo *hace* al dimitir ante la Asamblea Constituyente que se reúne un año más tarde.

1. Luis Robalino Dávila, *Testimonio de los Tiempos*, p. 178.
2. Ibid. p. 138.

El general Enríquez llega al gobierno "con más ideas progresistas que ambiciones personales" [3] y ejecuta una política en la que otra vez se ponen de manifiesto los afanes reformistas de los militares. Deroga la Ley de Seguridad Social de la que se había valido el anterior dictador para restringir las libertades públicas y perseguir a los hombres de izquierda; garantiza la libertad sindical; pone coto a las compañías extranjeras; y, con la colaboración de los jóvenes socialistas, expide el Código del Trabajo y otras leyes sociales que reconocen los derechos de los trabajadores y promueven su organización.

Con la Junta Militar (1963-1966), por tercera vez las FF.AA. toman el poder.[4] Este gobierno nace en la "década del desarrollo", cuando en América Latina soplaban los vientos de la modernización y de la programación. La Alianza para el Progreso, aceptada como un proyecto continental por la Carta de Punta del Este (1961), propone un vasto programa para conseguir "un aumento sustancial y sostenido del ingreso por habitante" mediante la ejecución de reformas de las estructuras agraria y fiscal y de un conjunto de acciones que faciliten el crecimiento de la economía y el desarrollo social. Por otra parte, a los pocos días de la toma del poder por los militares, la Junta Nacional de Planificación entregaba al gobierno el Plan General de Desarrollo Económico y Social cuyo objetivo es atacar todos los vicios estructurales que impiden el desarrollo del país en "forma autónoma y sostenida" que llevan a la gran mayoría de ecuatorianos a vivir en "condiciones de pobreza y apremio". Como los jefes militares no contaban con un proyecto propio y en el gobierno que organizan adquieren una influencia preponderante los norteamericanos y los tecnócratas, adoptan aquellas proposiciones y en buena parte las ponen en práctica. Dictan una Ley de Reforma Agraria, crean el Instituto Ecuatoriano de Reforma Agraria y Colonización (IERAC) y con mucha decisión política eliminan gran parte de los sistemas pre-

3. Gabriel Cevallos García, *Historia del Ecuador*, Ed. don Bosco, Cuenca, 1967, p. 429.

4. Varias son las causas que originan la ruptura del orden constitucional luego de quince años de vida democrática. La política internacional de Carlos Julio Arosemena se había caracterizado por su independencia. Cuando Vicepresidente viaja a la Unión Soviética y una vez que asume la Presidencia se opone a la expulsión de Cuba de la OEA, mantiene relaciones diplomáticas con Fidel Castro y no acepta las presiones de los EE.UU. para que los barcos pesqueros norteamericanos operen libremente dentro de las 200 millas marítimas ecuatorianas. Estas decisiones que hoy a nadie llamarían la atención, en una época en que la psicosis comunista dominaba en América Latina, dan pábulo para que se lo califique de "procomunista" y se desencadene un movimiento nacional de oposición en el que intervienen casi todos los partidos políticos, la Iglesia y las FF.AA. En segundo lugar, a

carios de trabajo e inician algunos cambios en la estructura de tenencia de la tierra. Realizan una reforma fiscal orientada a eliminar o reducir los impuestos indirectos, a centralizar y racionalizar las recaudaciones fiscales dispersas en muchas entidades autónomas y afectadas por altos márgenes de evasión, y a concentrar la carga tributaria en los impuestos directos, principalmente a la renta, para lo que expiden la correspondiente Ley. Emprenden en una reforma administrativa mediante la expedición de una Ley de Carrera Administrativa, la ampliación y ordenación de la administración pública y la adopción del Plan General de Desarrollo como el instrumento básico de gobierno. Pero quizá la industrialización es la mayor contribución de la Junta Militar: constituye un mercado de capitales para la industria mediante la creación de la Comisión de Valores-Corporación Financiera Nacional y la expedición de una Ley que favorece la fundación de financieras privadas; a través de las reformas agraria y fiscal busca la ampliación del mercado consumidor; con la promulgación de un nuevo Arancel de Aduanas encarece las importaciones y favorece el establecimiento de industrias que las sustituyan; dota a la industria de protecciones y liberaciones de todo orden mediante las leyes de Fomento de la Artesanía y de la Pequeña Industria y la de Fomento Industrial que, si bien se origina en el anterior régimen, en el de los militares recibe un notable impulso. En el atrasado Ecuador de la pasada década, esta política "desarrollista" provoca una violenta reacción de los sectores económicos afectados: latifundistas, comerciantes, "patricios" guayaquileños y en general de todos los grupos dominantes. Ni siquiera los industriales, que son los directamente beneficiados con la política económica de los militares, comprenden los alcances de las reformas y, por tanto, no se vuelcan en su respaldo. Visto en perspectiva, en los órdenes económico y social el

---

pesar de que por la presión militar el gobierno finalmente rompe con Cuba, los Estados Unidos se sienten muy incómodos con un Presidente que no acata sus "sugerencias". A través de la CIA, como lo ha señalado el exagente Philip Agee (*op. cit.*), manipulan a los partidos de derecha, a los católicos y a los mismos militares con lo que crean un clima de agitación favorable para el golpe de Estado. En tercer lugar, el deterioro de la economía por la crisis de las exportaciones y la falta de colaboración financiera de los EE.UU. agravan la crisis fiscal y el malestar social. A todo ello se suma la dipsomanía del Presidente Arosemena que le inhabilita para el ejercicio de sus funciones. Este "vicio masculino" ya había constituido una causa esgrimida por la oposición para solicitar su descalificación en el Congreso Nacional. Al fracasar este intento y estando seriamente cuestionada la integridad moral del Vicepresidente de la República por su intervención en una compra de armas, se cerraban las puertas para la solución constitucional y se abría el camino para la intervención militar.

gobierno de la Junta Militar sin duda fue muy progresista.[5]

La última intervención militar da origen al gobierno "Nacionalista Revolucionario de las Fuerzas Armadas" (1972). Éste, a diferencia de los anteriores, en sus "principios y Plan de Acción" claramente define su condición renovadora al proclamarse "popular, antifeudal, antioligárquico, programador y de desarrollo autónomo" y proponer "transformaciones sustanciales en el ordenamiento socioeconómico y jurídico de la República" y una acción "enérgica contra los grupos social y económicamente privilegiados", para lo cual define una serie de políticas de desarrollo y de reformas sociales y económicas.[6] Pero el gobierno se queda corto en la ejecución de tan ambiciosas proposiciones, elaboradas por un grupo de intelectuales empeñados en reeditar en el país el "modelo peruano", que no son racionalmente asumidas por los jefes militares. Por ejemplo, la contradictoria y dubitativa conducta frente a la reforma agraria no permite la realización de la "radical" transformación anunciada. Algo parecido sucede en los otros campos, de manera que las estructuras económicas y sociales no sufren modificaciones. Más bien se consolidan como consecuencia de la inflación y del crecimiento económico, que permiten una afirmación significativa de los grupos económicos dominantes, sobre todo de los más modernos, cuyo poder se multiplica considerablemente.[7] En cambio las políticas exterior y de recursos

5. En los análisis del gobierno de la Junta Militar ordinariamente se minimizan sus políticas económicas y sociales y se subrayan sus transacciones con los Estados Unidos, el anticomunismo y la persecución. Como se verá más tarde, (cfr. pp. 278 y ss.) estos hechos efectivamente se produjeron; pero ello no puede llevarnos a menospreciar la significación y trascendencia de las medidas "reformistas" tomadas por los militares. A lo ya indicado cabe añadir una consideración complementaria que afirma este punto de vista. Los mayores adversarios de la Junta Militar fueron las Cámaras de la Producción, especialmente representadas por agricultores y comerciantes, que recurren a todos los medios para combatir al gobierno. La caída de la Junta Militar se produce sobre todo por la "acción de los grupos privilegiados" y por la "reacción ultramontana", antes que por la de los estudiantes y de los trabajadores. No se explica de otra manera el hecho de que los posteriores gobiernos paralicen la reforma agraria y la reforma fiscal y abandonen la planificación.

6. Filosofía y Plan de Acción del Gobierno Nacionalista Revolucionario de las FF.AA., Diario *El Comercio*, Quito, 12 de marzo de 1972.

7. El caso de la reforma agraria es ilustrativo de estas contradicciones. El Gobierno demora un año y medio en dictar una nueva Ley de Reforma Agraria y once meses más en expedir sus reglamentos, instrumentos jurídicos que más bien se orientan a modernizar la producción antes que a cambiar las relaciones de poder y producción. En el orden político, mientras un Ministro de Agricultura permite que se vendan al mejor postor las haciendas del Estado, obstaculiza la acción del IERAC y entrega certificados de no afectación a muchos propietarios, su sucesor sí se interesa por la ejecución de la reforma agraria. Pero éste, al poco tiempo es reemplazado atendiendo a las presiones de las Cámaras de Agricultura.

naturales siguen una orientación progresista: el Gobierno se mantiene independiente de la influencia de los EE.UU., defiende las 200 millas marítimas, vota en la OEA por el reingreso de Cuba a la comunidad continental y en las NN.UU. se alinea con los países del Tercer Mundo. Por otra parte, una política petrolera nacionalista le ha permitido al país iniciar sus exportaciones con una participación del Estado del orden del 80 por ciento en los resultados de la operación económica de las compañías concesionarias y tomar una parte de sus acciones.

El análisis de estas cuatro intervenciones institucionales de las FF.AA. demuestra que no son un instrumento de los grupos económicos dominantes y que, en algunos casos, incluso adoptan una orientación claramente antimperialista. A pesar de que este proceso de reubicación política se inicia hace varias décadas no fue oportunamente comprendido por los movimientos estudiantil y sindical y por los partidos de izquierda que, obsesivamente, se negaron a reconocer las posiciones progresistas de los militares a los que continuaron calificándoles como el "brazo armado de la oligarquía". Recién ahora algunos comienzan a reflexionar sobre el "nuevo papel de las FF.AA.", más bien por lo que sucede en otros países de América Latina y del mundo antes que por la observación atenta de nuestra realidad.[8]

La segunda característica de estas intervenciones militares es que ellas se producen como una consecuencia de la decisión de la institución armada expresada a través de sus organismos jerárquicos. Ya no se repite el caso del caudillo militar que se levanta en armas con su guarnición y comanda un "pronunciamiento" que se impone mediante la confrontación armada. Hoy los altos mandos militares resuelven deponer al presidente o dictador en ejercicio y mediante un golpe de estado, ordinariamente incruento, instauran un gobierno bajo el control hegemónico de las Fuerzas Armadas. En su nombre, un Jefe Supremo, un Presidente o una Junta Militar, ejerce la autori-

8. El antimilitarismo de los grupos progresistas ha sido patológico sobre todo en el caso de los marxistas que incluso han llegado a oponerse a que el Congreso Nacional, de acuerdo con las respectivas leyes, apruebe el ascenso de los altos oficiales a los grados superiores, y a plantear la sustitución de las FF.AA. por "ejércitos de liberación nacional". Hoy, como consecuencia de sus fracasos políticos, de la Revolución Peruana y de lo que sucede en Portugal, han superado los tradicionales diagnósticos sobre el papel conservador de los militares, que evidentemente contrastaban con la realidad de los hechos. Algunos han dado un salto de tal magnitud que han pasado de la condena a la apología, al señalarles como los únicos en capacidad de hacer la revolución en el Ecuador.

dad política en forma dictatorial y las más altas funciones públicas se reservan para oficiales en servicio activo. En las provincias el poder queda en manos de los "jefes civiles y militares" o de "gobernadores militares" que subordinan a las autoridades seccionales llegando incluso a administrar justicia. En todas las decisiones fundamentales intervienen los organismos jerárquicos superiores y en algunos casos hasta ciertos cuerpos de oficiales.[9]

Probablemente, la institucionalización de las FF.AA. constituye un factor decisivo en la alineación de los militares en una perspectiva favorable a las reformas económico-sociales. Hoy, la carrera de las armas ya no se hace en los campos de batalla sino en las academias militares,[10] y en el ejercicio de funciones burocráticas en la institución castrense. Antes de ser reclutados los soldados se someten a pruebas de admisión y luego se capacitan regularmente mediante estudios teóricos y empíricos. Algo parecido sucede con los oficiales que para obtener el grado de subteniente deben aprobar varios años de estudio en un colegio militar. Los ascensos no se obtienen en acciones de guerra en las que ordinariamente un jefe militar no participa; más bien se producen por antigüedad, por la aprobación de cursos de perfeccionamiento en el país y en el extranjero y por el disciplinado y eficiente ejercicio de las funciones propias de la administración militar. Por otra parte, los militares constituyen una de las instituciones que conserva vivos los sentimientos patrios en una sociedad que experimenta una crisis general de patriotismo. Se educan en la veneración diaria a los símbolos nacionales: himno, bandera, escudo de armas, territorio, historia, etc. No es extraño entonces que

9. En 1925 toma el poder una Junta Militar que posteriormente transfiere el poder a los civiles. En 1938 el general Enríquez asume el mando para cumplir un mandato expreso de las FF.AA. En 1963 se integra una Junta Militar con los cuatro más altos oficiales de las tres ramas: marina, ejército y aviación. En 1972 los militares designan como Presidente de la República al oficial más antiguo del ejército que al momento desempeñaba la Comandancia General. En este último gobierno, en todos los ministerios o instituciones en que el ministro o el director no es militar, el subsecretario o el subdirector necesariamente lo es.

10. En 1899 se crea el Colegio Militar, en 1920 la Escuela de Aviación, en 1936 la Escuela Naval y en 1943 la Escuela de Policía. A partir de los años cuarenta se fundan academias de guerra y escuelas superiores para perfeccionamiento de los altos oficiales. Inicialmente intervienen en estos establecimientos y en la institución militar misiones italianas, alemanas y chilenas que transmiten los más avanzados sistemas de organización y capacitación practicados en Europa. A raíz de la II Guerra Mundial estas funciones son asumidas por los norteamericanos que establecen una misión militar en el Ecuador y forman a la mayor parte de los militares ecuatorianos en sus academias de los EE.UU. o de la Zona del Canal de Panamá. En 1952 se celebra entre los EE.UU. y el Ecuador un convenio Bilateral de Ayuda Militar.

las FF.AA. se identifiquen plenamente con el país y que sientan sus problemas y frustraciones más vivamente que otros ecuatorianos. A todo ello se suman las tesis deducidas de la "doctrina de la seguridad nacional".[11] Según ella, la defensa exterior de la república y la soberanía nacional dependen de las condiciones internas del país, ya que, si una sociedad no reúne ciertas condiciones psicosociales, económicas, culturales y políticas nunca podrá autodeterminarse y tampoco originar un ejército poderoso que siempre requiere de una economía sólida que lo sostenga. Consideraciones de este tipo necesariamente llevan a los militares a interesarse por la política, sobre todo cuando los civiles son incapaces de articular un sistema de gobierno que asegure tales objetivos nacionales. Es así como se ha ido formando una institución con valores e intereses propios, firmemente cohesionada y con un singular espíritu de cuerpo. Un organismo con estas características difícilmente se liga con un caudillo o con intereses de tipo particular y tampoco responde mecánicamente a las fuerzas económicas en juego. Se identifica plenamente con la nación —a cuya suerte se siente absolutamente ligado— busca sobreponerse a las facciones en pugna y se empeña en servir a los intereses más generales de la sociedad.[12]

Además cada vez es mayor el contacto de los militares con los

11. Un completo planteamiento de esta teoría se puede ver en el libro del coronel Alberto Littuma A.: *Doctrina de la Seguridad Nacional*, 1967.

12. Un hecho reciente demuestra claramente como los militares no encajan necesariamente en las pugnas de las fuerzas económicas y sociales y hasta qué punto influyen en su conducta los intereses y los valores propios de su institución. Algunos partidos y organizaciones sindicales y estudiantes calificaron de "fascistas" a todos los adversarios del gobierno del General Rodríguez y especialmente a los militares que se sublevaron el 1.° de septiembre de 1975. Como dicho Gobierno había ejecutado una política progresista en materia internacional y en recursos naturales —aunque no en el orden interno— consideraban que su derrocamiento tenía por objeto detener estos "avances revolucionarios" y "entregar el país al imperialismo". Eran evidentes los defectos teóricos y empíricos de estos análisis: el gobierno de Rodríguez no era revolucionario, no existía una movilización de los trabajadores que sitúe la lucha de clases en un elevado nivel, las oligarquías nacionales no veían amenazados sus intereses que más bien se habían consolidado, las fuerzas sociales y los partidos de izquierda conservaban su crónica debilidad. En estas condiciones el fascismo carecía de causas que lo justificaran ni tenía papel que cumplir. Como siempre la realidad de los hechos vino a demostrar cuáles eran las condiciones objetivas del país y cómo el fantasma fascista no era más que una simple gimnasia mental. Cuando es derrocado el general Rodríguez por los mismos militares, no cambia la política exterior del anterior gobierno ni se modifica el *status* de las compañías petroleras. Sólo introducen un cambio en materia político-electoral al decidir convocar a elecciones para entregar el poder a los civiles y así salvar el deterioro de la institución militar, gravemente quebrantada por sus conflictos internos y deseosa de reintegrarse a sus funciones específicas. Ése es un buen ejemplo de los errores a que conducen los análisis economicistas de la realidad nacional.

problemas nacionales. Son de los pocos ecuatorianos que conocen el país íntegramente aun en sus más apartadas regiones, gracias a las funciones que cumplen en los diferentes destacamentos militares. Este permanente deambular les permite observar la pobreza, el atraso, la explotación y en general las injusticias sociales. Por otra parte, en las academias militares progresivamente se han ido introduciendo cátedras de economía y sociología que analizan estos problemas. A ello se suma la formación que reciben en las academias americanas en las que se pone mucho énfasis en los-asuntos de la "seguridad interna" y en la lucha contra la "guerra subversiva". El conocimiento empírico de la realidad nacional hace que los militares encuentren causas justificadas a algunos conflictos sociales antes sólo atribuidos a la intervención de los "agitadores profesionales". Los mismos norteamericanos reconocen este hecho al alentar y financiar programas de los ejércitos orientados a resolver ciertos problemas económicos y sociales como son los casos de la "Acción Cívica" y de la "Conscripción Agraria Militar". Hasta llegan a considerar que los militares pueden convertirse en los portadores de las reformas y de la modernización como sucedió durante el gobierno de la Junta Militar en el que fue ostensible el apoyo de los EE.UU. Todas estas circunstancias inevitablemente llevan a la politización de las FF.AA. que toman el poder para organizar gobiernos de contenido progresista. Al menos ésta es la experiencia nacional.

Como se dijo antes, siempre los militares han provenido —salvo muy pocas excepciones— de las clases sociales media y popular.[13] No habiéndose producido cambios en su extracción social, no puede atribuirse a esta causa las actuales inclinaciones progresistas de las FF.AA. Sin embargo, es necesario señalar que la influencia de esta variable fue diferente en el anterior período histórico. En efecto, como se vio, los títulos militares y el ejercicio del poder político traían consigo el ascenso social del jefe militar que en muchos casos se integraba en la clase dominante y se confundía con sus intereses. (Cfr. pp. 155 y ss.) Hoy no sucede lo mismo. Aun los oficiales más afortunados no ingresan en la clase alta con la que ordinariamente

13. Cuando se estudió el período histórico correspondiente al "sistema hacienda" se vio cómo los militares provinieron de las clases menos favorecidas, a diferencia de otros países de América Latina. Quizá el único cambio que han sufrido tiene que ver con el origen geográfico. Aparentemente hoy es más frecuente que provengan de las ciudades pequeñas y de las poblaciones rurales. Además, actualmente casi en su totalidad son de origen serrano.

no establecen ligámenes de ningún tipo.[14] En consecuencia, se sienten más identificados con los intereses del pueblo y de la clase media que con los de las oligarquías que, por otra parte, tampoco se interesan por la suerte de tan "extraños individuos", al menos hasta cuando tomar el poder. En buena parte ello se debe a que la institución militar tiene pocos contactos con la vida civil y a que los oficiales son educados en el aislamiento. Los cuarteles, el uniforme, la justicia, los comisariatos, la seguridad social, las viviendas, las leyes, etc., les separan del resto de la sociedad. Por eso, cuando llegan al gobierno inevitablemente se vinculan con la burocracia, institución con la que se identifican por sus comunes coincidencias. Para ambos, la organización, la racionalidad, la planificación, el espíritu de cuerpo y la apoliticidad constituyen principios básicos de su acción. Más aún, frente a los políticos que sistemáticamente desprecian la planificación y la técnica,[15] los tecnócratas encuentran en los militares mucha apertura a sus consejos. Y en los niveles medios y altos de la administración pública es clara una tendencia en favor del desarrollo económico, de la modernización y de las reformas sociales. Precisamente gracias a la participación de los economistas fue posible que los gobiernos de la Junta Militar y Nacionalista Revolucionario de las FF.AA. articularan algunas políticas reformistas.

En sus propósitos de "redención nacional" los militares enfrentan serias limitaciones.

Como carecen de formación política y su conocimiento de la realidad nacional es simplemente visual, no están en capacidad de precisar correctamente las causas de la miseria y de la explotación y, por tanto, de atacar las raíces de los "males nacionales". En ocasio-

14. A propósito de la toma del poder por las FF.AA. en 1972, un integrante de la clase alta tradicional quiteña se lamentaba de que no tenía amistad con uno solo de los jefes militares que ocupaban altas funciones de gobierno y que, por lo tanto, no tenía acceso a los niveles superiores de autoridad. Añadía que consideraba un error de su clase haberse desentendido de los militares y despreciado la carrera militar y que, frente a las nuevas circunstancias, era necesario volver a la tradición española destinando un hijo a la milicia y otro a la Iglesia.

15. El más importante centro tecnocrático del país en 1969 escribía lo siguiente: "La Junta de Planificación tiene plena conciencia de que las estadísticas no han sido un programa de atracción para los dirigentes políticos del Ecuador; sin embargo, tiene la plena convicción de que son indispensables para conocer con exactitud los problemas de cada uno de los sectores económicos del país y representan una base firme para las proposiciones, los programas y la acción futura de los propios dirigentes políticos". (Junta Nacional de Planificación, *El Desarrollo del Ecuador 1970-1973*, Libro Primero, *La Evolución de la Economía Nacional*, Quito, p. 366.)

nes caen en el moralismo y plantean en términos éticos los problemas del cambio social, lo que les lleva a considerar que la corrupción y el peculado son los vicios fundamentales a atacar. Frecuentemente sus posiciones revolucionarias son meramente sentimentales, circunstancia que les inhabilita para asumir las consecuencias políticas de las reformas sociales y les lleva a toda suerte de vacilaciones, incoherencias y transacciones. Además, su escasa o nula formación en ciencias económicas, sociales y políticas no les permite asumir las decisiones que supone la administración del complejo Estado moderno. Para suplir este vacío se apoyan en manos de los tecnócratas o de los empresarios que son en realidad los que diseñan y ejecutan las principales políticas de gobierno. Y cuando la función de éstos pasa de asesora a decisoria se les escapa de las manos la conducción política del país. En otros casos, cuando se empeñan en ejercer su autoridad, atrapados entre las múltiples alternativas que les presentan los asesores y los grupos de presión, por su falta de criterio político no atinan a tomar una decisión y paralizan incluso el trámite de los asuntos rutinarios de la administración pública.

La participación de las FF.AA. del Ecuador en la Junta Interamericana de Defensa, la formación de muchos oficiales en las academias norteamericanas [16] y el uso de textos y sistemas educativos provenientes de los Estados Unidos, les lleva a identificarse con intereses que no corresponden a las necesidades del país. Habiendo tomado los norteamericanos bajo su responsabilidad la defensa continental, ha quedado para los militares latinoamericanos la "seguridad interna", esto es, la lucha contra la subversión, para lo cual son entrenados en las tácticas de contrainsurgencia. A través de la educación y de los contactos permanentes con los EE.UU., se transmite a los oficiales ecuatorianos el estilo de vida y los valores de la sociedad norteamericanos que son propuestos como el modelo ideal a imitarse.[17] Con estos antecedentes, no es extraño que en el ejercicio del

16. Entre 1950 y 1966 fueron entrenados en los EE.UU. 1.283 militares ecuatorianos. (Robert P. Case, *El Entrenamiento de Militares Latinoamericanos en los EE.UU.*, en Virgilio Rafael Beltrán, *El Papel Político y Social de las Fuerzas Armadas en América Latina*, Monte Ávila Editores, Caracas, 1970, p. 345).

17. En 1959, el Comité Presidencial para Estudiar el Programa de Ayuda Militar de los Estados Unidos recomendaba que en la formación de los militares latinoamericanos se desarrollara "una actividad consciente para demostrar: 1) la identidad de valores del pueblo y su gobierno; 2) la idea norteamericana de la utilidad pública; 3) la responsabilidad cívica del ciudadano para con el Estado y la comunidad; 4) el papel y la importancia de los símbolos nacionales; y 5) los demás factores fundamentales que contribuyen al equilibrio, la

poder los militares no diferencien los intereses nacionales de las conveniencias de los americanos y caigan en un *macarthysmo* de la peor especie,[18] como por ejemplo sucedió con la Junta Militar. Fue notable la subordinación de este gobierno a los dictados de los EE.UU.: la política exterior del país se enmarca dentro de los principios del Departamento de Estado; asesores de la AID copan las oficinas públicas; la Embajada americana interviene en la designación de funcionarios nacionales;[19] e incluso se llega a suscribir un "protocolo secreto" por el que se autoriza a buques pesqueros de ese país a operar en el mar comprendido dentro de las 200 millas. Antes de asumir el poder, los militares obligan al presidente Arosemena Monroy a romper relaciones diplomáticas con Cuba y las comerciales que tenía el Ecuador con dos países de Europa Oriental. Una vez en el gobierno desatan una persecución general contra las ideas y los hombres de izquierda, se reprime a los movimientos estudiantil y sindical, se declara fuera de ley al Partido Comunista y se cancela a funcionarios considerados comunistas.[20]

La mentalidad autoritaria de los militares les crea dificultades para el ejercicio del gobierno, sobre todo en un país en el que las libertades públicas y los derechos humanos constituyen un valor cultu-

---

estabilidad y el progreso de la sociedad norteamericana". Y Robert McNamara en 1962 decía al Comité Parlamentario de Asuntos Extranjeros: "Es posible que los beneficios mayores de nuestra inversión para la ayuda militar resulten del entrenamiento de oficiales elegidos y de especialistas, en nuestros colegios militares y en los centros de entrenamiento de los Estados Unidos y del extranjero. Sus países nombran instructores a estos oficiales cuando regresan. Son los futuros dirigentes de sus pueblos, los hombres, que tienen conocimientos y los transmiten a sus propias fuerzas. No hace falta que insista en la utilidad de contar, en las posiciones claves, con hombres que saben por experiencia cómo hacen las cosas los norteamericanos y cómo piensan. La amistad de estos hombres es indispensable". (Ibid. pp. 338 y 342.)

18. En esta conducta de los militares también influye la consideración de que el triunfo de un partido marxista inevitablemente traería consigo la liquidación de las FF.AA. como institución, en los términos que existen ahora.

19. Gonzalo Abad Ortiz, (*op. cit.*, pp. 129 y 167) dice que en 1964 para obtener nombramientos en la administración pública, varias personas tuvieron que obtener un visto bueno de no ser comunistas en la Embajada de los Estados Unidos en Quito.

20. En cambio los otros gobiernos militares han seguido una conducta diferente. El del general Enríquez restaura las libertades públicas conculcadas por el régimen anterior, deroga la represiva Ley de Seguridad Social y garantiza la libertad sindical. Incluso cuenta con la asesoría de socialistas. En el Gobierno Nacionalista Revolucionario de las FF.AA. la persecución política más bien se dirige hacia los políticos de derecha. Los partidos de izquierda operan libremente, lo mismo que el movimiento estudiantil y sindical. Hasta llega a contar con el apoyo del Partido Comunista y de la CTE. Ambos gobiernos se caracterizan por sus políticas antimperialistas. Las políticas de la Junta Militar de 1925 son calificadas de "socialistas" por el naciente Partido Socialista.

ral que incluso las dictaduras se han visto obligadas a respetar. Como los oficiales se han acostumbrado a que en su jerárquica institución una voz de mando emanada de un superior sea suficiente para resolver un conflicto, detener una acción o ejecutar una orden, consideran que en la sociedad civil es posible obtener parecidos resultados con similares procedimientos. Creen que la flexibilidad, la negociación, la persuasión y la discusión constituyen signos de debilidad y falta de autoridad. Estas "deformaciones profesionales" hacen que los gobiernos militares carezcan de conducción política y caigan en toda suerte de arbitrariedades y atropellos que a veces son los catalizadores de la oposición y la causa final de su caída.[21]

Las constituciones tradicionalmente han asignado a las FF.AA. la "defensa exterior de la República y el mantenimiento del orden constitucional" y han establecido que son obedientes y no deliberantes. Estas disposiciones que colocan a los militares como un simple instrumento del poder civil no parecen responder a la realidad del país ni toman en cuenta las múltiples funciones que de hecho han asumido. Más allá de lo que digan las leyes y especulen los abogados, cuando teóricamente intentan hacinar a los militares en sus cuarteles, es necesario considerar que tienen el monopolio de las armas y que su poder se torna incontrastable frente a la debilidad de las instituciones democráticas, de los partidos políticos y de las fuerzas sociales. Como son muy sensibles a lo que denominan "caos, anarquía y subversión", cuando un gobierno no es capaz de mantener el orden dentro de ciertos límites, inevitablemente aparecen los militares para restaurarlo. Muchas veces son los mismos civiles los que reclaman la intervención militar a la que consideran la "última instancia de salvación nacional".[22] Estas realidades históricas se tornan cada vez más complejas en la medida en que las FF.AA. van tomando a su cargo actividades económicas, sociales, culturales y se plantean responsabilidades políticas.[23] Ya la constitución de 1967 por primera vez reco-

21. Esto sucede con la Junta Militar. Sin duda en su caída influyó mucho la brutal invasión de los paracaidistas a la Universidad Central de Quito. Desde ese momento, toda la opinión pública se vuelca en contra de los militares.

22. En una comunicación dirigida al Presidente de la República, con mucha razón las FF.AA. dicen que "Es de justicia recordar que los gobiernos de facto no han sido obra exclusiva de la institución militar, que si transitoriamente ha intervenido en el campo de la política para salvar su honor y evitar mayores males a la República ha sido impelida por la fuerza de las circunstancias y a requerimiento de la opinión pública, de partidos y de grupos políticos". (Diario *El Tiempo*, 9 de noviembre de 1966.)

23. Cuando la Comisión de Juristas encargada de elaborar un proyecto de (1966), reduce las funciones de las FF.AA. a la defensa exterior del país, las FF.AA. reclaman por-

noce a la Fuerza Pública la función de colaborar en el desarrollo económico y social del país. Hoy los militares cuentan con sus propias universidades; tienen inversiones en empresas productivas y han establecido la Dirección de Industrias del Ejército; han institucionalizado su participación en algunos organismos públicos, controlan el Consejo de Seguridad Nacional que es un ente supraministerial; el Instituto de Altos Estudios Nacionales no es otra cosa que una facultad de ciencias políticas para la capacitación de los más altos oficiales. Más aún, algunos intelectuales de izquierda esperan la aparición de un "mesías militar" que realice desde arriba la revolución.

Si se toman en cuenta estas realidades no parece posible que el "militarismo" pueda enfrentarse con medidas legales; a no ser que la democracia adquiera funcionalidad y los gobiernos respondan a los problemas económicos y sociales del país.

---

que se les prive del mantenimiento del orden interno y porque se "impida su participación en asuntos de interés general, lo cual está en franca contraposición con su anhelo de colaborar en la eliminación de los graves problemas socioeconómicos que confronta el país". (Ibid.)

VI. LA POLITIZACIÓN DEL MOVIMIENTO ESTUDIANTIL

Antes de que se inicie el período histórico que ahora analizamos, se producen algunas intervenciones de los estudiantes universitarios en los problemas políticos del país. La primera ocurre el 25 de abril de 1907, cuando los alumnos de la Universidad Central de Quito salen a las calles a protestar por los atentados a la libertad de sufragio y para oponerse al contrato firmado entre el general Alfaro y una sociedad extranjera que se comprometía a construir un ferrocarril hacia las selvas orientales a cambio de vastas concesiones de terrenos baldíos. Alentados por los "Clubes Universitarios" —que constituyen el primer ensayo de organización estudiantil— se movilizan en manifestaciones públicas que son violentamente reprimidas con el resultado de tres alumnos muertos y numerosos heridos.[1] Acciones parecidas se repiten en los años 1930-1931 cuando los universitarios se oponen a que se otorgue el monopolio de la fabricación de fósforos a una compañía sueca. En lo demás, la participación política de los estudiantes se encuadra en los conflictos políticos por entonces prevalecientes: defensa de las libertades públicas, protección del laicismo, oposición a las dictaduras, alineándose los más avanzados en el Partido Liberal. Eventualmente abrazan algunas causas populares como por ejemplo sucede en la Revolución del 28 de mayo de 1944 que derroca a la dictadura constitucional de Carlos Arroyo del Río.

Los asuntos internos de la Universidad comprenden el otro ámbito de interés de los grupos estudiantiles. Se resumen en las tesis difundidas por el "Movimiento de Reforma Universitaria" originado en la Revolución de Córdoba: autonomía, cogobierno y libertad de cátedra. Estas conquistas en el país se inician con la Revolución Liberal cuando a fines del siglo pasado y principios del presente se estatizan y secularizan las universidades al establecerse el laicismo, con

1. Alfredo Pérez Guerrero, *La Universidad y la Patria*, Ed. Universitaria, Quito, 1965, pp. 147 y ss.

lo cual se corta la influencia de la Iglesia Católica en la educación y se obtiene la libertad de cátedra. A la Universidad especulativa, escolástica teorizante sucede la Universidad positivista, racionalista y científica encargada de formar a los profesionales requeridos para el progreso de la nación. En 1918 el Congreso Nacional acepta la representación de los estudiantes en los cuerpos directivos de la Universidad, en 1920 se organiza la extensión universitaria y la Revolución Juliana reconoce la autonomía de las universidades en 1925.[2] Estos postulados se afirman en la Ley de Educación Superior de 1938 y en la Constitución de 1945. Los estudiantes actúan para que se cumpla este proceso y combaten a los gobiernos que conculcan sus conquistas interviniendo y reorganizando las universidades.

Paralelamente avanza la organización del movimiento estudiantil. En 1910 una delegación de la Universidad Central concurre al Congreso Grancolombiano de Estudiantes que se realiza en Bogotá. En 1919 se constituye la Federación de Estudiantes de la Universidad Central y en los años siguientes se forman similares organismos en las universidades de Guayaquil y Cuenca. Finalmente, en 1944 son aprobados por el Gobierno los Estatutos de la Federación de Estudiantes Universitarios del Ecuador (FEUE).[3] Los estudiantes de las Universidades Católicas y de las Escuelas Politécnicas se organizan posteriormente en federaciones estudiantiles: 1966 y 1969 respectivamente.

A partir de la fundación de la FEUE nacional el movimiento estudiantil se politiza paulatinamente y se convierte en uno de los grupos de presión más influyentes de la vida nacional,[4] sobre todo en los años siguientes a la Revolución Cubana, llegando el proceso de radicalización a su clímax a fines de la década del sesenta cuando los estudiantes suman a sus preocupaciones estrictamente gremiales un interés acentuado por la sociedad que les rodea y la Universidad se

2. Germania Moncayo de Monge, *La Universidad de Quito: su trayectoria en tres siglos*, Ed. Universitaria, Quito, 1944, pp. 70 y ss.

3. El 6 de diciembre de 1942 se reúnen en Guayaquil las federaciones estudiantiles de las universidades de Guayaquil, Cuenca y Quito en el I Congreso de Estudiantes Universitarios que resuelve fundar la Federación de Estudiantes del Ecuador. Sus estatutos son aprobados el 27 de noviembre de 1944 en el fervor que sigue a la Revolución del 28 de mayo. En la formación de la FEUE intervienen estudiantes de las tendencias políticas que por entonces operaban en la Universidad: liberales, socialistas, comunistas e independientes de "izquierda y derecha".

4. A pesar de ello no existe un solo estudio que analice sistemáticamente el movimiento estudiantil en una perspectiva sociológica. Ni siquiera hay un relato histórico que recoja sus principales acciones.

convierte en la "conciencia social de la nación". Asumiendo el papel de "vanguardia de la lucha que se libra en el Ecuador y en el Mundo en nombre de los desposeídos y explotados",[5] condenan las estructuras económicas y sociales vigentes como contrarias a los intereses de las grandes mayorías y organizadas en función de los privilegios de pequeños grupos oligárquicos; denuncian los vicios de la democracia formal en la que el pueblo es manipulado o simplemente no participa; combaten la presencia militar, económica y cultural de los Estados Unidos y el imperialismo norteamericano; consideran a los militares como el "brazo armado de la oligarquía" del que se valen las clases dominantes para reprimir los movimientos sociales; y proponen la realización de una revolución que liquide el feudalismo o el capitalismo —depende de la filiación política de los dirigentes— y constituya una sociedad socialista.[6] La radicalización de los estudiantes es de tal magnitud que no les satisfacen los cambios impulsados por los gobiernos y partidos "reformistas", excepto cuando tocan los intereses del imperialismo o reivindican la independencia del país para decidir sobre su política internacional. Como se dijo antes, en estas materias los grupos revolucionarios son muy sensibles, hecho

5. Alfredo Pérez Guerrero, *La Universidad Ultrajada*, Ed. Universitaria, Quito, 1974, p. 41.

6. En las resoluciones del I Congreso Nacional de la FEUE se lee lo siguiente: "[...] Los estudiantes universitarios del Ecuador, junto a su pueblo, hoy más que nunca, deben presentar un frente de batalla solidariamente unido contra el imperialismo, contra los regímenes dictatoriales, por la solidaridad eficaz con los demás países latinoamericanos y por el crecimiento y robustecimiento de todas las fuerzas progresistas existentes en el país". (Imp. Universitaria, Quito, 1944, p. 46.) En 1968 "La FEUE hace un llamamiento a los estudiantes de todo el país a unirse al pueblo, a su organización y a sus luchas, a combatir valientemente contra el militarismo y todos los reaccionarios en el gobierno y fuera de él, a estudiar y comprender profundamente la realidad de nuestro país, su estructura semifeudal y dependencia semicolonial del imperialismo norteamericano, que es lo que nos mantiene sumidos en la miseria y en el atraso; al mismo tiempo que junto a los obreros y campesinos de nuestra Patria, crear un poderoso movimiento revolucionario capaz de conducir la lucha por la liberación, su progreso y la felicidad del pueblo". (Directiva Nacional 1968, *La FEUE ante la situación actual del país*, p. 1.) En el libro *25 años de la FEUE* (Ed. Universitaria, Quito, 1969), se lee lo siguiente: "Consecuente con los principios [...] llevó a cabo una amplia labor de denuncia del falso sistema democrático que vive actualmente nuestro pueblo. Así, durante el proceso pseudoeleccionario, llevó a cabo un sistemático e intensivo desenmascaramiento del mismo, indicando a nuestro pueblo que su intervención no significa otra cosa que la hoja de parra con que los representantes de la burguesía trataban de encubrir el statu quo de injusticia imperante en nuestra República". (pp. 76-77.) En el XXIV Congreso de la FEUE resuelve "Condenar el imperialismo y su brazo armado el militarismo, por ser el enemigo declarado de la humanidad" (p. 208); "Condenar con toda energía la voraz explotación imperialista de nuestro petróleo y más riquezas nacionales" (p. 191).

del que se valen los gobiernos para neutralizarlos mediante la adopción de posiciones nacionalistas. Convertido el movimiento estudiantil en la "antena humana más sensible" para recoger y sentir las contradicciones y tensiones de la sociedad ecuatoriana "rechazando abiertamente un mundo que ha dado todas sus posibilidades y ya nada nuevo puede ofrecer",[7] queda superado el tradicional concepto de que la única función de la Universidad es enseñar y de los estudiantes aprender. Al contrario, las tareas académicas son relegadas a un lugar secundario frente a la obligación de hacer la revolución.

Múltiples factores intervienen en la politización de los estudiantes universitarios. Como la Universidad no es un organismo aislado de la sociedad, es seriamente afectada por los cambios y crisis que experimenta el Ecuador contemporáneo. Frente a ellos, el movimiento estudiantil no se queda en la simple observación de los hechos. A diferencia de otros sectores sociales, los universitarios se encuentran intelectualmente preparados para descubrir las causas de la pobreza, de la explotación, de los privilegios y de la sujección del país a los intereses extranjeros.[8] En segundo lugar, forman un grupo que goza de cierta libertad personal. Carecen de intereses económicos directos y no están ligados a situaciones establecidas. La educación universitaria es semigratuita y son de responsabilidad de los padres de familia los gastos complementarios que ella origina. Algunos estudiantes ocupan funciones en la burocracia universitaria y pueden dedicarse a "tiempo completo" a las tareas revolucionarias. Teniendo asegurado su sustento y al no tomar responsabilidades familiares y de trabajo, consiguen una autonomía de acción que les permite romper lanzas contra todo y contra todos.[9] En tercer lugar, la Universidad constituye un ambiente sobrecargado de ideas y sentimientos revolucionarios. Algunos docentes, ciertas cátedras, las lecturas, las conversaciones, los análisis de los hechos sociales y económicos, las asambleas y manifestaciones, necesariamente llevan a muchos estudiantes a alinearse en posiciones políticas de izquierda. Obviamente, los que provienen de provincias son más propensos a estas influencias al perma-

7. Manuel Agustín Aguirre, *Segunda Reforma Universitaria*, Ed. Universitaria, Quito, 1973, p. 19.

8. Por ello se politizan más los estudiantes de filosofía y ciencias sociales y menos los que concurren a las facultades "técnicas".

9. Lo dicho se verifica al constatar que los estudiantes integrantes de las clases medias son los más radicalizados y que los hijos de obreros son menos propensos a militar en los movimientos revolucionarios universitarios. La casi totalidad de los dirigentes de la FEUE han provenido de la clase media.

necer más tiempo en la Universidad, ya sea por vivir en sus residencias o buscar en el recinto universitario una respuesta a su aislamiento. Finalmente, la militancia en los sectores radicales del movimiento estudiantil permite obtener un *status* que es indispensable para hacer carrera en la Universidad. Por otra parte, el profesional que en su vida universitaria fue un revolucionario no enfrenta mayores obstáculos para incorporarse al sistema establecido.

En este proceso cumplen un importante papel los partidos políticos que operan en la Universidad.[10] Conscientes de que en ella se forman buena parte de las élites que dirigen el país y de la influencia del movimiento estudiantil, se han volcado a la captación de tan importante centro de acción política. Con diversa suerte, todos los partidos políticos han tratado de intervenir en la vida universitaria. Salvo breves intervalos en los que liberales y demócratas cristianos alcanzan cierta ascendencia, la hegemonía la han ejercido los partidos marxistas: primero el Partido Socialista, luego el Partido Comunista, después los partidos Socialista Revolucionario y Comunista Marxista Leninista. Pero la diversa perspectiva de cada uno de ellos no parece haber influido en las actitudes y comportamientos políticos de las federaciones estudiantiles, que han sido uniformes aun en el caso de que las hayan dirigido los liberales. Más bien ciertos hechos de la política internacional como la Revolución Cubana, la constitución de las OLAS y la convivencia pacífica adoptada por la Unión Soviética, provocan cambios en la acción política del movimiento estudiantil. (Cfr. p. 244 y ss.) Inspirándose en los escritos de

10. En los años cincuenta predominan en la Universidad el Partido Socialista Ecuatoriano y el Partido Comunista que operan aliados en las contiendas estudiantiles, proviniendo del primero la mayor parte de los dirigentes de la FEUE. El otro grupo está constituido por los sectores "democráticos" liberados por el Partido Liberal y en los que se incluyen prácticamente todos los otros partidos políticos. En los primeros años de la década del 60 los partidos marxistas pierden influencia en la Universidad por las impugnaciones que les hacen amplios sectores estudiantiles y por las escisiones que sufren el PSE y el PC. Entonces asumen la dirección del movimiento estudiantil los grupos "democráticos" de los que provienen varios dirigentes de la FEUE, casi todos afiliados al Partido Liberal, entre 1960 y 1963. A partir de este año retornan los partidos marxistas bajo la influencia del Partido Comunista en alianza con el Partido Socialista Revolucionario que se forma un poco antes. En los años 1966-1967 aparece la Democracia Cristiana Universitaria que se desarrolla rápidamente y consigue la Presidencia de la FEUE de Cuenca. Mientras tanto, la división del Partido Comunista y la fundación del PCML —maoísta— lleva a este movimiento a tornarse en el de mayor influencia, controlando prácticamente todas las universidades y siendo su principal adversario el PSR. Además operan en la Universidad muchos otros grupos de existencia efímera, ordinariamente marxistas o neomarxistas: Atalas, Mir, Autogestión, Izquierda Cristiana, entre los principales. Hoy parecen encontrarse en formación movimientos gremialistas.

Mao Tse Tung, Debray y Guevara los universitarios abandonan las tesis tradicionales del marxismo, niegan que sean necesarias las condiciones prerrevolucionarias, rechazan todo tipo de compromiso o de participación en el sistema y proclaman que el foco guerrillero, la acción revolucionaria y la agitación permanente desencadenarán la movilización de las masas y la insurrección popular que liquidarán el Estado burgués. Como consecuencia, hay que desarrollar una guerra frontal contra el imperialismo norteamericano —calificado como el "enemigo principal"— del que las "oligarquías de burgueses y terratenientes son sólo un instrumento". Se produce entonces una radicalización del movimiento estudiantil que progresivamente se desplaza hacia posiciones de ultra izquierda, de manera que los partidos Liberal, Socialista, Demócrata Cristiano y Comunista pierden o reducen significativamente su influencia en la política universitaria.

Pero la sociedad nacional no sigue un proceso similar ya que en amplios sectores rigen principios y valores fundamentalmente tradicionales y hasta reaccionarios. A pesar de los significativos cambios que se producen en los últimos 25 años, la ideología prevaleciente en el país se encuentra a una distancia sideral de las hiperrevolucionarias ideas que dominan en los predios universitarios. Los gobiernos y la mayor parte de lo que se denomina "opinión pública" consideran que la obligación fundamental y hasta exclusiva de los estudiantes es estudiar y que la Universidad debe permanecer alejada de la política y dedicada a sus tareas académicas. En todos los actos de protesta estudiantil no ven otra cosa que "manifestaciones de anarquía" y "gérmenes de disolución y caos" propiciados por "agitadores profesionales". A los dirigentes estudiantiles se los considera comunistas, epíteto en el que se engloba —como lo dice el exrector Pérez Guerrero— "a todo hombre de buena voluntad que pretende justicia", que "piensa y siente dolor de su pueblo y de su patria".[11] Viene como consecuencia la intervención de los gobiernos en las universidades para cortar este "germen de sedición". Con el propósito de que el poder público las controle la Ley de Educación Superior es reformada, se cancelan profesores, se destituyen autoridades y se clausuran las universidades, la fuerza pública invade los recintos universitarios y la represión a las manifestaciones estudiantiles deja un saldo de muertos y heridos.[12]

11. Alfredo Pérez Guerrero, *La Universidad Ultrajada*, pp. 43 y 52.

12. En el período histórico que analizamos la Universidad es invadida y clausurada varias veces, en el caso de la Universidad Central (1966) con un alarde de brutalidad. Ri-

Por otra parte es necesario tener en cuenta que los propósitos revolucionarios del movimiento estudiantil enfrentan serias limitaciones.

Es inexacto o por lo menos optimista el diagnóstico que los estudiantes hacen de las condiciones del país como prerrevolucionarias. Como lo dice Pablo González Casanova: "En realidad puede darse en la Universidad latinoamericana una situación parecida a la situación prerrevolucionaria, pero en el interior de la Universidad; una situación objetiva en la que las autoridades universitarias 'ya no pueden gobernar', en la que los estudiantes 'ya no quieren ser gobernados' y en la que 'existe una crisis económica y social' de recursos universitarios y de desempleo; pero ello no quiere decir que el Estado se encuentre en una situación similar, ni mucho menos".[13] Efectivamente, si bien existe una situación de explotación generalizada, muy pocos tienen conciencia de ella y el sistema conserva su legitimidad y su fuerza. Pero el "ideologismo" y el "revolucionarismo" que prevalecen en la Universidad no permiten a los estudiantes apreciar correctamente las condiciones objetivas del país. Sin contactos directos con los problemas populares y fuertemente influidos por teorizaciones librescas, se enajenan de la realidad nacional a la que diagnostican como quisieran que fuera y no como es en los hechos.

Si los estudiantes consideran que las condiciones del país están maduras para que se desencadene la revolución, es explicable que se lancen a una lucha frontal contra el sistema y sus representantes —los gobiernos— como sucedió en la pasada década y como muchos lo propugnan todavía. En otros casos el activismo estudiantil se explica por una concepción voluntarista de la historia. Algunos consideran que las realidades no cuentan frente a la fuerza de la acción; por lo tanto, propugnan transformar a la Universidad en un "foco de gue-

---

gen tres leyes de Educación Superior que sufren múltiples reformas con el objeto de limitar la autonomía y el cogobierno y en general "despolitizarla". En 1963 la Junta Militar separa a 204 profesores de la Universidad Central acusándolos de "comunistas", "antidemocráticos" e "ineptos". En 1970 un dinamitazo destruye la imprenta de la Universidad Central y la dictadura de Velasco Ibarra destituye a sus autoridades. Son muchos los estudiantes que han sido heridos o han muerto en la represión a las manifestaciones públicas de los universitarios. Cabe señalar especialmente los casos de Milton Reyes, Presidente de la FEUE de Quito y de Rafael Brito, Presidente de laAsociación Escuela de Derecho de la Universidad de Guayaquil. Las condiciones en que fueron muertos dejaron indicios de que fueron asesinados.

13. Pablo González Casanova, *El Contexto Político de la Reforma Universitaria —El caso de México—, en Modernización y Democratización en la Universidad Latinoamericana*, Ed. CPU, Santiago, 1971, p. 84.

rra revolucionaria" en el que deben inscribirse todos los estudiantes dejando a un lado la función de estudiar e investigar o al menos relegándola a un lugar secundario. Bajo el supuesto de que la acción determina la conciencia y no ésta a aquélla, caen en un espontaneísmo craso que degenera en el denominado "infantilismo de izquierda". Sin objetivos políticos precisos, emotiva e irracionalmente, declaran una guerra general contra el sistema que a la larga resulta estéril y hasta perjudicial. Un exrector de la Universidad Central, enjuicia estas posiciones en términos muy precisos: "En resumen, nosotros queremos reafirmar la función política de la Universidad y rechazamos la función mistificada e hipócrita de los políticos y neutralistas que sostienen la misión simplemente académica de la misma; pero tampoco estamos con los que vocean la Universidad 'guerrillera'. Si los primeros son reaccionarios incurables, los segundos adolecen, como ya hemos dicho, de izquierdismo, con todos sus síntomas de verbalismo insustancial, intrascendente e inoportuno, que a veces raya en la simple provocación, con todas sus nefastas consecuencias".[14] Efectivamente, este romanticismo anárquico sirvió de justificación para que la Universidad Central fuera brutalmente invadida en 1966, clausurada y destituidas sus autoridades progresistas en 1970.[15] Los estudiantes no parecen comprender que el radicalismo verbal y la violencia por la violencia no conduce a nada y que cuando se oponen cerradamente a todo proyecto "reformista", a las "farsas electorales" y a los "procesos democráticos", cuentan con el aplauso de los sectores más reaccionarios de la derecha que tampoco creen en la democracia, que aspiran a instaurar una dictadura represiva y que sienten que las reformas están afectando seriamente sus intereses.

En la teoría y más frecuentemente en la práctica, en los medios universitarios se atribuye al movimiento estudiantil la calidad de "vanguardia de la revolución".[16] Esta posición es una consecuencia

14. Manuel Agustín Aguirre, *op. cit.*, pp. 26-27.

15. El año 1969 el movimiento estudiantil desencadena un proceso de agitación diaria y sistemática que degenera en muchos excesos. Los resultados son la destrucción de la imprenta de la Universidad Central, el asesinato del Presidente de la FEUE y la destitución del rector Aguirre, ideólogo del Partido Socialista Revolucionario.

16. En un documento aprobado por el XXIV Congreso de la FEUE (*25 años...*, p. 234) se dice: "Así, la Universidad debe convertirse en uno de los puntales de la Vanguardia Cultural de la Liberación Nacional y de la Transformación Revolucionaria de las estructuras socioeconómicas que constituyen el único medio de configurar una auténtica cultura Nacional".

natural de las características anotadas anteriormente. Creyendo que las condiciones prerrevolucionarias se hallan maduras emprenden en un proceso de agitación con el propósito de arrastrar detrás de sí al proletariado y al campesinado en una hipotética alianza "obrero-campesino-estudiantil" que en el mejor de los casos sólo se expresa formalmente en los desfiles del 1.° de mayo. Sin desconocer el papel político de los estudiantes y su función concientizadora, es necesario señalar que no están en capacidad de hacer la revolución —como lo demuestra la historia— y peor aún de sustituir al pueblo en su función de principal actor. Al respecto cabe citar una declaración de la FEUE cuyas consecuencias evidentemente no han sido asumidas por sus dirigentes. Ella dice "[...] La juventud universitaria está adquiriendo renombre como deponedora de gobiernos irresponsables, autocráticos y reaccionarios, pero sus victorias conseguidas a base de la lucha pertinaz y desinteresada, son fácilmente escamoteadas por los partidos y grupos políticos de las clases privilegiadas, los mismos que desprovistos de toda raigambre popular se apoyan y escudan en la combatividad estudiantil para simular una fuerza que no tienen".[17] Muchas veces incluso la "agitación permanente" es rechazada por el pueblo que no comprende sus causas y objetivos y que más bien se siente perjudicado. Por ejemplo los subempleados, que ordinariamente trabajan en las calles, son seriamente afectados por las manifestaciones estudiantiles y la consiguiente represión policial que paraliza todas las actividades y que les impide ganarse su sustento diario.[18]

Finalmente hay que tener en cuenta que los estudiantes constituyen un cuerpo eminentemente transitorio, hecho que les lleva a que sus actitudes políticas sean diferentes cuando forman parte de la Universidad y cuando adquieren la calidad de profesionales. En efecto, en el ejercicio de sus actividades profesionales ordinariamente sirven los intereses del sistema al que tanto combatieron cuando se encontraban en esa torre de marfil revolucionaria que es la Universidad.

En el caso de los estudiantes provenientes de las clases medias

17. *Resoluciones del XXII Congreso Nacional de la FEUE*, Ed. Universitaria, Quito, 1967, p. 61. Citado por Angel Jijón, *La Participación Estudiantil en el Desarrollo Ecuatoriano*, mimeo., Quito, 1972, p. 82.

18. En cambio sí son populares las manifestaciones que reivindican necesidades sentidas por el pueblo, como es el caso de las organizadas para protestar por el aumento de los precios.

—que son los más— el mantenimiento de sus compromisos con los intereses populares les significaría romper con su medio social y como consecuencia perder su *status*, a lo que obviamente de ninguna manera están dispuestos. Por otra parte, los pocos estudiantes provenientes de los sectores populares ven en la educación la posibilidad cierta de escapar de la pobreza y explotación en que viven sus familias y de ascender socialmente. Obtenido el título que les permite acceder a relativamente buenos niveles de ingresos, no están dispuestos a continuar pauperizados, abandonan sus compromisos de clase —si es que alguna vez los tuvieron— y asumen como suyos los intereses, valores y pautas de consumo de las clases medias y altas. Con razón, el exrector Manuel Agustín Aguirre, si bien admite excepciones, muy pesimista afirma que "[...] La fuga de egresados y profesionales a las filas de los defensores del sistema, es un hecho que hemos podido constatar en nuestros ya numerosos años de vida universitaria, angustiados ante la trayectoria de muchos estudiantes ultraizquierdista y ultrarrevolucionarios, que ya en su vida profesional y a veces sin transición, reniegan de sus ideales y muchas veces su sometimiento se halla en razón directamente proporcional al grado de virulencia exhibida durante su vida estudiantil".[19]

Todos estos hechos explican el agotamiento político del movimiento estudiantil que, seriamente debilitado como consecuencia de las sucesivas fragmentaciones, hoy enfrenta límites insalvables. Salvo muy pocas excepciones,[20] las federaciones de universitarios no han sobrepasado el comunicado de prensa, la propaganda mural y el panfleto revolucionario o las manifestaciones, asambleas, huelgas y paros de denuncia y protesta. Al quedarse los universitarios en el radicalismo verbal —su enrarecido lenguaje a veces ni siquiera es comprendido por los propios estudiantes—, en la lucha callejera, en la repetición teórica de lugares comunes y no inscribirse en los problemas sentidos por el pueblo haciendo aportes a su solución, pierden su tradicional ascendencia política y el respaldo de importantes sectores estudiantiles. Las directivas de la FEUE se aislan de las bases y carecen de representatividad, haciéndose corriente una *apatía política* generalizada. La represión del gobierno (1969-1970) termina por

19. Manuel Agustín Aguirre, *op. cit.*, pp. 31-32.

20. Entre los movimientos políticos que operan en la Universidad hay dos excepciones: La Democracia Cristiana Universitaria y el Partido Comunista Marxista Leninista. La primera ejecutó programas de promoción popular. El segundo organizó a los marginados y los movilizó políticamente para que sea atendida la necesidad de vivienda.

liquidar el activismo de los universitarios que aparentemente nunca tuvo objetivos políticos definidos.

En los últimos años estos problemas han empeorado como consecuencia de la descomposición académica de la universidad y política del movimiento estudiantil.

La crisis de la Universidad comienza en 1963 como consecuencia de las intervenciones de la Junta Militar. En la Universidad Central 204 profesores son despedidos por el Gobierno acusados de "comunistas", "antidemocráticos" o "ineptos" y se prohíbe que sean nombrados docentes o funcionarios "quienes militen en partidos políticos declarados fuera de Ley, y en general todas aquellas personas que hubieran intervenido manifiestamente en actividades políticas antidemocráticas [...]".[21] Derrocados los militares, son marginados los maestros que no habían dado un "testimonio revolucionario". En ambos casos la Universidad pierde muchos profesores que le eran indispensables para el cumplimiento de sus tareas académicas. Algo parecido sucede en las otras universidades en todas las cuales profesores y autoridades caen atropellados por la vorágine generada en acontecimientos internos de la Universidad o en las nuevas intervenciones gubernamentales que se producen en los años siguientes.

A ello se suman la multiplicación del número de universidades y la eliminación de los exámenes de ingreso. En la actualidad existen 17 universidades, varias de las cuales no cuentan con los recursos humanos, técnicos y didácticos necesarios para impartir una educación de nivel superior. La supresión de los exámenes de ingreso [22] hizo que entre los años lectivos 1968-1969 y 1969-1970, la población universitaria se incrementara en un 43 por ciento y luego en más de

21. Alfredo Pérez Guerrero, *La Universidad Ultrajada*, pp. 124 y ss.

22. Evidentemente los exámenes de ingreso, tal como eran ejecutados, no constituían un medio adecuado para seleccionar a los estudiantes y además se prestaban a muchas arbitrariedades. Era pues necesario recurrir a otros mecanismos y tomar en cuenta las condiciones económicas y las motivaciones sociales de los alumnos, como por ejemplo lo ha hecho la Universidad Católica de Quito. Pero de ninguna manera era del caso suprimirlos. Vale citar un ejemplo para demostrar su necesidad. En los exámenes de historia rendidos por los aspirantes a ingresar a la Facultad de Economía de la Universidad Católica, a la Batalla de Pichincha —que constituye el hecho militar con el que culmina la independencia del Ecuador— la sitúan en la Conquista, en la Colonia y en la República, haciéndoles participar como actores a personas que nada tuvieron que ver con ella. (Gonzalo Ortiz, "Crítica Cultural", revista *Mensajero*, Quito [octubre 1971], pp. 3 y ss.) Y estas deficiencias de preparación de los bachilleres eran comunes a los alumnos provenientes de las clases alta, media y popular. Pero la segunda fue la más beneficiada con la supresión de los exámenes de ingreso ya que alrededor del 60 por ciento de los estudiantes universitarios provienen de la clase media.

un 10 por ciento anual. Si la Universidad Central —que evidentemente era la mejor dotada— según su Rector en 1963 contaba con profesores "cuya competencia y cumplimiento del deber no eran satisfactorios" encontrándose las facultades técnicas atrasadas en "más de cincuenta años con respecto a otras de América",[23] ya puede imaginarse lo que ha sucedido como consecuencia de la explosión de la población estudiantil. El brusco descenso de nivel académico de la Universidad ha rebasado los límites críticos, de manera que según algunos maestros los nuevos profesionales no tienen ninguna capacidad para el ejercicio de sus funciones. Con estos antecedentes, se torna difícil que la Universidad pueda en el futuro asumir satisfactoriamente sus papeles científico y académico en un momento en que cada vez es mayor la dependencia cultural y tecnológica del país.

El objetivo de la supresión de los exámenes de ingreso fue la democratización de la Universidad a fin de que el pueblo pueda matricularse en ella. Así lo expresaron las autoridades, las federaciones estudiantiles y casi todos los partidos políticos que operan en las universidades.[24] Pero no tenía ningún asidero en la realidad del país la tesis de que la eliminación de las pruebas de admisión permitiría a los hijos de los trabajadores llegar a la educación superior, si se considera que las estructuras económicas no les permiten alcanzar el colegio y en muchos casos ni siquiera la escuela, como por ejemplo sucede con buena parte de los campesinos. Las cifras publicadas por el Instituto de Investigaciones Económicas de la Universidad Central confirman este hecho. Ellas establecen que los hijos de padres obreros y artesanos matriculados en el primer curso en el año lectivo 1968-1969 representa el 7,2 por ciento, en 1969-1970 el 7,2 por

23. Alfredo Pérez Guerrero, *La Universidad y la Patria*, pp. 174 y 179.

24. Las autoridades y algunos dirigentes estudiantiles inicialmente fueron contrarios a la supresión de los exámenes de ingreso. Por ejemplo, en 1968 el Consejo Universitario de la Universidad Central, con los votos de casi todos los delegados estudiantiles, rechaza una solicitud de supresión. En forma parecida procede el Consejo Universitario de la Universidad de Guayaquil que incluso llega a solicitar la intervención de la Fuerza Pública para el desalojo de los bachilleres que para presionar a las autoridades universitarias se habían apoderado de los edificios de dicha Universidad. La muerte de 15 bachilleres que se produce como consecuencia de la intervención policial, cambia la opinión de las autoridades universitarias y de los dirigentes estudiantiles, que en las semanas siguientes al 29 de mayo de 1969 —fecha del desalojo— votan en todas las universidades por la supresión de los exámenes de ingreso. El PCML fue el movimiento político que más impulsó la supresión de las pruebas de admisión, sumándose a él el PSR. El PC inicialmente mantuvo una actitud dubitativa, alineándose junto a las otras fuerzas sólo ante la realidad de los hechos.

ciento y en 1971-1972 el 8,7 por ciento.[25] Como se puede ver, la Universidad ecuatoriana sigue con su tradicional estratificación social en la que predominan estudiantes provenientes de las clases media y alta, siendo muy minoritaria la participación de alumnos provenientes de las clases populares.

Si no se ha logrado democratizar la Universidad ¿cuál ha sido entonces el resultado político de la supresión de los exámenes de ingreso? Por lo que se puede ver hasta ahora, la aparición de dos corrientes políticas ultraizquierdistas, ambas nominalmente revolucionarias —el "violentismo" y el "populismo"— y la despolitización de importantes sectores estudiantiles. En Guayaquil, los "atalas" han convertido a la Universidad en una fortaleza militar y en sus "acciones guerrilleras" han caído victimados varios estudiantes. Para satisfacer las necesidades de los estudiantes que ingresaron a la Universidad sin las aptitudes necesarias, los movimientos políticos universitarios auspician la simplificación de los estudios y una mayor liberalidad en la aprobación de cursos y en el otorgamiento de títulos. En ciertos casos, el gran aliciente para la acción política es la posibilidad de obtener un puesto en la burocracia universitaria o en la docencia, funciones que se han incrementado significativamente.[26] Las prácticas demagógicas cada vez cuentan más y las ideas significan menos, reduciéndose en muchos casos a un marxismo que no supera el nivel del *slogan* revolucionario. Frente a esta realidad, cunde la apolitici-

25. Véase, la publicación del Instituto de Investigaciones Económicas y Financieras de la Universidad Central titulada *Estadísticas Universitarias*, números 9, 10 y 11.

26. En general toda la "opinión pública" ha reaccionado en contra de esta situación. Entre los partidos marxistas que actúan en la Universidad, sólo el Comunista ha expresado una crítica muy terminante. El exrector de la Universidad de Guayaquil, militante de dicho movimiento político, dice que la "conducción de la Universidad [...] ha caído en grupos dirigidos por caudillos o pequeñas trincas que carecen de una definición de doctrinas filosóficas y políticas", que para granjearse el respaldo estudiantil "pretenden una deporable condescendencia para la aprobación de los cursos académicos y a veces la corrupción llega a tal extremo de obtener reparto de empleos en la burocracia universitaria o recurrir al ejercicio continuado del terror y la violencia armada". (Declaraciones del Dr. Edmundo Durán Díaz publicadas en *El Comercio* de Quito, 6 de diciembre de 1973.) Cabe además transcribir una declaración que pocos atribuirían al PC. "Venimos combatiendo actitudes dolorosas y de violencia criminal por parte de algunos grupos reaccionarios que tomándose el nombre de la Izquierda fomentan la desorganización y la anarquía dentro del recinto universitario." Luego llaman a "una acción conjunta para salvar el prestigio de la Universidad, destronar la coacción y el terror, moralizar los organismos académicos y estudiantiles [...] para que la Universidad cumpla con sus tareas históricas [...] investigación científica [...] labor docente orientada a formar profesionales altamente calificados de profunda sensibilidad social [...] para el desarrollo nacional y la liberación del pueblo". (Los Comunistas Universitarios a nuestros compañeros, profesores, estudiantes y trabajadores. Diario *El*

dad en sectores estudiantiles cada vez más numerosos, como se ha podido ver en las elecciones de la FEUE realizadas en los últimos años, en las que no ha llegado a participar más del cincuenta por ciento del electorado, en el mejor de los casos. Queda por averiguar el efecto político que tendrá la estampida de profesionales que ingresarán al mercado del trabajo a partir de 1976.[27]

Universo, Guayaquil, 7 de diciembre de 1972.) La Democracia Cristiana siempre se opuso a la eliminación de los exámenes de ingreso a las universidades, por considerar que no las democratizaría y más bien originaría su descomposición académica y política. Como consecuencia ha sido muy crítica frente a esta "demagogia aventurera e irresponsable de la izquierda marxista".

27. Todo lo que se ha dicho en este capítulo fundamentalmente se aplica al movimiento estudiantil de las universidades estatales, pero no enteramente al de las universidades católicas y al de las escuelas politécnicas que sólo se politizan en los últimos años de la década del 60.

VII. LA RENOVACIÓN DE LA IGLESIA CATÓLICA

Con la Revolución Liberal de principios de siglo comienzan los cambios que más tarde llevarán a la iglesia a abandonar su tradicional compromiso con los intereses de los grupos económicos privilegiados y con las instituciones generadas por el sistema hacienda.

Las reformas liberales, en primer lugar limitan seriamente su influencia ideológica al declarar la separación de la Iglesia y el Estado, al que se lo define como aconfesional, y establecer la neutralidad religiosa de los servicios públicos. En efecto, se prohíbe a los sacerdotes intervenir en las luchas partidarias, que sean designados legisladores y en general ocupen funciones públicas; el registro civil de las personas pasa a ser responsabilidad del Estado y se autoriza el divorcio; se desconoce el fuero eclesiástico, se prohíbe el ingreso de nuevas comunidades religiosas y se pone obstáculos al ejercicio público del culto; la educación pública es declarada laica y los planteles confesionales quedan bajo el control del gobierno; la religión católica pierde su condición de oficial y se autoriza el ejercicio de otros cultos, por la Ley de Patronato la Iglesia es puesta bajo la dependencia del Estado.

En segundo lugar, reducen el poder económico de la Iglesia cuando la Ley de Beneficencia Pública confisca todas las haciendas de las comunidades religiosas. Si bien las curias conservan su patrimonio territorial y algunas órdenes religiosas posteriormente adquieren nuevas tierras, por mantener la Iglesia sus inversiones en actividades económicas poco rentables y manejarlas ineficientemente, es superada pecuniariamente por los otros propietarios de medios de producción que multiplican significativamente su riqueza aprovechándose del auge bananero y petrolero y del desarrollo de la industria y el comercio. En otros casos, por las enseñanzas emanadas del Concilio Vaticano II algunos obispos y párrocos se desprenden de sus bienes. Si bien es cierto que se producen transferencias de inversiones a otras actividades económicas —propiedad inmobiliaria urbana, acciones de compañías, etc.,— dentro del conjunto de la economía la propiedad eclesiástica pierde su antigua significación. Como consecuencia de este proceso caracterizado por la reducción del poder económico de la Iglesia, disminuye su tradicional influencia política.

Pero los cambios más importantes se dan en el orden ideológico y son el resultado del nuevo pensamiento social expresado por los papas Juan XXIII y Paulo VI en las encíclicas *Mater et Magistra* (1961), *Pacem in Terris y Populorum Progressio* (1967) y por el Concilio Vaticano II en la Constitución Pastoral *Gaudium et Spes* (1965) sobre la Iglesia en el Mundo de Hoy. En estos documentos, bajo el criterio de que la Iglesia Católica debe estudiar los contactos con la humanidad y "dialogar con el mundo en que tiene que vivir", se atribuye a las "realidades temporales" una importancia fundamental, como nunca lo había hecho antes cuando los problemas espirituales ocuparon casi exclusivamente su atención.

Declara que la propiedad privada "no constituye para nadie un derecho incondicional" y reconoce la facultad de los poderes públicos para regularla e incluso expropiarla; condena el liberalismo que considera "al lucro como el motor esencial del progreso económico, la concurrencia como la ley suprema de la economía, la propiedad privada de los medios de producción como un derecho absoluto, sin límites ni obligaciones sociales correspondientes"; denuncia las estructuras opresoras que provienen del abuso del poder, de la explotación de los trabajadores, de la injusticia en las transacciones y de las disparidades hirientes en el goce de los bienes; insiste en la dignidad de la persona humana, condena todas las formas de opresión que impiden su plena realización y explícitamente reconoce los "derechos del hombre" —económicos, sociales, culturales, políticos, religiosos— contenidos en la Declaración de las Naciones Unidas, como un primer paso para el establecimiento de un orden social más justo; aprecia las contribuciones de la técnica, de la ciencia y del progreso para el bienestar de la humanidad; atribuye a las acciones humanas un papel importante en la transformación del mundo, para lo que es necesario una mayor responsabilidad personal y eficacia en las acciones temporales; redefine el trabajo como una actividad "querida y bendecida por Dios", necesaria para la realización plena del hombre e indispensable para que pueda satisfacer sus necesidades; reprocha las nuevas formas de colonialismo, el dominio de las grandes potencias sobre los pueblos subdesarrollados y reclama en nombre de la paz la solución de los problemas de los pueblos atrasados; insiste en que en todos los establecimientos católicos se estudie como disciplina obligatoria la doctrina social de la Iglesia; considera que el crecimiento económico debe ir acompañado del progreso social a fin de alcanzar un desarrollo integral que promueva a "todos los hombres y a todo el hombre". Para enfrentar estos problemas reconoce la necesidad de "combatir y vencer las injusticias" y de realizar "transformaciones audaces, profundas e innovadoras".

Una influencia parecida y en algunos casos más decisiva ejerce el *Mensaje a los Pueblos de América Latina* emitido por la Segunda Conferencia General del Episcopado Latinoamericano reunida en Medellín en 1968. Luego de acatar el juicio de la historia sobre las "luces y sombras" de la Iglesia y criticar el "dualismo que separa las tareas temporales de la santificación" los obispos proponen una serie de transformaciones que liquiden todas las formas de injusticia prevalecientes en el Continente, para lo cual no vacilan en aceptar la colaboración de otras confesiones cristianas y de todos los hombres de buena voluntad.

Similar innovación ideológica se produce en la Iglesia Ecuatoriana como consecuencia de las nuevas enseñanzas conciliares. El punto de partida se encuentra en la *Carta Pastoral del Episcopado Ecuatoriano* expedida el 23 de abril de 1963, en la que se pide la promulgación de una Ley de Reforma Agraria que solucione las injusticias prevalecientes en el campo originadas en una estructura agraria basada "no tanto en la explotación del suelo, cuantó en la explotación del hombre". A éste se suman muchos otros pronunciamientos entre los que el más completo y de mayor jerarquía constituye la *Declaración Programática de la Conferencia Episcopal del Ecuador* emitida el 1.° de junio de 1967. En ella por primera vez se supera la lucha religiosa al reconocerse "la labor que vienen desarrollando en beneficio del país los planteles no confesionales". Pide a las universidades católicas "investigar los grandes problemas que vive la sociedad ecuatoriana, estableciendo un diálogo con las universidades estatales; reconoce los excesos cometidos contra las otras confesiones cristianas en las épocas de la violencia antiprotestante; apoya las reformas agraria y tributaria y los programas de alfabetización e industrialización iniciados por el Estado; afirma que la Iglesia no se identifica ni se compromete con "ningún grupo o sistema político" y que éstos no pueden "reivindicar para sí, con exclusividad, la denominación católica o la autoridad de la Iglesia"; enjuicia dramáticamente las injusticias sociales existentes en el país y propone la ejecución de "profundas reformas de estructuras".

Esta renovación ideológica de la Iglesia origina un sistema de valores absolutamente diferente del que prevaleció en la sociedad dominada por la hacienda. En la medida en que abandona su tradicional actitud contemplativa concentrada casi exclusivamente en lo espiritual y en la vida venidera, en que critica el fatalismo que hacía descansar la solución de todos los problemas en la voluntad de Dios, en que reconoce el valor del trabajo, de la vida presente, de los bienes temporales y la capacidad de los hombres para cambiar su situación de pobreza o de explotación que de ninguna manera es "querida por Dios", se coloca en una posición favorable a los cambios e innovaciones. De estas nuevas enseñanzas —para decirlo en términos weberianos— se deduce una ética económica que lleva a muchos a considerar como preocupaciones principales el bienestar económico, el espíritu de lucro y el aprecio por los bienes materiales, con lo cual se llena una condición más para el desarrollo del sistema capitalista en el período histórico que hoy se analiza.[1]

La nueva posición ideológica de la Iglesia también origina comportamientos políticos inéditos. El Partido Conservador pierde el sustento doctrinario y el apoyo político de la Iglesia Católica, quedando librado a su propia suerte. Clérigos y católicos se alinean en la que se ha dado en llamar "iglesia comprometida" y emprenden acciones favorables a la justicia y a la liberación populares. Algunos curas párrocos abandonan su tradicional compromiso con los latifundistas y se convierten en los agentes motivadores de sus comunidades a las que organizan y movilizan políticamente, incluso para la obtención de tierras mediante la expropiación de haciendas. Aunque limitados, algunos obispos ejecutan programas de reforma agraria en las propiedades de la Iglesia.[2] En esta perspectiva, el testimonio mayor lo da el obispo de Riobamba, Monseñor Leonidas Proaño, que organiza las escuelas radiofónicas para la alfabetización de la nu-

1. Ya indicamos antes que el sistema de valores transmitidos por el catolicismo no originó en la población actitudes favorables al desarrollo económico. (Cfr. p. 83.) Como se acaba de señalar, hoy la situación es diferente. Basta observar lo que está sucediendo en una de las ciudades más tradicionales y católicas del país —Cuenca— en la que una burguesía proveniente de la tradicional clase terrateniente, muy agresiva y sin perjuicios, está dirigiendo un rápido proceso de industrialización.

2. El programa de reforma agraria de la Iglesia ejecutado por la Central Ecuatoriana de Servicios Agrícolas (CESA), se extendió a 10 haciendas y comprendió las diócesis de Chimborazo, Azuay, Pichincha e Imbabura. Afectó aproximadamente a 40.000 hectáreas.

merosa población indígena de su provincia, establece hospederías y escuelas de líderes campesinos, se niega a construir una catedral suntuosa que no considera necesaria para los fines religiosos de la diócesis a la que despoja de todo su patrimonio territorial, y adopta una actitud de pobreza evangélica.

Algunos llevan más lejos su compromiso social. El caso más ilustrativo es el Movimiento Nacional de Cristianos por la Liberación (MNCL), integrado en buena parte por religiosos y exclérigos, que se constituye formalmente en 1973.[3] Muy influidos por las ideas de Paulo Freire, inicialmente los futuros "liberacionistas" se lanzan a la concientización de las masas con el propósito de hacerlas caer en cuenta de su situación de explotación y movilizarlas hacia la solución de sus problemas. Desprecian las organizaciones político-partidarias a las que acusan de manipular al pueblo impidiéndole que autónomamente, en su práctica diaria, encuentre y formule los principios y objetivos políticos que han de conducirlo a resolver todas sus dificultades. El fracaso de la tareas concientizadoras y la aparición del libro de Gustavo Gutiérrez sobre la *Teología de la Liberación*, les lleva a abandonar su angelismo político y a considerar los efectos políticos de sus acciones sociales y pastorales. Adoptan la teoría de la

3. Si bien la Izquierda Cristiana (IC), formada en 1970 como consecuencia de una escisión producida en el Partido Demócrata Cristiano, es una organización independiente del MNCL, debe considerársele como su antecedente más remoto por la participación que ha tenido en su nacimiento, en sus congresos y en sus principales acciones políticas. El origen más próximo del MNCL se encuentra en el Grupo Reflexión formado por algunos sacerdotes y en la I Convención Nacional de Presbíteros (1971), que constituye la primera toma de posición política de los clérigos. En ella se declara que el "actual orden establecido que se manifiesta en hambre, analfabetismo, desocupación, explotación de obreros y campesinos, concentración del poder en pocas manos, etc., y toda nuestra situación de subdesarrollo no es fruto del acaso o de la mala suerte ni peor castigo de Dios: es consecuencia lógica del sistema capitalista imperante en el país". Esta constatación les lleva a proponer "un nuevo orden socioeconómico basado en un socialismo auténtico que de ninguna manera es incompatible con el cristianismo". (Diario *El Comercio* del 18 de abril de 1971.) Inicialmente se aglutinan alrededor de la personalidad del obispo Leonidas Proaño al que intentan promover como líder político, pero luego se desligan de él cuando se niega a aceptar una militancia política. En 1972 concurren al I Encuentro Latinoamericano de Cristianos para el Socialismo realizado en Santiago de Chile. Influidos por su Documento Final en agosto de 1973 realizan el Congreso de fundación del MNCL. Su Segundo Congreso lo tienen en 1975. La afiliación de varios curas párrocos y sus iniciales relaciones con el obispo Proaño les permite desarrollar un activo trabajo en las zonas rurales —especialmente en Cañar y Chimborazo— gracias al cual constituyen el Movimiento Nacional Campesino Ecuarunari. Además, a través de la IC, han incursionado en el movimiento estudiantil. Tanto la dirección ideológica como la conducción política del MNCL se encuentra en manos de sacerdotes: su primer director fue el padre Rogelio Hausse y el actual es el padre Pedro Soto.

dependencia como el elemento clave para interpretar el devenir histórico del Ecuador, reemplazan el concepto de desarrollo por el de liberación, subrayan los aspectos conflictuales de las relaciones económicas, sociales y políticas y proponen construir una sociedad basada en nuevas relaciones sociales de producción que liquide la explotación de unas clases sociales por otras y el sometimiento del país.[4] Estas posiciones políticas progresivamente se radicalizan. Hoy aceptan el materialismo histórico como el único instrumento válido para interpretar la realidad nacional, adoptan la lucha de clases como el medio idóneo de acción política y proponen el modelo político-económico marxista-leninista —incluso en cuanto a la dictadura del proletariado— como el que ha de regir la construcción de la nueva sociedad.[5] Obviamente, estas definiciones han llevado a algunos a inscribirse en uno de los varios partidos marxistas existentes y a abandonar el MNCL. Otros, por las muchas críticas que formulan a los partidos comunistas, especialmente en su dependencia internacional, se hallan empeñados en formar un nuevo partido marxista. Lo dicho también se aplica a la I. Cristiana.

Además de estas metas políticas, el MNCL persigue objetivos religiosos. Frecuentemente interviene en la vida y en los problemas de la organización eclesiástica, ya que, como lo dicen los mismos liberacionistas "nuestra tarea es simultáneamente doble: queremos una nueva sociedad y queremos una nueva Iglesia".[6] Por otra parte, en la medida en que se valen de la influencia que ejercen por su condición de sacerdotes y deducen de presupuestos teológicos y evangélicos su posición político-partidaria, que la presentan como la "verdaderamente cristiana", colocan a la Iglesia al servicio de la revolución de la misma manera que antes, otros clérigos, la pusieron en función del orden establecido. En consecuencia, se puede vislumbrar la aparición de nuevas formas de clericalismo, esta vez de izquierda.

La Iglesia siempre negó que el error tuviera derechos y que fuera posible que el hombre, en uso de su libertad, pudiera encontrar y profesar la religión que juzgara verdadera de acuerdo a su recta razón. Pero la renovación conciliar también pone fin a este dogma-

4. Véase, al respecto, *Teología de la Liberación*, Ed. Universitaria, Lima, 1971. Principalmente pp. 58 y ss.

5. Al respecto se puede consultar los documentos del I y II Congresos de Cristianos para la Liberación, el Boletín periódico del MNCL y el periódico mensual *La Chispa*. Además las publicaciones de la IC, principalmente *Lucha Obrera*.

6. MNCL, Documentos preparatorios del II Congreso Nacional de Cristianos por la Liberación, Riobamba 4, 5 y 6 de abril de 1975, mimeo., p. 2.

tismo tradicional en el catolicismo. Para decirlo en frase de Roger Garaudy, la Iglesia Católica pasa del "anatema al diálogo". En efecto, hoy reconoce que la persona humana "tiene derecho a la libertad religiosa"; afirma que el "hombre que yerra no queda por ello despojado de su condición de hombre, ni automáticamente pierde jamás su dignidad de persona"; considera que una misma fe cristiana puede conducir a compromisos diferentes; habla de un "pluralismo legítimo", de un "espíritu de comprensión de las opiniones ajenas" y en general de una apertura a las otras confesiones cristianas y a corrientes de pensamiento diferentes.[7] Esta apertura ideológica trae consigo una consecuencia política importante: la reducción de su influencia y de su poder que —como suele suceder con toda institución dogmática— en buena parte descansaba en el integrismo de su doctrina y en el monolitismo de su organización. Hoy las definiciones doctrinarias del Papa o de la Jerarquía sólo formalmente interpretan el pensamiento de los católicos, entre los que se dan múltiples tendencias. Hay clérigos que discrepan públicamente de los mandatos emanados de la autoridad eclesiástica.[8] Por otra parte, el pluralismo permite que se "legitimen" las otras iglesias cristianas y hace posibles los diálogos entre cristianos y marxistas.[9] Como ya se señaló antes, ahora hay católicos que toman el marxismo no sólo como método sociológico para interpretar la realidad sino además como modelo político y económico de una transformación social.

También contribuye a limitar el poder de la Iglesia el proceso de secularización originado en el progreso científico y tecnológico. Con el Concilio Vaticano II se supera el abismo que antes separaba la ciencia de la fe y se rompe el viejo dilema "Dios o el mundo", cuando la Iglesia, luego de reconocer que la naturaleza tiene sus propias leyes y por lo tanto la "autonomía de las realidades terrenas", expresamente niega que la ciencia sea contraria a la fe, acepta el valor de la investigación científica y aprecia sus aportaciones, frente a

7. Véase, principalmente la Declaración del Concilio Vaticano II sobre la Libertad Religiosa.

8. Buena parte de los impugnadores del progresista obispo de Riobamba, monseñor Leonidas Proaño, han sido los propios clérigos. La autoridad del Nuncio para representar a la Iglesia y al Papa ha sido iracundamente impugnada por algunos sacerdotes. Algo parecido sucede en 1968 cuando es designado Obispo Auxiliar de Quito monseñor Juan Larrea Holguín.

9. Inspirados por la jerarquía eclesiástica, los católicos libraron una lucha frontal contra las sectas protestantes recurriendo incluso a actos de violencia. Algo parecido sucedió con los marxistas. La Iglesia siempre fue uno de los principales centros de anticomunismo militante.

las cuales siempre había mantenido una actitud reticente, si se recuerda la reacción vaticana frente a los descubrimientos de Galileo y del padre Teilhard de Chardin. Como consecuencia, algunos sectores sociales —principalmente las clases medias y altas urbanas, mas no los campesinos, los marginados y el proletariado— abandonan la concepción mágica del mundo, se desprenden de la dependencia religiosa y metafísica, pierden interés por el mundo sobrenatural, aumentan su preocupación por los problemas cotidianos, explican muchos fenómenos a través de los conocimientos proporcionados por la ciencia y no aceptan la intervención eclesiástica en asuntos que los consideran de su incumbencia personal o definibles por el sector profano de la sociedad. En un mundo cada vez más dominado por un espíritu científico, es natural que se produzca un proceso de desacralización, que trae consigo la inevitable reducción del ámbito de influencia de la Iglesia Católica. Ella misma reconoce esta realidad cuando el Concilio registra el hecho de que el avance científico lleva a muchos hombres a creer sólo en lo demostrable, a no aceptar ninguna verdad absoluta, a negar a Dios y a desentenderse de la religión.[10] Los efectos de la desacralización también se manifiestan en otros órdenes. No sin razón, algunos sacerdotes progresistas critican la religiosidad popular y se niegan a participar en sus manifestaciones por considerarlas enajenantes y el producto de un catolicismo deformado. Otros abandonan sus funciones religiosas para cumplir tareas estrictamente temporales. El resultado ha sido que, de todas maneras, la religiosidad popular es atendida y la necesidad religiosa llenada, pero por los sectores más tradicionales de la Iglesia o por las cada vez más numerosas sectas protestantes de procedencia norteamericana.

Como se puede ver, el papel político de la Iglesia Católica hoy es absolutamente diferente del que cumplió en el período histórico anterior. Sin embargo subsisten dentro de ella sectores preconciliares bastantes conservadores y hasta de extrema derecha como por ejemplo es el caso del Comité de Jóvenes Cristianos pro Civilización Cristiana que defienden el derecho absoluto de propiedad y piden que se dejen sin efecto las "leyes agrorreformistas de tendencia confiscatoria y anticristiana".[11]

10. Constitución Pastoral *Gaudium et Spes*, del Concilio Vaticano II, párrafos 7, 19 y ss.

11. Diario *El Comercio*, Quito, 17 de abril de 1971: En Defensa del Derecho de Propiedad.

VIII. LAS NUEVAS FORMAS DE DEPENDENCIA

Como se observará en estas páginas, en los últimos 25 años se producen varios cambios en el orden internacional y el proceso de crecimiento económico del país adquiere nuevas características. Ambos fenómenos, sumados a las causas anteriormente anotadas, contribuyen a la crisis de la vieja estructura del poder dominada por el sistema hacienda.

1. El contexto internacional

En un mundo de grandes conglomerados económicos, en el que la distancia que separa a los países industrializados de los subdesarrollados es cada vez mayor, las posibilidades de un camino autónomo de desarrollo se tornan cada vez más complejas. Un mercado minúsculo que no llega a los 3 millones de personas para los productos industriales de gran consumo; la absoluta carencia de tecnología propia y la casi imposibilidad de crearla dentro de nuestras fronteras; un sistema productivo fundamentalmente agrícola que apenas empieza a incursionar en la industrialización; una organización social que margina al 52 por ciento de la población sujeta a situaciones de pobreza y explotación extremas; la enajenación de las clases dominantes más interesadas en los valores europeos y norteamericanos que en nuestra cultura; [1] el desprecio sistemático que todavía sufre "lo indio" a pesar de constituir una base nacional esencial; la supervivencia del regionalismo con todas sus secuelas desintegradoras; en suma, la inexistencia de una nación ecuatoriana que sirva de base al Estado ecuatoriano, crean serios obstáculos para la viabilidad nacional del país.

1. Al respecto cabe anotar un hecho que no es tan simple como parece. Cuando fumaban marihuana los integrantes de los bajos fondos portuarios de la Costa, la práctica de este vicio era "mal vista" por todos. Pero desde que los norteamericanos la usan, fumar marihuana se ha convertido en una costumbre "decente" que da "categoría social".

En estas condiciones, es explicable que el desarrollo del Ecuador quede supeditado a las fuerzas que se generan en los grandes centros imperiales. Como se verá enseguida, esta realidad, bien conocida con el nombre de dependencia, en el período histórico que se analiza adquiere nuevas características.

La fundación de la CEPAL (1948) constituye el punto de partida de las modificaciones que sufre el contexto internacional. En efecto, es el primer organismo que reflexiona en términos latinoamericanos y que, como consecuencia, cuestiona la aplicabilidad de la teoría económica originada en los países desarrollados que hasta entonces había sido aceptada sin beneficio de inventario. Racionaliza ciertos hechos económicos como los del crecimiento "hacia afuera" y "hacia adentro" y señala sus efectos; niega la posibilidad de reeditar un proceso de desarrollo librado a la acción de las fuerzas del mercado en los términos que se dio en los países capitalistas; propone y fundamenta la planificación en una época en que todo intento de programación era mirado con sospecha; señala los riesgos de la inversión extranjera y las condiciones que debe llenar la colaboración externa; plantea los problemas del comercio mundial, desarrolla la teoría del deterioro de los términos del intercambio y en la UNCTAD propone las condiciones básicas que ha de llenar para que no siga siendo un medio de extracción de recursos de los países latinoamericanos; lanza la idea de la integración como una alternativa al estancamiento económico y contribuye al nacimiento de la ALALC; subraya los problemas que plantean la estructura social, la mala distribución del ingreso, la extranjerización de nuestras economías y la necesidad de "un nuevo orden de cosas" que sólo podrá emerger de "cambios profundos en las estructuras económicas y sociales de la región".[2] Este pensamiento de la CEPAL influye hondamente en los técnicos ecuatorianos y constituye el origen de muchos de los cambios estructurales que se realizan en el país. Ella ejecuta el primer estudio global de la realidad nacional (1954) en el que se analizan sus principales características y se formulan ciertas recomendaciones para superar los problemas estudiados;[3] además propicia la creación de la Junta de Planificación (1954) y sus técnicos asesoran los tres planes de desarrollo que elabora este organismo.

2. CEPAL, *El Pensamiento de la CEPAL*, Ed. Universitaria, Santiago, 1969, p. 45. En general en este libro se puede ampliar la temática tratada.
3. CEPAL, *El Desarrollo Económico del Ecuador*, Naciones Unidas, México, 1954.

La creación de organismos de integración constituye la primera respuesta concreta a los problemas del espacio económico y de la viabilidad nacional. Más que la ALALC (1960) —de efectos irrelevantes en el Ecuador y cuyo mérito mayor es haber sido un punto de partida— el Acuerdo de Cartagena, mejor conocido con el nombre de Pacto Andino (1969), es un idóneo instrumento para crear un mercado común y quizás algún día la unidad política de los seis países que lo integran. No es improbable que tales metas se cumplan si se toma en cuenta la decisión con que se ha ejecutado y sus muchas originalidades. Cabe señalar algunas: liberación automática del comercio intrazonal una vez cumplidos los plazos; arancel externo común para la protección de la producción andina; programación industrial conjunta y armonización de las principales políticas nacionales; desarrollo equilibrado de la zona; órganos regionales con capacidad de tomar decisiones obligatorias; estatuto de capitales extranjeros que seleccione u oriente la inversión foránea y garantice un desarrollo autónomo de la región.

A estos intentos de integración económica se suman los esfuerzos realizados para romper el bilateralismo en las relaciones de los países latinoamericanos con los Estados Unidos. En el Consenso de Viña del Mar (1969), los gobiernos de América Latina por primera vez acuerdan transmitir a los EE.UU., a través de una sola voz, sus principales aspiraciones, especialmente en materia de comercio, exterior, transporte, financiamiento, inversiones, tecnología, cooperación y desarrollo social. Así nace la Comisión Especial de Coordinación Latinoamericana (CECLA) que devendrá en el Sistema Económico Latinoamericano (SELA), instrumento permanente de consulta y coordinación de los países latinoamericanos, para la adopción de posiciones y formulación de estrategias frente a terceros países, a grupos de estados y a los organismos internacionales.

Cualesquiera que hayan sido los objetivos políticos que persiguieran los norteamericanos con la Alianza para el Progreso —fundamentalmente salir al paso de la Revolución Cubana cada vez más influyente— la Carta de Punta del Este (1961) coloca al gobierno de los Estados Unidos y a su Embajada en Quito a la "izquierda" de muchos partidos políticos ecuatorianos y sin duda de los grupos económicos organizados en las Cámaras de la Producción. Cabe recordar que en ella los EE.UU., dejan a un lado su viejas tesis sobre las bondades de la inversión privada y aceptan como una responsabilidad pública el financiamiento del desarrollo latinoamericano, para obtener el cual incluso se establece como requisito la organización de un sistema de planificación y la realización de reformas agrarias, fiscal, administrativa, etc. Sin esta toma de posición del gobierno de los Estados Unidos, difícilmente los militares ecuatorianos —tan dependientes del pensamiento norteamericano— habrían impulsado las reformas ejecutadas por la Junta Militar.

En lo político, el influjo de la Revolución Cubana (1959) es fundamental, en la medida en que constituye el principio del fin del monolitismo ideológico consagrado en el Tratado Interamericano de Asistencia Recíproca (TIAR), del que se había valido los EE.UU. para legitimar sus intervenciones en los países latinoamericanos y cortar procesos de cambios sociales, bajo el pretexto de "combatir el comunismo internacional" y "guardar el sistema democrático". La Revolución Cubana, la permanencia de Fidel Castro en el poder y su alineación en el bloque socialista, a pesar de todas las represalias y de la agresión inducida por los norteamericanos, significa la presencia de un gobierno marxista en América Latina y por tanto la negación de las disposiciones fundamentales del referido Tratado. La descomposición del "sistema interamericano" continúa con la Revolución Peruana que con su política internacional nacionalista e independiente de los EE.UU. contribuye a romper el aislamiento de Cuba, proceso que se afirma con el triunfo de la Unidad Popular en Chile. La Junta Interamericana de Defensa prácticamente pierde su función y varios países latinoamericanos establecen relaciones diplomáticas con Cuba, con lo cual en la práctica concluye con proscripción originada en las sanciones acordadas por la OEA. Con estos antecedentes, la III Asamblea de la OEA reunida en Washington en 1973 adopta una resolución sobre el pluralismo ideológico que de hecho deroga el TIAR. Hoy la OEA no puede ser considerada como un simple instrumento de la política continental norteamericana.

Los Estados Unidos no son ya la superpotencia hegemónica que emergió luego de la II Guerra Mundial. Ahora el contexto internacional es mucho más complejo. A pesar del cisma producido en el mundo socialista por el conflicto chino-soviético, la expansión económica de la URSS y la constitución de gobiernos marxistas en Asia, África y América Latina —y posiblemente en Europa— le han permitido multiplicar significativamente su influencia y colocarse en un nivel de poder similar al de los EE.UU. Por otra parte, la emergencia del Japón, Europa y China desborda el bipolarismo norteamericano-soviético. A ello se suman la terminación de la guerra fría, la adopción de la "convivencia pacífica" y la "detente" que abren las puertas para la cooperación y el entendimiento entre la URSS y los EE.UU. Además, se crean organismos multinacionales de crédito como el Banco Mundial y el BID y los países exportadores de petróleo forman la OPEP que trae consigo una transferencia substancial de recursos de los países industrializados a los países productores de petróleo, una parte de los cuales recoge el Ecuador.

Uno de los hechos más importantes de la política internacional contemporánea es la emergencia del llamado Tercer Mundo. Como consecuencia de la descomposición de los grandes imperios coloniales, un mundo que, cuando se constituyen las Naciones Unidas en 1945, se integraba con sólo 51 estados, hoy cuenta con 133 países. La organización de esta nueva fuerza internacional comienza en la Conferencia de Bandung (1955) y se concreta en los llamados "77" que en realidad hoy son 105 países subdesarrollados. La presencia de este proletariado internacional introduce algunas modificaciones en la política mundial. Muchos de estos nuevos estados se declaran "no alineados", esto es, independientes de los dos grandes bloques en los que se divide la humanidad luego de la II Guerra Mundial. "Los 105" plantean en los foros internacionales su propia visión de los problemas del mundo y se convierten en una fuerza hegemónica en el seno de la Asamblea General de las Naciones Unidas. La definición de una política común frente a los países industrializados ha solidificado sus posiciones, como puede verse en las conferencias de la UNCTAD que constituyen el primer intento serio de redefinir las bases del comercio mundial. Si bien los resultados alcanzados son todavía magros, en las élites más dinámicas de los países del norte comienzan a calar las tesis latinoamericanas y tercermundistas de que la reorientación de las relaciones comerciales constituyen el mejor medio para transferir recursos a los pueblos subdesarrollados y así alcanzar la "redistribución internacional del ingreso". En este sentido, un primer ejemplo lo constituye el Convenio de Lomé (1975) celebrado entre la Comunidad Europea y 46 países del Tercer Mundo, principalmente africanos, que modifica los tradicionales criterios sobre cooperación internacional en comercio exterior, financiamiento y tecnología.

Finalmente, cabe señalar tres hechos que también juegan a favor de los países pobres. En la resolución de muchos problemas nacionales, y mundiales se ha tornado en un importante elemento de presión la aparición de una "opinión pública internacional".[4] En segundo lugar, el nacimiento de un mundo "planetario" cada vez más independiente en todos los órdenes, en el que las decisiones de un país, por pequeño que sea, pueden afectar el actual equilibrio económico y político y por tanto a la paz mundial. En tercer lugar, el agotamiento de las principales materias primas previsto por el Club de Roma para fines de este siglo o principios del próximo.

Estos cambios contemporáneos tornan más flexible la política internacional y explican la relativa independencia de las relaciones del país. Los Estados Unidos ya no constituyen la única fuente de crédito ni tampoco el único mercado con el que es posible comerciar y cada vez son mayores las relaciones económicas con el Japón, Europa y los países socialistas. Si bien influyen los norteamericanos en el BID y sobre todo en el Banco Mundial, los programas financieros de estas instituciones son menos condicionantes o simplemente no lo son. Gracias a la transferencia de recursos lograda por la OPEP el país depende menos de la cooperación económica externa. La participación del Ecuador en la OEA y en las NN.UU. escapa del control de los EE.UU.: acepta ser anfitrión de una reunión de aquel organismo convocada para levantar las sanciones a Cuba, en la ONU vota por la admisión de la República Popular China y en algunos casos adopta una posición neutral. El país mantiene relaciones diplomáticas y un activo intercambio comercial con los países socialistas; la URSS cuenta en Quito con una embajada tanto o más importante que la norteamericana y un Presidente de la República recibe la visita de Fidel Castro. Ya no existen bases americanas en el territorio nacional ni misiones militares o policiales. Hoy es firme la defensa de las 200 millas marítimas y en general la reivindicación de nuestros recursos naturales: un ejemplo es el petróleo.

Lo dicho de ninguna manera implica sostener que el Ecuador ha alcanzado su autonomía. Simplemente lo que se ha producido es un cambio en las relaciones de dependencia que subsisten pero con características diferentes a las que se dieron en el anterior período histórico. La industria, el comercio, la banca y la agricultura, tradicionalmente de propiedad nacional, en la actualidad sufren una progresiva penetración del capital extranjero. Como ya se dijo antes (cfr. p. 195), los capitales foráneos en buena parte han tomado a su cargo el

4. Su influencia fue muy importante para que la guerra de Vietnam concluyera. Uno de los mayores enemigos del gobierno del general Pinochet de Chile, ha sido la opinión pública internacional.

desarrollo industrial; los bancos extranjeros controlan el 27 por ciento de los activos bancarios y las compañías de seguros extranjeras el 76 por ciento; [5] según un dato de prensa originado en Washington, más del 50 por ciento del atún que se desembarca en el Ecuador es procesado por dos filiales de las firmas norteamericanas Del Monte y Van Camp y la mitad de la flota pesquera cuenta con la participación de los mismos intereses; [6] con la inversión del consorcio Texaco-Gulf y de otras compañías americanas en la explotación del petróleo, por primera vez puede hablarse con propiedad de la existencia de un enclave en el Ecuador.[7] Este proceso de desnacionalización y "sucursalización" de la economía, se torna más grave por la presencia de las corporaciones transnacionales que ordenan el sistema capitalista mundial en términos más desfavorables para los países dependientes, por escapar de todo tipo de control y sobre todo por el vasto poder económico que acumulan.[8] Y es necesario tener en cuenta que, como estas inversiones se localizan en los sectores más dinámicos de la economía, el capital extranjero adquiere un gran poder de influencia en la orientación del sistema productivo, frecuentemente alentado por la provinciana oligarquía ecuatoriana que sigue desempeñándose como el mejor abogado de los intereses foráneos y la sistemática detractora del nacionalismo económico.

La necesidad de tecnología —que se está constituyendo en la forma más sofisticada de dependencia— aumentará en el futuro si se quiere mantener el ritmo actual de industrialización y responder al reto de la integración andina; además, por la descomposición académica de la Universidad, cada día menos apta para transmitir una cultura científica. Si bien los EE.UU. han sufrido serias derrotas en Asia y África, su asociación con el Brasil y los cambios de gobierno en Chile y Argentina, han cerrado las brechas que afectaron su tradicional hegemonía continental. Son menos probables sus acciones militares en Latinoamérica pero no otras formas de intervención más

5. Véase, Guillermo Navarro, *op. cit.*, pp. 36 y 37.

6. Diario *El Comercio*, del 8 de junio de 1972.

7. En efecto, la inversión de este Consorcio, hasta la exportación del primer barril de petróleo, alcanzó la suma de 310 millones de dólares, cantidad que equivale al monto de presupuesto del Estado ecuatoriano del año 1971.

8. Dentro de una generación, aproximadamente 400 o 500 transnacionales serán propietarias de los dos tercios del activo fijo del mundo más o menos. (A. Baber, *Emerging New Power: The World Corporation, War/Peace Report*. Octubre de 1968, p. 7. Citado por Osvaldo Sunkel, *Capitalismo Transnacional y desintegración nacional en América Latina*, Ed. Nueva Visión, Buenos Aires, 1972, p. 68.

sutiles pero no menos eficaces: Chile es un buen ejemplo. El respeto de las dos superpotencias mundiales a sus respectivas zonas de influencia, no parece ser un simple ejercicio mental de los analistas internacionales. Finalmente, no debe perderse de vista la penetración cultural americana y la progresiva pérdida de los valores de la cultura nacional: la radio, el cine, la prensa, la televisión y en general la publicidad constituyen un buen ejemplo.

Se encuentra, pues, el país ante un problema de muy difícil solución que en algunos casos adquiere las características de un círculo vicioso o de una fatalidad histórica. Cabe preguntarse si el actual desarrollo económico del Ecuador habría sido posible sin la tecnología, los capitales y los sistemas empresariales traídos por algunas compañías extranjeras. En el desarrollo futuro del país, cualquiera sea el sistema económico que rija —capitalista o socialista— y sin perjuicio de las reformas estructurales que se hagan —ni una radical redistribución de tierras será suficiente para emplear a toda la población campesina— la industrialización es el proyecto fundamental a acometer, sobre todo ahora que la integración andina ofrece un mercado que la hace viable. Y la industria, en última instancia, es fuertemente determinada por la capacidad nacional de acumular los capitales necesarios para importar tecnología, equipos y materias primas; o de la competencia del país para crearlos internamente. ¿Podrá el Ecuador generar un proceso de capitalización y de creación tecnológica que no haga necesario el concurso extranjero? ¿La ruptura de los lazos que nos atan al capitalismo mundial traerá necesariamente consigo la terminación de la dependencia? [9]

Éstas son las condiciones "externas" en que se da el desarrollo contemporáneo del país. Toca ahora examinar su evolución.

2. El proceso económico

En el presente período histórico, como ya se indicó antes (cfr. pp. 191 y ss.), la evolución de la economía se caracteriza por el importante papel que asume el Estado en su conducción. Animado de un espíritu "desarrollista" que aparece en la presidencia de Galo

9. En el bloque socialista, entre la URSS y los países "satélites" también existen relaciones de dependencia que se expresan en lo político y económico. Pero en este último orden la dependencia adquiere otras característiscas por darse entre dos sistemas económicos socialistas.

Plaza, y, con diversas modalidades y ritmos, continúa en los gobiernos siguientes, el Estado toma bajo su responsabilidad el progreso del país. Para el efecto, incrementa la infraestructura física, incorpora a la producción vastas extensiones de tierra, amplía la educación en todos los niveles, establece servicios técnicos y financieros, regula los factores de la producción, moderniza el aparato administrativo y promueve actividades productivas asumiendo incluso algunas que tradicionalmente se habían reservado a la "iniciativa privada". Esto es posible por el fortalecimiento de su capacidad financiera gracias a la reforma de la organización fiscal [10] y, recientemente, por la alta participación que obtiene el Estado —80 por ciento— en los resultados de la producción petrolera, hecho que por otra parte le permite escapar del tutelaje del grupo agroexportador guayaquileño al que siempre estuvo sujeto desde la fundación de la República. Además, bajo la consideración de que no es posible alcanzar el desarrollo económico sin el desarrollo social, se despierta el interés por los "cambios de estructuras". Con el propósito de redistribuir la riqueza global se realiza una reforma impositiva, se fijan y elevan salarios y se afecta la propiedad de la tierra y de las aguas.

En la concepción y divulgación de muchas de estas políticas juega un importante papel la planificación. La Junta Nacional de Planificación y Coordinación [11] es el primer organismo público que

10. Por ejemplo, sólo desde 1954 cuenta el país con un arancel estructurado de acuerdo a la nomenclatura de las Naciones Unidas. (Germánico Salgado, *op. cit.*, p. 108.) La reforma fiscal más importante es la realizada por el gobierno de la Junta Militar.

11. Las primeras ideas sobre la planificación son divulgadas en el país a nivel técnico por la CEPAL y a nivel político por los marxistas. El antecedente jurídico más importante se encuentra en la Constitución Política de 1945, en la que se dispone que para "encauzar la economía nacional, el Estado dictará los planes adecuados, a los que se someterán las actividades económicas privadas sin perjuicio de lo establecido sobre el régimen de propiedad". (Art. 146.) La Constitución de 1946 crea el Consejo Nacional de Economía para el "estudio de los problemas económicos y orientación de las finanzas del país (art. 79) y la ley que lo organiza le encarga además elaborar un "plan de reconstrucción y desarrollo de la economía nacional a plazo fijo con la indicación de los medios que han de emplearse para su ejecución". Finalmente, el 28 de mayo de 1954 se expide un Decreto que crea la Junta Nacional de Planificación y Coordinación Económica. En 1967 se constitucionaliza la planificación al disponer la Carta Política que se expide ese año, que el Estado "sujetará su acción a un plan plurianual" (art. 94), que tendrá el "carácter de obligatorio para el sector público, indicativo y orientador para el privado" (art. 96). Encomienda su elaboración a la Junta de Planificación, la aprobación al Presidente de la República y la ratificación al Senado. (Art. 184 n. 12.) Hoy la Junta de Planificación ha perdido su tradicional influencia por la reducción de algunas de sus amplias atribuciones, por el desarrollo de los organismos técnicos de los ministerios y por el descenso de su nivel técnico a causa de la renuncia de sus mejores especialistas.

elabora estudios globales de la realidad nacional, como resultado de los cuales formula los más diversos programas[12] que principalmente se hallan contenidos en los tres planes de Desarrollo: el decenal (1964-1973), el cuatrianual (1970-1973) y el quinquenal (1973-1977), con los que se busca elevar la tasa de crecimiento de la economía y mejorar la distribución del ingreso. Si bien estos planes no se aplican como instrumentos globales de gobierno,[13] los programas y las ideas que contienen, parcial o totalmente, son adoptados por algunos gobiernos y en buena parte a ellos se debe la modernización del país y la ejecución de los cambios anotados.

Como muchas otras instituciones políticas, la planificación no encuentra en el país condiciones adecuadas para su funcionamiento. En general los políticos carecen de una formación económica, los partidos no cuentan con organismo técnicos y ambos son reticentes a aceptar la asesoría de los tecnócratas; siendo los partidos máquinas electorales que se montan para la campaña presidencial ordinariamente carecen de programas; como el movimiento electoral agrupa a personas de las más diversas tendencias el presidente carece de un equipo homogéneo que asuma un programa coherente de gobierno; convertido el jefe de Estado en dispensador de favores y empeñado en su reelección, se interesa principalmente por la atención de sus clientes y en la adopción de medidas de efecto popular, antes que en los problemas fundamentales y en la adopción de programas a largo plazo; el Congreso Nacional es incapaz de expedir un presupuesto que atienda las prioridades establecidas en los planes y programas y de expedir las leyes necesarias para su ejecución;[14] las múltiples enti-

12. Agrícolas, ganaderos, forestales, pesqueros, mineros, industriales, artesanales, administrativos, de educación, de turismo, de salud, de transporte, de vialidad, de comunicaciones, de hidrocarburos, de energía, de regadío, de vivienda, de desarrollo social, de reforma agraria, de reforma fiscal, de reforma administrativa, de recursos humanos, etc.

13. Al menos parcialmente, sólo el primer plan se ejecuta gracias a la decisión política de la Junta Militar que es uno de los pocos gobiernos que ha tomado en serio la planificación. El segundo plan, a pesar del mandato constitucional, es archivado por el presidente Velasco Ibarra. El tercero, antes que en un instrumento de trabajo, se convierte en un medio de propaganda política.

14. En los últimos 25 años el Congreso no ha expedido ninguna ley importante. En la prensa de este período se encuentran reiteradas críticas a su incapacidad e irresponsabilidad. En parte ello se debe a que la estructura del Congreso sigue siendo la misma que hace 150 años —en ese entonces el Ejecutivo sólo tenía 3 ministros con no más de 200 empleados—, a pesar de la complejidad del Estado moderno cuyos problemas los legisladores no están en capacidad de abordar. Esta realidad no parece ser entendida por los teóricos del derecho político que se resisten a introducir reformas a la integración y funciones del Congreso y a aceptar que el Ejecutivo en realidad es el primer poder del Estado.

dades autónomas reducen la capacidad política y financiera del gobierno, el centralismo entorpece los trámites, demora las decisiones y los organismos públicos no se coordinan; [15] la crónica inestabilidad política —en los últimos 25 años cada 2 se ha cambiado de gobierno— origina el reemplazo continuo de presidentes y ministros y una redefinición permanente de programas y objetivos.[16] Tan grande es la influencia de esta realidad que muchos ciudadanos miran con sospecha la continuidad en la obra de gobierno, convirtiéndose la acusación de "continuismo" en una poderosa arma política.

En estas condiciones, es lógico que la burocracia se convierta en el ente que da continuidad a la acción pública, hecho que le permite aumentar su influencia. Además, la considerable expansión de los servicios estatales que le ponen en contacto con todos los problemas del país y la reforma administrativa que le rodea de medios y recursos. (Cfr. p. 254.) La importancia que adquieren los asuntos económicos y sociales permite a los economistas y administradores desplazar a los licenciados y abogados de su tradicional influencia en la función pública. Pero si bien los tecnócratas, por su formación económica, se interesan más por los medios que por los fines y comprenden mejor los problemas del desarrollo y la producción, como frecuentemente no toman en cuenta las variables sociales y políticas fracasan en muchas de sus iniciativas. Por otra parte, estos administradores públicos, en la ejecución de las complejas tareas que toman en sus manos no son un modelo de eficiencia. Aunque en descargo suyo hay que señalar que la empresa privada tampoco lo es, a pesar de su organización simplificada y de los múltiples alicientes con que cuentan sus empleados.

La segunda característica de este proceso constituye la especta-

15. Según la Junta de Planificación no existe coordinación entre las diversas dependencias del Ministerio de Agricultura y peor entre éste y los otros organismos públicos que tienen que ver con el problema agrícola. (*El Desarrollo del Ecuador: 1970-1973*, Libro Segundo, tomo I, Quito, 1969, pp. A1-45 y A1-155.) El centralismo en la ciudad capital de la mayor parte de las funciones públicas no es un invento de los "regionalistas". Hasta la década pasada, el gobierno central, en los años 1965-1967, sólo participó del 67 por ciento de los ingresos corrientes del sector público. (Ibid. *op. cit.*, Libro Primero, p. 136.)

16. En el reciente gobierno del general Rodríguez Lara, cada uno de los cuatro ministros de agricultura sigue políticas diferentes en materia de reforma agraria. La Junta de Planificación (ibid. Libro Segundo, tomo I, p. A1-158) en el Programa de Desarrollo Agrícola formula un ruego al Ejecutivo y al Legislativo para que mantengan la estructura reformada del Ministerio de Agricultura a fin de que pueda ejecutarse el plan propuesto. A pesar de ello, este Ministerio es reformado en tres ocasiones en los años 1969, 1971 y 1973.

cular expansión de la economía cuyo ritmo de crecimiento llega a niveles que nunca alcanzó el país en ninguno de los períodos antes estudiados.

Hasta 1949 el Ecuador se ubicaba entre los países más atrasados de América Latina. La reserva monetaria no superaba los 15 millones de dólares, las exportaciones anuales los 29 millones de dólares —el 90 por ciento eran agrícolas— y las exportaciones por habitante apenas llegaban a los 13 dólares; no existía una industria que mereciera este nombre por ser casi toda ella artesanal; el ferrocarril Guayaquil-Quito constituía la única vía de comunicación transitable y los pocos caminos de piedra y tierra no garantizaban el transporte automotor; "artesanales" plantas eléctricas producían principalmente luz para el alumbrado y su capacidad instalada sólo llegaba a los 30.000 kw.; cuando en 1950 por primera vez se calcula el PIB se lo estima en 336 millones de dólares y el producto por habitante en 126 dólares; la agricultura era la actividad económica fundamental por aportar el 38,8 por ciento al PIB y ocupar el 53,2 por ciento de la población activa; excepto en Guayaquil, por todas partes cundía la abulia, el desinterés y el conformismo.[17]

La situación en 1975 es absolutamente diferente. Los cambios alcanzan tales magnitudes que las previsiones más optimistas de los economistas y planificadores se han quedado cortas. Si bien las cifras no son enteramente comparables cabe señalar algunas. Las exportaciones por habitante alcanzan los 143 dólares y la reserva monetaria llega a los 400 millones de dólares; las exportaciones anuales superan la barrera de los mil millones de dólares, suma superior al valor de las exportaciones realizadas en los 130 años del período histórico anterior; un acelerado crecimiento de la producción fabril permite crear las bases de una industria petroquímica, siderúrgica y automotriz en las que hace poco nadie habría soñado; el presupuesto del año 1975 es equivalente al de los 10 años correspondientes a la década del 50; el vasto desarrollo de la infraestructura física y de las comunicaciones inalámbricas finalmente permite la integración del espacio económico nacional; la población de la Costa supera a la de la Sierra, la urbana se acerca al 50 por ciento y a fines de esta década la

17. Salvo indicación en contrario, las cifras citadas y las que se utilizan en las páginas siguientes provienen de las Memorias del Gerente General del Banco Central del Ecuador correspondientes a los años que van de 1950 al 1973. Para los años 1974 y 1975 se ha utilizado la publicación del Banco Central: *Ecuador en Cifras*. En algunos casos ha sido necesario elaborar algunos datos estadísticos.

del país será aproximadamente tres veces mayor que la de 1949; es considerable el desarrollo de la educación primaria, secundaria y universitaria; el PIB supera los 4 mil millones de dólares y el producto por habitante bordea los 600 dólares; la energía eléctrica instalada es de 500 mil kw. cifra que se triplicará en pocos años más; por todos los lados soplan vientos de progreso en un país que parece finalmente haber despertado.

En este crecimiento es diferente la situación de cada uno de los sectores económicos. La industria fabril, que ha aumentado a tasas del 8 y el 13 por ciento anual, ha sido la actividad más dinámica gracias al adecuado aprovechamiento de las nuevas condiciones económicas y al uso de los canales financieros, técnicos e institucionales creados por el Estado. Una industria que antes era casi exclusivamente de bebidas, alimentos y textiles hoy incursiona en el campo de la metalurgia que se ha convertido en una de las ramas de más rápido desarrollo. La importancia adquirida por este sector se confirma al ver que un 90 por ciento de las importaciones corresponden a las compras de materias primas, productos intermedios, bienes de capital y equipos de transporte y que las actuales exportaciones de productos industriales tienen un valor equivalente al de las exportaciones totales realizadas en 1949. Un dinamismo parecido tiene la construcción gracias a la considerable inversión pública en infraestructura física y a la inversión privada para la obtención de vivienda, en parte financiada por los circuitos financieros abiertos por el Seguro Social, las Mutualistas y el Banco de la Vivienda. A esta actividad también han transferido sus capitales algunos latifundistas y pequeños ahorristas que han buscado protegerse de la inflación. Finalmente, hay que señalar la aparición y rápida evolución de la industria del turismo y de la producción marítima cuyas exportaciones ya alcanzan los 30 millones de dólares. Obviamente, al desarrollo de estas actividades ha acompañado un crecimiento importante del sector financiero, del transporte y de los servicios.

En cambio la agricultura —que hoy representa el 20 por ciento del PIB— sigue un camino diferente. En el período estudiado el crecimiento de la producción agrícola apenas supera la tasa de incremento de la población y en algunos años es incluso inferior; la situación es más grave si se considera que aquél en gran parte se debe a la agricultura de exportación. El estancamiento de la actividad agrícola, que todavía ocupa a la mitad de la población activa, constituye uno de los problemas económicos más serios del país. Su solución dependerá de lo que en el futuro se haga en materia de reforma agraria y en la incorporación de nuevas tierras a la producción. Sólo la utilización óptima de la cuenca del río Guayas, que según la OEA es la más rica zona tropical de la costa del Pacífico,[18] permitirá la eliminación de algunas importaciones de productos agrícolas y la apertura de nuevos renglones de exportación.

El carácter dependiente que sigue teniendo el crecimiento económico constituye otra particularidad de este proceso. En efecto, a pesar de todos los esfuerzos realizados, sigue generándose "desde afuera" en la medida en que se halla supeditado a la demanda externa. Por eso los períodos de auge coinciden con la bonanza bananera primero y petrolera después y los de estancamiento con la caída de las exportaciones. En 1950, gracias al banano, la economía se recupera de la depresión de los años 30 y alcanza los niveles del lapso 1928-1929. Esta fase se extiende hasta 1954, año en el que las exportaciones alcanzan los 100 millones de dólares, incrementándose el PIB en los cinco años en un 6,1 por ciento anual. En el quinquenio siguiente caen los precios del banano y el volumen de las exportaciones se estanca por la recuperación de las plantaciones centroamericanas, cuya producción desplaza a la nacional del mercado norteamericano, de modo que entre 1955 y 1959 el crecimiento del PIB se reduce a una tasa anual promedio del 3,8 por ciento. A pesar de mantener el Ecuador su condición de primer exportador mundial de banano, gran parte de la producción no puede venderse, especialmente la proveniente de las pequeñas y medianas propiedades no ligadas con los circuitos de comercialización interna y externa. Las exportaciones se recuperan lentamente en la década del sesenta gracias a la apertura de los mercados europeo, socialista y latinoamericano, logrando en ciertos años incluso crecer significativamente cuando los ciclones vuelven a destruir las plantaciones centroamericanas, de modo que entre 1960 y 1969 el PIB aumenta a una tasa promedio anual del 4,5 por ciento. De 1970 a 1975 la economía adquiere un ritmo inusual cuando el PIB aumenta a un promedio anual del 9 por ciento que seguramente es el más alto de toda la historia del país. Este fenómeno se explica por las inversiones para la explotación del petróleo, por la iniciación de sus exportaciones y por la recuperación periódica de las ventas de cacao, banano y café, con lo cual otra vez el país supera el estrangulamiento externo. Pero hay que considerar

18. Germánico Salgado, *op. cit.*, p. 17.

que este crecimiento económico es menor en términos reales, por el aumento de la población que alcanza el 3 y el 3,4 por ciento anuales.

La llamada "insuficiencia dinámica de la economía"[19] no permite solucionar internamente el estancamiento que origina la caída del las exportaciones.[20] Para evitar la paralización del aparato productivo o la reducción de su ritmo de crecimiento, el país ha recurrido a la inversión extranjera (cfr. pp. 174 y ss.) y al crédito externo. Como se indicó antes, en el anterior período histórico son pocos los capitales foráneos que ingresan por lo que en 1949 la deuda pública externa acumulada desde la Independencia sólo llega a 30 millones de dólares.[21] En la década del 50 el flujo de créditos sube a 12,4 millones de dólares anuales, por la apertura del país al mundo internacional. En los años 60 la tendencia se acentúa al ascender el promedio anual de los créditos contratados a 32,6 millones de dólares, debido a los nuevos circuitos internacionales de financiamiento y a los requerimientos planteados por los programas de desarrollo. La aparición del petróleo, y por tanto el fortalecimiento de la capacidad financiera del Estado, permite la canalización de recursos crediticios externos. Por eso en los seis años transcurridos de la década del 70, el promedio sube a 100 millones de dólares anuales, siendo en 1975 el saldo de la deuda externa de 476 millones de dólares. Son múltiples los destinos de estos recursos; constituyen un factor decisivo para nivelar la balanza de pagos, financian la construcción de infraestructura física y social y en general la expansión de los servicios públicos

19. Esta insuficiencia dinámica se debe en primer lugar al notable atraso del sistema económico. La capitalización interna se torna muy difícil en un país cuyo producto por habitante es bajo, si se considera que el nivel de ingreso es el determinante del ahorro. Un 52 por ciento de la población vive una economía de subsistencia que no le permite satisfacer ni siquiera sus necesidades vitales y que por cierto le impide ahorrar. En consecuencia la capitalización del país sólo puede ser asumida por las clases altas y medias; pero ambas, por el modelo de desarrollo vigente, padecen de una alta propensión al consumo. Ingentes recursos se destinan a la compra de artículos suntuarios importados, a la importación de materias primas para cierta industria sofisticada o simplemente se depositan o invierten en el extranjero.

20. Aproximadamente el 50 por ciento de los ingresos fiscales provienen de los impuestos a las importaciones y a las exportaciones. Cuando se reducen las ventas en el exterior disminuye la capacidad para importar, produciéndose el deterioro del presupuesto del Estado y la crisis de todo el aparato productivo que carece de recursos en razón de que se pierde ese polo multiplicador que es el comercio exterior.

21. Esta deuda se descomponía de la siguiente manera: por la nacionalización del ferrocarril 21 millones de dólares, por la antigua deuda principalmente inglesa 3 millones de dólares y por créditos otorgados por el Eximbank 6 millones de dólares. (*Memoria del Gerente del Banco Central de 1950*, p. 32).

e incluso sirven para la capitalización de la industria y de la agricultura.

En los años 40 estos créditos en su casi totalidad fueron otorgados por el EXIMBANK, entidad dependiente del gobierno de los Estados Unidos. Pero a partir de 1950, por el desarrollo de los organismos financieros multinacionales, se reduce paulatinamente la dependencia crediticia del Ecuador con respecto a dicho país. En efecto, en la década del 50 sólo el 32 por ciento de los créditos contratados son de procedencia norteamericana, en la década del 60 el 44 por ciento y en los años 70 el 10 por ciento.[22] Paralelamente aumenta la significación de los préstamos concedidos por el Banco Mundial, por el BID y en los últimos años por los bancos privados y casas proveedoras o empresas contratistas. La importancia que progresivamente van adquiriendo estos últimos, resulta económicamente gravosa para el país por sus condiciones "duras" de plazo e interés.[23]

Si bien se mantiene el modelo "primario-exportador" fuertemente determinado por el comercio exterior, se advierten algunos cambios en las relaciones de dependencia que cabe señalar. En los años 50 y 60 las exportaciones agrícolas llegan a representar el 94 por ciento y las de banano el 66 por ciento. Con la aparición del petróleo y el desarrollo de otras actividades productivas las exportaciones se diversifican un tanto. Hoy las ventas de productos agrícolas sólo representan un 27 por ciento y si bien las de petróleo llegan al 55 por ciento, su precio y volumen se hallan garantizados por el cartel de la OPEP. Aumentan las exportaciones de productos industriales y de productos del mar que juntas se acercan al 10 por ciento, a las que es necesario sumar el turismo y las vastas posibilidades que

22. En los años 40 el 87 por ciento de los créditos contratados fueron concedidos por el EXIMBANK; en los años 50 el 37 por ciento provinieron del Banco Mundial, el 32 por ciento del Gobierno de los EE.UU. y del EXIMBANK, el 31 por ciento de entidades privadas principalmente de casas proveedoras. En los años 60 el 44 por ciento provinieron de la AID y del EXIMBANK, el 23 por ciento del BID, el 23 por ciento de proveedores y el 10 por ciento del Banco Mundial. Entre 1970 y 1975 los créditos de entidades privadas suman el 45 por ciento, los del BID el 35 por ciento, los de AID el 10 por ciento y los del Banco Mundial el 10 por ciento.

23. Se advierte una tendencia de los organismos gubernamentaless y multinacionales de financiamiento a reducir sus operaciones en el Ecuador por su condición de país petrolero —y por tanto de país "rico"— y en algunos casos simplemente por ser miembro de la OPEP. Para satisfacer las necesidades de capital originadas en la contención de las exportaciones de petróleo, el país se ha visto obligado a contratar créditos sumamente onerosos con bancos privados o con las casas proveedoras.

todavía ofrece la agricultura. En cuanto a los mercados, los Estados Unidos que en 1950 compraban el 65 por ciento de las exportaciones hoy sólo adquieren el 45 por ciento. El resto se halla bastante diversificado en Europa, América Latina, Japón y los países socialistas. Pero, frente a estas tendencias favorables hay otras que conviene señalar. Las exportaciones de banano se hallan acosadas en todas partes por los monopolios fruteros norteamericanos: la cancelación de sus operaciones en el Ecuador coincide con la progresiva pérdida del mercado de los EE.UU. Antes, para solucionar los desequilibrios de la balanza de pagos se recurrió al fácil arbitrio de encarecer o prohibir las importaciones. Ahora, cuando la mayor parte de las compras corresponden a materias primas y equipos no se puede acudir a similar procedimiento sin ocasionar una catástrofe económica y social. Mientras las importaciones siguen creciendo muy rápidamente,[24] a corto plazo no se ve posibilidad de que las exportaciones tengan aumentos significativos: las de productos agrícolas por las razones anotadas y las de petróleo por no incorporarse nuevas áreas a la producción.

Una última peculiaridad de este proceso de "desarrollo" es su carácter fuertemente concentrador. El crecimiento económico ha tornado más regresiva la distribución del ingreso al acentuar las distancias que separan al campo de la ciudad, a unas regiones geográficas de otras y a las clases sociales entre sí.[25]

En mucho, el enriquecimiento de las ciudades se debe a la contribución del campo que les provee de productos agrícolas baratos, de capitales para la construcción, el comercio y la industria y de mano de obra subvalorada, gracias a la que ha sido posible la expansión urbanística de los últimos años. A pesar de los déficit que todavía existen en el medio urbano, su equipamiento físico y social contrasta con la carencia absoluta de servicios que se observa en el medio rural. En general los citadinos han mejorado considerablemente su situación en relación con los campesinos —sobre todo indígenas— cuyo nivel de vida no es diferente del que tuvieron en los siglos pasados. Conviene recordar que en 1975 —a pesar de su notable incremento— sólo el 21 por ciento del crédito otorgado por los bancos se

24. Entre 1970 y 1975, a pesar del vertiginoso crecimiento de las exportaciones, el aumento de las importaciones ha sido tan grande, que la balanza comercial ha dejado un déficit de 36 millones de dólares.

25. La distribución del ingreso es uno de los problemas económicos menos estudiados. Son pocas y de escasa confiabilidad las informaciones estadísticas existentes.

destinó a la agricultura que, como se sabe, es la actividad económica fundamental. En el orden geográfico también se aprecia esta mala distribución de la riqueza social. Guayaquil y Quito, convertidos en los dos grandes centros metropolitanos, han relegado a una condición de tributarias a todas las provincias, a las que extraen recursos financieros y humanos de las que se alejan cada vez más en todos los órdenes. Quito ha sido la gran beneficiaria del auge petrolero y Guayaquil lo fue del bananero de manera que, a pesar de aparecer nuevos polos de desarrollo en Cuenca y Manta, en las dos ciudades se sigue concentrando cerca del 80 por ciento de la industria.[26]

Entre las clases sociales el fenómeno es similar: el crecimiento económico ha beneficiado fundamentalmente a las clases alta y media que se han enriquecido considerablemente.[27] Más que el proletariado, los grandes perdedores han sido los marginados y entre ellos el campesinado.[28] Si bien, como se dijo antes, en esta materia las cifras son escasas y contradictorias, cabe señalar algunas: mientras en un extremo, del 50 al 60 por ciento de la población activa recibe entre el 12 y el 25 por ciento del ingreso nacional; en el otro, del 1 al 1,3 por ciento de la población activa percibe entre el 19 y el 26 por ciento.[29]

Hacia 1950, la participación de los asalariados en el ingreso nacional era del orden del 49,3 por ciento; ella se eleva al 53 por ciento en 1960, cae en los tres años siguientes, se recupera en

26. El Oro es el más importante centro bananero y una de las provincias más ricas del país, condición que no se advierte al observar la pobreza general de sus ciudades. La explicación se encuentra en el hecho de que la mayor parte de la riqueza generada por el banano se ha invertido en Guayaquil. En los últimos cinco años ha sido extraordinario el desarrollo alcanzado por Quito y su provincia, al punto de disputar a Guayaquil la hegemonía económica que el puerto tuvo durante toda la república.

27. Hoy compran departamentos en Miami ya no los miembros de la oligarquía sino ciertos integrantes de la clase media-alta de Quito y Guayaquil.

28. Según la Junta de Planificación los marginados representan el 52 por ciento de la población activa; las dos terceras partes son campesinos.

29. En 1957, una estimación de la CEPAL concluye en que el 50 por ciento de la población activa recibe el 24 por ciento del ingreso nacional y el 1,2 por ciento el 19 por ciento. (Germánico Salgado, ob. cit. p. 58.) En 1969, la Junta de Planificación estima que el 62 por ciento de la población activa recibe el 17 por ciento del ingreso y el 1,3 por ciento el 26 por ciento. (*Ecuador: Bases para una estrategia de Desarrollo en el contexto de la integración subregional*, mimeo., Quito, 1969, p. 35.) Un año después, José Moncada dice que el 1 por ciento de la población activa se apropia del 20 por ciento del ingreso nacional y el 60,9 por ciento del 12,2 por ciento. (*El desarrollo económico y la distribución del ingreso en el caso ecuatoriano*, mimeo., Quito, 1973, p. 4.)

1964-1965 y luego se reduce sistemáticamente para en la actualidad alcanzar sólo el 46 por ciento.[30]

Las estructuras productivas prevalecientes explican esta distribución regresiva del ingreso. Excepto en los años 1963-1966, en los que se intenta introducir ciertas correcciones mediante las reformas agraria y fiscal, en general los gobiernos han creído posible reeditar el modelo económico capitalista que rigió el desarrollo de los hoy países industrializados. Bajo la consideración de que todo proceso redistributivo de la riqueza desalienta la capitalización se han interesado fundamentalmente en los problemas de la producción para, una vez alcanzado el crecimiento económico, en una segunda etapa atender los requerimientos sociales.[31] A esta política económica que inevitablemente lleva a la concentración de la renta se suma la aparición de la inflación, fenómeno hasta hace poco desconocido en el país. En efecto, mientras en la década del 50 los precios sólo aumentan a un promedio anual del 1,4 por ciento, en la pasada década el índice anual sube al 4 por ciento y entre 1970 y 1975 a un promedio anual del 14,5 por ciento. Pero los salarios no han recorrido igual camino. En ello ha influido la falta de "tradición inflacionaria" y la debilidad de las organizaciones sindicales que han impedido a los trabajadores comprender adecuadamente el problema y disponer de un idóneo medio de presión para conseguir reajustes de salarios que les permita recuperar su poder adquisitivo.[32]

Bien puede decirse entonces que la expansión económica ha servido para que los ricos —que han aumentado en número— se hagan más ricos y los pobres más pobres. Las grandes fortunas de antaño en nada se parecen a los intereses económicos consolidados en los úl-

30. Hasta 1968 Las Memorias del Gerente General del Banco Central contienen informaciones sobre la participación de los asalariados en el ingreso nacional. En 1974 vuelven a aparecer en la Memoria del Gerente General, pero el cálculo es hecho de manera que hace incomparables las cifras. La citada cifra del 46 por ciento proviene del Instituto de Investigaciones Económicas de la Universidad Central y corresponde al año 1974. Diario *El Comercio* del 24 de junio de 1976.) De ser así, ella significaría una reducción del 7 por ciento con relación a la más alta y es muy ilustrativa del proceso concentrador de riqueza desencadenado en los últimos años.

31. Y según parece, una buena distribución del ingreso más bien es un requisito para que aumenten las tasas de capitalización. Como se puede ver ahora, el enriquecimiento de las clases alta y media más bien ha servido para la expansión del consumo suntuario.

32. En efecto, en 1967 la Junta de Planificación decía que, salvo pocas excepciones, se mantienen los salarios de 1946. (*Bases para una política de salarios*, mimeo., Quito 1967, p. 7.)

timos años que emergen con un enorme poder no conocido antes. Nunca tan pocos, en tan poco tiempo, han ganado tanto.[33]

Quito, junio de 1976

33. Además de la bibliografía citada en este subcapítulo se ha usado de la Junta de Planificación las siguientes publicaciones: *Un análisis de la economía del Ecuador 1950-1959*, mimeo., Quito, 1970; *La década del sesenta*, mimeo., Quito, 1972; *Plan General de Desarrollo económico y social del Ecuador*, mimeo., Quito, 1963; *Lineamientos de una política y estrategia para el desarrollo económico y social del Ecuador*, mimeo., Quito, 1968; *Plan Integral de Transformación y Desarrollo 1973-1977*, Ed. Santo Domingo, Quito, 1972

APÉNDICE

(1976-1979)

Aquí concluyo mi libro en su versión original. En vista de la publicación de esta cuarta edición he creído conveniente introducir un breve y somero análisis sobre los años siguientes (1976-1979), que constituyen uno de los períodos políticos más interesantes y trascendentes de la historia ecuatoriana. Los críticos de *El Poder Político en el Ecuador*, coincidieron en atribuirle un alto grado de objetividad. Hago votos porque tal apreciación se repita, cuando el lector concluya la lectura de este Apéndice.[1]

Como se recordará, en 1968 José María Velasco Ibarra es elegido Presidente Constitucional por quinta vez y en 1970 se autoproclama dictador con el patrocinio de los militares, que lo derrocan dos años más tarde, cuando lo sustituyen por el general Guillermo Rodríguez. En la formación del "Gobierno Nacionalista Revolucionario de las Fuerzas Armadas" influyen tres causas: la aparición de una nueva y deslumbrante fuerza de riqueza —el petróleo— apetecida por la institución castrense; el seguro triunfo, en las elecciones presidenciales convocadas, del líder populista Assad Bucaram vetado políticamente por los militares; y, la "revolución peruana" que para algunos oficiales y para ciertos tecnócratas constituía un modelo

1. Este Apéndice, preparado originalmente para la edición en inglés (*Political Power in Ecuador,* the University of New Mexico Press, Albuquerque, 1980) tuvo dos limitaciones que condicionaron su preparación y que por entonces las expresé en los siguientes términos: "He sido actor de muchos de los acontecimientos políticos que estudiaré, en los que he participado activamente como Presidente del Partido Demócrata Cristiano, Presidente de la Tercera Comisión constituida por las Fuerzas Armadas para elaborar las leyes de Referéndum Elecciones y Partidos, candidato a la Vicepresidencia de la República y, luego del triunfo del 29 de abril de 1979, Vicepresidente Electo. Hoy me encuentro a tres semanas de asumir mi mandato, sin el tiempo suficiente para realizar un estudio en profundidad, como habría sido mi deseo, por lo que no me ha quedado más remedio que reducir mi análisis al campo estrictamente político y prescindir del estudio de la economía y de las sociedades ecuatorianas".

válido para transformar la sociedad ecuatoriana.

Diversos factores provocan el deterioro de un régimen que se proponía gobernar 30 años. La no realización de la revolución anunciada por el Gobierno Militar le hace perder el apoyo de importantes sectores populares organizados, de partidos progresistas y de algunos oficiales que se frustran políticamente. La concentración del poder en manos del general Rodríguez, que progresivamente se deshace del control de la institución militar, lleva a muchos oficiales a no considerarse comprometidos con el gobierno que en última instancia sólo representa la opinión del Dictador y de su pequeño círculo de consejeros civiles. Su obstinada negativa a poner término a la dictadura y a restaurar la democracia torna en sus opositores a los partidos políticos y ciertos sectores militares. Finalmente la caída de las exportaciones, el incremento de la inflación, algunos problemas de balanza de pagos, brotes de malestar social y su incapacidad para administrar eficaz y honestamente los recursos públicos, completan el cuadro de condiciones favorables para el golpe de estado.

Cabían entonces tres alternativas. El reemplazo de los militares por civiles provenientes de los viejos partidos, agrupados en "juntas de notables", que reclamaban su tradicional "derecho" a designar presidente provisional, con el encargo de llamar a una asamblea constituyente que expida una nueva carta política y elija Presidente de la República, sin la intervención directa del pueblo. El reemplazo violento del dictador por algún oficial ambicioso de poder que, al carecer de un consenso militar, iba a ser inevitablemente sustituido por otro y así sucesivamente, con lo cual el país caía en un proceso de "bolivianización". Una tercera alternativa apuntaba hacia la necesidad de aprovechar la favorable circunstancia política para, mediante un acuerdo civil-militar, encontrar un nuevo camino de tránsito a una democracia renovada, estable y progresista.

En el primer caso, la asamblea constituyente probablemente repetiría las instituciones jurídico-constitucionales que tan insuficientes habían sido para encauzar la vida democrática de la nación, y se dejaba en manos de los partidos tradicionales la organización del futuro gobierno que obviamente sería el resultado del cabildeo parlamentario y de los pequeños intereses en juego. En el segundo, el país entraba en un período de inestabilidad dominado por las ambiciones de jefes militares sedientos de poder, con el consecuente desgaste económico, social y político. Sin duda la tercera alternativa era la más conveniente para los intereses nacionales, pero para que ella tuviera viabilidad era necesario que las Fuerzas Armadas, como institución, asumieran el poder a través de oficiales democráticos favorables a la instauración de un régimen constitucional, que abandonara los manidos caminos transitados habitualmente por la política ecuatoriana.

En septiembre de 1975 se produce una violenta insurrección que fracasa en su intento de derrocar al dictador Rodríguez, por la torpe conducción militar y política del conflicto. Pero, este pintoresco episodio conocido con el irónico nombre de la "revolución de la funeraria", señala el principio del fin del "rodriguismo" pues, constituye la primera demostración pública de que no existía un consenso militar, que la institución castrense estaba plagada de luchas intestinas y que el gobierno de las Fuerzas Armadas ya no era tal. A partir de este momento, la suerte del general Rodríguez quedó librada al tiempo. Tres meses más tarde es derrocado por las mismas Fuerzas Armadas, que entregan el poder a los tres oficiales más antiguos, de la Marina (contralmirante Alfredo Poveda) del Ejército (general Guillermo Durán) y de la Aviación (general Luis Leoro). Los nuevos gobernantes anuncian la intención de devolver el poder a la sociedad civil en el plazo de dos años a través de elecciones libres.

Ante esta propuesta militar se producen tres reacciones de los movimientos políticos y de las fuerzas sociales y económicas, convocadas por el nuevo gobierno militar para un diálogo, con el propósito de lograr un acuerdo en cuanto al camino que ha de seguirse para la restauración democrática de la República. La primera corresponde a las organizaciones de inspiración marxista que piden a las Fuerzas Armadas continuar en el ejercicio del poder hasta la realización de la ofrecida revolución nacionalista, requisito esencial para que luego pueda pensarse en una solución democrática. Un planteamiento de esta naturaleza carecía de realismo. No tenía sentido pedirles a los militares que hagan la revolución, cuando habían perdido su unidad interna, carecían de prestigio ante la sociedad nacional, el país atravesaba una situación económica crítica y los altos mandos no tenían objetivos precisos ni la voluntad necesaria para llevarlos adelante. La segunda reacción fue de la derecha representada por los partidos motejados de "retornistas". Estos movimientos —principalmente conservadores y liberales— piden a los militares la inmediata devolución del poder a los civiles, con el propósito de tomar bajo su control la designación de un presidente provisional que convoque a una Asamblea Constituyente en la que esperaban lograr una mayoría suficiente para elegir al presidente constitucional. La tercera reacción proviene del sector político progresista, dentro del cual se destaca la Democracia Cristiana que realiza el planteamiento más coherente, al enunciar la tesis del "compromiso histórico de las Fuerzas Armadas". Según él, la instauración de la democracia requería de un acuerdo civil-militar que haga responsable a estos dos sectores de la sociedad en la construcción, desarrollo y defensa del régimen constitucional. Sin despreciar la posibilidad de que puedan realizarse los cambios sociales y económicos reclamados, considera que la obligación fundamental de los militares es de orden político y que a ella debe brindársele prioritaria atención. Sostiene que el tránsito constitucional a la democracia no debe hacerse a través de una asamblea constituyente incapaz de concebir las reformas necesarias para el nacimiento de una democracia estable y progresista. En consecuencia, propone una consulta popular directa al pueblo de algunas reformas a la última constitución de 1967, las que fundamentalmente debían referirse a la estructura del Estado y a la participación política, pues, nuestras constituciones ya eran ricas en declaraciones de derechos que de poco valían si la dictadura era el sistema cotidiano de gobierno. Además, sugiere modificaciones concretas al sistema electoral, con el fin de ampliar y garantizar la participación popular, y la expedición de una Ley de Partidos que permita simplificar el enjambre de treinta movimiento políticos existentes y fortalecer aquellos que constituyan verdaderas organizaciones ideológicas y populares, requisito esencial para que no vuelva a fracasar la democracia, como había sucedido en tantas ocasiones anteriores.

Concluido el diálogo civil-militar, las Fuerzas Armadas proponen al país un complejo proceso denominado "Plan de Reestructuración Jurídica del Estado", en el que se confirma la decisión de devolver el poder a los civiles mediante el sufragio popular directo. Para el efecto, anuncian la conformación de tres comisiones a fin de que preparen, la primera un proyecto de Nueva Constitución, la segunda Reformas a la Constitución de 1945 y la tercera las Leyes de Referéndum, de Elecciones y de Partidos. Los proyectos de constitución se someterán a consulta popular mediante un referéndum y las leyes se compromete el gobierno a expedirlas. El nuevo presidente de la República se elegirá de acuerdo a estas disposiciones legales.

Las comisiones se integran con representantes de los partidos políticos, de las organizaciones sindicales, de las cámaras de la producción y con algunos profesores universitarios especializados en derecho constitucional, escogidos más por sus valores personales que por la importancia de sus organizaciones. Así por ejemplo, CFP que por entonces ya era el partido mayoritario, apenas tiene un representante en las comisiones —Jaime Roldós que más tarde será elegido Presidente de la República—, mientras que movimientos políticos menos significativos obtienen dos y cuatro representaciones. No se hacen marginaciones por consideraciones de orden ideológico, ya que incluso el Partido Comunista forma parte de ellas. El Partido Liberal y la Izquierda Democrática, que inicialmente forman parte de las Comisiones, una vez nombrados sus representantes se niegan a integrarlas por una equivocada interpretación de la coyuntura política. Los movimientos caudillistas, velasquista, poncista y arosemenista y el partido Comunista Marxista-Leninista de orientación maoísta, no aceptan la propuesta militar y se oponen a ella. Coordinador de las Comisiones, integradas exclusivamente por civiles, es designado un General de la República: Rafael Rodríguez Palacios.

Las Comisiones inician su trabajo en 1977 en un ambiente cargado de augurios pesimistas y de sospechas de todo orden. Muchos consideran que la Dictadura no desea entregar el poder y que, en consecuencia, simplemente ha recurrido a un hábil arbitrio para ganar tiempo. Los hechos que posteriormente analizaremos son confirmatorios de que cierto sector del gobierno efectivamente buscaba tal propósito. Algunos pensaban que los comisionados no iban a cumplir otro papel que no fuera el ordenado por los militares.[2] Para sorpresa y desaliento de no pocos civiles golpistas y de ciertos jefes militares empeñados en la continuación de la Dictadura o en la instauración de una nueva, las comisiones cumplen con la tarea encargada en el plazo previsto de seis meses y entregan al Gobierno los proyectos correspondientes a mediados de 1977.

Hasta entonces, los estudios del derecho constitucional consideraban que la Carta Política de 1945, dictada por una asamblea dominada por hombres de pensamiento socialista, era la más avanzada con que había contado la República. Pero, al publicarse el proyecto

2. En mi condición de Presidente de la Tercera Comisión, debo señalar que tuvimos una gran independencia en nuestro trabajo legislativo. No descarto la posibilidad de que algunos de sus miembros recibieran instrucciones de la Dictadura, cosa que no sucedió con la mayor parte de sus integrantes. En mi caso, sólo sufrí una presión cuyo propósito fue la inclusión, en la Constitución y en la Ley de Elecciones, de una disposición que inhabilite la candidatura presidencial del líder del CFP, Assad Bucaram, "sugerencia" que obviamente no acepté lo mismo que los presidentes de las otras dos comisiones.

de Nueva Constitución, todos coinciden en atribuirle un mayor contenido progresista, principalmente por la definición de las cuatro áreas de la economía: privada, pública, mixta y comunitaria; la organización y promoción populares; el otorgamiento del sufragio a los analfabetos; la reforma del congreso nacional; la eliminación del rezago corporativista de los senadores funcionales y la formación del Consejo Nacional de Desarrollo, con la participación del sector público, las universidades, los empresarios y los trabajadores, al que se le encarga la dirección de la planificación nacional. Como se puede advertir, se enfrenta innovadora e imaginativamente el problema de la organización del Estado, hecho que llevó a ciertos espíritus tradicionales a calificar a la Nueva Constitución como un "ensayo exótico".

No son menos importantes las reformas que se introducen a la Ley de Elecciones. Se establece el sufragio de doble vuelta, para de esta manera afirmar la representatividad del Presidente de la República que debe ser elegido por al menos con la mitad más uno de los votantes. Además, se consagra el control del gasto electoral en propaganda, para así reducir la influencia de las grandes "empresas electorales" en el reclutamiento de votantes, y se otorga financiamiento público a los movimientos políticos. Pero quizá la Ley de Partidos sea la institución que más influya en la futura democracia ecuatoriana. Partiendo de la hipótesis de que el multipartidismo hipertrofiado es la causa principal de la inestabilidad política y por tanto de la quiebra del sistema democrático, a través de la Ley se busca reducir el número de movimientos políticos. Pierden el reconocimiento jurídico y como consecuencia el derecho a participar en elecciones, los que no obtienen al menos el cinco por ciento de los votos en dos encuentros electorales sucesivos. Para que esta norma pueda aplicarse se obliga a los partidos a no formar alianzas en las elecciones pluripersonales. De esta manera, se deja en manos del pueblo la decisión sobre los partidos que han de existir en el país.

Se había cumplido gran parte del Plan de Reestructuración Jurídica de las Fuerzas Armadas y sólo quedaba convocar inmediatamente al Referéndum. Inexplicablemente la fecha para la colsulta plebiscitaria se dilata hasta el 15 de enero de 1978. En el intervalo, el grupo antidemocrático inicia la conspiración golpista valiéndose de todos los medios para impedir la realización de la consulta popular plebiscitaria y más tarde la elección presidencial. La sucesión ininterrumpida de conspiraciones comienza con el intento de formar un gobierno civil-militar, cuando el entonces Ministro de Gobierno, coronel Bolívar Jarrín, consigue que algunos partidos, encabezados por el conservatismo y el liberalismo, soliciten públicamente la interrupción del proceso democrático y la organización de una nueva dictadura que "estudie otras fórmulas de retorno al régimen de derecho". Este fallido golpe de Estado marca la pauta que los conspiradores seguirán en los dos años siguientes: el mañoso uso de la Ley; la maniobra y el conciliábulo para manipular a los partidos políticos, desorientar y engañar a la opinión pública. Nunca se dirá francamente que se busca liquidar el Plan de Reestructuración Jurídica; siempre se encontrará una leguleyada para engañar a las Fuerzas Armadas y a la ciudadanía. Incluso de los reiterados fracasos, sacarán algún provecho. Por ejemplo, al fallar el más serio intento golpista, la Dictadura arbitrariamente reforma las disposiciones transitorias de los dos proyectos de Constitución, para acomodarlas a sus intereses.

A pesar de todo, quedan despejados los últimos obstáculos para que el Referéndum se realice dos meses más tarde. Por primera vez los ciudadanos se encuentran ante una elección, en la que no están de por medio candidatos y candidaturas, sino dos constituciones sobre las que deben pronunciarse. Este hecho fue usado por ciertos sectores políticos para pronosticar el fracaso del Referéndum, arguyendo que el pueblo no estaba preparado para estudiar y opinar sobre dos complejos instrumentos jurídicos. Por otra parte, niegan a la dictadura capacidad para convocar y dirigir la consulta popular. De estos argumentos y de muchos otros más se valen, el velasquismo, el poncismo, el arosemenismo y el Frente Radical Alfarista (FRA), para proponer la tesis del voto nulo, que la presentan como el mejor medio para expresar el rechazo al gobierno militar. En este proyecto tiene un papel destacado la extrema derecha liderada por el Presidente de la Cámara de Industriales del Guayas —León Fébres Cordero— que dirige una virulenta y millonaria campaña de desprestigio de los dos Proyectos de Constitución, a los que maliciosamente se les atribuye toda suerte de vicios y defectos, al calificárseles incluso de "impíos". Eran evidentes los propósitos políticos de esta acción; para la oligarquía, los dos proyectos de Constitución eran peligrosos para sus intereses, pues favorecían la realización de cambios sociales y la reducción de su poder. En consecuencia, abrigaba la esperanza de que al superar los votos nulos a los consignados por cada uno de los Proyectos, se produzca un vacío jurídico que haga posible el golpe de Estado.

La Democracia Cristiana es el primer movimiento político que se pronuncia por el proyecto de Nueva Constitución. Luego lo hacen prácticamente todos los otros partidos progresistas —incluso algunos de derecha— y las más importantes organizaciones populares. En cambio, el Proyecto de Constitución de 1945 Reformada, sólo recibe el apoyo de un partido: la CID. En el Referéndum del 15 de enero de 1978 triunfa la Nueva Constitución con el 45 por ciento de los votos, el segundo lugar ocupa la Constitución de 1945 Reformada con el 32 por ciento de los votos y el tercero el voto nulo con el 23 por ciento. Este resultado electoral es la primera demostración empírica del alto grado de autonomía adquirido por la opinión pública, con relación a las directivas partidistas, cuyas resoluciones carecían de influencia en la conducta política de sus bases, en la medida en que no representaban el auténtico pensamiento de ellas. No se explica de otra manera la alta votación obtenida por la Constitución Reformada de 1945, a pesar de haber recibido el apoyo de un solo partido cuya votación, como se vio más tarde, no llegaba al cinco por ciento del electorado. Es que conservadores, liberales y otros sectores ideológicos afines, votaron por dicho proyecto desoyendo las resoluciones de las organizaciones políticas. Por otra parte, hay que tener en cuenta que solamente CFP y la Democracia Cristiana realizan una campaña abierta a favor de la Nueva Constitución. Los otros partidos guardan absoluto silencio, o le dan un apoyo muy relativo como por ejemplo es el caso de la Izquierda Democrática, que la señala como el "menos malo" de los proyectos. El importante porcentaje de votos nulos sólo se explica porque mucha gente se convenció de que esa era la mejor manera de votar contra la Dictadura.

Ante el masivo pronunciamiento popular —concurre a las urnas más del 90 por ciento del electorado—, a favor del sistema democrático, no les queda más remedio a los conspiradores que continuar con el proceso, pero acomodándolo a sus intereses. El Tribunal Supremo, que organizó, presidió y escrutó el Referéndum, dirigido por el expresidente Galo Plaza e integrado por ciudadanos de honorabilidad y prestigio reconocidos, es reemplazado por otro que se convertirá en el instrumento del sector golpista de la Dictadura para manipular leyes y descalificar candidaturas y movimientos políticos. Cuando estos propósitos se confirman, renuncian los miembros que no están dispuestos a ser usados para una nueva conspiración, como por ejemplo fue el caso del ilustre escritor Benjamín Carrión. Estas excusas sirven para consolidar un obsecuente Tribunal Supremo Electoral (TSE) que se convertirá en el dócil ejecutor de las maniobras antidemocráticas. Se reforma la Ley de Elecciones, violando las disposiciones constitucionales aprobadas en el Referéndum y se establece el requisito de ser hijo de padre y madre ecuatorianos para optar a la Presidencia de la República, con lo que que se elimina la candidatura presidencial de Assad Bucaram. El ensañamiento de los sectores antidemocráticos contra este dirigente político llega a tal punto, que abusivamente se le impide ser candidato a Prefecto, Alcalde e incluso Vicealcalde de Guayaquil. Luego se reforma la Ley de Partidos para obstaculizar el reconocimiento de los movimientos políticos adversos a la Dictadura.

Como el líder de CFP era el catalizador electoral, su desaparición provoca la reestructuración de los sistemas de alianzas y partidos. La candidatura de Sixto Durán que había sido la expresión de los sectores antibucaramistas, se mantiene apoyada por el Frente Constitucionalista que sufre la separación de varios movimientos políticos que lo integraban: Francisco Huerta Montalvo es el Candidato del Partido Liberal, Rodrigo Borja de la Izquierda Democrática, Abdón Calderón del Frente Radical Alfarista y Camilo Mena del Movimiento Popular Democrático (maoísta). Todos los otros partidos marxistas forman el Frente Amplio de Izquierda (FADI) cuyo candidato es un joven dirigente comunista, René Maugé. Se constituye una alianza entre CFP y la Democracia Popular —nuevo movimiento político resultado de la fusión de la Democracia Cristiana y del Conservatismo Progresista, escisión renovadora del viejo Partido Conservador— para apoyar la candidatura presidencial del cefepista Jaime Roldós y la vicepresidencial de quien escribe estas líneas. En las semanas siguientes, este cuadro electoral sufre nuevas modificaciones, en virtud de maniobras de la Dictadura tendientes a favorecer el triunfo de un candidato que goce del favor oficial. Como el binomio Roldós-Hurtado se fortalece y en cambio se debilitan las candidaturas de Durán y Huerta, la Dictadura opta por intervenir nuevamente en el proceso electoral. El Tribunal Supremo Electoral es el encargado de cumplir con este designio. Primero se descalifica la candidatura de Francisco Huerta y se promueve la de su tío, el doctor Raúl Clemente Huerta, viejo dirigente liberal al que se le considera con mejores posibilidades de triunfo. Después se niega el reconocimiento jurídico de la Democracia Popular con el propósito de eliminar mi candidatura vicepresidencial y así debilitar la fórmula Roldós-Hurtado, maniobra que fracasa al decidir CFP patrocinarme electoralmente. En cambio se elimina la candidatura de Camilo Mena al negarse el reconocimiento de su partido político.

Según las encuestas y los analistas políticos, Sixto Durán y Raúl Clemente Huerta eran los candidatos que se disputaban los dos primeros lugares y por tanto el derecho a participar en la segunda vuelta electoral. Los dos realizan una millonaria campaña para alcanzar el voto de los ciudadanos gracias al auxilio financiero de los grandes intereses económicos. Frente al derroche de estas candidaturas resulta modesto el gasto electoral del binomio Roldós-Hurtado. El TSE, empeñado en favorecer unas candidaturas y perjudicar otras, nada hace para aplicar la disposición de la ley de elecciones que le ordena limitar el gasto electoral. Pero, a pesar de éste y de muchos otros factores adversos y para sorpresa de muchos, en las elecciones del 16 de julio de 1978 Jaime Roldós triunfa ampliamente con el 32 por ciento de los votos. Le siguen Sixto Durán con el 21, Raúl Clemente Huerta con el 21, Rodrigo Borja con el 12, Abdón Calderón con el 9 y René Maugé con el 5 por ciento.

Ante la derrota, la oligarquía, el sector golpista de la Dictadura y la vieja clase política inician una vasta campaña tendiente a desconocer la voluntad popular expresada en las urnas. Durante la primera vuelta electoral, a nadie se le había ocurrido calificarme de "extremista". Luego del triunfo a través de todos los medios, la extrema derecha oligárquica, intenta convencer a la opinión pública que soy comunista. De esta manera se busca preocupar a los Estados Unidos, atemorizar a los hombres de negocios y movilizar a la Iglesia Católica y a las Fuerzas Armadas, con lo que se espera crear condiciones favorables para el golpe de Estado. Pero el Ecuador de 1978 era muy diferente que el de 1963, en el que tales mañas produjeron efecto. Fracasa la operación *macarthista*, pero los necios y contumaces conspiradores no cesan en su empeño. Unas pocas irregularidades descubiertas en algunas mesas electorales —en su mayor parte no castigadas por la Ley, que no alteraban el resultado e irrelevantes estadísticamente—, son usadas como pretexto para afirmar que se ha cometido un gigantesco fraude electoral. El TSE asume la conducción de esta nueva operación antidemocrática que culmina cuando Rafael Arízaga Vega, Presidente de dicho organismo, a través de una cadena de radio y televisión pide a las Fuerzas Armadas la anulación de las elecciones, al mismo tiempo que presenta su renuncia junto con la de los demás integrantes del Tribunal. Sólo uno de sus miembros sale por los fueros de la democracia, el doctor Severo Espinoza, que siempre se opuso a los fraudulentos procedimientos de sus colegas. El Consejo de Generales de las Fuerzas Armadas, en una sesión memorable, en la que unos pocos oficiales se suman a la petición del conspirador Arízaga Vega y llegan incluso a pedir que se lo reciba, mayoritariamente se pronuncia por la aceptación de las renuncias presentadas y la integración de un nuevo Tribunal que continúe los escrutinios y proclame sus resultados. Como en ocasiones anteriores, los golpistas sacan provecho de su derrota al prorrogar la segunda vuelta electoral para el 29 de abril de 1979 y la entrega del poder para el 10 de agosto del mismo año. Al mismo tiempo, sorpresivamente se convoca a elecciones legislativas, a las que la Dictadura siempre fue reticente a pesar de la unánime petición de los partidos, en las cuales por primera vez no se margina al señor Assad Bucaram. En breve tiempo, el nuevo TSE concluye los escrutinios y proclama los resultados que confirman el triunfo del binomio Roldós-Hurtado.

En la historia ecuatoriana nunca un proceso electoral fue tan largo, tortuoso y lleno de sorpresas. Dieciocho meses median entre la convocatoria a elecciones y la entrega del poder y nueve entre la primera y segunda vueltas electorales. En tan dilatados períodos —especialmente entre el 16 de julio de 1978 y el 29 de abril de 1979—, son innumerables las maniobras que se hacen, dentro y fuera de la dictadura, para impedir que las Fuerzas Armadas cumplan con su palabra de honor. En estos meses, nuestra campaña electoral se convierte en una peligrosa carrera de obstáculos. No acabábamos de desbaratar una conspiración cuando nos encontrábamos con noticias de una nueva. Todos los medios fueron usados, incluso el terrorismo y el crimen, propiciados desde el seno de la misma Dictadura por el "ministro del terror". Efectivamente, en un país en el que la violencia nunca fue un ingrediente de la lucha política, los dinamitazos se vuelven cotidianos e incluso se llega al asesinato del excandidato presidencial, Abdón Calderón, para crear un ambiente de intranquilidad y caos que justifique el golpe de Estado.[3] Y

3. El asesinato de Calderón produce la indignación nacional y la movilización de la opinión pública para exigir el descubrimiento y la sanción de los culpables. La prensa y los periodistas cumplen este cometido. Ante las evidencias, renuncia el Ministro Jarrín Cahueñas que hoy guarda prisión, sindicado como autor intelectual del crimen, en el que además intervinieron agentes de policía y pandilleros. Estos últimos, años atrás dirigieron un grupo

cuando esto fracasa y finalmente se convocan las elecciones, se presiona al candidato presidencial Sixto Durán Ballén a que renuncie, para así provocar un vacío jurídico que imposibilite la realización de la segunda vuelta electoral. Pero el arquitecto Durán, con admirable espíritu democrático, se mantiene en la contienda y de esta manera contribuye para que el proceso continúe y se realicen las elecciones.

En la conspiración intervienen tres actores. El sector antidemocrático de la Dictadura, empeñado en conservar el poder, dirigido por un integrante del triunvirato gobernante —Durán Arcentales— y por el Presidente de la Corte Suprema de Justicia —Gonzalo Karolys—, cuyos brazos ejecutores fueron el Ministro de Interior —Bolívar Jarrín— y el Presidente del Tribunal Supremo Electoral —Rafael Arízaga Vega—. En segundo lugar, la oligarquía preocupada por el contenido progresista de la Constitución aprobada por el pueblo y temerosa del gobierno popular de Jaime Roldós. En tercer lugar, la vieja clase política, pesimista sobre su futuro por la pérdida de sus tradicionales clientelas electorales, cosa que demostrarán contundentemente las elecciones del 29 de abril. Probablemente, a representantes de estos dos sectores se refirió el triunviro Guillermo Durán Arcentales, cuando en una declaración de prensa afirmó que "gente increíble" le había propuesto la suspensión de las elecciones.

Finalmente, el 29 de abril el pueblo concurre a las urnas y en elecciones absolutamente libres el binomio Roldós-Hurtado obtiene el 62 por ciento de los votos emitidos. Por primera vez en la historia electoral del país, un candidato supera la barrera del millón de votos, victoria que alcanzan jóvenes dirigentes políticos de clase media, dos años antes desconocidos por la mayor parte de la opinión pública, ante la que se presentan sin el padrinazgo de la oligarquía y de la vieja clase política, por muchos considerado esencial para triunfar electoralmente. Brevemente, señalaré algunas causas que explican esta sorpresa electoral, lo mismo que los resultados del Referéndum y de la primera vuelta.

Este libro centra su análisis en la formación, evolución y crisis de la "hacienda", institución que defino como la base del poder político. Su paulatina descomposición, analizada en la Tercera Parte, se

---

universitario ultraizquierdista denominado "Atala" que, como más tarde se supo, fue un instrumento de los sectores reaccionarios, en la universidad ecuatoriana. Los dinamitazos tuvieron como destinatarios bancos, diarios y especialmente los domicilios de dirigentes políticos. La noche en que se proclamó mi candidatura estalló una bomba en mi casa.

acelera con la expansión económica originada en el petróleo que termina por liquidar la estructura del poder generada por la hacienda y por lo tanto, su expresión política, el bipartidismo conservador-liberal. Estos hechos no fueron comprendidos por quienes —sin entender las nuevas circunstancias históricas— consideraron que la política podría seguir siendo la simple expresión de las clientelas electorales manipuladas por caciques locales. Sólo las candidaturas triunfadoras comprendieron e interpretaron correctamente las consecuencias electorales que traerían consigo la consolidación de la sociedad urbano-capitalista y de sus expresiones político-sociales: la clase media, el proletariado y los marginados.

A esta causa, que sin duda es la fundamental, se suman otras. En primer lugar, la alianza de Concentración de Fuerzas Populares y Democracia Popular, constituye una buena "plataforma de lanzamiento" del binomio triunfador: CFP es electoralmente hegemónico en Guayaquil, en la provincia costeña de los Ríos y en general en el subproletariado; y la DP es influyente en las provincias serranas y particularmente en la clase media y en el electorado progresista-cristiano. En segundo lugar, la juventud de los candidatos —comienzan la campaña electoral, Roldós de 37 años y Hurtado de 38— y un estilo político diferente al tradicionalmente practicado por la vieja clase política, les permite convertirse en la expresión de un electorado, fundamentalmente joven, que en buena parte votaba por primera vez luego de ocho años de dictadura, y que estaba cansado de los planteamientos retóricos y de prácticas políticas turbias. En tercer lugar, su definición antidictatorial y antioligárquica, responde a los sentimientos mayoritarios de los electores, ofendidos por el enriquecimiento de las clases dominantes, deseosos de superar su situación de pobreza y empeñados en acabar con un Gobierno impopular. Probablemente aquel carácter del binomio Roldós-Hurtado no habría sido descubierto por amplios segmentos de la población, si torpemente la Dictadura y la oligarquía no se hubieran encargado de subrayarlo, al desatar una maledicente e insidiosa campaña de persecución y desprestigio contra los candidatos populares. Todas estas maniobras e infamias jugaron a favor de Jaime Roldós y contribuyeron a su triunfo. Finalmente, la difusión de un nuevo medio de comunicación social: la televisión. Ella permitió a los candidatos triunfadores, tomar contacto directo con los electores, sin recurrir a los intermediarios locales, relegando a un segundo lugar las costosas movilizaciones de antaño. Además, un planteamiento programático fundamentalmente racional y por tanto ausente de retórica —que algunos consideraron destinado al fracaso—; gracias a la televisión pudo ser comprendido y apreciado por el electorado.

El profundo reordenamiento ideológico sufrido por el país, también se advierte al examinar el resultado de las elecciones legislativas. En ellas, partidos políticos que por décadas habían mantenido el control del Congreso Nacional, sufren una estrepitosa derrota electoral. En efecto, en la Cámara de Representantes integrada por 69 diputados, el conservatismo sólo obtiene 9 legisladores, el liberalismo 4 y el velasquismo 1. Algo parecido sucede con otros partidos de derecha que no superan su condición de movimientos minoritarios: 3 legisladores consiguen la coalición Institucionalista Demócrata y 2 el Partido Social Cristiano. Frente a las expectativas despertadas, los partidos marxistas también sufren una derrota. La coalición de varios de ellos dirigida por el Partido Comunista (FADI) de tendencia moscovita, apenas logra un puesto en la Cámara y el Movimiento Popular Democrático —maoísta— también obtiene una sola representación, aunque suma más votos que la anterior. En el espacio político del "centro izquierda" el primer lugar lo ocupa la Izquierda Democrática con 12 legisladores y el segundo, la Democracia Popular con 5. CFP se convierte en la primera fuerza política del país al elegir 30 representantes. Pero conviene señalar que estas cifras más bien deben tomarse como indicadores de tendencias del electorado, en vista de las anómalas condiciones en que se dieron las elecciones legislativas. Muchos de los votos que recibió CFP y la ID, fueron dados como expresión de apoyo a Roldós antes que a tales partidos, en virtud de que éstos se presentaron como los representantes de aquél. Probablemente, la influencia de la DP sea mayor pues, como se recordará, fue inhabilitada de participar electoralmente y los cinco diputados los obtuvo mediante candidaturas presentadas a través de otros partidos.

La campaña de la extrema derecha oligárquica contra el binomio Roldós-Hurtado y particularmente contra la ideología Demócrata Cristiana, había alcanzado tales niveles terroríficos, que bien cabía suponer que una vez producido el resultado electoral, otra vez aflorarían las maniobras tendientes a burlar la voluntad popular. No sucedió sin embargo tal cosa y más bien se produce un implícito consenso nacional en favor de la conclusión del ya largo y agotador proceso democrático. De manera que, sin más sobresaltos, los nuevos gobernantes asumen el poder el 10 de agosto en una ceremonia de contornos históricos, cuando la dictadura militar entrega el poder a la oposición elegida libremente por el pueblo.

Este singular acontecimiento político fue posible gracias a una alianza no concertada en la que intervinieron tres fuerzas, sin cuyo concurso no habría sido posible la restauración democrática de la República. La Institución Militar presidida por el Vicealmirante Alfredo Poveda, que como tal se mantuvo firme en la defensa del proceso democrático y siempre desautorizó las conspiraciones que se gestaron en su interior; los medios de comunicación social que diariamente orientaron la opinión pública y libraron innumerables batallas para debelar las maniobras de los conspiradores; y el pueblo ecuatoriano que lúcida y maduramente asumió su responsabilidad y, con paciencia y tenacidad, superó todos los obstáculos que se interpusieron en su camino. Una última reflexión: la lucha democrática de los ecuatorianos, habría corrido mayores riesgos sin la política de derechos humanos del Presidente Carter.

Quito, agosto 1979

BIBLIOGRAFÍA

AGEE, Philip, *Inside the Company: CIA Diary*, Harmondsworth, Inglaterra: Penguin Books Ltd., 1975.

AGUIRRE ABAD, Francisco X., *Bosquejo histórico de la República del Ecuador*, Guayaquil: Corporación de Estudios y Publicaciones, 1972.

AGUIRRE, Manuel Agustín, *Segunda reforma universitaria*, Quito: Ed. Universitaria, 1973.

ALBORNOZ, Oswaldo, *Del crimen del Ejido a la Revolución del 9 de Julio de 1925*, Guayaquil: Ed. Claridad, 1969.

—, *Las Luchas indígenas en el Ecuador*, Guayaquil: Ed. Claridad, 1971.

ALBUJA, José Ignacio, *Estructura agraria y estructura social*, Quito: Ed. Ecuatoriana, 1964.

ALFONSO, Isidoro, y otros, *La iglesia en Venezuela y Ecuador*, s.I.: Feres-Friburgo, 1962.

ANDRADE, Roberto, *Vida y muerte de Eloy Alfaro*, (memorias) Nueva York: Printing C. O., 1961.

—, *Campaña de veinte días; estudios históricos*, Quito: Escuela de Artes y Oficios, 1908.

—, *Historia del Ecuador*, Guayaquil: Reed & Reed, s.f.

ANDRADE MARÍN, Luciano, *Ecuador Minero, Ecuador Manufacturero, Ecuador Cacaotero*, Quito: Imp. Nacional, 1932.

ARCOS, Gualberto, *Años de oprobio*, Quito: Imp. Fernández, 1940.

ARÓN, Raymond, *Introducción a la Filosofía de la historia*, Buenos Aires: Losada, 1956.

ASSADOURIAN, Carlos Sempat y otros, *Modos de producción en América Latina*, Córdoba: Pasado y Presente, 1973.

AYMARA, Joaquín, *¿Cuál es la vía revolucionaria en el Ecuador?* s.I.: Ed. Raúl Centeno, s.f.

BARRERA, Isaac, *Ensayo de interpretación histórica*, Quito: Ed. Casa de la Cultura Ecuatoriana, 1959.

BAYLE, Constantino, *Los cabildos seculares en la América española*, Madrid: Sapientia S. A. de Ediciones, 1952.

BELMELMANS, Ludwing, *El burro por dentro*, Quito: Ed. Moderna, 1941.

BELTRÁN, Virgilio Rafael y otros, *El papel político y social de las fuerzas armadas en América Latina*, Caracas: Monte Ávila Editores, 1970.

BENÍTEZ VINUEZA, Leopoldo, *Ecuador: Drama y paradoja*, México: Fondo de Cultura Económica, 1950.

Biblioteca Ecuatoriana Mínima:

—, *Juristas y Sociólogos*, Quito-Puebla: Cajica, 1960.

—, *Jacinto Jijón y Caamaño*, Quito-Puebla: Cajica, 1960.

—, *Historiadores y Críticos Literarios*, Quito-Puebla: Cajica, 1960.

—, *Prosistas de la República*, Quito-Puebla: Cajica, 1960.

—, *Escritores Políticos*, Quito-Puebla: Cajica, 1960.

—, *Cronistas de la Independencia y de la República*, Quito-Puebla: Cajica, 1960.

—, *El Ecuador visto por Extranjeros*, Quito-Puebla: Cajica, 1960.

BLANKSTEN, George I., *Ecuador: Constitutions and Caudillos*, Berkeley: University of California Press, 1951.

BORJA Y BORJA, Ramiro, *Derecho constitucional ecuatoriano*, Madrid: Ed. Cultura Hispánica, 1950.

BORRERO CORTÁZAR, Antonio, *Refutación al libro de P. A. Berthe*, Cuenca: Ed. Casa de la Cultura Ecuatoriana/Azuay, 1968.

BOSSANO, Luis, *Apuntes acerca del regionalismo en el Ecuador*, Quito: s.e., 1930.

BURDEAU, Georges, *Método de la ciencia política*, Buenos Aires: Depalma, 1964.

—, *La democracia*, Barcelona: Ariel, 1970.

BURGOS, Hugo, *Relaciones interétnicas en Riobamba*, México: Instituto Indigenista Interamericano, 1970

BOUTRUCHE, Robert, *Señorío y Feudalismo*, Buenos Aires: Siglo XXI, 1973.

CAPPA, Ricardo, *Estudios críticos acerca de la dominación española en América*, Madrid: Ed. Gregorio de Amo. Tercera Edic., Tomo V, 1889-1891.

CARBO, Luis Alberto, *Historia monetaria y cambiaria del Ecuador*, Quito: Banco Central, 1953.

CARDOSO F. H. y ENZO FALETTO, *Dependencia y desarrollo en América Latina*, México: Siglo XXI, 1969.

CARDOSO F. H., *Ideologías de la burguesía industrial en sociedades dependientes*, México: Siglo XXI, 1972.

—, *América Latina: ensayos de interpretación sociológico-política*, Santiago: Universitaria, 1970.

CARRIÓN, Benjamín, *El nuevo relato ecuatoriano*, Quito: Ed. Casa de la Cultura Ecuatoriana, 1958.

Centro Latinoamericano de Investigaciones en Ciencias Sociales, *Sociología del Desarrollo*, Buenos Aires: Solar y Hachette, 1970.

CEPAL, *El desarrollo social de América Latina en la postguerra*, Buenos Aires: Solar y Hachette, 1963.

CEPAL, *El desarrollo económico del Ecuador*, Mexico: Naciones Unidas, 1954.

—, *El pensamiento de la CEPAL*, Santiago: Ed. Universitaria, 1969.

CEVALLOS, Pedro Fermín, *Historia del Ecuador*, Quito-Guayaquil: Ed. Ariel, 1972.

CEVALLOS GARCÍA, Gabriel, *Historia de Ecuador*, Cuenca: Ed. Don Bosco, 1967.

CHAUNÚ, Pierre, *Séville et l'Atlantique (1504-1650)*, París: Tomo VI, 1955-1959.

CHESNAUX, Jean y otros, *El modo de producción asiático*, México: Grijalbo, 1973.

CIEZA DE LEÓN, Pedro, *El señorío de los Incas*, Lima: Instituto de Estudios Peruanos, 1967.

—, *La crónica del Perú*, Lima: Ed. PEISA, 1973.

Comité Interamericano de Desarrollo Agrícola, *Ecuador: Tenencia de la tierra y desarrollo socio-económico del sector agrícola*, Washington D. C.: Unión Panamericana, 1965.

CORNEJO ROSALES, Jorge, *18 de marzo: la Universidad Central, síntesis histórica*, Quito: Ed. Universitaria, 1958.

CORPORACIÓN DE PROMOCIÓN UNIVERSITARIA, *Estudiantes y Política*, Viña del Mar: Ed. CPU, 1970.

COSTALES SAMANIEGO, Alfredo, *Fernando Daquilema*, Quito: Talleres Gráficos Nacionales, 1957.

COT, Jean-Pierre y Jean-Pierre Mounier, *Pour une sociologie politique*, París: Seuil, 1974.

CRESPO ORDÓÑEZ, Roberto, *Historia del Ferrocarril*, Quito: Imp. Nacional, 1933.

CRESPO TORAL, Jorge, *El Comunismo en el Ecuador*, s.I., s.e., 1958.

CUEVA D., Agustín, *El proceso de dominación política en el Ecuador*, Quito: Ed. Crítica, 1972.

—, *Entre la ira y la esperanza*, Quito: ECCE, 1967.

CUEVA GUERRERO, Agustín, *Nuestra organización social y la servidumbre*, Quito: Imp. Julio Sáenz, 1915.

DAALDER H. y otros, *Política Militar*, Buenos Aires: Jorge Álvarez, 1963.

DAHRENDORF, Ralf, *Sociedad y Libertad*, Madrid: Tecnos, 1971.

DE LA CUADRA, José, *El montubio ecuatoriano*, Obras completas. Quito: Ed. Casa de la Cultura Ecuatoriana, 1958.

DE LA TORRE REYES, Carlos, *La revolución de Quito del 10 de agosto en 1809*, Quito: Ministerio de Educación, 1961.

DE VELASCO, Juan, *La historia antigua del Reino de Quito*, Guayaquil-Quito: Clásicos Ariel, 1971.

—, *La historia moderna del Reino de Quito*, Guayaquil-Quito: Clásicos Ariel, 1971.

DILLON, Luis Napoleón, *La crisis económico financiera del Ecuador*, Quito: Ed. Artes Gráficas, 1927.

DOBB, Maurice, *Estudios sobre el desarrollo del capitalismo*, Buenos Aires: Siglo XXI, 1972.

—, *Transición del feudalismo al capitalismo*, Bogotá: Latina, s.f.

DOS SANTOS, Theotonio, *La crisis norteamericana y América Latina*, Buenos Aires: Periferia, 1972.

DUSSEL, Enrique, *Historia de la Iglesia en América Latina*, Madrid: Ed. Nova Terra, 1974.

DUVERGER, Maurice, *Introducción a la política*, Barcelona: Ariel, 1970.

—, *Los Partidos Políticos*, México: Fondo de Cultura Económica, 1965.

—, *Instituciones políticas y derecho constitucional*, Barcelona: Ariel, 1970.

—, *Sociología política*, Barcelona: Ariel, 1970.

ESPINOSA TAMAYO, Alfredo, *Psicología y sociología del pueblo ecuatoriano*, Guayaquil: Imp. Municipal, 1918.

ESTRADA, Víctor Emilio, *El momento económico del Ecuador*, Guayaquil: Ed. La Reforma, 1950.

ESTRADA YCAZA, Julio, *El puerto de Guayaquil*, Guayaquil: Archivo Histórico del Guayas, 1973.

FEUE, *25 años de la FEUE*, Quito: Ed. Universitaria, 1969.

FLACSO, *Sociología del poder*, Santiago: Andrés Bello, 1960.

FRANKLIN, Albert, *Ecuador: Retrato de un pueblo*, Buenos Aires: Ed. Claridad, 1945.

FURTADO, Celso, *La economía latinoamericana desde la conquista ibérica hasta la revolución cubana*, Santiago: Universitaria, 1970.

GALARZA ARÍZAGA, Rafael, *Esquema político del Ecuador*, Quito: Alborada, 1963.

GALARZA, Jaime, *El yugo feudal*, Quito: Ed. Solitierra, 1966.

GALILEA S. y otros, *La vertiente política de la pastoral*, Quito: IPLA, 1970.

GARCÍA, Antonio, *Sociología de la novela indigenista en el Ecuador*, Quito: CCE, 1969.

GERMANI, Gino, *Política y sociedad en una época de transición*, Buenos Aires: Paidos, 1971.

—, *El Concepto de Marginalidad*, Buenos Aires: Nueva Visión, 1973.

GIL, Federico, *Instituciones y desarrollo político en América Latina*, Buenos Aires: Bid-Intal, 1966.

GONZALES CASANOVA, Pablo, *Modernización y democratización en la universidad latinoamericana*, Santiago: Ed. CPU, 1971.

—, *La democracia en México*, México: Era, 1969.

—, *Sociología de la Explotación*, México: Siglo XXI, 1971.

GONZÁLEZ PÁEZ, M. A., *Memorias históricas: Génesis del liberalismo; su triunfo y sus obras en el Ecuador*, Quito: Ed. Ecuatoriana, 1934.

GONZÁLEZ SUÁREZ, Federico, *Historia general de la república del Ecuador*, Quito: Ed. Casa de la Cultura Ecuatoriana, 1970.

—, *Memorias íntimas*, Quito-Guayaquil: Clásicos Ariel, 1972.

—, *Obras pastorales*, Quito: Imp. del Clero, 1927.

GRACIARENA, Jorge, *Poder y clases sociales en el desarrollo de América Latina*, Buenos Aires: Paidos, 1972.

GUARDERAS, Francisco, *El viejo de Montecristi*, Quito: s.e., 1953.

GUTIÉRREZ , Gustavo, *Teología de la liberación*, Lima: Ed. Universitaria, 1971.

HAMERLY, Michael T., *Historia social y económica de la Antigua Provincia de Guayaquil (1763-1842)*, Guayaquil: Archivo Histórico del Guayas, 1973.

HAMONCH, John and Jeffrey A. Ashe, *Hablan los líderes campesinos*, Quito: Gráficas Murillo, 1970.

HASSAUREK, Friedrich, *Four Years Among the Ecuadorians*, Carbondale: Southern Illinois University Press, 1967.

HURTADO, Osvaldo, *Dos mundos superpuestos: Ensayo de diagnóstico de la realidad ecuatoriana*, INEDES. Quito: Ed. Offsetec, 1969.

HURTADO, Osvaldo y Joachim Herudek, *La organización popular en el Ecuador*, INEDES. Quito: Ed. Fray Jodoco Ricke, 1974.

IANNI, OCTAVIO, *Imperialismo y cultura de la violencia en América Latina*, México: Siglo XXI, 1970.

INSTITUTO DE INVESTIGACIONES ECONÓMICAS DE LA UNIVERSIDAD CENTRAL, *Ecuador: Pasado y Presente*, Quito: Ed. Universitaria, 1975.

JAGUARIBE, Helio, *Desarrollo político: sentido y condiciones*, Buenos Aires: Paidos, 1972.

—, *Sociedad, cambio y sistema político*, Buenos Aires: Paidos, 1972.

—, *Crisis y alternativas de América Latina: reforma o revolución*, Buenos Aires: Paidos, 1972.

JARAMILLO ALVARADO, Pío, *El indio ecuatoriano*, Quito: Talleres Gráficos del Estado, 1936.

—, *Estudios históricos*, Quito: Ed. Artes Gráficas, 1934.

JIJÓN Y CAAMAÑO, Jacinto, *Benalcázar*, Quito: Imp. del Clero, 1936.

—, *Política conservadora*, Riobamba: Ed. Buena Prensa del Chimborazo, 1929.

JOHNSON, John J., *Militares y sociedad en América Latina*, Buenos Aires: Hachette, 1966.

—, *La transformación política de América Latina*, Buenos Aires: Hachette, 1961.

—, *Continuidad y cambio en América Latina*, México: Hispano América, 1967.

JONES GARETH, Stedman y otros, *Sobre el imperialismo norteamericano*, Medellín: Oveja Negra, 1971.

JOUANEN, José, *Historia de la Compañía de Jesús en la antigua provincia de Quito*, Quito: Ed. Ecuatoriana, 1941.

JUAN, Jorge y Antonio Ulloa, *Noticias secretas de América*, Madrid: Ed. América, 1918.

KAPLAN, Marcos, *Formación del estado nacional en América Latina*, Santiago: Universitaria, 1969.

—, *El estado, el desarrollo y la integración de América Latina*, Caracas: Monte Ávila, 1970.

KONETZKE, Richar, *Historia universal Siglo XXI, América Latina*, t. II: *La época colonial*, Madrid: Siglo XXI, 1971.

LAMBERT, Jacques, *América Latina: estructuras sociales e instituciones políticas*, Barcelona: Ariel, 1964.

LANDÁZURI SOTO, Alberto, *El régimen laboral indígena en la Audiencia de Quito*, Madrid, 1959.

LARREA, Juan Ignacio, *La Iglesia y el Estado en el Ecuador*, Sevilla: Escuela de Estudios Latinoamericanos, 1954.

LE GOUHIR Y RODAS, José, *Historia de la República del Ecuador*, Quito: Imp. del Clero, 1930.

LENIN V. I., *Acerca del Estado*, México: Grijalbo, 1970.

—, *La enfermedad infantil del izquierdismo*, Santiago: Quimantú, 1972.

—, *El estado y la revolución en Obras Escogidas*, Moscú: Progreso, 1960, t. II.

LIEUWEN, Edwin, *Generales contra presidentes en América Latina*, Buenos Aires: Siglo XX, 1965.

LINKE, Lilo, *Ecuador: country of contrasts*, London: Oxfort University Press, 1960.

LIPSET S. M. y otros., *Élites y desarrollo en América Latina*, Buenos Aires: Paidos, 1967.

LIPSET S. M., *El hombre político*, Buenos Aires: Eudeba, 1968.

LITTUMA, Alberto A., *Doctrina de la seguridad nacional*, s.I., s.e., 1967.

LLERENA, José Alfredo, *Frustración política en 20 años*, Quito: s.e., 1959.

LOEWENSTEIN, Karl, *Teoría de la Constitución*, Barcelona: Ariel, 1970.

MALDONADO ESTRADA, Luis, *Socialismo ecuatoriano: Ensayo sobre la realidad nacional*, Guayaquil: Ed. Páginas Selectas, 1935.

MANNHEIM, Karl, *Libertad, poder y planificación democrática*, México: Fondo de Cultura Económica, 1961.

MARTZ, John, *Ecuador: Conflicting Political Culture and the Quest for Progress*, Boston: Allyn and Bacon, 1972.

MARX, Karl, *Introducción general a la crítica de la economía política*, Bogotá: Círculo Rojo, 1972.

—, *Crítica del programa de Gotha*, Bogotá: Círculo Rojo, 1972.

—, *Contribución a la crítica de la economía política*, Medellín: Oveja Negra, 1971.

MARX, Karl, *El Capital*, México: Fondo de Cultura Económica, 1972.
MARX, Carlos y F. Engels, *Manifiesto del partido comunista*, Buenos Aires: Ed. Ateneo, 1973.
MARX, Karl y Eric Hobsbawm, *Formaciones económicas precapitalistas*, Córdoba: Cuadernos de Pasado y Presente, 1974.
MARIÁTEGUI, José Carlos, *Siete ensayos de interpretación de la realidad peruana*, Lima: Biblioteca Amauta, 1967.
MASON S. EDWARD, *Ayuda económica y política internacional*, Buenos Aires: Plaza & Janes, 1966.
MATTHEWS H. L. y K. H. Silver, *Los Estados Unidos y América Latina*, México: Grijalbo, 1973.
MEDINA ECHAVARRÍA, José, *Consideraciones sobre el desarrollo económico*, Buenos Aires: Solar y Hachette, 1964.
MEJÍA LEQUERICA, José, *Discursos en las cortes de Cádiz*, Guayaquil-Quito: Clásicos Ariel, 1972.
MENDIETA NÚÑEZ, Lucio, *Sociología del poder*, México: Instituto de Investigaciones Sociales, 1969.
MERA, Juan León, *La dictadura y la restauración en la república del Ecuador*, Quito: Ed. Ecuatoriana, 1932.
MERTON, Robert K., *Teoría y estructura sociales*, México: Fondo de Cultura Económica, 1965.
MEYNAUD, Jean y Alain Laucelot, *Las actitudes políticas*, Buenos Aires: Eudeba, 1965.
MEYNAUD, Jean, *Los grupos de presión*, Buenos Aires: Eudeba, 1967.
MICHELS, Robert, *Los partidos políticos*, Buenos Aires: Amorrortu Editores, 1973.
—, *Introducción a la sociología política*, Buenos Aires: Paidos, 1969.
MILIBAND, Ralph, *L'état dans la societé capitaliste*, París: François Máspero, 1973.
MILLS, C. Wright, *La Imaginación Sociológica*, México: Fondo de Cultura Económica, 1969.
—, *La élite del poder*, México: Fondo de Cultura Económica, 1969.
—, *De hombres sociales y movimientos políticos*, México: Siglo XXI, 1970.
—, *Poder, política y pueblo*, México: Fondo de Cultura Económica, 1973.
MIRANDA RIBADENEIRA, Francisco, *La primera Escuela Politécnica del Ecuador*, Quito: Ed. FESO, 1972.
MONCAYO, Abelardo, *Añoranzas*, Quito: Talleres Tipográficos Nacionales, 1923.
—, *Páginas olvidadas*, Puebla: Ed. Cajica, 1970.
MONCAYO, Pedro, *El Ecuador: 1825-1875*, Santiago: Rafael Jover, 1885.
—, *Ojeada sobre las repúblicas sud-americanas*, Valparaíso: Imp. y Librería del Mercurio, 1861.

MONCAYO DE MONGE, Germania, *La Universidad de Quito: su trayectoria en tres siglos*, Quito: Ed. Universitaria, 1944.

MONSALVE POZO, Luis, *El indio*, Cuenca: Ed. Austral, 1943.

MONTEFORTE, Mario y Francisco Villagrán, *Izquierdas y derechas en América Latina*, Buenos Aires: Pleamar, 1968.

MORENO, Julio, *Vida nacional: liberalismo y conservadorismo*, Quito: Revista de la Sociedad Jurídico-literaria, v. XXIII, 1920.

MUÑOZ LLERENA, César, *Trayectoria y proyecciones de la Universidad*, Quito: Ed. Universitaria, 1959.

MURILLO, Juan, *Historia del Ecuador de 1876 a 1888*, Quito: Ed. El Comercio, 1946.

NAVARRO, Guillermo, *La concentración de capitales en el Ecuador*, Quito: Ed. Universitaria, 1975.

NEEDLER, Martin C., *Anatomy of coup d'Etat: Ecuador 1963*, Washington D. C.: Institute for the Comparative Study of Political Systems, 1964.

NEUMAN, Sigmund, *Partidos políticos modernos*, Madrid: Tecnos, 1965.

ORELLANA GONZALO, J., *Resumen histórico del Ecuador*, Quito: Ed. Fray Jodoco Ricke, 1948.

PAREJA DIEZCANSECO, Alfredo, *Historia del Ecuador*, Quito: Ed. Casa de la Cultura Ecuatoriana, 1954.

—, *La lucha por la democracia en el Ecuador*, Quito: Ed. Rumiñahui, 1956.

PEÑAHERRERA DE COSTALES, Piedad y Alfredo Costales Samaniego, *Historia social del Ecuador*, Quito: Talleres Gráficos Nacionales, 1964.

PERALTA, José, *El régimen liberal y el régimen conservador*, Quito: Tip. de la Escuela de Artes y Oficios, 1911.

PÉREZ, Aquiles, *Las mitas en la Real Audiencia de Quito*, Quito: Imp. del Ministerio del Tesoro, 1947.

PÉREZ CONCHA, Jorge, *Eloy Alfaro: Su vida y su obra*, Quito: Talleres Gráficos de Educación, 1942.

PÉREZ GUERRERO, Alfredo, *La universidad ultrajada*, Quito: Ed. Universitaria, 1974.

—, *La universidad y la patria*, Quito: Ed. Universitaria, 1965.

—, *La Universidad y la Política*, Quito: Ed. Universitaria, 1963.

PETRAS, James y Maurice Zeitlin, *América Latina: reforma o revolución*, Buenos Aires: Tiempo Contemporáneo, 1970.

PHELAN, John Leddy, *The Kingdom of Quito in the Seventeenth Century*, Madison: The University of Wisconsin Press, 1967.

POULANTZAS, Nicos, *Poder político y clases sociales en el estado capitalista*, México: Siglo XXI, 1970.

PREBISCH, Raúl, *Hacia una dinámica del desarrollo latinoamericano*, México: Fondo de Cultura Económica, 1963.

PROAÑO, Luis, *Iglesia, política y libertad religiosa*, Quito: Cias, 1968.

QUEVEDO, Belisario, *Historia del Ecuador*, s. l.: Ed. Rumazo González, s. f.

—, *Sociología, política y moral*, Quito: Ed. Bolívar, 1932.

RENGEL, Jorge Hugo, *Realidad y fantasía revolucionaria*, Loja: s. e., 1954.

REYES, Óscar Efrén, *Breve historia general del Ecuador*, Quito: Ed. Fray Jodoco Ricke, 1957, t. II-III.

—, *Los últimos siete años*, Quito: Talleres Gráficos Nacionales, 1933.

RIBEIRO, Darcy, *El dilema de América Latina*, México: Ed. Siglo XXI, 1971.

ROBALINC DÁVILA, Luis, *EL 9 de julio de 1925*, Quito: Ed. La Unión, 1973.

—, *Memorias de un monagenario*, Quito: Ed. Ecuatoriana, 1974.

—, *Testimonio de los tiempos*, Quito: Ed. Ecuatoriana, 1971.

—, *Orígenes del Ecuador de hoy*, Puebla: Ed. Cajica. Tomos I-VII.

ROJAS, Ángel Felicísimo, *La novela ecuatoriana*, Guayaquil-Quito: Ed. Ariel, 1972.

ROLANDO, Carlos A., *Obras públicas ecuatorianas*, Guayaquil: Talleres Tipográficos de la Sociedad Filantrópica del Guayas, 1930.

RUBIO ORBE, Gonzalo, *La población Rural Ecuatoriana*, Quito: Talleres Gráficos Nacionales, 1966.

—, *El pensamiento de la Juventud Universitaria de Quito*, Quito: Ed. Universitaria, 1966.

SALGADO, Germánico, *Ecuador y la integración de América Latina*, Buenos Aires: BID-INTAL, 1970.

SALVADOR, Jorge, *Trayectoria y metas del Partido Conservador*, Quito: Ed. Vida Católica, 1968.

SCHUPETER, Joseph, *Capitalismo, socialismo y democracia*, México: Aguilar, 1963.

SHILS, Edward y otros, *Los militares y los países en desarrollo*, Buenos Aires: Pleamar, 1967.

SOTELO, Ignacio, *Sociología de América Latina*, Madrid: Ed. Tecnos, 1972.

SUNKEL, Osvaldo, *Capitalismo transnacional y desintegración nacional en América Latina*, Buenos Aires: Ed. Nueva Visión, 1972.

TOBAR DONOSO, Julio, *Desarrollo constitucional de la república del Ecuador*, Quito: Ed. Ecuatoriana, 1936.

—, *La asamblea general del Partido Conservador y su doctrina. Programa y estatutos del Partido Conservador Ecuatoriano y su exposición doctrinaria*, Quito: Ed. La Prensa Católica, 1926.

—, *La iglesia modeladora de la nacionalidad*, Quito: Ed. Prensa Católica, 1953.

TOCQUEVILLE, Alexis de, *La Democracia en América*, Madrid: Punto Omega, 1969.

TOYNBEE, Arnold J., *Estudio de la Historia*, Madrid: Alianza Editorial, 1971.

TRABUCO, Federico, *Constituciones de la República del Ecuador*, Quito: Ed. Universitaria, 1975.

—, *Síntesis histórica de la República del Ecuador*, Quito: Ed. Santo Domingo, 1968.

VARGAS, José María, *La conquista espiritual del imperio de los Incas*, Quito: La Prensa Católica, 1948.

—, *La economía política del Ecuador durante la colonia*, Quito: Ed. Universitaria, 1957.

VEINTIMILLA, Marieta de, *Páginas del Ecuador*, Lima: Imp. Liberal de F. Macías, 1890.

VEKEMANS, Roger, *La prerrevolución latinoamericana*, Buenos Aires: Troquel, 1969.

VELASCO IBARRA, José María, *Obras Completas*, Quito: Ed. Lexigama, 1974.

WACHTEL, Natan, *La visión des Vaincus: Les indiens du Pérou devan la conquete espagnola*, París: Ed. Gallimard, 1972.

WEBER, Max, *Economía y sociedad*, México: Fondo de Cultura Económica, 1969.

—, *Ensayos de sociología contemporánea*, Barcelona: Ed. Martínez Roca, 1972.

WOLF, Teodoro, *Geografía y geología del Ecuador*, Dresde: s. e., 1892.

ZABALA, Silvio, *La economía indiana*, Madrid: s. e., 1935.

ZÚÑIGA, Neptalí, *Montúfar: Primer presidente de América revolucionaria*, Quito: Talleres Gráficos Nacionales, 1945.

PUBLICACIONES INÉDITAS Y DOCUMENTOS

ABAD ORTIZ, Gonzalo, *El proceso de lucha por el poder en el Ecuador*, Tesis de Grado mimeografiada. El Colegio de México, 1970.

AGUIRRE, Manuel Agustín, *Orientaciones para una reforma universitaria*, Conferencia. Loja, 1967.

BERNAL, Alejandro, *Trabajadores, organización popular y conciencia de clase en el Ecuador*, CEDADIS-INEDES. Caracas-Quito: mimeo., 1973.

CÁMARAS DE LA PRODUCCIÓN:

—, *A la Opinión Pública*, 3 de julio de 1971.

—, *Análisis de la ley de Reforma Agraria por la Cámara del Comercio de Quito*, 20 de diciembre de 1975.

—, *Carta de la Cámara de Industriales de Pichincha a la Cámara de Agricultura de la Primera Zona*, 31 de diciembre de 1975.

—, *Criterios de la Empresa Privada Sobre una Política Ecuatoriana de Desarrollo*, 22 de diciembre de 1972.

—, *Declaración de la Federación Nacional de Cámaras de Industrias del Ecuador*, 27 de noviembre de 1974.

—, *El Estado y la empresa privada*, 24 de agosto de 1973.

DUBLY, Alain, *Una nueva alfabetización para la aculturación del campesino andino*, Riobamba: mimeografiado CEAS, 1971.

FUERZAS ARMADAS:

—, *Comunicación dirigida por las Fuerzas Armadas al señor Presidente de la República*, Quito, 7 de noviembre de 1966.

—, *Filosofía y Plan de Acción del Gobierno Nacionalista Revolucionario de las Fuerzas Armadas*, Quito, 11 de marzo de 1972.

—, *Principales puntos del Proyecto de Constitución que se estiman lesivos para las Fuerzas Armadas e inconvenientes para el futuro del país*, Quito, 7 de noviembre de 1966.

GOBIERNO DEL ECUADOR:

—, *Censos de los años 1950, 1962 y 1974.*

—, *Censo Agropecuario. 1954. Y Encuesta Agropecuaria de 1968.*

HURTADO, Osvaldo, *Diagnóstico económico, social, cultural y político del subdesarrollo ecuatoriano*, Quito: Tesis de grado, Universidad Católica, 1966.

—, *Pasado y presente de la universidad ecuatoriana*, Conferencia. Cuenca, 1974.

IGLESIA CATÓLICA:

—, *Carta Pastoral del Arzobispo de Quito*, José Ignacio Ordóñez, 1882.

—, *Circular del Arzobispo de Quito*, José Ignacio Ordóñez, 31 de agosto de 1883.

—, *Quinta Carta Pastoral del Obispo de Riobamba*, Carlos María de la Torre, 1923.

—, *Carta Pastoral del Obispo de Riobamba*, Carlos María de la Torre, 1921.

—, *Instrucción del Episcopado sobre la obligación de votar*, Quito, 1958.

—, *Carta Colectiva del Episcopado*, 1960.

—, *Carta Pastoral del Episcopado Chileno a sus fieles*, 1962.

—, *Carta Pastoral del Episcopado Ecuatoriano*, 13 de abril de 1963.

—, *Declaración Programática de la Conferencia Episcopal Ecuatoriana*, Cuenca, 1967.

—, *Declaración de la Conferencia Episcopal sobre el tema del desarrollo*, Cuenca, 27 de julio de 1968.

—, *Declaración del Cardenal Pablo Muñoz Vega sobre el problema político*, 1968.

—, *Carta de Monseñor Leonidas Proaño a los sacerdotes de la Iglesia de Riobamba*, 22 de mayo de 1969.

—, *Monseñor Leonidas Proaño por él mismo*, Entrevista al Diario *El Tiempo*, 30 de marzo de 1970.

—, CELAM, *La Iglesia en la actual transformación de América Latina a la luz del Concilio*, Bogotá: Secretariado General, 1970.

—, *En defensa del derecho de propiedad*, Carta al Presidente de la República del Comité de Jóvenes Cristianos pro Civilización Cristiana. Quito, 14 de abril de 1971.

—, *Declaración Oficial de la II Convención de Presbíteros del Ecuador*, Quito, 17 de abril de 1971.

—, *Evangelio, política y socialismo*. Declaración de los obispos de Chile, 1971.

—, *Documento Final del Primer encuentro latinoamericano de Cristianos por el socialismo*, 1972.

—, *Documentos Completos del Concilio Vaticano II*, Bilbao: Mensajero, 1972.

—, *Ocho Grandes Mensajes: Rerum Novarum, Quadragesimo Anno, Mater et Magistra, Pacem in Terris, Ecclesiam Suam, Populorum Progressio, Gaudium et Spes y Octogessima Adveniens*. Madrid: Biblioteca de Autores Cristianos, 1973.

JARAMILLO, Alfredo, INEDES. *Diagnóstico preliminar de la situación de la población y la familia en el Ecuador*, Quito: mimeo., 1967.

JIJÓN, Ángel, *La participación estudiantil en el desarrollo ecuatoriano*, Quito: mimeo., 1972.

JUNTA NACIONAL DE PLANIFICACIÓN Y COORDINACIÓN ECONÓMICA:

—, *Plan General de desarrollo económico y social: 1964-1973*, Quito: mimeo., 1963.

—, *Ecuador. Política planificada para el desarrollo*, Quito: Imp. Junta de Planificación, 1966.

—, *Bases para una política de salarios*, Quito: mimeo., 1967.

—, *Lineamientos de una política y estrategia para el desarrollo económico y social del Ecuador*, Quito: mimeo., 1968.

—, *Entidades descentralizadas y privadas que participan de ingresos públicos*, Quito: mimeo, 1969.

—, *Un análisis de la economía del Ecuador: 1950-1959*, Quito: mimeo., 1970.

—, *Corrección de las cifras censales de la población activa y su proyección hasta 1980*, Quito: mimeo., 1971.

—, *La década del sesenta*, Quito: mimeo., 1972.

—, *Ecuador: Plan integral de transformación y desarrollo, 1973-1977*, Quito: Ed. Santo Domingo, 1972.

—, *El desarrollo del Ecuador: 1970-1973*, Quito: mimeo.

MONCADA, José, *El desarrollo económico y la distribución del ingreso en el caso ecuatoriano*, Quito: mimeo., 1973.

MOVIMIENTO ESTUDIANTIL:

—, *Resoluciones del I Congreso Nacional de la FEUE*, Quito: Imp. Universitaria, 1944.

—, *La Federación de Estudiantes condena el 30 de marzo*, Quito: 1950.

—, *Un año de labores de la FEUE*, Quito: 1950.

—, *La FEUE rechaza el pacto militar*, Guayaquil: 1952.

—, *Concepción demócrata cristiana del deber ser de la universidad*, Quito: 1966.

—, *FEUE: Qué es la Federación*, Quito: 1967.

—, *Resoluciones del XXII Congreso Nacional de la FEUE*, Quito: 1967.

—, FEUE. *La FEUE ante la situación actual del País*, 1968.

—, *La coyuntura actual del Ecuador y el movimiento estudiantil*, Asamblea General de Estudiantes de la Escuela de Sociología. Quito: 24 de enero de 1972.

—, *Los comunistas universitarios a nuestros compañeros, profesores, estudiantes y trabajadores*, Guayaquil: 7 de diciembre de 1972.

—, *Discurso del Rector de la Universidad Estatal de Guayaquil*, Dr. Edmundo Durán Díaz. Guayaquil: 5 de diciembre de 1973.

—, *La FEUE rechaza los grupos fascistas en la Universidad*, Quito: 1973.

—, *Elecciones de la FEUE. Boletín informativo del Tribunal Supremo Electoral*, Quito: 4 de julio de 1974.

—, *Documentos de discusión sobre reforma universitaria publicados por el comité Ejecutivo de la FEUE filial de Cuenca*, 1974.

—, *Una nueva carta de la esclavitud universitaria*, Consejo Universitario de la Universidad Central. Quito, s. f.

—, *La Fundación de la Federación de Estudiantes Universitarios del Ecuador*, s. I. y s. f.

—, *Perspectivas políticas del movimiento Estudiantil*, Escuela de Sociología de la Universidad Central. s. f.

PARTIDOS POLÍTICOS:

ARNE:

—, Ideario de ARNE. s. f.

CFP:

—, C.F.P., doctrina, programa y estatutos. s. f.

CID.

—, Declaración de principios y estatutos. s. f.

COMUNISTA:

—, Lineamientos programáticos, 1957.

—, Programa del Partido, 1968.

—, Informe de Actividades del Comité Central, 1973.

—, Resolución Política del IX Congreso, 1973.

—, La revolución ecuatoriana y sus características, s. f.

COMUNISTA MARXISTA LENINISTA:

—, Línea general de la revolución ecuatoriana, s. f.

—, Resolución política de la Conferencia nacional, 1970.

—, Nuestras tareas actuales, s. f.

CONSERVADOR:

—, Manifestación del Directorio del Partido Conservador del Azuay, 1911.

—, Estatutos, 1919.

—, Programa y Estatutos, 1925.

—, Programa y Estatutos, 1935.

—, Programa y Estatutos, 1945.

—, Programa y Estatutos, 1946.

—, Manifiesto a la Conciencia Católica del País, 1950.

—, Programa y Estatutos, 1954.

—, Reforma de los Estatutos, 1958.

—, Estatutos, 1964.

—, Normas programáticas, 1969.

DEMÓCRATA CRISTIANO:

—, ABC de la Democracia Cristiana, s. f.

—, Declaración de principios y fundamentos ideológicos, 1964.

FEDERACIÓN NACIONAL VELASQUISTA:

—, Declaración de principios, 1968.

LIBERACIÓN POPULAR:

—, Manifiesto, 1963.

LIBERAL RADICAL:

—, Estatutos, 1980.

—, Estatutos y Programa, 1923.

—, Estatutos y Programa, 1925.

—, Estatutos y Programa, 1933.

—, Programa y Estatutos, 1935

—, Programa y Estatutos, 1937.

—, Programa y Estatutos, 1949.

—, Declaración de Principios Doctrinarios, 1953.

—, Declaración de Principios Doctrinarios, 1957.

—, Declaración de Principios Doctrinarios, 1969.

—, Plan de Gobierno, 1972.

MOVIMIENTO NACIONAL DE CRISTIANOS POR LA LIBERACIÓN:

—, Documentos del Primero (1973) y Segundo (1973) Congresos.

NACIONALISTA REVOLUCIONARIO:

—, Manifiesto y Declaración de Principios, 1969.

SOCIAL CRISTIANO:
—, Manifiesto, Acta de Constitución, Declaración de Principios y Estatutos, 1957.
—, Principios doctrinarios de la democracia cristiana ecuatoriana, 1964.
SOCIALISTA ECUATORIANO:
—, Labores de la Asamblea Nacional y Manifiesto del Consejo Central, 1926.
—, Estatutos, Programa Ideológico y de Acción Inmediata, 1933.
—, Estatutos, Declaración de Principios y Programa Mínimo, 1939.
—, Ideario, Declaración de Principios y Estatutos, 1971.
SOCIALISTA REVOLUCIONARIO:
—, Socialismo y comunismo en el Ecuador, s. f.
SILVA, Ismael, *Marxismo y marginalidad*, Quito: mimeo., 1974.
SUPERINTENDENCIA DE COMPAÑÍAS:
—, Síntesis: 1964-1974.
—, *Características y comportamiento de la compañía anónima en el Ecuador*, Quito: mimeo., 1975.
Universidad Católica (Mauricio Dávalos y Andrés León) *Estudio sobre el sistema fiscal ecuatoriano: documentos y manuscritos*, Quito: 1975.
VELASCO, Fernando, *Ecuador: Subdesarrollo y dependencia*, Tesis de Grado. Quito: Universidad Católica del Ecuador, 1972.
ZUVEKAS, Clarence, Artículo sobre política de planificación en el Ecuador. Diario *El Comercio*, Quito: 25 de mayo de 1972.

PUBLICACIONES PERIÓDICAS

Boletín Eclesiástico de la Arquidiócesis de Quito.
Carta Económica, Quito.
Diario *El Combate*, Quito.
Diario *El Comercio*, Quito.
Diario *El Universo*, Guayaquil.
Diario *El Telégrafo*, Guayaquil.
Diario *El Tiempo*, Quito.
Diario *La Tierra*, Quito.
Estadísticas Universitarias del Instituto de Investigaciones Económicas de la Universidad Central, Quito.
Memoria del Gerente General del Banco Central del Ecuador: Años 1949-1973, Quito.
Periódico *El Pueblo* del Partido Comunista del Ecuador, Guayaquil.
Periódico *Etcétera* y *Boletín Democristiano* del Partido Demócrata Cristiano, Quito.
Periódico *La Chispa* y *Boletín del Movimiento Nacional de Cristianos por la Liberación*, Quito.

Periódico *Lucha Obrera* del Movimiento de Izquierda Cristiana, Quito.
Periódico *Causa Proletaria* del MIR, Quito.
Periódico *Unidad Sindical* de la CEDOC, Quito.
Revista Interamericana de Ciencias Sociales, Washington D. C.
Revista *La Calle*, Quito.
Revista *Mañana*, Quito.
Revista *Mensajero*, Quito.
Revista *Momento*, Guayaquil.
Revista *Nueva*, Quito.
Revista Latinoamericana de Sociología.
Revista Latino Americana de Ciencias Sociales.
Revista *Mensaje*, Santiago de Chile.
Revista *Vistazo*, Guayaquil.

BIBLIOGRAFIA COMPLEMENTARIA

Los siguientes libros, sobre temas ecuatorianos, han sido recogidos en un esfuerzo por actualizar la bibliografía incluída en la primera edición de este estudio. Con este objetivo, aparecen a continuación trabajos publicados desde 1976. Por razones de espacio los artículos publicados en las más importantes revistas ecuatorianas han sido excluídos de esta bibliografía complementaria; sin embargo, se incluye una lista parcial de publicaciones periódicas claves, para facilitar la labor de los investigadores.

ALBORNOZ, Oswaldo, *La oposición del clero a la independencia americana*, Quito: Editorial Universitaria, 1975.

——, *Historia de la acción clerical en el Ecuador desde la conquista hasta nuestros días*, Quito: Editorial Solitierra, 1977.

ALMEIDA, Ileana y otros, *Lengua y Cultura en el Ecuador*, Otavalo: Instituto Otavaleño de Antropología, 1979.

ALZAMORA C., Lucía, *Bibliografía: Ecuador, aspectos socio-económicos,* Quito: JUNAPLA-ILDIS, 1977.

ANDRADE REIMERS, Luis, *La verdadera historia de Atahualpa*, Quito: Editorial Casa de la Cultura Ecuatoriana, 1978.

ACOSTA, Alberto, *La deuda eterna. Una historia de la deuda ecuatoriana*, Quito: Ciudad, 1990.

ALMEIDA, Patricio, y Rebeca Almeida, *Estadísticas económicas-históricas 1948-1983*, Quito: Banco Central del Ecuador, 1988.

ALOP, CESA, CONADE, FAO, MAG, SEDRI, *La situación de los campesinos en ocho zonas del Ecuador*, 2 tomos, Quito: ALOP, CESA, CONADE, FAO, MAG, SEDRI, 1984.

ARBOLEDA, María y otros, *Los placeres del poder. El segundo año de gobierno de León Febres Cordero 1985-1986*, Quito: Editorial El Conejo, 1986.

ARGONES, Nelson, *El juego del poder: de Rodríguez Lara a Febres Cordero*, Quito: Corporación Editora Nacional-INFOC, 1985.

ARNALOT CHUINT, José, *Lo que los Achuar me han enseñado*, Sucúa: Centro de Documentación e Investigación Cultural Shuar, 1978.

AYALA, Enrique, *Lucha política y origen de los partidos en el Ecuador*, Quito: Universidad Católica, 1978.

——*Los partidos políticos en el Ecuador*, Quito: La Tierra, 1986.

——, ed., *Nueva historia del Ecuador*, 12 vol., Quito: Corporación Editora Nacional, 1988-1992

AYERVE, Oscar, *Tu voto es poder*, Quito: Ed. TASKI, 1987.

BÁEZ, René, *Dialéctica de la economía ecuatoriana*, Quito: Editorial Alberto Crespo Encalada, 1982.

BARRIL, Alex y otros, Ecuador: *Tecnología agropecuaria y economías campesinas*, Quito: Fundaciones Brethren Unida-CEPLAES, 1978.

BARSKY, Oswaldo, *La reforma agraria ecuatoriana*, Quito: Corporación Editora Nacional-FLACSO, 1984.

BELISLE, Jean y Santiago Ortíz, *La economía ecuatoriana de los últimos años*, Quito, CEDIS, 1987.

BENITEZ VINUEZA, Leopoldo, *Los descubrimientos del Amazonas: La expedición de Orellana*, Madrid: Ediciones Cultura Hispánica, 1976.

BOCCO, Arnaldo, *Auge petrolero, modernización y subdesarrollo. El Ecuador de los años setenta*, Quito: Corporación Editora Nacional, 1987.

BONIFAZ, Emilio, *Los indígenas de altura del Ecuador*, Quito: s.r., 1976.

BORJA, Rafael A., *El descalabro del 41: Visión de un periodista*, Quito: Editorial Casa de la Cultura Ecuatoriana, 1978.

BOSSANO, Guillermo, *Viscisitudes de la nacionalidad ecuatoriana*, Quito: Editorial Casa de la Cultura Ecuatoriana, 1975.

BRANDL, John, ed, *Chimborazo: Life on the Haciendas of Highland Ecuador*, s.r.: Glad Day Press, 1976.

BROMLEY, R. J., *Development and Planning in Ecuador*, Sussex: s.r., 1977.

BURKHOLDER, Mark A. y D. S. CHANDLER, *From Impotence to Authority: The Spanish Crown and the American Audiencias*, 1687-1808, Columbia: University of Missouri Press, 1977.

CABEZAS, Rodrigo, *Crónica de una política petrolera*, s.r., 1978.

CALLE SAAVEDRA, Eduardo, y Letty Chang Loqui, *Estudio de la legislación de desarrollo urbano del cantón Guayaquil*, Guayaquil: Fedesarrollo, 1976.

CARRIÓN, Francisco, *Política exterior del Ecuador. Evolución, teoría y práctica*, Quito: PUCE, 1986.

CASTILLO, Abel Romeo, *Los gobernadores de Guayaquil del siglo XVIII*, Guayaquil: Archivo Histórico del Guayas, 1978.

CENTRO DE ESTUDIOS Y DIFUSIÓN SOCIAL (CEDIS), *Cronología, hechos políticos, sociales y económicos en el gobierno de Osvaldo Hurtado*, Quito: CEDIS, 1984.

CENTRO DE PLANIFICACIÓN Y ESTUDIOS SOCIALES (CEPLAES), *Ecuador: Situación y perspectivas de la agroindustria*, Quito: CEPLAES, 1978.

CENTRO PARA EL DESARROLLO SOCIAL (CDS)-Centro de Estudios de Población y Paternidad Responsable (CEPAR), *Población y desarrollo socioeconómico en el Ecuador*, Quito: CEPAR-CDS, 1985.

CEPCIES, *Situation, Principal Problems, and Prospects for the Economic and Social Development of Ecuador*, Washington D.C.: Organization of American States, 1975.

CEVALLOS GARCIA, Gabriel, *Por un García Moreno de cuerpo entero*, Cuenca: Editorial Don Bosco, 1978.

CHIRIBOGA, Manuel, *El problema agrario en el Ecuador*, Quito: ILDIS, 1988.

CLAYTON, Lawrence A., *Los astilleros de Guayaquil colonial*, Guayaquil: Archivo Histórico del Guayas, 1978.

COIMBRES, Adolfo, *La colonización cultural de la América Indígena*, Quito: Ediciones del Sol, 1976.

CORNEJO, Justino, *Olmedo y sus críticos contemporáneos*, Guayaquil: Junta Cívica de Guayaquil, 1975.

CORRALES P., Manuel, ed., *Situación del relato ecuatoriano*, Quito: Universidad Católica, 1977.

COSSE, Gustavo, *Estado y agro en el Ecuador. 1960-1980*, Quito: Corporación Editora Nacional-FLACSO, 1984.

CRESPO TORAL, Remigio, *Obras completas*, Puebla: Editorial Cajica, 1977.

CUEVA, Agustín y otros, *Política y sociedad*, Quito: Editorial Solitierra, 1976.

CUVI, Pablo, *Velasco Ibarra: El último caudillo de la oligarquía*, Quito: Universidad Central, 1977.

DE LABASTIDA, Edgar y Rob Vos, *El salario y los niveles de vida urbanos en el Ecuador*, Quito: Universidad Central del Ecuador, 1987.

DELER, Jean y otros, *El manejo del espacio en el Ecuador*, Quito: IPGH, 1983.

DESCALZI, Ricardo, *La Real Audiencia de Quito-Claustro en los Andes*, Barcelona: Seix Barral, 1978.

DREKONJA, Gerhard y otros, *Ecuador, hoy*, Bogotá: Editorial Siglo XXI, 1978.

EGAS, José María, *Ecuador y el gobierno de la Junta Militar*, Buenos Aires: Tierra Nueva, 1975.

ESTRADA ICAZA, Julio, *Los bancos del siglo XIX*, Guayaquil: Archivo Histórico del Guayas, 1976.

ESTRELLA VINTIMILLA, Pablo, *Entre el pillaje del oro y el espejismo del petróleo*, Cuenca: Publicaciones de la Universidad de Cuenca, 1977.

FACULTAD LATINOAMERICANA DE CIENCIAS SOCIALES (FLACSO)-Fundación Friedrich Naumann, *Elecciones en el Ecuador 1978-1980 -análisis, partidos, resultados-*, Quito: FLACSO, 1980.

FALCONI PUIG, Juan, *Integración e inversión extranjera*, Quito: Corporación de Estudios y Publicaciones, 1979.

FALCONI, Raúl, ed., *El Pacto Andino*, 3 vols., Quito: Ediciones Andinas, 1974-78.

FARRELL, Gilda y Sara Da, *El acceso a la tierra del campesino ecuatoriano*, s.r.: Mundo Andino, 1983

FITCH, John S., *The Military Coup D'etat as a Political Process: Ecuador, 1948-1966*, Baltimore, s.r., 1977.

FLORES SERRANO, G., *Legislación societaria ecuatoriana: La com-*

pañía anónima en el Ecuador, Quito: Editorial Lexigrama, 1975.

FREILE GRANIZO, Carlos y otros, *Espejo: Conciencia crítica de su época*, Quito: Universidad Católica, 1978.

GALARZA, Jaime, *Los campesinos de Loja y Zamora*, Quito: Ediciones Solitierra, 1976.

GRANJA, Julio César, *El petróleo: Misceláneas*, Quito: Editorial Universitaria, 1976.

GUERRERO, Andrés, *La hacienda precapitalista y la clase terrateniente en América Latina y su inserción en el modo de producción capitalista: El caso ecuatoriano*, Quito: Universidad Central, 1975.

——, *Haciendas, capital y lucha de clases andina. Disolución de la hacienda serrana y lucha política en los años 1960-64*, Quito: Editorial El Conejo, 1984.

——, *De la Economía a las mentalidades: Cambio social y conflicto agrario en el Ecuador*, Quito: Editorial El Conejo, 1991.

——, *Identidad étnica y política, rito y rebelión*, Quito: Librimundi, 1991.

——, *La semántica de la dominación, el concertaje de indios*, Quito: FLACSO, 1991

HAMERLY, Michael T., *El comercio del cacao de Guayaquil durante el período colonial: Un estudio cuantitativo*, Quito: Comandancia General de Marina, 1976.

—— *Trayectoria marítima del Ecuador: 1830-1859*, Quito: Comandancia General de Marina, 1977.

HARNER, M. J., Shuar: *Pueblo de las cascadas sagradas*, Quito: s.r., 1978.

HARO ALVEAR, Silvio Luis, *Puruhá: Nación guerrera*, Quito: Editorial Nacional, 1977.

HIDROBO, Jorge, *Power and Industrialization in Ecuador*, Boulder-Colorado: Westview Press, 1992.

HURTADO, Osvaldo, *Democracia y crisis*, 8 vol., Quito: SENDIP-CORDES, 1984-1985.

——, *La victoria del no. Crónica de un plebiscito*, Quito: FESO, 1986.

——, *La dictadura civil*, Quito: FESO, 1988.

——, *Política democrática*, 2 tms, Quito: Corporación Editora Nacional-FESO, 1990.

IBARRA, Hernán, *Bibliografía analítica agraria 1900-1982*, Quito: ILDIS-CIESE, 1982.

Instituto de Estrategias Agropecuarias (IDEA), *El rol de la agricultura en el desarrollo económico del Ecuador*, Quito: IDEA, 1990.

INSTITUTO DE INVESTIGACIONES ECONÓMICAS, *Política petrolera ecuatoriana 1972-1976*, Quito: Universidad Central, 1976 (?).

—— *Universidad, Estado y lucha social*, Quito: Universidad Central, 1978.

INSTITUTO DE INVESTIGACIONES SOCIOECONÓMICAS Y TECNOLÓGICAS (INSOTEC), *Pequeña y mediana industria en el Ecuador, situación y políticas de fomento, 1978-1982*, Quito: INSOTEC, 1986.

INSTITUTO NACIONAL DE FORMACIÓN OBRERA Y CAMPESINA (INFOC), *El 15 de Noviembre de 1922*, Quito: Corporación Editora Nacional, 1982.

JACOME, Nicanor, *La tributación indígena en el Ecuador*, Quito: Universidad Central, 1975.

JARAMILLO, Marco y otros, *Indicadores y estadísticas básicas de la economía ecuatoriana*, Quito: Universidad Central del Ecuador, 1987.

JUNTA CÍVICA DE GUAYAQUIl, *El otro Guayaquil: Servicios sociales del suburbio: Intimidades y perspectivas*, Guayaquil: Junta Cívica de Guayaquil, 1976.

KOLBERG, Joseph, S.J., *Hacia el Ecuador: Relatos de Viaje*, Quito: Ediciones de la Universidad Católica, 1977 (Traducción de la Cuarta Ed. Alemana, 1894).

LANDETA PAZMIÑO, Carlos, *Sociedades anónimas en el Ecuador: Análisis económico financiero*, Quito: Editorial Universitaria, 1976.

LARREA, Carlos y otros, *El banano en el Ecuador: Transnacionales, modernización y subdesarrollo*, Quito: Corporación Editora Nacional, 1987.

LARREA, Carlos Manuel, *Jacinto Jijón y Caamaño: Sobre la historia ecuatoriana*, Quito: Editorial Benalcázar, 1976.

——*Estudios etnohistóricos del Ecuador*, Guayaquil: Editorial Casa de la Cultura Ecuatoriana-Guayas, 1976.

——*Historia de la Catedral de Quito durante cuatro siglos*, Quito: Ediciones Corporación de Estudios y Publicaciones, 1977.

——, *Cartografía ecuatoriana de los siglos XVI, XVII, XVIII*, Quito: Ediciones Corporación de Estudios y Publicaciones, 1977.

LARREA, Juan, *145 años de legislación ecuatoriana: 1830-1975*, Quito: Banco Central del Ecuador, 1977.

LOPEZ B., José Félix, *Ecuador y los precios del petróleo*, Quito: Junta Nacional de Planificación, 1977.

MARCHÁN, Carlos, ed., *Crisis y cambios de la economía ecuatoriana en los años veinte*, Quito: Banco Central del Ecuador, 1987.

MARTÍNEZ, Luciano, *De campesinos a proletarios*, Quito: Editorial El Conejo, 1984.

MARTINEZ, Eduardo N., *Etnohistoria de los Pastos*, Quito: Editorial Universitaria, 1977.

MARTINEZ, Patricio, *Las Raíces del Conflicto (Síntesis del proceso histórico ecuatoriano)*, Guayaquil: Universidad Católica de Santiago de Guayaquil, 1979.

MEDINA CASTRO, Manuel, *La responsabilidad del gobierno norteamericano en el proceso de la mutilación territorial del Ecuador*, Guayaquil: Departamento de Publicaciones de la Universidad de Guayaquil, 1977.

MENÉNDEZ-CARRIÓN, Amparo, *La Conquista del voto: de Velasco a Roldós*, Quito: Corporación Editora Nacional-FLACSO, 1986.

MILLS, Nick D., *Crisis, conflicto y consenso. Ecuador 1979-1984*, Quito: Corporación Editora Nacional, 1984.

MILLS, Nick D. y otros, *El cambio socio-económico en el Ecuador*, Quito: Ediciones Libri Mundi, 1979.

MIÑO, Manuel, *La economía colonial. Relaciones socio-económicas en la Real Audiencia de Quito*, Quito: Corporación Editora Nacional, 1984.

MIRANDA RIBADENEIRA, Francisco, *García Moreno y la Compañía de Jesús*, Quito: Imprenta Lexigrama, 1976.

MONCADA, José, *Integración andina y desarrollo económico: El caso ecuatoriano*, Caracas: ILDIS, 1975.

MONCAYO, Patricio, *Ecuador: Grietas en la dominación*, Quito: Artes Gráficas, 1977.

MONTAÑO, Galo y E. Wygard, *Visión sobre la industria ecuatoriana*, Quito: COFIEC, 1976.

MUÑOZ VEGA, Pablo y otros, *Relaciones de la Iglesia y el estado en el Ecuador*, Quito: Universidad Católica, 1976.

MUÑOZ VICUÑA, Elías, *La guerra civil ecuatoriana de 1895*, Guayaquil: Universidad de Guayaquil, 1976.

—— *Precursores del socialismo en el Ecuador*, Quito: Universidad Central, 1976.

MURMIS, Miguel y otros, *Terratenientes y desarrollo capitalista en el agro*, Quito: Ediciones CEPLAES, 1978 (?).

NARANJO, Mariana, *Privatizaciones: Elementos para la discusión*, Quito: ILDIS-CEPLAES, 1992.

NARANJO, Marcelo y otros, *Temas sobre la continuidad y adaptación cultural ecuatoriana*, Quito: Universidad Católica, 1977.

NÚÑEZ SÁNCHEZ, Jorge, *Nación, Estado y conciencia nacional*, Quito: Subsecretaría de Cultura, 1992.

OBEREM, Udo, *Conciertos y huasipungueros en Ecuador*, Quito: Universidad Central, s.f.

OLIVE, Gastón, *Recomendaciones con objeto de desarrollar los medios de la política económica de corto plazo en el Ecuador*, Quito: Junta Nacional de Planificación, 1975.

OÑA VILLAREAL, Humberto, *Fechas históricas y hombres notables del Ecuador*, Ibarra: Proaño e Hijos, 1976.

ORELLANA, Gonzalo J., *Apuntes de historia militar*, Quito, editorial Cicetronic, 1977.

ORTIZ DE VILLALBA, Juan Santos, *Sacha Pacha: El mundo de la selva*, Quito: Editorial Cicame, 1976.

ORTIZ VILLACIS, Marcelo, *La ideología burguesa en el Ecuador: Interpretación socio-política del hecho histórico en el período 1924-1970*, Quito: s.r., 1977.

ORTUÑO, Carlos, *Historia numismática del Ecuador*, Quito: Banco Central del Ecuador, 1978.

PACHANO, Simón y Jorge Albán, *Ecuador: Cambios en la estructura agraria y tendencias migratorias*, Quito: CIESE, 1979.

PADILLA, Washington, *La iglesia y los dioses modernos. Historia del protestantismo en el Ecuador*, Quito: Corporación Editora Nacional, 1989.

PALADINES, Carlos, *Sentido y Trayectoria del pensamiento político ecuatoriano*, Quito: Banco Central del Ecuador, 1990.

PALÁN, Sonia, *La nueva cara del Estado ecuatoriano. Estado, crisis y agroindustria*, Quito: CIUDAD, 1989.

PAREJA DIEZCANSECO, Alfredo, *Las instituciones y la administración de la Real Audiencia de Quito*, Quito: Editorial Universitaria, 1975.

——, *Ecuador: De la prehistoria a la conquista española*, Quito: Editorial Universitaria, 1979.

PÉREZ SÁINZ, Juan Pablo, *Clase obrera y democracia en el Ecuador*, Quito: Editorial El Conejo, 1985.

PÉREZ, Santiago, *Crisis externa y planificación en el Ecuador. 1980-1984*, Quito: Corporación Editora Nacional, 1985.

PFALLER, Alfred, *Estrategia y política de industrialización: Reflexiones al caso del Ecuador*, Quito: ILDIS, 1977.

PONTIFICIA UNIVERSIDAD CATÓLICA DEL ECUADOR, *Correspondencia del Libertador con el General Juan José Flores, 1825-1830*, Quito: Banco Central del Ecuador, 1977.

PROAÑO, Leonidas y otros, *Hacia una Iglesia liberadora*, Quito: s.r., 1975.

QUINTERO, Rafael, *El mito del populismo en el Ecuador*, Quito: Universidad Central del Ecuador, 1983.

—— y Erika Silva, *Ecuador: una nación en ciernes*, 3 tomos, Quito: ABYA YALA-FLACSO, 1991.

QUISHPE, Carlos y Vicente Piedra, *El proceso de Consolidación de la hacienda en el Ecuador*, Cuenca: Instituto de Investigaciones Sociales de la Universidad de Cuenca, s.f.

RAMÓN, Galo, *El regreso de los runas. La potencialidad del proyecto indio en el Ecuador*, Quito: COMUNIDEC, 1993.

ROBALINO BOLLE, Isabel, *El sindicalismo en el Ecuador*, Quito: INEDES, 1978 (?).

RODRÍGUEZ, Carlos, *Administración pública ecuatoriana. Breve recuento histórico y algunas ideas para planificar su cambio*, Quito: ILDIS, 1987.

RODRÍGUEZ, Linda Alexander, *The Search for Public Policy. Regional Politics and Goverment Finances in Ecuador, 1830-1940*, Los Angeles: University of California Press, 1985.

RODRIGUEZ, Jaime E., *Estudios sobre Vicente Rocafuerte*, Guayaquil: Archivo Histórico del Guayas, 1975.

ROLDÓS, Jaime, *Jaime Roldós, su pensamiento*, Quito: SENDIP, 1979.

ROMAN S., Galo, *Ecuador: Nación Soberana, Sinopsis Histórica Nacional*, Quito: s.r., 1976.

ROMOLEROUX DE MORALES, Ketty, *Situación jurídica y social de la mujer en el Ecuador*, Guayaquil: Departamento de Publicaciones de la Universidad de Guayaquil, 1975.

SAAD, Pedro, *Problemas de la revolución ecuatoriana: La reforma agraria democrática*, Guayaquil: Editorial Claridad, 1976.

SALAMEA, Marco, *El régimen febrescorderista*, Cuenca: Universidad de Cuenca, 1988.

SALGADO, Germánico, ed., *Veinticinco años de planificación*, Quito: Junta Nacional de Planificación, 1979.

SALGADO, Germánico y Gastón Acosta, *El Ecuador del mañana. Una ruta con problemas*, Quito: CORDES, 1991

SALGADO, Hernán, *Instituciones Políticas y Constitución del Ecuador*, Quito: ILDIS, 1987.

SALGADO VALDEZ, R., *La sociedad de responsabilidad limitada en el Ecuador*, Quito: Casa de la Cultura Ecuatoriana, 1975.

SAMANIEGO, José, *Crisis económica del Ecuador. Análisis comparativo de dos períodos históricos: (1929-1933)-(1980-1984)*, Quito: Banco Central del Ecuador, 1988.

SANDOVAL, Carlos, *Política cambiaria en el Ecuador 1970-1986*, Quito: ILDIS, 1987.

SANTOS ALVITE, Eduardo, *Desarrollo económico: Caso ecuatoriano*, Quito: Junta Nacional de Planificación, 1976.

SIGSFELD, Donata Von, *Educación no formal y población marginada*, Cuenca: ILDIS-PUCE, s.f.

SILVA, Erika, *Los mitos de la ecuatorianidad*, Quito: ABYA-YALA, 1992

SILVA LUVECCE, Jorge, *Ecuador: Militarismo y democracia*, Quito: s.r., 1976.

—— *Nacionalismo y petróleo en el Ecuador actual*, Quito: Editorial Universitaria, 1976.

SUPERINTENDENCIA DE COMPAÑÍAS, *Las sociedades de capi-*

tal en el área andina, Quito: Instituto Latinoamericano de Investigaciones Sociales, 1976.

TAFUR, Marco, *La relación de Estado-empresa privada a través de las transferencias financieras. Los signos de la acumulación*, Quito: Universidad Central del Ecuador, 1991.

THOMSEN, Moritz, *The farm on the River of Esmeraldas*, Boston: Houghton Mifflin, 1978.

THOUMI, Francisco y Merilee Grindle, *La política de la economía del ajuste: la actual experiencia ecuatoriana*, Quito: FLACSO, 1992.

Tribunal Supremo Electoral, *principios ideológicos y planes de gobierno de los partidos políticos de la República del Ecuador*, Quito: TSE, 1981.

TRUJILLO, Jorge, *La hacienda serrana, 1900-1930*, Quito: ABYA-YALA, 1986.

TRUJILLO, Julio César, *Actualidad o crisis del constitucionalismo social en el Ecuador*, Quito: Universidad Católica, 1977.

TYRER, Robson Brines, *Historia demográfica y económica de la Audiencia de Quito*, Quito: Banco Central del Ecuador, 1988.

VARAS, Augusto y Fernando Bustamante, *Fuerzas Armadas y política en Ecuador*, Quito: Talleres del Departamento de Cultura de la Universidad Central, 1978.

VARGAS, José María, *Historia del Ecuador: Siglo XVI*, Quito: Universidad Católica, 1977.

VARGAS PAZZOS, René, *Petróleo, desarrollo y seguridad*, Quito: s.r., 1976.

VEGA, Silvia, *La gloriosa. De la revolución del 28 de Mayo de 1944 a la contrarrevolución velasquista*, Quito: Editorial El Conejo, 1987.

VELASCO, Fernando, *Reforma agraria y movimiento campesino indígena de la sierra: hipótesis para una investigación*, Quito: Editorial El Conejo, 1979.

——, *Ecuador: Subdesarrollo y dependencia*, Quito: Editorial El Conejo, 1983.

VELASQUEZ, César Vicente, *Ecuador y la independencia del Perú*, Buenos Aires: Editorial Cuarto Poder, 1975.

VERDESOTO, Luis y otros, *Gobierno y política en el Ecuador contemporáneo*, Quito: ILDIS, 1991.

VERDUGA, César, *Política económica y desarrollo capitalista en el Ecuador contemporáneo: Una interpretación*, Quito: Editorial Bolívar, 1977.

VICUÑA IZQUIERDO, Leonardo, *La clase trabajadora del Ecuador: Características y condiciones de vida*, Guayaquil: Universidad de Guayaquil, 1975.

VILLALBA, Jorge, *Epistolario diplomático del Presidente Gabriel García Moreno, 1859-1869*, Quito: Universidad Católica, 1976.

VILLALOBOS, Fabio, *La industrialización ecuatoriana, 1976-1983*, Quito: FLACSO, 1987.

WHITTEN, Norman E., *Sacha Runa, Ethnicity and Adaptation of Ecuadorian Jungle Quichua*, Urbana: University of Illinois Press, 1976.

YCAZA, Patricio, *Movimiento estudiantil, ¿hacia dónde camina?*, Quito: CEDEP, 1991.

ZEVALLOS, José, *Cronología de la política agraria en el Ecuador: 1972-1979*, Quito: PUCE, 1985.

ZUÑIGA, Neptalí, *Historia de la independencia en América Latina*, Quito: Editorial Universitaria, 1975.

REVISTAS

ANALES DE LA UNIVERSIDAD CENTRAL, Quito.

Antropología Ecuatoriana, Casa de la Cultura Ecuatoriana, Quito.

Anuario Bibliográfico Ecuatoriano, Biblioteca General de la Universidad Central, *Quito*.

Boletín de la Academia Nacional de Historia, Quito.

Boletín del Archivo Histórico del Guayas, Guayaquil.

Boletín del Banco Central del Ecuador, Quito.

Carta Económica, Quito.

Cuadernos de Historia y Arqueología, Casa de la Cultura Ecuatoriana-Guayas, Guayaquil.

Cultura, Banco Central del Ecuador, Quito.

Economía, Universidad Central, Quito.

Economía y Desarrollo, Instituto de Investigaciones Económicas de la Pontificia Universidad Católica del Ecuador, Quito.

Mundo Shuar, Centro de Documentación e Investigación de la Cultura Shuar.
Revista Ciencias Sociales, Escuela de Sociología y Ciencias Políticas de la Universidad Central del Ecuador, Quito.
Revista del Instituto de Investigaciones Sociales, Universidad de Cuenca, Cuenca.
Revista de la Universidad Católica, Quito.
Sarance, Instituto Otavaleño de Antropología, Otavalo.

INDICE ONOMASTICO

INDICE TEMATICO

ÍNDICE

PRIMERA PARTE

FORMACION DEL PODER EN LA AUDIENCIA DE QUITO (1533-1820)

SEGUNDA PARTE

LA ESTRUCTURA DEL PODER EN LA REPUBLICA (1820-1949)

TERCERA PARTE

LA CRISIS DEL PODER EN LA EPOCA CONTEMPORANEA (1950-1975)

IMPRESO EN LOS TALLERES DE
EDITORIAL ECUADOR F.B.T. CIA. LTDA.
SANTIAGO 367 ENTRE MANUEL LARREA Y VERSALLES,
TELFS.: 528 492 228 636, FAX: (593-2) 227 551,
QUITO, FEBRERO DE 1999.